『十四五』时期国家重点图书出版专项规划

中国考古发掘报告提要

春秋战国卷（下册）

刘庆柱◎总主编

丁晓山◎主编

国家出版基金项目
NATIONAL PUBLICATION FOUNDATION

中国文史出版社

湖北省

武汉市

825.汉口东北郊谌家矶发现战国铜兵器

作　者：郭冰廉
出　处：《文物》1959 年第 5 期

1958 年 11 ～ 12 月，武汉市铁路工程总指挥部的民工们在汉口东北郊谌家矶附近的京汉铁路复线工程中，先后挖出铜剑 4 把、箭镞 5 枝。据说同时出土的还有陶器。简报根据器物形制和出土情况，推断这都是战国时期墓葬中的随葬品，是 1949 年后武汉地区首次发现，是研究武汉地区历史的珍贵的实物材料。

826.武昌县豹澥、湖泗古文化遗址调查简报

作　者：武汉市文物管理处文物普查队　姚晶华、郝钢以
出　处：《江汉考古》1984 年第 1 期

1982 年 4 ～ 5 月，考古人员在武昌县豹澥、湖泗两公社进行文物普查时，发现了 4 处古文化遗址。简报分为：一、“神墩”遗址，二、“枫墩庙”遗址，三、“铜墩”和“团墩”遗址，四、结语，共四个部分。有手绘图。

据介绍，4 处古文化遗址的特点都是靠近河流的岗台地，几个遗址的文化层和地面均有大量的红烧土块，可断定为居住遗址。

神墩遗址的年代大致推断最早为湖北龙山文化时期，下限可至周代，枫墩庙遗址与神墩遗址时代接近。铜墩、团墩遗址最早可到商代，最晚为春秋末至战国初期。

827.黄陂县作京城遗址调查简报

作　者：黄陂县文化馆　鲍方铎

出　处：《江汉考古》1985 年第 4 期

作京城遗址，位于黄陂县西北约 24 公里的李集镇，东距伏马山约 12 公里，北距巴山水库约 10 公里，发源于巴山水库的白庙河流经遗址东部，且由东南方向注入滠水。从古代交通条件来看，它可以通过滠水、潢河，越过大别山的隘口，进河南境与中原相通；可以向南出口长江，溯江上达楚都江陵，交通甚为方便。1976 年、1982 ～ 1984 年，考古人员都曾进行过勘查。

简报分为：一、城址的形制与结构，二、城墙的结构与时代，三、城内的文化堆积与时代，四、结语，共四个部分。介绍，有照片、手绘图。

据介绍，作京城有高大的城垣，深陷的壕沟。城垣周长 1092 米。城内东北部高地发现有较多的板、筒瓦及小砖块等。建筑遗物的成层堆积表明，这座高台很可能是古代重要建筑基址的所在，有可能是当时贵族的住地。在城址外围发现许多封土堆。从暴露于地面的情况来看，城址之南发现土堆达 15 个，土堆排列有序，南北成行，高达 2 ～ 3 米，直径 10 ～ 15 米；城址之东南的魏家湾附近，也发现有二三十个土堆，直径在 20 米以上。这些土堆有可能是墓葬的所在，其时代应与城址使用年代相当。由此可见作京城是具有一定规模、一定布局的古城址。

简报指出，地处鄂东北地区的黄陂作京城，应是楚国的一个城邑。黄、弦等小国为楚所灭后，一部分遗民越过大别山、桐柏山的隘口，或越过潢河、滠水进入鄂东的长江以北地区。另外，原鄂东北地区的诸方国被楚灭亡，它们原有的某些文化特征仍然遗存，这就是黄陂及鄂东北地区楚文化具有自身特色的原因所在。

828.武汉市汉阳县熊家岭楚墓

作　者：武汉市考古队、汉阳县文化馆　刘森淼、雷兴军

出　处：《考古》1988 年第 12 期

熊家岭位于汉阳县新农乡，距汉阳县城约 4 公里，现为武汉市第八砖瓦厂取土场。1984 年 6、7 月文物普查工作中，发现该厂取土时接连出土有古代青铜剑。推测此处为东周墓地。考古人员收回了流散文物，发现土坑墓 6 座，编号分别为 M1、M2、M3、M4、M5、M6。清理工作从 1984 年 7 月 28 日开始，至 1985 年 1 月 18 日结束。

简报分为：一、墓葬形制，二、出土器物，三、结语，共三个部分。有照片、手绘图。

6 座墓葬均为长方形竖穴土坑墓。墓上封土已夷平，墓口残。圹内填土较疏松，葬具均腐朽，棺椁痕迹大多可辨。可分两个等级：

属于第一等级的墓葬有 M1、M2、M5、M64 座。其墓室面积在 8 平方米以上，有生土台阶，个别带有墓道，椁普遍分为三厢。随葬四鼎或二鼎等仿铜陶礼器，普遍出有铜兵器，除 M5 外均有铜车马器，有少量玉器与玻璃器。唯一的一件瓷罐也出于这类墓中。墓主身份应属士一级，或相当于士一级的下层贵族。不过，M1、M6 形制稍大，随葬品也较丰富，其墓主身份应较 M2、M5 稍高。

属于第二等级的有 M3、M4 两墓。其墓室面积在 6 平方米以下，形制狭窄，椁不分厢，仅随葬一套鼎、敦、壶的陶器。墓主身份可能是下层的平民。

这批楚墓，是武汉地区首批保存较为完整的战国中期前后的墓葬。

829.武汉市汉阳县熊家岭东周墓发掘

作　者：武汉市考古队、汉阳县博物馆　刘森淼等

出　处：《文物》1993 年第 6 期

1984 年下半年至 1985 年初，考古人员曾在武汉市汉阳县熊家岭清理过 6 座战国楚墓。1987 年 7 至 9 月，为配合武汉市第八砖瓦厂取土，又在上次发掘区西南约 60 米的另一个台地顶部，清理东周墓 13 座。其编号承上次，为 M7 ~ M13、M15 ~ M20。M14 为一座残砖室晋墓，先不介绍。

简报分为：一、墓葬形制，二、出土器物，三、结语，共三个部分。配以照片、手绘图，先行介绍 13 座东周墓的发掘情况。

13 座墓均为土坑墓。墓地原为经平整的农田，未见封土堆。葬具均腐朽，但大都尚有痕迹可辨。年代大致可分为 4 期：

第 1 期：M7 ~ M12，时代在春秋晚期至战国早期。

第 2 期：M13、M15，战国早期。

第 3 期：M16 ~ M18，战国中期。

第 4 期：M20，战国晚期。

简报称，这批墓规模都不大，一般有葬具，最多的随葬两套陶鼎、敦、壶及少量铜兵器，可知死者身份都不高，应为当时的下士和平民。墓葬形制、死者头向等，基本上是楚墓葬俗，但随葬品比较复杂，至少包含有楚、中原、吴越诸文化因素，反映出武汉当时各民族杂居的情况。简报怀疑汉阳县熊家岭一带是楚人为控制大冶铜绿山铜矿设的一个军事要塞。

830.黄陂郑家嘴发现东周古井

作　者：黄陂盘龙城工作站　李桃元、韩用祥
出　处：《江汉考古》1999 年第 2 期

1997 年 3 月，黄陂县地方政府对府河大堤进行扩宽加固工程。在盘龙城遗址以东约 500 米的原郑家嘴村落（现已搬迁）设取土场。在取土过程中，发现古井一口（编号 ZJ1），考古人员进行了抢救性清理。

简报分为：一、水井的形制与结构，二、出土遗物，三、小结，共三个部分。有手绘图。

据介绍，该井为圆形土壁竖洞式井，井圈由藤条编织而成。出土的遗物陶器包括鬲、罐、豆、盆，还有可辨的龟板、鱼骨、桃核、莲籽壳等，另有木锸 2 件。该井的年代，可能为战国早期，但也可能早到春秋晚期。

831.江夏郑店东周水井清理简报

作　者：武汉市考古研究所、江夏区文物管理所　祁金刚
出　处：《江汉考古》2001 年第 4 期

1999 年 1 月，为配合京珠高速公路建设，考古人员在江夏区郑店镇清理发掘了一座东周时期的水井。郑店东周水井（编号 99JZJ1）位于江夏区郑店镇劳一村冯显湾西南部 200 米处一片高岗地上，北距郑店镇约 3 公里，西距 107 国道约 2 公里，附近曾发现并发掘过东周遗址。

简报分为：一、遗迹，二、遗物，三、结语，共三个部分。有手绘图。

据介绍，该井呈圆形，上大下小，深 7 米，但因施工已毁掉 6 米，残深仅存 140 厘米。出土遗物有陶器、砺石、铁斧等。井圈用藤条、树枝编成。简报推断此井年代上限为春秋早期，下限为战国中早期。

832.武汉江夏丁家咀发现战国楚墓并出土竹简

作　者：李永康
出　处：《江汉考古》2009 年第 3 期

2009 年 5 月，在武汉至咸宁城际高速铁路工程建设中，于武汉市江夏区山坡乡光星村 15 组丁家咀发现 4 座战国时期楚墓，并出土了一批竹简。简报配以彩照予以介绍。

据介绍，4 座墓只发掘了 M1、M2，M3、M4 暂未发掘。M1、M2 均为长方形

竖穴土坑木椁墓，均有斜坡墓道，平面呈“凸”字形，墓道东向。两墓现存坑口南北相距6.5米，东西相错约4米。M1为一椁一棺三箱，已被盗，M2为一椁一棺五箱。M1由于早年被盗，随葬品仅存漆木戈柄、数支铜箭镞、漆木几案、漆木豆及残断竹简一支。M2随葬品为漆木器、仿铜陶礼器、陶器百余件，无青铜器和玉器。最为重要的是在椁盖上和棺室内，各出土残长10～30厘米的竹简20余枚，保存较好，字迹清晰可辨。初步判断为卜筮记录和遣策。

黄石市

833.湖北铜绿山春秋战国古矿井遗址发掘简报

作　者：铜绿山考古发掘队

出　处：《文物》1975年第2期

湖北大冶铜绿山矿自1965年以来，不断发现古代采矿和冶炼的遗迹、遗物，引起了有关方面的重视。考古人员选择了两处古矿井进行了发掘。发掘从1974年2月上旬开始，到5月中旬结束。

简报分为：一、遗址概况，二、随葬器物，三、遗址的时代，共三个部分。有照片。

据介绍，古矿冶遗址的范围包括铜绿山、大岩阴山、小岩阴山、柯锡太村、螺蛳塘、乌鸦卜林塘等处，南北长约2公里，东西宽约1公里。遗址内涵丰富。在大、小岩阴山包上和圆水池周围，散布着大量陶片。发掘的两处古矿井，一属春秋时期，一属战国时期。

铜绿山古矿冶遗址的发现，说明早在2000多年前，铜绿山一带就在进行大规模的铜矿开采和冶炼。

834.湖北铜绿山春秋时期炼铜遗址发掘简报

作　者：黄石市博物馆　卢本珊、王富国

出　处：《文物》1981年第8期

湖北大冶位于鄂东丘陵地带，从古到今是我国重要的铜铁产地。1976年5月至1979年1月，考古人员对铜绿山东北坡（现名11号矿体）春秋时期的炼铜遗址进行了三个阶段的发掘。

简报分为：一、地层及古代炼铜炉年代的推断，二、炼炉及有关遗物，三、冶

炼的辅助设施，四、结果，共四个部分。有剖面图、拓片、照片和手绘图。

这次发掘发现8座炼铜竖炉，还发现大量残存的炼铜炉炉壁、粗铜块、矿石、木炭、炼渣、耐火材料、石砧、石球和一些残破的陶器、铜器。简报推断，这批炼炉所在的遗址年代应在春秋时期。

铜绿山春秋炼铜遗址的发掘，使我们初步认识到我国春秋时期已采用鼓风竖炉炼铜且竖炉结构合理，抗压性能好，为研究我国古代青铜冶铸技术的发展和炼铁高炉的形成，提供了重要的实物资料。

835.湖北铜绿山东周铜矿遗址发掘

作　者：中国社会科学院考古研究所铜绿山工作队　殷玮璋

出　处：《考古》1981年第1期

1979年冬，考古人员在湖北大冶铜绿山矿区对东周时期的古铜矿进行了发掘。铜绿山矿区的古铜矿发表过发掘简报，这次选择的发掘地点，在以前发掘地点的东北约一公里处。简报配以照片予以介绍。

考古人员发掘清理了几十条巷道。无论是竖井、盲井或平巷，它们的方框支护大多保存良好，因而使我们对一号点古代矿井的结构及其在矿体内采掘的情况有了进一步的认识。这次出土的遗物以竹木器居多，没有发现陶器与金属工具。在出土物中与装载或提升矿石有关的工具，有木铲、草绳、竹筐、竹篓等，没有发现木质辘轳。所出的木桶、木质水槽以及木瓢则与排水有关。此外，还发现了两件船形木斗，这种用具的确切用途尚不明确。目前有些地方的矿工用这种木斗进行重力选矿。在充填物中还曾出过不少竹签，一般都很短，一端有火烧的遗迹。这些竹签是燃烧后的残余，但是否属古代工匠们在坑下作业时用于照明的物质遗存，也还有待今后进一步工作加以证实。经测定，一号点古矿遗址主要应属春秋时代的遗存，上限则可能到西周。

836.湖北铜绿山古铜矿再次发掘——东周炼铜炉的发掘和炼铜模拟实验

作　者：中国社会科学院考古研究所铜绿山工作队　白荣金、殷玮璋

出　处：《考古》1982年第1期

1980年4月至6月，考古人员在湖北大冶铜绿山矿区，对东周时期的古矿冶遗址继续进行发掘。这次的工作，任务有三：一是在Ⅶ号矿体一号点继续发掘采矿遗址；二是在Ⅺ号矿体的东周冶炼遗址发掘炼铜炉；三是根据发掘的古炉炉

型、结构，复原并夯筑实验用炉，进行仿古炼铜实验。简报配以照片、手绘图予以介绍。

实验证明古代工匠使用这种炼铜竖炉用木炭进行的冶炼，是氧化矿的还原熔炼。用这种竖炉冶铜，保证足够的风压、风量是必要的。用这种竖炉冶铜，操作的方法比较简单。冶炼过程中无论投入的是块状矿石还是粉状矿石，无论是高品位的还是较低品位的矿石，都可以炼出粗铜。用这种竖炉炼铜，并非一炉只炼一次，而是可以连续加料、连续排渣的。冶炼的时间有可能持续数日之久。有理由认为古代工匠在冶炼时还曾进行了配矿工作。不过，今天所加的熔剂是石灰石，所得的炼渣成分，与古代炉渣相比，钙的成分偏高，铁的成分偏低。古代工匠如何进行配矿工作？拟留待以后作进一步探索。

简报最后强调，对古代采矿和冶炼遗址进行考古发掘，是中国考古学新开辟的一个领域。但是它的发展需要地质、冶金等学科的密切协作。

837.鄂王城遗址调查简报

作　者：大冶县博物馆　胡建如

出　处：《江汉考古》1983 年第 3 期

鄂王故城遗址，位于大冶县城关西南约 58 公里的西畈公社李阁大队胡彦贵村的岗陵上，以前属鄂城县马蹟乡。城址北距高河村 2 公里，东北距大冶县金牛镇 8 公里。

简报分为：一、遗址概况，二、城内遗迹与文化遗存，三、墓葬，四、结语，共四个部分。有手绘图、拓片、照片。

据介绍，根据鄂王城城址内外出土的文化遗物，简报推断，遗址时代应为东周。至于现存城垣，因夯土内有较多的东周陶片，因此时代也有可能较晚。关于鄂王城遗址的文化性质，因发现的文化遗物不很多，简报认为还待今后继续探讨，另城内还有一部分早于东周和晚于东周的文化遗物发现，说明修筑鄂王城现存城垣前后都有人居住。

838.大冶县发现一战国墓葬

作　者：大冶县博物馆

出　处：《江汉考古》1984 年第 4 期

1984 年 2 月，大冶县大箕铺乡邓垅大队，在挖沙取土时，发现一批陶器和一把较完整的青铜箭。经调查，这批遗物为一墓葬所出，但墓葬已遭破坏。

据介绍，该墓坐落在大冶城关与大箕铺古城之间的龟墩山上，西北距大城关及东南至大箕铺古城约为6公里。墓葬即在山的正中心。调查时，没有发现遗骨和棺椁，墓底距地表约4米。器物集中放置在西北和中间部分。因墓葬破坏比较严重，出土的陶器仅能看出鼎、敦、壶、豆等，还有铜剑1把。从墓葬出土有鼎、敦、壶及细柄豆等器物来看，这是楚国在战国晚期典型的一种随葬风格，简报推断该墓应为战国晚期的楚国墓葬。这种土坑战国墓葬，在大冶地区还是首次出现。

839.大冶县出土战国窖藏青铜器

作　者：大冶县博物馆　姜　胜

出　处：《江汉考古》1989年第3期

1982年5月，大冶县金牛镇黄泥大队竹林柯自然村一农民在挖基建房过程中，于距地表1.5米深处挖出一陶罐。罐中装藏有完整和残缺青铜器个体300余件。其中有斧、锛、矛、带钩、铜佩、剑、弩机构件和二棱、三棱、四棱箭镞等青铜器物。农民柯某随即将挖得的青铜器卖给废品收购站，并留部分青铜器于家中。考古人员在废品收购仓库清选文物中了解到这一情况，马上深入出土地点进行调查了解，经多方努力，终于查获全部窖藏出土文物。在整理全部窖藏出土青铜器物中，发现了极珍贵的古货币“良金四朱”“良金一朱”。窖藏所用的陶罐，挖出后被砸破抛弃。

简报分为：一、地理位置，二、出土器物，三、结语，共三个部分予以介绍，有手绘图。

出土的这批窖藏青铜器，没有明确的年代记载。但从铸有纹饰的良金四朱、良金一朱、铜环、扁环等看，它们的纹饰风格基本接近，主要是以卷龙纹或卷云纹加以装饰、云雷纹衬底。简报据此推断窖藏年代在战国晚期。

840.大冶五里界春秋城址及周围遗址考古的主要收获

作　者：朱俊英、黎泽高

出　处：《江汉考古》2005年第1期

为配合武汉至九江铁路提速工程建设，考古人员于2003年6月至2004年4月重点对大冶市五里界城进行了考古调查、勘探、发掘。还对五里界城周围的21处遗址和大冶市境内的鄂王城、草王嘴城进行了详细调查与勘探。

简报分为：一、调查与勘探收获，二、城址发掘收获，三、几点认识，共三个部分。有手绘图。

据介绍，五里界城址西北距大冶市约12公里，平面呈长方形，南北长382.7米，东西宽296.9米，周长约1305米，面积10万多平方米。该城始建、使用于春秋时期，春秋以后或因采矿冶炼重心转移而废弃。城内考古调查、铲探、发掘资料说明五里界古城城内人口稀少，房址中没有生活遗物，似不是居住之所，只是一处采矿、冶炼生产过程中的仓储、转运、管理场所，是矿石和冶炼的初加工产品的集散地，是周围遗址居住者的经济生活中心。古城仅东垣北段有城门，而城门南部有天然河道，水上运输极为方便，与以往发现的作为当地政治、经济、军事中心的古城有明显的区别。

841.大冶五里界春秋城址勘探发掘简报

作　者：湖北省文物考古研究所

出　处：《江汉考古》2006年第2期

通过对五里界城考古调查、勘探、发掘资料的整理研究，考古人员初步判定五里界城为春秋时期的城址，其主要功能是当时采矿、冶炼生产过程中的管理、仓储、转运中心。

简报分为：一、地理位置，二、城址调查与铲探，三、城址发掘，四、结语，共四个部分。有手绘图。

大冶市地处长江中游南岸、湖北省东南部，离大冶城区约10公里，离武汉市区约88公里。2003年6月～2004年4月，为配合铁路建设，考古人员在此进行了调查、勘探和发掘。四周城垣呈南北向长方形，绝大多数地段的城垣仍耸立在地面，保存较好。铲探表明，埋在地下的城垣基础保存完整，城址形制清晰，城垣走向明了，东、南、西、北垣均较直，城垣四角呈90°。以中轴线为准测得：城址南北长405米（南、北垣基外边），东西宽308米（东、西垣基外边），周长1426米，面积124740平方米。城垣依地势就地取土夯筑而成。四周城垣距城外地表高度不一。南城垣东端高出城外地表18米，为整个城址城垣顶面与城外地面高差最大处。东城垣高出城外地表4～7.5米，北城垣高出城外地表4.5～6米，西城垣高出城外地表5～7米。出土遗物有陶器、铜炼渣等。简报认为该城修建于两周之际，春秋中期偏晚废弃。

简报称，在铜器时代，铜是一种最重要的战略资源。对铜矿的大规模采冶，统治者自然应当采取有效的管理措施。在矿冶密集的地区修建城堡、派驻常设机构就是对铜矿采冶进行管理的措施之一。因此，五里界城应是一座与铜矿采冶直接相关的古城。

襄樊市

842.湖北宜城“楚皇城”遗址调查

作　者：湖北省文物管理委员会　王善才
作　者：《考古》1965年第8期

湖北宜城县的“楚皇城”，历来文献上记载颇多，大致可以归纳为以下两种：一说是春秋战国时的楚鄢都和汉宜城县，一说是楚郡都。近来又有人提出了另一种说法，认为它是楚郢都和汉江陵城故址。对于这处“楚皇城”遗址，考古人员曾于1961年11月和1963年1月，先后作过两次调查。

简报分为：一、遗址的地理形势，二、文化遗物，三、遗迹，四、几点意见，共四个部分。有拓片、手绘图。

据介绍，遗址位于今宜城县南稍偏东约7.5公里，在郑集东面一个较高的岗上，东距汉水约6公里，南至赤湖约4公里。城址南北长约2公里，东西宽近1.5公里，面积约3平方公里，比现在的宜城大。现四面城垣尚存，均系土筑，高低不等。东南城角是一高约5米的椭圆形土台，现名“关楼子”，从它居全城最高的情形来看，估计是当时用于瞭望的地点。城内地势东北高，西南较低。东北部有一片高约1米的平台，该台北抵东北城墙，面积约为0.37平方公里，当地人称为“紫禁城”或“小皇城”。在“紫禁城”南约1公里处，有一座大土冢，高约4米，当地人称为“金银冢”，又称“昭王墓”。该冢东约120米处，有一石碑，高2米余，碑的形状略呈“圭”字形，上部有几条较深的凹槽，其上原来是否刻有碑文，已不可辨。另在西南城角处，有名“白龙池”的古塘堰一口，面积约数亩。城内皆为良田沃地，共计2平方公里。城址四周，是一处辽阔的平原，在离城址东北不远处，还有一条从北向东南流的古河道遗迹。南面在城址附近一带有一片低地，似为护城河的遗痕。城址的西北面约0.25公里处亦有一个岗地，但面积不大，上面散布有不少陶片，与城内发现的陶器残片和瓦片相似，应与城址有关。

简报认为这处“楚皇城”遗址的时代，上限可到战国，下限应在两汉。关于城内发现的大片石砌建筑基址和传说为楚昭王墓的大土冢，由于未进行发掘，时代不能确定。至于“楚皇城”的城垣建筑，因为未经试掘，其绝对年代尚难确定。不过从城内暴露的大批汉以前的文化遗物遗迹以及从城垣断面上未见到有包含汉以后的文化遗物等情况来推测，这座城的建筑时代不会晚于汉代。

843.湖北枣阳县发现曾国墓葬

作　者：湖北省博物馆　杨权喜
出　处：《考古》1975 年第 4 期

1972 年 8 月，枣阳县熊集区茶庵公社段营大队第五生产队农民，在村内住宅旁偶然发现了铜鼎 3 件、铜簋 4 件和铜壶 2 件，并送交茶庵公社保存。1973 年春，该公社将此铜器转送枣阳县文化馆收藏。1973 年 9 月，考古人员前往现场调查，发现这里是一座古代墓葬，因遭受自然冲刷，而将随葬器物暴露于地面。经过对墓底的清理，又出土了兵器、车马饰等小件铜器 280 件。简报配以照片、手绘图予以介绍。

据介绍，段营大队所在的山丘名叫“岗上”，岗上很早以来就是一个居住地点。墓葬位于岗上北部坡缘。墓葬距滚河约 1 公里。葬具为一棺一椁，已朽。随葬品计 289 件，全部都是铜器。该墓的年代推断为春秋早期。简报还附带介绍了 1972 年在离此出土地点不远的吴店区吴店公社赵湖大队出土的 4 件西周铜器。

简报指出，枣阳县此处遗址地处桐柏山与大洪山之间的涢河谷地和滚河谷地一带，与河南发现曾国铜器的新野亦为比邻。这一窄长的地带是古代从南阳盆地通往江汉平原的东部交通线，从地理形势来看，可能都为曾人活动过的范围。从曾国铜器几次出土的地域和其墓葬之规模、随葬品的制造技术等情况来分析，曾国的确如同《国语 · 晋语》所言，相当强大。

844.襄阳蔡坡 12 号墓出土吴王夫差剑等文物

作　者：襄阳首届亦工亦农考古训练班
出　处：《文物》1976 年第 11 期

1976 年 4 月以来，考古人员清理了一批战国时期的墓葬。其中，蔡坡 12 号墓中出有吴王夫差剑、小型拉伸弹簧等重要文物。

简报分为：一、墓葬，二、出土遗物，三、结语，共三个部分。有照片、手绘图。

据介绍，此墓位于襄阳县伙牌公社施坡大队蔡坡土岗岭中部，编号为襄蔡 M12。蔡坡南距襄樊市约 9 公里。此墓为长方形土坑木椁墓，墓道在墓坑之东。墓口至墓底深约 8.8 米，发掘时发现有早年盗洞。椁室距地表土约 7 米，周围满填青膏泥。棺椁的盖板和椁的墙板上部早已腐烂成灰，仅见腐痕，其他部分亦已部分残腐。椁内分棺室、头箱、边箱三部分。棺室内有棺底板两层，据此推断，应有相互套合的内外棺。棺室内有铜剑、铜鱼、玉璜、玉瑗等，头箱内放置小型拉伸弹簧、铜鼎、铜壶、陶鼎等，边箱内放置铜矢、箙、弓等物品。其中有一把吴王夫差剑，上有铭文10字，简报录有全文。推断此墓年代不晚于战国中期。墓主人应为楚国高级将领，吴王夫差剑或为其直接或间接的战利品。

吴王夫差剑各地多有发现，同刊同期有辉县百泉文物保管所崔墨林先生文《河南辉县发现吴王夫差铜剑》，可参阅。

845.湖北宜城楚皇城勘查简报

作　者：楚皇城考古发掘队　王仁湘、郭德维、程欣人
出　处：《考古》1980年第2期

在湖北宜城东南7.5公里的地方，有一个古城遗址，这就是当地传闻的楚皇城。过去，曾有人对这个皇城进行过踏勘，在学术界也引起过一些争议。关于城址的名称与沿革，有些意见极不统一。考古人员从1976年冬起连续进行了半年多的勘察发掘工作，解剖城墙一处，在城外发现古墓群3处，试掘清理墓葬13座，测绘了城址地形图。

简报分为：一、城址遗迹，二、遗物，三、结语，共三个部分。先介绍城址情况，暂不涉及城外墓葬，有拓片、手绘图。

楚皇城遗址东去汉水6公里，北溯襄樊，南望荆州。这里为一高岗，城址位于高岗东部阶地的边沿。自古闻名的白起引水灌鄢的百里长渠，一直通达城西，这里也是古代荆州通襄阳、南阳而到达中原的交通要道。皇城西有一小镇名为“郑集”（旧称“枣林”）。皇城现在属郑集公社皇城大队。楚皇城内，全部辟为农田，绝大部分为水田，但保存的古代遗迹仍不少，诸如紫禁城、烽火台、散金坡、跑马堤、金银冢（昭王冢），而最为重要的还是至今依然保存着的城垣。城垣全为土筑，至今巍然存在。现存城墙底宽24～30米，高2～4米。除东城墙蜿蜒不甚齐整外，整个城址平面略呈矩形，方向约为20°。城内面积2.2平方公里。城垣周长6440米，东南西北分别长2000米、1500米、1840米、1080米。

宜城楚皇城，根据历史文献记载，是春秋时鄢的都邑所在，后并于楚，楚昭王避吴难曾一度迁都于此，故称“郁鄢”。鄢地秦汉时属南郡，汉惠帝三年（前192年）更名为“宜城”。楚皇城亦即宜城故城，又称“故襄城”。根据调查与初步勘查，楚皇城的时代与文献记载大体是相符的。大城城垣的夯土中没有发现秦汉以后的遗物，当是战国时代所筑。而城内出土的遗物，有早到春秋和春秋时期以前的，如采集的陶高和铜方壶等，当然大量见到的还是秦汉遗物。因此，这个城址的年代，上溯至春秋战国，下续到秦汉以至更晚。城内的金城，有可能是大城废弃后修筑的，与大城并非同时代的遗存。从考古发掘可以看出，从楚至两汉，这里一直是一个经

济中心，当然也并非是一般的工商市井。这里有宏大的军事设施如烽火台，出土了数量可观的箭镞和其他兵器，说明这里又是兵家争战的重要目标。

846.襄阳山湾十八号秦墓

作　者：杨权喜
出　处：《考古与文物》1983 年第 3 期

湖北省襄阳县余岗公社陆寨大队之西的山湾土岗，是一处重要的古代墓地。墓地中心与襄樊市区相距约 10 公里。1967 年以来某砖瓦厂在山湾取土中，陆续挖出大量青铜器。1972 年至 1973 年，考古人员曾发掘了一批中、小型东周楚墓，收集了一批重要青铜器。其中发掘的十八号墓为秦墓，是这个墓地目前发现的唯一的秦墓。简报配以手绘图、照片予以介绍。

据介绍，此墓为长方形土坑竖穴墓，葬具已朽，未见人骨。随葬品有铜鼎 2 件、铜蒜头壶 1 件及带钩、陶器等。简报认为该墓是秦统一前的秦墓。

847.湖北宜城骆家山一号墓出土青铜器

作　者：湖北省博物馆、宜城县博物馆　张吟午、李福新
出　处：《江汉考古》1983 年第 1 期

骆家山位于宜城南边缘，北距蛮河约 2 公里。1979 年 2 月 3 日，宜城孔湾公社台子岗二队的农民在兴修抬水渠时挖出青铜器 3 件，并上交到县文化局。随即，考古人员前往现场调查，发现此处为一小型土坑墓，附近还暴露着五六座小型土坑墓口，故此，将出土青铜器的墓编为骆家山 M1。简报配以手绘图、照片予以介绍。

据介绍，该墓为一长方形土坑竖穴墓。随葬品有铜鼎（残）1 件、铜盏 1 件、铜戈 1 件。从铜器的形制、纹饰、工艺，推断其年代在春秋晚期至战国初年。

848.襄阳山湾东周墓葬发掘报告

作　者：湖北省博物馆　杨权喜
出　处：《江汉考古》1983 年第 2 期

襄阳山湾墓地位于湖北省襄阳县余岗公社陆寨大队之西的山湾土岗上，墓地中心南距襄樊市区约 10 公里。1966 当地砖厂取土时发现，1972 年 10 月至 1973 年 11 月进行了清理发掘工作。

简报分为：一、前言，二、墓葬形制，三、随葬器物，四、墓葬的分期与分类，五、结语，共五个部分。有手绘图。

襄阳山湾是江汉平原北部一处重要的古代墓地，惜遭砖瓦厂取土的破坏，所剩墓葬已不多，经考古发掘的东周墓葬仅 33 座。这些墓葬依据其墓葬形制和随葬品的情况，初步分成五期：春秋中期，春秋晚期，战国早期，战国中期，战国晚期。

襄阳地处江汉平原与中原地区的古代交通要冲，是我国南北交往的重要孔道。西周末春秋初，这里曾是邓国的所在，山湾西南约 6 公里处有座邓城遗址，可能为邓都所在。春秋早期以后，楚国势力向北发展。公元前 678 年，楚人灭邓，襄阳归楚，并成为楚向黄淮地区扩展的重要据点、与各诸侯战争的前线。发现的楚人墓中有邓国器物，应是这一段历史的反映。

简报称，此次发掘收获最大的是发现了一批铭文铜器，证明此处是目前发现的春秋时期最重要的楚铜器群之一。

849.襄阳蔡坡战国墓发掘报告

作　者：湖北省博物馆　杨权喜

出　处：《江汉文物》1985 年第 1 期

1972 年冬，在湖北省襄阳县余岗公社施坡大队北部的蔡坡山岗上，发现了一处战国墓地。墓地中心南距襄阳市区约 9 公里，东距山湾东周墓地约 1 公里。1972 年进行了考古调查，1973 年 1 月至 1974 年春，清理发掘了 11 座墓（M1 ~ M11）。

简报分为：一、前言，二、墓葬形制，三、随葬物品，四、结语，共四个部分。有照片、手绘图。

据介绍，11 座墓均为长方形竖穴土坑墓，保存情况不算好。出土器物有陶器、铜器、骨器、金箔等。襄阳蔡坡 11 座墓葬，可分成三期：第一期有 M4，第二期有 M6、M7、M8、M9、M10、M11，第三期有 M1、M2、M3、M5。

第一期 M4 是一座较大的楚墓。墓坑较宽大，有三具棺木，同时随葬铜器和陶器，还有玉石器等，其中用铜鼎二件。陶鼎五件，而铜工具、兵器和车马器相当丰富。特别是随葬了“蔡公子□姬安缶”和“徐王义楚剑”，表明墓主身份的重要。此墓的三具棺木，仅剩残迹，互相关系不明。而墓坑填土，有第二次翻动的现象，三具棺木是二次葬入还是三次葬入，值得注意。

简报推断第一期为战国早期。第二期、第三期均为小型墓，简报推断，第二期为战国中期，第三期为战国晚期，已接近西汉初年。

850.谷城新店出土的春秋铜器

作　者：谷城县文化馆　陈千万
出　处：《江汉考古》1986 年第 3 期

1977 年 11 月中旬，谷城县石花公社新店管理区民强大队（现大峪桥镇新店办事处新店大队）一队，在下新店建房取土过程中，发现一批青铜器，计有鼎、壶、簠、缶、盘、勺等 17 件，另有陶器 2 件。经调查，这批器物同出于一个土坑墓中。此处地势较高，周围开阔，汉水支流北河由西向东环绕而过，经东约 6.5 公里的过山，即是春秋战国时期的墓地。简报配以照片、手绘图予以介绍。

这批青铜器的制作年代，上限可至春秋早期，下限可到春秋中期前段。同出陶器，也应是春秋中期前段的产物。此墓随葬青铜器之多，说明墓主人的身份至少相当于大夫一级。

谷城，古为谷国，地处湖北、河南两省交界一带，春秋时期是中原与楚争夺势力范围的场地之一，亦是中原文化和楚文化交汇之地。在楚强盛之前，这里主要受中原文化的影响。春秋初年，楚迅速发展，楚灭谷以后，便是楚的一部分。谷城出土的这批铜器，时代属春秋中期前段，肯定是楚灭谷不久的作品。故而这批器物既有中原铜器的作风，又有楚的风格。

851.宜城雷家坡秦墓发掘简报

作　者：武汉大学历史系考古专业、宜城县博物馆
出　处：《江汉考古》1986 年第 4 期

1982 年春，考古人员在宜城县南 15 里的楚皇城遗址附近的魏岗、雷家坡发掘了一批战国—秦的墓葬。1976 年，此处曾发掘过 10 座战国—秦墓。此次又发掘了三座墓（M11、M12、M13），其中 M11、M13 为秦墓。

简报分为：一、墓葬概况，二、两墓年代、文化内涵及其他，共两个部分。先行介绍两座秦墓，有手绘图。

据介绍，两墓均为长方形土坑墓。出土遗物有陶器、铜器、钱币等。M13 所出一套铜器中的鼎，为铜身铁足。M11 的时代简报推断为战国末年秦统一之际，M13 略晚，应为秦统一后的秦始皇时期。M13 的墓主人应为楚遗民。宜城楚皇城虽地理位置更近关中，但正由于其曾在楚国政治地位上相当重要，甚至是它的中心，故而才使此地更受楚文化的传统影响，表现在墓葬上的，就是这种楚遗民墓的长期存在。

852.襄阳山湾出土的东周青铜器

作　者：湖北省博物馆　杨权喜
出　处：《江汉考古》1988 年第 1 期

1967 年下半年以来，湖北省襄北农场第六新生砖瓦厂在襄阳余岗（伙牌）山湾东周墓地取土中发现了许多东周墓葬，简报发表于《江汉考古》1982 年第 3 期，此后仍不断挖出了许多重要青铜器。1972 年冬，考古人员前往调查，收回青铜器约 70 件。除已发表的“上鄀府簠”和“邓公乘鼎”外，仍有不少重要文物未曾介绍，简报配以照片等予以介绍。

据介绍，这批青铜器计有鼎 9 件、采 59 件、盏 3 件、豆 2 件、簠 1 件、敦 4 件、匕首 3 件、戈 1 件、车軎 9 件及铜构、马衔等。时代为春秋中期晚段、春秋晚期、战国早期、战国中期不等。

853.湖北宜城出土蔡国青铜器

作　者：襄樊市博物馆　阎金安
出　处：《考古》1989 年第 11 期

1987 年 8 月中旬，襄樊市所辖宜城县朱市乡砖瓦厂在取土过程中用挖掘机挖出了蔡国青铜器。8 月 21 日下午，考古人员赶赴现场。由于该厂忙于完成生产任务，没有采取保护措施，连续几日掘土不止，致使现场全遭破坏。铜器出土地点位于被称作“黄土坡”的小土岗上。土岗为东西走向，高出四周地表 4 ～ 6 米。该厂取土由南向北掘进。在土岗西侧距岗顶约 2 米深处出土青铜鼎、簠各一件，其中簠内铸有铭文。简报配以手绘图、拓片予以介绍。

据介绍，簠上器顶内铭文 31 字，简报录有铭文全文。下器内底铭文与上器相同。从以上两器的器形、纹饰及铭文风格，推断铸器年代属西周末至春秋早期。

简报称，这次宜城出土的蔡国青铜器，为研究这一地区的文化历史及西周、春秋时期周王室和诸侯国官制的发展规律提供了实物资料，也为楚史研究提供了重要线索。

854.湖北襄阳团山东周墓

作　者：襄樊市博物馆　李祖才
出　处：《考古》1991 年第 9 期

团山墓地位于湖北省襄樊市郊区余岗村的团山土岗上。1988 年 8 月，发现该地有古墓痕迹，为配合当地基建同年 10 至 11 月进行了发掘。

简报分为：一、墓地概况，二、墓葬形制，三、葬具与葬式，四、随葬器物，五、墓葬的分类与分期，六、结语，共六个部分。有手绘图、照片、拓片。

据介绍，共发现土坑墓7座，又可分为三类：长方形窄坑墓、长方形宽坑墓、近方形宽坑墓。年代可分五期：春秋中期、春秋晚期、战国早期、战国中期、战国晚期。出土铜器上有铭文，反映了春秋晚期的一些历史。另外，一座春秋晚期墓为夫妻合葬墓，而以往认为夫妻合葬墓的出现最早不超过战国早期。

855.湖北襄阳余岗战国墓发掘简报

作　者：襄樊市博物馆　黄尚明
出　处：《考古》1992年第9期

余岗墓群位于襄樊市郊区余岗乡余岗村北，据本地农民讲，该地名为“墓子地”，地势平坦，墓地比周围略高，历年毁坏不少砖墓。1987年12月，二汽从汉水到张湾的引水工程经过邓城附近地区，经钻探，在余岗发现5座土坑墓，从西至东分别编号为M1、M2、M3、M4、M5。考古人员进行了清理。另外，还在邓城北郊发掘了几个探沟，遗址资料另文报道。

简报分为：一、墓葬形制，二、随葬器物，三、结语，共三个部分。有手绘图。

据介绍，墓葬按椁棺的多少，大致可分为两类。第一类为一椁一棺，M1、M3、M4、M5同属此类。第二类为单棺墓，仅M2一例。从随葬品来看，同类之间又有多少之分，M3、M4都出两套仿铜陶礼器，属士一级。M1元鼎，M5仅出釜、罐、钵，虽然秦行薄葬之风，但实际情况表明M5墓主身份较低，M1、M5地位接近。五座墓的规格都不高，均属小型墓。就墓群来说，其级别应划入“邦墓”一类。五座墓共出土器物35件，其中陶器31件、铜器2件、漆器2件。简报推断，M1、M3、M4为战国晚期墓葬，M2的时代下限在秦统一之前，M5的时代属秦统一六国之后。

襄樊地区发现的战国晚期墓较少。此次发掘的五座墓以楚文化风格为主，深受中原文化、秦文化的影响，形成了多种文化浑融并存的风格，有助于探索汉北地区战国末年复杂的文化面貌以及相关的历史问题。

856.湖北宜城罗岗车马坑

作　者：湖北省文物考古研究所、襄樊市博物馆、宜城县博物馆　杨定爱等
出　处：《文物》1993年第12期

宜城县始建于汉惠帝三年（前192年），其前身是楚鄢都。鄢在春秋初期已为楚邑，

战国时期，是仅次于郢的楚国陪都。今宜城县南 7.5 公里的楚皇城遗址是东周时期楚国的重要城址。楚皇城东南临近汉水处有一丘陵岗地，罗岗是这片丘陵向东延伸的分支。罗岗西北距楚皇城约 6.5 公里，高出东部平原 3 ~ 3.5 米，现隶属宜城县璞河镇护驾洲村七组，为稠密的村民居住区。车马坑位于居民区东南临近岗地东南边缘。1988 年 8 月，护驾讪村七组村民在大门口挖石灰坑时挖出车舆上铜构件 2 件。考古人员在现场又发掘出相同的铜构件 2 件。1989 年 8 月，考古人员得知村民又欲扩挖石灰坑后，于 1989 年 10 ~ 31 日进行了正式发掘。在车马坑内清理出车 7 辆、驾车马 18 匹。为了搞清墓地布局和车马坑年代等问题，在车马坑的清理工作结束后，随即作了普探和墓葬试掘，探出东周墓葬 16 座、遗址 11 处，试掘墓葬 1 座。

简报分为：一、车马坑（M1CH），二、墓葬，三、基址钻探，四、结语，共四个部分。有照片、手绘图。

车马坑在 M1 西部正中，为 M1 的陪葬坑。墓葬为典型的楚墓。简报认为，罗岗墓地是一处由“冢人”管理的贵族公墓，但规模比不上包山贵族墓地。

857.襄阳县新发现一件铜盏

作　者：张昌平

出　处：《江汉考古》1993 年第 3 期

1990 年 4 月，襄阳县朱坡乡徐庄村老馆铺农民在山坡上取土时，发现青铜器一件。随即考古人员作实地考察，未发现其他的迹象。简报推测此器可能出于墓葬中。

据介绍，铜器为盏，形制为隆盖，中部立喇叭形捉手，上有镂孔 4 个。器底各有 6 行相同内容的铭文。根据盏的形制和纹饰等因素，简报推断这件铜盏的时代为春秋中期或春秋早期偏晚。

858.宜城桐树园遗址发掘简报

作　者：湖北省文物考古研究所、宜城县博物馆　张昌平、李福新

出　处：《江汉考古》1996 年第 1 期

宜城县地处汉江中游的河谷地带。桐树园遗址距县城南 2 公里，距汉江约 5 公里。遗址于 1982 年文物普查时发现，1992 年 4 ~ 6 月发掘。

简报分为：一、文化堆积，二、文化遗物，三、结语，共三个部分。有手绘图。

此次共清理灰坑 3 个，时代简报推断为东周时期。从桐树园遗址陶器特点看，将其纳入楚文化范围是没有问题的。与其他地区楚文化遗物对比，这里陶器形制甚

至无多少地方特色可言。但这里的陶器火候低、陶色不纯和陶片极碎现象却显得十分突出，或许当时这里的居民社会层次较低。

859.湖北襄樊市彭岗东周墓群第三次发掘

作　者：湖北省文物考古研究所、襄樊市博物馆　王先福

出　处：《考古》1997年第8期

1994年，中国人民建设银行襄樊市分行在樊城北部金岗小区征地建房，考古人员进行了考古钻探，探出墓葬多座并进行了发掘，共发掘墓葬42座。其中东周墓35座，汉墓1座，宋墓3座，清墓3座。简报配以手绘图。介绍此次发掘的35座东周墓。

据介绍，该墓群位于襄樊市郊区余岗乡彭岗村南侧，南距市区0.5公里。1988年、1995年曾分别清理了17座和60余座土坑砖室墓，这次清理的彭岗墓群也是其中的一部分。本次发掘的35座东周墓除2座遭破坏结构不清外，余33座分长方形土坑竖穴墓和带斜坡墓道的土坑竖穴墓二种。所出随葬品除少量铜器外，皆为陶器，根据各种器型的演变序列可将它们分为五期。简报推断：第一期墓葬的时代为春秋中期；第二期随葬品全为日用陶器，其时代应在春秋晚期；第三期随葬器物既有日用陶器，也有仿铜陶礼器，时代为战国早期；第四期随葬品以仿铜陶礼器为多，有个别实用器，其时代为战国中期；第五期，其时代应为战国晚期。此外，尚有7座无随葬品的墓无法进行分期，只能统归之于东周时期（据墓葬形制及填土推断）。本次发掘的地点处于整个墓地南端，基本为中、小型墓，大多墓主身份为庶民，少数地位略高。

简报称，作为东周时期处在中原和楚文化交会地带的一处墓地，此次发掘对研究楚文化的源流和发展无疑有着较为重要的意义。

860.老河口市曹营战国墓清理简报

作　者：老河口市博物馆　符德明

出　处：《江汉考古》1997年第3期

老河口地处湖北省西北边缘，汉水中游东岸。曹营墓地在老河口市区东北约25公里的孟楼镇境内，为一高出西南地面约3米的坡地。坡地西侧有一条南北走向的小河，孟竹公路从坡地南侧通过。1996年3月，曹营村砖厂在坡地取土时发现古墓，考古人员抢救清理了5座战国墓。简报分为“墓葬形制”“随葬器物”“结语”，

共三个部分予以介绍，有手绘图。

据介绍，5 座战国墓为长方形土坑竖穴墓，有无葬具墓、单棺墓、单椁墓、一棺一椁墓，均为小型墓，墓主人应为贫穷的庶人，应为楚墓。随葬品共 27 件，未见兵器。

861.攻敔王姑发郕之子曹䚗剑铭文简介

作　者：湖北省文物考古研究所、湖北省博物馆　朱俊英、刘信芳

出　处：《文物》1998 年第 6 期

1982 年 6 月，考古人员到襄樊市襄北农场新生砖瓦厂调查山湾和蔡坡取土场古墓葬的保护情况，在第六砖瓦厂制坯车间的土料中发现了一件断为四截的青铜剑。据介绍，这件铜剑是包含在山湾取土场泥土中运来的，与铜剑共存的还有铜盆和陶罐残片。简报配以照片予以介绍。

据介绍，山湾与蔡坡位于襄阳县余岗乡陆寨村之西，西南距古邓城 5 公里，南去襄樊市区约 10 公里，是一座高于四周地面 15 ～ 20 米的椭圆形岗地，以岗脊为界，山湾处东，蔡坡在西，为春秋战国时期两个相邻的墓地。从 1966 年开始，襄北农场砖瓦厂在山湾、蔡坡取土时陆续有陶器和铜器出土。1972 年以来，考古人员先后对山湾和蔡坡两墓地进行了勘探与发掘，共清理墓葬 40 余座，出土了一批陶器和铜器。所以在此处发现古剑并不令人意外。此剑上有铭文 2 行 17 字。考古人员据以考证此剑为吴王阖闾之弟所有，年代约在春秋时，公元前 548 ～前 515 年。

吴王之剑在谷城亦有出土，参见《考古》2000 年第 4 期陈千万先生文。

862.襄樊彭岗东周墓地第一次发掘简报

作　者：襄樊市文物管理处、襄樊市博物馆　杨　力

出　处：《江汉考古》1999 年第 4 期

彭岗墓地位于襄樊市高新技术产业开发区余岗乡彭岗村南侧，南距市区约 0.5 公里，地处汉水北岸冲积平原中部的一条土岗的南端，地势较为平缓，高于附近地面 2 ～ 3 米。该岗地墓葬分布密集，曾经过多次发掘。1994 年 11 月至 12 月，为配合市建行银雅房地产开发公司的住宅建设，考古人员对此工地进行了文物钻探和考古发掘，共发掘东周时期墓葬 39 座。

简报分为：一、墓葬形制，二、随葬器物，三、结语，共三个部分。有手绘图。

据介绍，39 座墓葬全部为长方形土坑竖穴墓，其中口底同大者 7 座、口大底小者 32 座，较零散地分布于整个墓地，相互间未见打破关系，亦无被盗痕迹。大多数

墓墓壁较为平整光滑，显是被修整过的。这批墓葬中单设斜坡墓道和壁龛的墓各2座，设一级台阶及生土二层台的墓各1座，既有斜坡墓道又有一级台阶的墓一座，朝向不一。随葬品全为陶器，主要为日用陶器和仿铜陶礼器。时代可分为五期：第一期4座，为春秋中期墓；第二期4座，为春秋晚期墓；第三期4座，为战国早期墓；第四期11座，为战国中期墓；第五期9座，为战国晚期墓。

简报称，彭岗墓地分布面积较大，排列较密集，延续时间较长，是襄樊北部地区除山湾、蔡坡及团山墓地以外的又一处较大型墓地。三者相距不远，都处于邓城遗址的外围，其中山湾、蔡坡居北，团山、彭岗居东，共同构成了汉水中游地区一个主要的楚文化中心。

863.襄樊市邓城古井清理简报

作　者：襄樊市考古队　曾宪敏、释贵星
出　处：《江汉考古》1999年第4期

邓城古井位于襄樊市高新技术开发区邓城村贾庄南侧。1997年7月，邓城砖瓦厂在该地取土时发现古井五口、墓葬两座，考古人员进行了清理发掘。简报分为“一号井”“二号井”“三号井”“四号井”“五号井”“结语”，共六个部分。

据介绍，这五口井的形制有圆形和方形两种，口底基本同大，直壁平底，其中J4保存完整井栏，J2残存两小截栏木，余三口井均朽尽。五口井出土物除一件板瓦外均为陶罐。简报认为这五口井的时代上限可能为战国中期，下限为战国晚期晚段。

864.襄樊市彭岗东周遗址发掘简报

作　者：襄樊市考古队　王先福
出　处：《江汉考古》2000年第2期

彭岗遗址位于襄樊市区北约0.5公里的高新区团山镇彭岗村西南侧，西靠樊魏公路，坐落在襄北一低矮岗地南段。岗地呈南北走向，长约3公里，宽约1.5公里，中部最高处高出周围地面约4米，外围为汉水及其支流冲积而成的平原。1996年7月为配合工程建设勘探时发现遗址一处、墓葬多座。1996年12月至1997年1月进行了发掘。

简报分为：一、地层堆积，二、遗迹，三、出土器物，四、年代推断，五、结语，共五个部分。有手绘图。

据介绍，该遗址可分为三期：第一期为战国中期早段或战国早期晚段；第二期

为战国中期晚段或略早；第三期时代在战国晚期早段或稍晚，但不晚于秦将白起拔郢之时。以上三期是连续发展而来的，各期之间似乎连过渡形态都不存在，上下期之间流行之器物形制还有不少交叉，可见三期之间的划分也并非绝对化。出土遗物以陶器为大宗。出土的6枚楚国布币十分罕见。

简报称，彭岗遗址的发掘正好提示了战国中期早段或战国早期晚段至战国晚期白起拔郢前楚文化的发展历程。

865.湖北枣阳市九连墩楚墓

作　者：湖北省文物考古研究所　王红星

出　处：《考古》2003年第7期

2002年9～12月，湖北省文物考古研究所组织包括全省8家文博单位共60余人的考古队，对正在施工的孝感至襄樊高速公路所涉及的湖北枣阳市九连墩墓地1号、2号墓及附属的1号、2号车马坑进行了抢救性发掘。

简报分为：一、墓地情况及发掘经过，二、主要遗存，三、主要收获，共三个部分。有照片。

此次发掘的枣阳九连墩1、2号楚墓，其规模、随葬器物以及由此反映出的墓主身份等级、下葬年代等，都与荆门包山2号楚墓相似。简报推断，墓主身份约为大夫一级，下葬年代当在战国中、晚期。这种年代相当和两墓并列的组合，应属楚墓中常见的夫妻异穴合葬墓。

简报称，新发现了一批彩绘木雕小座屏、彩绘弩机、莲花座豆、浮雕龙纹座的虎座鸟架鼓、人擎铜灯、竹木整车、避邪等重要文物，都极为精美。

866.湖北枣阳九连墩楚墓获重大发现

作　者：刘国胜

出　处：《江汉考古》2003年第2期

九连墩墓地位于湖北襄樊枣阳市吴店镇东赵湖村与兴隆镇乌金村以西一带。2002年9月至2003年1月，为配合孝襄高速公路建设，考古人员进行了发掘。

简报分为：一、发掘的基本情况，二、主要收获，共两个部分。有彩照。

此次共发掘了1号墓、2号墓和1号、2号车马坑，共两墓、两坑。1号墓长38.1米，宽34.8米。二棺二椁，有盗洞。棺内尸体仅存骨架，其上残留有腐烂丝织物。墓主头向东。棺内随葬有铜剑、石圭及玉璧、玉玦、玉璜、玉管、玉鞢等器物。1号墓随葬器物主要分置东、南、西、北四室内，有礼器、乐器、车马器、兵器、生活用器及丧葬用器等共计617件（套）。1号车马坑内葬车33乘、马72匹。有包金车饰等。2号墓长37.7米，宽32米。有腰坑，内葬1羊。二棺二椁。棺内包裹尸体的衣衾已腐烂，人体骨架姿态尚存，墓主头向东。棺内清理出随葬玉、石饰物41件（套）。2号墓东、南、西、北四室随葬有礼器、乐器、生活用器、丧葬用器、车马器等共计587件（套）。东室除随葬成组青铜礼器外，同时还随葬有成组木制礼器。2号车马坑葬车7乘、马16匹。有错金银车饰件等。

简报称，两墓墓主身份约为大夫级，下葬年代约在战国中晚期。两墓应是楚墓之中常见的夫妻异穴合葬墓，是不多见的保存较好的有五个墓室的楚国贵族墓，出土的上千件遗物中不乏精品。1号车马坑为当时所见最大楚国车马坑。墓主人的确切身份尚不清楚。

867.湖北老河口杨营春秋遗址发掘简报

作　者：湖北省文物考古研究所、老河口市博物馆　杨定爱、韩楚文、符德明
出　处：《江汉考古》2003年第3期

杨营春秋遗址位于湖北省老河口市南郊杨寨村一组。1994年10～12月，考古人员对该遗址进行了发掘，获得了一批重要的春秋时期的遗迹和遗物。主要遗迹有灰坑、水井等，遗物有陶、铜、铁、石器等。其中所出土的春秋晚期铁器，数量较多，品种较齐全，为研究我国特别是楚国铁器的出现和使用提供了极其重要的考古资料。

简报分为：一、地层堆积，二、遗迹，三、遗物，四、结语，共四个部分。有拓片、手绘图。

据介绍，老河口市地处鄂西北，发掘地点在距市中心约2公里的市区南郊，是在配合施工时发现并发掘的。共清理灰坑12个、水井6眼、清代墓葬6座。遗物中一批铁器引人注目，有铁锄、铁臿、铁镰、铁锛、铁凿、铁铲、铁削等共计42件。截至1979年，在楚地六省约3000座楚墓中的100多座楚墓以及楚都纪南城、大冶铜绿山古铜矿两个重要的大型遗址内共出土铁器168件，但属于春秋时代的仅8件，其他大都为战国时期的。杨营这一春秋遗址中出土如此数量的春秋时期的铁器，无疑是一次重要的考古收获，它对于楚国使用铁器的时代、铁器的普及程度及生产等诸问题的研究当大有益处。

简报称，老河口杨营遗址的年代为春秋中期至春秋晚期。现今老河口市一带在春秋时为嬴姓谷国和姬姓绞国之地，约在公元前676～前656年灭于楚，时值春秋中期早段。杨营遗址也正处在纳入楚国版图后的春秋中晚期这一历史阶段，所出陶器从组合到风格都具有较强的楚文化特征。

868.湖北襄樊市贾庄发现东周墓

作　者：襄樊市考古队　王先福、王志刚、范文强等
出　处：《考古》2005 年第 1 期

贾庄东周墓位于襄樊市高新区团山镇邓城村贾庄南 300 米处，南距邓城遗址约 1 公里。1997 年 7 月，邓城砖瓦厂取土时发现古井 5 口、墓葬 2 座，襄樊市考古队闻讯后立即组织力量进行了清理。

简报分为：一、墓葬形制，二、随葬器物，三、结语，共三个部分。有手绘图。

两墓上部均已毁，随葬器物 20 余件，有铜器、陶器、漆木器等。M1 的年代简报推断为战国晚期前段；M2 的年代简报推断为春秋中期稍早。M2 的墓主人应为庶民。M1 出土的虎座鸟架悬鼓由两虎、两鸟、一鼓组成，虽已破损但仍十分精美。

869.湖北襄樊市蔡坡战国墓第二次发掘

作　者：襄樊市考古队　王先福、范文强等
出　处：《考古》2005 年第 11 期

蔡坡墓地位于湖北省襄樊市高新技术产业开发区团山镇施坡村蔡家坡湾北侧的低矮山岗上，其中心南距市区约 9 公里。1998 年 10 ～ 11 月、1999 年 7 月因遭湖北省第六、第五新生砖瓦厂取土破坏，襄樊市考古队抢救性清理了 7 座墓葬（编号 M13 ～ M19）。

简报分为：一、墓葬形制，二、出土遗物，三、结语，共三个部分。介绍了这 7 座墓葬的发掘情况，有照片、手绘图。

据介绍，7 墓均为口大底小的长方形竖穴土坑墓，随葬陶器、铜器、玉石器及个别铁器和骨器等 174 件。从器物组合和形制分析，这 7 座墓葬应为战国中期和晚期的楚墓，墓主的身份等级较高。这批墓葬大多为典型的楚墓，仅个别存在楚文化以外的因素，与邓城遗址有着较为密切的关系。但从时代推测，这里应是楚来邓后至秦将白起拔郢前后一处重要的楚人墓地。

简报强调，蔡坡墓地所处的襄阳地区位于南阳盆地南端，自古以来就是南北交通的要冲。两周时期，这一地区分布着众多的小诸侯国，后来成为中原大国向南扩张必争和楚人北上争霸的重要据点。

简报指出，这批墓葬的发掘为研究该区诸文化的融合及楚文化的形成和发展提供了较翔实的实物资料。

870.湖北襄阳蔡坡20号战国墓

作　者：襄樊市考古队　刘江生等
出　处：《考古》2007年第7期

蔡坡墓地位于湖北省襄樊市团山镇蔡坡村北，早年曾进行过多次考古发掘。2002年1月，为配合襄樊市陆寨变电站改扩建工程，襄樊市考古队对征地范围内勘探发现的一座土坑墓进行了抢救性发掘。此墓编号为M20。

简报分为：一、墓葬形制，二、出土遗物，三、结语，共三个部分。有手绘图。

该墓为长方形竖穴土坑木椁墓，葬具已朽，可能是单椁重棺。人骨已朽，葬式不明。该墓早年曾被盗，随葬器物仅存14件，有陶器、铜棺环等。该墓年代简报推测为战国早期早段，应为楚墓。

871.宜城市几处东周文化遗址调查简报

作　者：武汉大学历史地理研究所、宜城市博物馆　徐少华、尹弘兵、郑　威
出　处：《江汉考古》2007年第4期

2006年12月，考古人员在宜城境内开展进一步的田野考古调查，着重踏勘了分布在蛮河流域的东周秦汉遗址，探讨它们与楚国都城和楚文化的发展、演变关系。此次调查不但加深了对这一地区已知东周文化遗址的认识，同时还发现了几处新遗址。

简报分为：一、娃子坟遗址，二、尹家坡遗址，三、陶家塌遗址，四、曾家洲遗址，五、几点认识，共五个部分。有手绘图。

简报称，宜城平原，特别是蛮河中下游地区，古文化遗址分布十分密集。从本次调查在这几处遗址地表所采集的遗物来看，文化面貌和特征比较一致，时代皆为东周，且以战国时期为主，属于典型楚文化的范畴。宜城平原地处楚人南下江汉平原的交通要冲，又是楚人活动与楚文化发展的核心地区之一，其中娃子坟遗址似为城址遗迹。尹家坡遗址附近发现过不少楚墓，似乎也是一处重要的居住地。

872.湖北宜城市母牛山出土一批春秋青铜器

作　者：宜城市博物馆　张乐发等
出　处：《考古》2008年第9期

1989年3月，宜城市蒋湾村砖窑厂在取土场内挖出了10余件古代青铜器。宜城市博物馆闻讯后，立即前往现场调查，并将出土的青铜器全部征集。

简报分为：一、出土情况，二、青铜器，三、结语，共三个部分。有手绘图。

砖窑厂位于宜城市南偏东约15公里处的郑集镇蒋湾村母牛山岗西端。此岗北距楚皇城遗址仅6公里。现场调查时发现，这批青铜器均出自同一个墓坑内，编号为蒋湾村母牛山M1。墓坑已被挖毁，但墓坑东壁保存完好，墓底的四周边线仍清晰可见。棺内南部发现残头骨。棺的南侧和西侧与椁室之间形成了头箱和边箱。据当时在场的人讲述，青铜容器均放在墓底南端头箱和西侧边箱的南部，车马器等则放在边箱的北部。该墓出土16件遗物，皆为青铜器，包括2件鼎、2件室、1件岳、1件盘、1件匜、1件勺、2件车害、2件马衔、3件马镳、1件锥形器。

简报称，蒋湾砖窑厂M1所出土的遗物中，仅见青铜容器和车马器，不见陶器和其他质料的器物，且墓葬形制为一椁一棺的竖穴土坑墓，墓主生前应为楚国贵族。简报推断该墓的年代应为春秋中期。该墓的发现，为进一步考证宜城楚皇城是否为东周时期的楚郢都提供了重要资料。

873.湖北宜城市周代文化遗址调查简报（之二）

作　者：武汉大学历史地理研究所、宜城市博物馆　徐少华、尹弘兵、田成方
出　处：《江汉考古》2008年第2期

2007年10月，考古人员在宜城境内进行第二次田野考古调查，重点踏勘了汉江与蛮河之间的周代文化遗址，探讨它们在楚文化发展、演变中的地位，考察楚文化中心区与其他地区的相互关系。这次调查进一步明确了有关遗址的文化内涵和大致年代，加深了对这一地区周代文化遗址群的总体认识。简报分为五个部分予以介绍，有手绘图。

简报重点介绍了对周家岗、雷家岗、王旗营、谭家沟四处遗址的调查情况。四处遗址均位于平原上的台地或岗地上。周家岗遗址邻近谭家湾遗址，但周家岗遗址的年代较早，有新石器遗存，周代遗存可早到西周晚期，陶鬲中有本区少见的锥足作风，文化面貌上有一定的独特性。谭家湾遗址的年代相对较晚，上限为春秋晚期，文化面貌与本区同类遗存一致。比较而言，周家岗遗址的文化面貌更为丰富，存在宜城平原较少见的西周遗物，值得重视和关注。王旗营与雷家岗遗址亦相去不远，二者在时代、文化面貌等方面比较一致。简报称，在蛮河中下游与汉江之间，周代遗存尤其是东周遗址众多，形成丰富的楚文化遗存圈。

874.湖北襄阳沈岗墓地 M1022 发掘简报

作　者：襄阳市文物考古研究所　王　伟等

出　处：《文物》2013 年第 7 期

沈岗墓地位于湖北省襄阳市高新技术开发区团山镇余岗村沈岗西的一条东北至西南走向的低缓岗地上。墓地大致呈方形，总面积约 13 万平方米。2004 年 4 月，为配合高新技术开发区高新工业园区航宇路（原金岗北路）的修建，经勘探发现此墓地。2004 ～ 2009 年，为配合园区基建项目，对沈岗墓地进行了数次发掘，共发掘以东周墓葬为主的西周至汉唐时期墓葬千余座，出土陶器、铜器、漆木器、玉器、铁器等文物 4000 余件。其中，2009 年 10 月在墓地东南部发掘出土的大量铜器较为重要。简报分三个部分介绍了 M1022 的发掘情况，配有彩照及手绘图。

此墓为一长方形竖穴土坑木椁墓，葬具大多已腐朽，推断为单椁并棺。人骨腐朽无存，仅存一牙齿，葬式不详。出土器物共计 628 件，按质地可分为铜器、玉石器和漆木器三类。铜器共 616 件，可分为礼器、乐器、兵器、车马器、工具、杂器等。礼器 9 件，有鼎、簠等。乐器，句鑃 1 件，有铭文。兵器 7 件，有戈、剑、铍、镞。车马器 596 件，有軎、辖、衔、镳、环、簧形器、锁、节约等。工具 1 件，斧。杂器 2 件，游环和铃。玉石器 11 件，有璧、环、玦、管、琀、碎玉、器座等。漆木器，弓 1 件，出土时已腐朽残断。

此墓的下葬年代应为春秋中期中段。墓主当为一楚国下大夫阶层。此墓为襄阳地区最早且规格较高的楚国铜器墓葬。

875.湖北谷城出土许国铜器

作　者：谷城县博物馆　李广安

出　处：《文物》2014 年第 8 期

2007 年 6 月，谷城县公安局向文物部门移交了一批春秋铜器，包括鼎、簠、壶各 2 件，其中鼎内壁铸有铭文。经调查，确认这批铜器出自谷城县城关镇邱家楼春秋早期墓地。简报配以彩照予以介绍。

这批铜器纹饰主要为窃曲纹、蟠虺纹、垂鳞纹。简报推断这批铜器的年代为春秋早期。鼎、簠、壶的形制及纹饰具有典型的中原风格。其中许成鼎、许子鼎形制并不相同，纹饰也有区别，虽非同时所铸，但同属许国之器。谷城许国铜器的出土，为研究襄阳春秋早期历史提供了重要资料。

今有陈艳先生《春秋许公墓青铜编钟研究》（人民音乐出版社 2019 年版）一书，可参阅。

十堰市

876.房县桃园发现的东周铜剑

作　者：车　轶

出　处：《江汉考古》1991 年第 4 期

1989 年 12 月，房县桃园砖厂职工在小松嘴取土时，从取土的断壁上发现一把铜剑。考古人员赶赴现场调查，但现场已被破坏。简报配以照片予以介绍。

铜剑圆首内凹成喇叭状，圆茎。剑尖一端稍窄。剑身中间起脊，有脊线，刃部两面都有锋线，刃口锋利，有齿状缺口，尖断，通长 48 厘米，宽 4 厘米，柄长 9 厘米。简报推断其为东周时期遗存。

877.湖北郧县肖家河春秋楚墓

作　者：郧阳地区博物馆　胡文魁

出　处：《考古》1998 年第 4 期

1990 年 4 月上旬，湖北省郧阳地区博物馆组织考古干部沿郧县区域内汉水两岸进行化石点专题调查工作。在调查途中，一位船工告知，4 月 6 日郧县五峰乡肖家河农民在淘金取沙时挖出一座古墓，出了一些文物。考古人员随即赶到肖家河村淘金现场，但墓圹已经挖毁，仅存东南部一角。经过现场调查，对残存的部分墓圹进行了清理，追回了散存在各淘金户的出土文物，初步认为这是一座春秋晚期的楚墓。

简报分为：一、墓葬地理位置，二、墓葬形制与随葬品，三、结语，共三个部分。

郧县肖家河楚墓据简报推断，属春秋晚期楚墓无疑，其墓主人的身份当是高层的王族。该墓属河南淅川下寺类型。

878.湖北丹江口市吉家院墓地的清理

作　者：湖北省文物考古研究所、十堰市博物馆、丹江口市博物馆　李桃元、刘志军

出　处：《考古》2000 年第 8 期

吉家院墓地位于湖北省丹江口市均县镇关门岩村的丹江口水库消落区内，此地

在水库蓄水前为高出汉江河谷的低矮丘陵，每年夏季涨水时没入水中，枯水季节出露。现从水库淹没线来判断，墓地东西长约 2000 米，南北宽约 1200 米，由一个西向和三个单排北向的半岛构成。墓地自南向北延伸至水库边，坡度平缓，墓葬主要分布在岗地半岛上，已暴露的墓葬数以百计。1998 年春，考古人员在水库沿岸进行调查时发现了这处墓地，于 1998 年春至 1999 年春对已暴露出的墓葬进行了两次抢救性发掘，共清理墓葬 41 座及车马坑 1 座，出土了一批重要文物。

简报分为：一、墓葬及车马坑形制，二、出土遗物，三、结语，共三个部分。介绍其中的 M1、M2、M3 及车马坑，有手绘图、照片。

这三座墓葬及车马坑内出土了一批青铜礼器和仿铜陶礼器，简报推断其年代当在战国中、晚期，初步认定这是一处楚人家族墓地。

丹江口市地处汉水中游，丹江、汉江两大水系在此交汇，春秋战国时期，这里的地理位置十分重要。在毗邻的河南淅川曾发现了下寺、徐家岭、和尚岭等春秋、战国时期的大型楚墓，而丹江口市至今却尚未见到其他大型东周墓地的报道。吉家院墓地的调查与发掘，增加了人们对丹江口地区东周楚墓的认识，也为鄂西北楚文化研究提供了新的实物资料。

879.湖北郧县肖家河出土春秋唐国铜器

作　者：郧县博物馆　周新民、黄旭初、王诗礼
出　处：《江汉考古》2003 年第 1 期

2001 年郧县五峰乡肖家河村村民建房时，挖出一些青铜器。经现场勘查，考古人员认为这是一座春秋墓葬。5 件青铜礼器中 3 件有铭文，经考证为春秋中期唐国器。这一发现，对研究楚唐、楚廉关系有着重要的价值。

简报分为：一、地理位置，二、墓葬形制与随葬品，三、结语，共三个部分。有手绘图。

据介绍，该墓已被村民挖坏，从现场看，应为长方形土坑竖穴木椁墓，葬具已朽，应为一椁一棺，人骨已朽，有朱砂。随葬品有铜礼器、铜兵器等。简报认为，这批铜器属春秋中期唐国器物。

880.湖北郧西县五斗种遗址发掘简报

作　者：湖北省文物考古研究所、郧西县文管所　武仙竹、陈明惠、屈胜明
出　处：《江汉考古》2005 年第 4 期

五斗种遗址位于郧西县城东南部，隶属于郧西县河夹镇箭流铺村二组。遗址分

布于汉江沿岸，2003 年发现，2004 年 5 ～ 6 月发掘。

简报分为：一、地层堆积，二、遗迹，三、遗物，四、小结，共四个部分。有手绘图。

据介绍，郧西五斗种遗址发掘出土一批具楚文化特点的遗物以及陶窑等遗迹，还有动物骨骼、铁器等。时代属于春秋晚期至战国中、晚期。陶窑已残，但仍可对了解当地楚人陶窑技术有一定帮助。五斗种遗址动物骨骼，可鉴定的均为野生动物，没有发现家畜骨骼。该现象可能反映出，野生动物在遗址古居民肉食资源中，应该是占有很大比例的（有可能为主要肉食资源）。所鉴定的动物种类中，包括有豪猪、豹猫、小灵猫、梅花鹿等，可见当时先民是生活于森林环境之中。

881.湖北郧县辽瓦店子遗址东周遗存的发掘

作　者：武汉大学考古与博物馆学系、湖北省文物局南水北调办公室　王　然、傅　玥等

出　处：《考古》2008 年第 4 期

辽瓦店子遗址位于湖北省十堰市郧县柳陂镇辽瓦村，东北距郧县县城 12.5 公里，东南距十堰市 10 公里。由于汉水在此形成一处由西南向东北的拐弯，历年来，汉水的不断冲刷对遗址的北部造成了较大的破坏。通过对河边冲刷断面的观察，可知地层堆积平均厚度在 6 米以上，1.5 米以上为洪水淤积层和 20 世纪六七十年代居民生活堆积，1.5 米以下为汉代以前的文化堆积，其厚度平均在 4 米以上。从断面、地形、地貌看，除被江水冲刷的部分外，遗址大部分保存完好，遗迹、遗物十分丰富。辽瓦店子遗址于 1994 年在考古调查中发现，2004 年 2 月，再次复查核实，将其定为县级文物保护单位。2006 ～ 2007 年，考古人员进行了两次发掘，发现了相当于夏时期至东周时期的丰富遗迹、遗物。简报分为：一、地层堆积，二、遗迹，三、遗物，四、结语，共四个部分。先行介绍东周遗存，有手绘图等。

东周时期的遗迹主要为灰坑、井及陶窑，遗物主要为陶器。这些遗存分三期，年代在两周之际到战国晚期，属于典型的楚文化。

简报认为，该遗址及鄂西北文化区至少从春秋早期开始便主要属于楚文化范畴。辽瓦店子遗址地处楚文化起源核心地带，而其东周时期的遗存属典型的楚文化，这类遗址在所有的楚文化遗址中十分罕见。遗址中清晰的商、两周时期文化的演变关系将为探讨楚文化的起源和发展提供重要的线索。

882.湖北郧县乔家院春秋殉人墓

作　者：湖北省文物考古研究所、湖北省文物局南水北调办公室　黄凤春、黄旭初等

出　处：《考古》2008年第4期

乔家院墓地位于郧县西部山区，东距郧县县城约40公里。墓地坐落在汉江上游南岸的台地上，北与郧西县的天河口隔江相望，现隶属于郧县五峰乡肖家河村。2006年3～12月，为配合南水北调中线工程，考古人员对肖家河村的乔家院墓地进行了勘探和发掘，勘探出春秋至明代墓葬64座，发掘了其中的8座，其中春秋、东汉墓葬各4座。

简报分为：一、墓葬形制，二、随葬遗物，三、结语，共三个部分。先行介绍其中的4座春秋墓葬的发掘情况，有彩照、手绘图。

据介绍，发掘的4座春秋墓葬皆有殉人，均为长方形土坑竖穴墓，椁内皆有头箱、边箱和棺室。其余皆横置于棺脚部。殉人未见棺痕和随葬品，但有丝织品包裹痕迹。出土了一批青铜礼器，还有陶器、玉器、石器、铁器、水晶器等共217件。根据墓葬形制和出土遗物特点，推断这些墓葬应为春秋晚期的楚墓，并初步判定这4座墓为两处夫妻异穴合葬墓。根据出土青铜兵器上的铭文，墓主人或姓“斨”，属“锡”国。

据相关文献记载，乔家院墓地为古麇国的都城“锡穴”所在地。春秋中期，麇、楚关系极为密切，麇国曾一度为楚之盟国。但在“厥貉之会”后，麇、楚分离，麇多次被楚国讨伐，并最终在春秋晚期为楚所灭。这里的楚墓，应是灭麇后楚人入主麇地后的墓地，这批墓葬的年代正好与文献记载相吻合。

简报指出，乔家院墓地是近年来在湖北发掘的一处重要墓地，出土遗物的年代都比较清楚，文化因素明确。这不仅对建立鄂西北地区楚墓年代学序列有重要意义，而且对研究楚文化的西进也很重要。值得一提的是，这批墓葬普遍发现有殉人，墓主与殉人在墓葬中的排列有着明显的主从和尊卑关系，这对系统研究春秋时期楚国殉人身份和人殉制度也有着不可低估的学术价值。

883.湖北省郧县胡家窝遗址发掘报告

作　者：湖北省文物局南水北调办公室、武汉大学考古系、郧县博物馆

出　处：《江汉考古》2009年第3期

胡家窝遗址位于湖北省十堰市郧县青山镇胡家窝村一个临汉江的土台上。2006年10～12月，考古人员对该遗址进行了发掘，发现有后冈一期文化、朱家台文化和战国时期遗存。

据介绍，胡家窝遗址第一期遗存主要发现有陶片和少量石器。陶器可分为夹砂陶、泥质陶和蚌陶三类。其中以泥质陶器为主，约占总数的80%；其次为夹砂陶，陶色以红陶陶为主，占90%左右，属仰韶文化后冈一期文化。二期遗存以泥质陶居多，灰色陶占42%左右，属仰韶文化朱家台文化。胡家窝第三期遗存陶器绝大部分为夹砂陶，泥质陶仅占2%左右。陶色以灰色、红色、褐色较多，有少量黑陶。纹饰以绳纹为主，有较多素面陶，其次为弦纹。器型比较丰富，包括高、罐、豆、盆、甑、甗等。时代属战国中期前后。

884.湖北十堰潘口水电站三处古遗址的发掘

作　者：湖北省文物考古研究所　黄文新、杨海莉、柯美新、李　强

出　处：《江汉考古》2009年第4期

潘口水电站位于十堰市竹山县田家坝镇境内，地处汉水支流堵河的下游河段，东距竹山县城13公里。潘口水电站与陕南和川东接壤，是古庸国所在地。遗址地处河流边缘地带，长年受河水的冲刷，破坏殆尽，出土遗物甚少，文化内涵主要包含新石器时代晚期和东周时期遗存。东周时期文化面貌较为复杂，既有楚文化特征又具巴蜀文化风格，同时还包含陕南文化因素。这是与周边文化相互影响、碰撞形成的一种以地方文化为特色的多元文化。潘口水电站淹没区的小府坪、红花湾、王家套等遗址是东周时期楚灭庸后的一处村落遗址。2008年4～5月考古人员进行了抢救性发掘。

简报分为：一、小府坪遗址，二、红花湾遗址，三、王家套遗址，四、小结，共四个部分。有手绘图、照片。

鄂西北属于偏远山区，考古工作比较薄弱，潘口水电站淹没区的文物保护工作给该地区带来一次机遇。出土遗物虽少，但通过本次考古发掘，大致对该地区的文化面貌有了一定的了解，为研究鄂西北地区史前文化面貌和东周时期楚文化在堵河流域的分布与发展进程提供了重要的实物资料。

885.湖北十堰犟河口遗址2008年发掘简报

作　者：吉林大学边疆考古研究中心、湖北省文物事业管理局、十堰市博物馆　邵会秋、吕　军、税文霞、夏洪宇

出　处：《四川文物》2010年第6期

犟河口遗址位于湖北省十堰市张湾区黄龙镇东湾村，在犟河与堵河的交汇处、堵河东部的台地上。2008年9～12月，考古人员对其进行了抢救性发掘，揭示出新

石器、东周至汉和明清时期等不同时期的遗存。

简报分为：一、地层堆积，二、新石器时代遗存，三、东周至汉时期遗存，四、结语，共四个部分。配以手绘图。

据介绍，该遗址2004年发现，2008年发掘。新石器时期遗存不多，年代为距今6000年后半段。主要遗存为东周时期，下限延续至汉代。

886.湖北郧县白鹤观遗址东周墓发掘简报

作　者：湖北省文物考古研究所　陆成秋、张　君

出　处：《江汉考古》2010年第3期

2006年10月至2007年1月，为配合南水北调工程，考古人员对郧县白鹤观遗址进行了发掘，清理出9座东周墓葬。形制上有宽坑竖穴墓、窄坑竖穴墓和带壁龛的窄坑竖穴墓。随葬有鼎、敦、壶、盘、匜等仿铜陶礼器以及鬲、盂、豆、罐等生活用器。随葬生活用具的墓葬时代相当于春秋中晚期，随葬仿铜陶礼器的墓葬时代相当于战国晚期。

简报分为：前言，一、墓葬形制和随葬器物，二、墓葬类型及器物组合，三、随葬陶器特点、制法、纹饰及彩绘陶器，四、墓葬年代及墓主身份，共五个部分。有手绘图。

据介绍，白鹤观遗址位于湖北省十堰市郧县柳陂镇兴盛村九组。墓葬可分两类，第一类为仿铜陶礼器墓，共三座（M16、M8、M12），墓主人身份当比士低一级，年代为战国晚期。第二类为日常生活用品墓，墓主人应为春秋中晚期的平民。

887.湖北丹江口市薄家湾遗址发掘简报

作　者：湖北省文物考古研究所　晏行文、唐　宁

出　处：《江汉考古》2011年第1期

薄家湾遗址位于湖北省丹江口市浪河镇薄家湾村一组，属汉水流域。遗址年代大致为春秋中期至战国早期，陶器以红陶为主，出土大量楚式鬲。

简报分为：一、地理位置与环境，二、地层堆积，三、遗迹与遗物，四、结语，共四个部分。有手绘图。

本次发掘出的遗迹有灰坑、房子、陶窑、水井、灶、水沟等，房址1座，破坏严重。出土遗物有陶器、铁器、铜器、石器。陶器为主体，铁器、铜器、石器较少见。薄家湾遗址东周遗存中大量楚式鬲的出土、红陶系在遗址中占主导地位等迹象显示该遗址文化面貌属于春秋中晚期、战国早期楚文化范畴，与同处汉水中游的鄂西北

地区同时期遗存有着较多的共性。薄家湾遗址的发掘为探讨鄂西北汉水中游地区早期楚文化面貌提供了重要的研究资料。

888.湖北武当山柳树沟墓群 2010 年发掘简报

作　者：湖北省文物考古研究所　黄文新、陈国祥、韩继斌、熊宏伟、舒成海
出　处：《江汉考古》2013 年第 2 期

柳树沟墓群自战国中期开始，至秦、汉、宋及明清时期一直在沿用。墓葬分布密集，出土遗物较为丰富。第一阶段陶双耳罐、圜底釜、敛口平底钵等，都具有关中地区文化特色，属于关中秦文化范畴，与秦人南侵有关。第二阶段陶假圈足壶、翻卷圜底釜、甑等，仍以关中地区秦文化面貌为主，但包含了少量南方文化因素，是秦拔郢后形成的一种混融性地域文化。秦文化由北向南逐渐发展，反映出秦拔郢后一个区域文化的演变过程。该墓地 1994 年发现，1998 年、2004 年分别进行过复查，2008 年 4 月至 2009 年 4 月进行了发掘。

简报分为：一、发掘方法与地层堆积，二、墓葬形制，三、随葬器物，四、结语，共四个部分。有手绘图。

该墓群位于武当山旅游经济特区柳树沟村，面积约 25 万平方米。此次发掘探明墓葬 452 座，清理墓葬 134 座，其中东周墓葬 2 座、西汉墓葬 93 座、宋代墓葬 15 座、明清墓葬 24 座，此次正式发掘 9 座。柳树沟墓葬分布较为密集，从发掘的现场情况来看，该墓地绝大多数属于小型墓葬，中型墓极少。M1 和 M2 地面保留封土，但 M1 已被盗，几乎被洗劫一空。9 座墓可分两个阶段，第一阶段为公元前 280 年秦人拔郢之前秦人墓，第二阶段为秦汉之际墓。

荆州市

889.江陵发现战国木椁墓

作　者：陈上岷
出　处：《文物》1959 年第 2 期

1958 年 2 月间，江陵县新民乡谭家湾高阳社因疏通河沟在长湖边挖掘了一座战国木椁墓。考古人员前往了解，得知这座墓是在长湖旁边 1 米深的泥土里发现的，墓向西，椁盖成弧形，中间高，两边低。出土物计有铜戈 5 件，铜剑 2 件，铜燕尾

镞 16 件，铜三角镞 6 件，矛 2 件，马衔 7 件，兵器铜饰 2 件，残铜环 1 件，玉饰 2 件。

简报称，这些东西都是从椁内黑褐色的稀泥里挖出来的，现保存在江陵县文教局。江陵原为楚国都城所在地，但战国墓葬却一直很少发现。这座墓的发现，是值得注意的。

890.湖北省江陵出土虎座鸟架鼓两座楚墓的清理简报

作　者：湖北省文物管理委员会　郭德维、刘彬徽

出　处：《文物》1964 年第 9 期

简报分为：一、葛阪寺 34 号墓，二、柏马山 4 号墓，共两个部分。

江陵葛阪寺，在县城西北约 5 公里，东北距故楚郢都——纪南城约 1.5 公里，西至八岺山约 4 公里。1962 年底，发现了一批棺椁保存较完整的楚墓，考古人员前往清理，共清理了其中的 14 座，其中 63JGM34 出土虎座鸟架鼓等器物，柏马山 4 号墓也出土有虎座鸟架鼓及瑟等。葛陂寺 34 号墓为楚墓，柏马山 4 号墓为战国早中期楚墓。这次发掘，为研究虎座鼓这一古代器物提供了新的实物。

891.湖北松滋县大岩嘴东周土坑墓的清理

作　者：湖北省文物管理委员会　程欣人、王富国

出　处：《考古》1966 年第 3 期

1960 年 2 月上旬，在松滋县西斋大岩嘴地区发现了木椁墓。考古人员前往清理。简报分为：一、墓葬形制，二、出土遗物，三、结语，共三个部分。有手绘图等。

据介绍，共清理土坑墓 27 座、砖室墓 2 座。出土有陶器、铜器、玉石器等。可分为四期。属于第一期的墓葬，有 M24、M32。其时代上限可到春秋末叶。属于第二期的墓葬，有 M15、M20。其时代约当战国中期。属于第三期的墓葬，有 M14、M18、M28，其时代约当战国晚期。属于第四期的墓葬，有 M23，其时代下限或许晚到西汉。

简报称，大岩嘴的墓葬，基本上都是楚墓。

892.江陵发现楚国彩绘编磬

作　者：不详

出　处：《文物》1972 年第 1 期

1970 年 3 月，在江陵纪南故城附近发现了 25 具战国时期楚国彩绘石编磬。出土地点是位于纪南城南约两公里的一座圆形土台中。发现时，大型的在下，小型的在上，整

齐地叠置成半圆形,应是有意埋藏的。编磬彩绘主要题材是凤鸟。此应为一套完整的编磬。

893.湖北江陵藤店一号墓发掘简报

作　者：荆州地区博物馆
出　处：《文物》1973 年第 9 期

1973 年 3 月，江陵县藤店公社在农田水利建设中，发现藤店一号墓。考古人员于 3 月中、下旬配合水利工程对此墓进行了清理发掘。简报分为三个部分予以介绍，有照片、手绘图。

据介绍，藤店一号墓位于藤店公社藤店大队，东南距楚故都纪南城约 9 公里，距江陵县城(荆州城)约 23 公里,东北至纪山寺约 4 公里。墓葬在一块较高的岗地上，地面已无封土堆。发掘前，墓口已露出，墓口以下第一层土阶部分被破坏。此墓是一座长方形土坑木椁墓，重椁重棺，人骨为仰身直肢葬。墓葬出土的器物共 300 余件，大部分放在头箱和边箱内。头箱南部放置生活用品，北部放置皮甲和越王铜剑。边箱东部放置生活用品，中部和西部放置兵器、车马器、乐器和漆木器。这些器物按质地可分成铜、陶、竹、木、皮、玉、石、骨等类。按用途可分成竹简、兵器、车马器、生活用具、乐器等类。该墓年代，推断为战国时公元前 334 年以后。

894.湖北江陵拍马山楚墓发掘简报

作　者：湖北省博物馆、荆州地区博物馆、江陵县文物工作组发掘小组
出　处：《考古》1973 年第 3 期

拍马山位于荆州城西北郊约 4 公里，北距楚都纪南城约 3.5 公里，是一处高出地面约 3 ～ 4 米的土岗。此地楚墓分布较密，早在 1963 年即已发现并进行过发掘。1971 年底，当地在土岗西南修筑水渠，在长 300 米的地段内即露出古墓近 70 座，考古人员进行了发掘。

简报分为：一、墓葬形制，二、出土遗物，三、结语，共三个部分。有照片、手绘图。

据介绍，计发掘了 27 座墓。这批古墓按出土物可分为三类。一类以陶鬲为主体，出土有铜剑、铜戈等，时代为春秋晚期。二类以陶鼎为主，也有铜剑、铜戈等，时代为战国中、晚期。三类以漆木器为主，有陶器等，时代亦为战国中、晚期。

这批墓从墓葬形制到随葬品，有着明显的差异。在已挖的 27 座墓中，有 16 座有棺有椁，随葬品礼器较全，多达十多件；有 10 座有棺无椁，随葬有铜兵器和礼器；其中 1 座用两厘米厚的薄板作棺，无殉葬器物；另 1 座无棺无椁，浅坑里用草席缠身，随

葬品一无所有。M10出土戈上有铭文，上刻纪年，简报认为是梁惠王时的公元前337年。

895.湖北江陵太晖观楚墓清理简报

作　者：湖北省博物馆　郭德维

出　处：《考古》1973年第6期

太晖观在江陵县城（荆州城）西门外1公里许，北距楚郢都纪南城约5公里。1961年冬，因修水渠，发现了一批楚墓，考古人员曾清理了其中的4座（M2、M3、M4、M6）。1962年秋又清理了其中的6座（M11、M12、M15、M17、M18、M21）。

简报分为：一、墓葬形制，二、出土器物，三、结语，共三个部分。有手绘图。

墓葬均为长方形土坑竖穴墓，墓口略大于墓底。5座棺椁俱备，5座仅有棺，随葬品有陶器、金属、石器、漆器、木器等。M21的棺椁、竹席、人架等保存较为完整，有助于今后的田野考古工作。漆木竹器出土数量虽不多，但制作却较精巧美观。

简报称，出土的器物，较之中原地区，有明显的地方特征，与长沙等地的楚墓有不少相同之处。

896.湖北江陵太晖观50号楚墓

作　者：湖北省博物馆、华中师范学院历史系　徐松俊

出　处：《考古》1977年第1期

考古人员于1973年3月间，在江陵太晖观进行了一次墓葬发掘。太晖观位于江陵城西门外西北1公里许，北距楚故都纪南城约5公里。该地是楚墓群，墓葬分布较多。此墓北距18、21号楚墓约400米，在太晖生产大队的水渠中，编号50。简报配以照片、手绘图予以介绍。

据介绍，墓葬形制为带斜坡墓道的长方形土坑竖穴墓，一椁一棺，椁顶及周围填满白膏泥，棺木用绳索捆缚，显为楚墓。出土有彩绘双身双首镇墓兽等木器、陶器、竹器及丝麻织物。年代简报推断为晚于战国中期。

897.江陵雨台山楚墓发掘简报

作　者：荆州博物馆

出　处：《考古》1980年第5期

1975年11月至次年2月，为配合水利工程，考古人员在江陵县九店公社雨台大队

境内的雨台山清理了楚墓554座。雨台山是一座略高出周围地面的小山，南距荆州城约10公里，西面临楚故都纪南城东城垣，东面和南面为长湖所环绕，北面是一片平地。墓葬发掘区位于雨台山的南部，清理前是一片稻田和岗地，地势较低。墓葬多分布在岗地上。在编写简报过程中，收集了1973年荆州博物馆在雨台山北部发掘的1座墓（M55）的材料，又收集了1976年11月南京大学考古专业在雨台山河道两岸发掘的3座墓（M556、M557、M558）的材料，总计558座。简报分为四个部分予以介绍，有手绘图等。

此次发掘有以下几点收获：

首先，在墓葬形制方面，雨台山楚墓具有很多的特点。墓葬大多数具有一致的方向，南北向居多，东西向较少。558座墓，头向南的369座，占总数66%，其他方向较少。墓坑形状均为口大底小的长方形竖穴，一般坑壁都较倾斜。多重棺椁的墓一般都设有台阶。墓坑填土，大多数在葬具周围填青灰泥，上层填五花土。较大的墓椁室一般设有头箱、边箱、棺室，小的有椁室墓一般仅有棺室。棺的形式有悬底弧棺、悬底方棺和长方盒形棺，其中以悬底弧棺数量最多。葬式均为仰身直肢葬。

其次，在随葬器物方面，雨台山楚墓出土的器物形制及组合也具有自己的独特风格。铜礼器较少，铜镜少，但铜兵器较多，尤以剑为多，不仅大中型墓中有出土，单棺墓和无棺小墓也常出有剑。漆木器数量多、种类繁，制作精美。500余座墓，有224座出有漆木器。其中，虎座飞鸟、虎座凤鸟悬鼓、方耳杯、漆木豆等都是楚墓中仅有的。一般随葬有成组仿铜陶礼器或铜礼器的有椁室的墓，都随葬有镇墓兽，一般墓随葬单头镇墓兽，较大的墓随葬双头镇墓兽。

简报指出，在一个墓地，一次发掘如此数量众多的墓，这在楚墓发掘中还是第一次。墓葬年代从春秋早期至战国晚期，延续时间达500余年。这批墓葬的棺椁形制保存较好，出土的器物数量大、种类多，为研究楚墓分期及楚国的政治、经济、文化等方面都提供了宝贵的实物资料。同时，雨台山墓地距楚故都纪南城很近，时代也很接近。因而，这批墓葬的发掘，为楚都纪南城的研究，也增添了重要的资料。

898.湖北江陵马山砖厂一号墓出土大批战国时期丝织品

作　者：荆州地区博物馆　彭　浩

出　处：《文物》1982年第10期

1982年1月上旬，湖北荆州地区博物馆在江陵县马山公社砖厂的取土场中发现一座小型墓葬，即派人进行发掘。经过30多天的努力，初步完成了田野和室内的清理工作。简报分为四个部分予以介绍，有彩照。

据介绍，马砖一号墓位于江陵县城西北，距楚故都纪南城约8公里。马砖一号墓的葬具为一椁一棺，仅有狭窄的头箱和边箱，铜礼器组合为鼎、壶，陶礼器组合为二组鼎、敦、壶。根据对江陵楚墓等级制度的研究，墓主人应属于士的阶层。另出土成批衣衾，刺绣数量多，图案精美且品种较多，保存较好。推断此墓的年代当在战国中晚期之际。马砖一号墓的丝织品的质量和图案设计，都充分反映了当时丝织生产技术的高度成就。马砖一号墓中的衣衾包裹是先秦考古学史上的首次发现，对研究战国时期的丧葬制度有一定价值，也可以印证文献上的有关记载，澄清一些长期争论的疑难问题。它对古代服饰、思想、艺术等方面的研究同样是很重要的材料。

899.江陵岳山大队出土一批春秋铜器

作　者：荆州地区博物馆
出　处：《文物》1982 年第 10 期

1973 年，湖北江陵草市镇五金工具厂收到纪南公社邹北大队农民 1970 年冬在岳山大队第九队修建水利工程中发现的一批铜器。考古人员到厂进行了拣选征集，近年来又专程到这批铜器的出土地点作了调查。

据介绍，纪南公社岳山大队第九队地势自西向东倾斜，原是一处古代墓地，西北距楚故都纪南城 7.5 公里。太湖港改道工程经过九队岗地时，发现了数座墓葬。其中的一座出土了一批铜器。据当时在场的百姓反映，墓坑早已被破坏，铜器出土时，排列整齐，上面只覆盖了 0.3 米厚的青灰泥土层，铜器四周还发现了陶罐、豆和漆器残片等。简报配以照片予以介绍。

这批铜器为鼎 1 件、盏 1 件、簋 1 件、簠 1 件，簠盖和器内各有 4 行 16 字铭文，内容相同，简报录有铭文全文。另有罍 1 件、盘 1 件。简报推断这批铜器年代在春秋中期，当为楚器无疑。

900.江陵天星观 1 号楚墓

作　者：湖北省荆州地区博物馆
出　处：《考古学报》1982 年第 1 期

天星观 1 号墓位于江陵县观音垱公社五山大队境内，东临长湖，西距楚故都纪南城约 30 公里。清时曾在该墓封土堆上修建过天星观道观一座，因此得名。五山大队境内自东向西弧形排列 5 个大土冢，1 号墓位于五山东侧，是五山中最大的一个。墓葬东北面紧靠长湖，封土的 40% 及填土的一部分已坍垮。考古人员于 1978 年 1 月 8 日至 3 月 28 日对该墓进行了发掘。

简报分为：一、墓葬形制，二、出土器物，三、结语，共三个部分。有照片、手绘图。

据介绍，该墓为有封土、有墓道的长方形土坑竖穴木椁墓，曾被盗，出土了一批铁质盗墓工具和陶器，详见所附“盗洞留存器物”。椁内五大室，四室被盗，仅存北室。内棺盖被推置一侧，尸骨无存。但经发掘，墓中仍出土各类器物2500余件和一批有重要价值的竹简。墓葬的下葬年代应晚于公元前361年，在公元前340年前后，即楚宣王或楚威王时期。墓主应为《史记·楚世家》中提到的楚国大族潘氏家族成员邸阳郡番勳。此人当为楚国上卿，官职应在令尹、上柱国之列。

此墓出土的竹简整简长64～71厘米，宽0.5～0.8厘米。简的左侧上下各有一个三角形的编口，简文一般书于竹黄上，不留天头。经初步整理，简文内容有卜筮记录和遣策。整简70余枚，其余残断，共4500余字，字迹大部分清晰。

遣策部分残损较甚，经拼对复原后，可大致了解其主要内容。一部分简记录了为墓主邸陽君助丧的人的名字、官职和所赠的物品。另一部分简则似为记录邸陽君出丧时所用的车辆、仪仗，一般记有御者的官职、姓名，所乘车辆在车阵上的位置，以及车的名称、所载的仪仗、兵器、甲胄、饰件等。这份遣策可以帮助我们深入了解当时的丧葬制度。

卜筮记录的竹简数量较多，计2700余字。卜筮的具体内容，大体可分为三类：一类是为墓主贞问“侍王”是否顺利；一类是贞问忧患、疾病的吉凶；一类是贞问迁居新室是否“长居之”，前途如何等。卜筮之辞的格式主要有两种：一种是先记年月日，再记卜人所用占卜工具和所问事项及占卜结果。另一种是不记年月日，只记占卜人名、占卜工具及验辞。

天星观一号墓竹简的字体，具有楚国文字的基本特点，较多地使用别体字、通假字，有些字形是过去所不多见的，对于古文字学的研究无疑是一批宝贵的材料。

901.楚都纪南域的勘查与发掘（上）

作　者：湖北省博物馆　谭维四、文必贵、杨权喜、陈贤一等

出　处：《考古学报》1982年第3期

湖北省江陵县境内的楚都纪南城，是迄今已发现的我国南方最大的一座古城。楚都纪南城即楚郢都故城，因在纪山之南，后人称之为“纪南城”，在今荆州城（即江陵县城）北5公里。土筑城垣至今仍大部分保存在地面上，一般高出平地3.9～8米，底部宽30～40米，上部宽10～20米。城内地面今绝大部分已变为水田。20世纪50年代初期，考古工作者对纪南城进行过地面调查与勘查。遗址于1956年定为全省重点文物保护单位。1961年国务院将它列入全国第一批重点文物保护单位之一。随后，1965年夏，考古人员对城址开始普探、试掘，测绘现存地形图，同时在城外发掘楚

墓。1973年发掘南城垣水门。1975年冬，城址所在地各社队的农田基本建设威胁着城址的保护，于是开始大规模的考古工作。此次的重要工作有：全面勘探纪南城城址；发掘西垣北门、松柏30号台基、新桥陈家台遗址、城东垣外毛家山遗址，发掘总面积7000余平方米；发掘城内东岳庙春秋墓地、凤凰山秦汉墓地、城东垣外雨台山东周墓地，发掘总墓数600余座。此外，还发掘大批古水井、古窑址以及文化堆积较厚的遗址多处。这是纪南城工作和楚文化研究的一次较大收获。简报前言、城址的勘查、西垣北门遗址的发掘、南垣水门遗址的发掘等几个部分，仅为简报的上篇。

902.楚都纪南域的勘查与发掘（下）

作　者：湖北省博物馆　刘彬徽、杨长喜、谭维四等
出　处：《考古学报》1982年第4期

此为同名简报的下篇，包括松柏区30号建筑遗址的发掘、陈家台遗址的发掘、水井、窑址的勘查与发掘、楚墓的勘查与发掘、结语等几个部分。

纪南城就是楚郢都，现存城垣在春秋晚期至战国早期已形成，公元前278年秦将白起拔郢，楚即迁都。考古发掘找不到秦汉时代文化堆积，表明楚都东迁后，纪南城即逐渐废弃。当地地下水水位高，河流经过的城内中心地带，屡经洪水泛滥，地貌变化频繁，当年城内的地上建筑早已荡然无存，道路遗迹更难辨认。现在经过全面勘探与重点发掘，才使我们有可能对与现存城垣年代相同的城市布局作出如下判断：

城内东南部的松柏区，有密集的夯土台基。最大的是松柏30号宫殿建筑基址，其他夯土台基上也多有类似建筑遗迹。从台基群的布局来看，有一定的规律。因此，这里应是楚都的主要宫殿区。

城内东北部的纪城区夯土台基也不少，多集中在这个地区的中心地带，即广宗寺以北的岗地上，规模也较宏大，当为楚都城内另一重要建筑群所在。

纪城区和松柏区靠近龙桥河两岸，有分布密集的水井，且已发现窑址多处。井、窑及其相间地带，又有大量的草木灰、红烧土和烧制变形的陶器及板瓦、筒瓦等。因此，这一带是城内制瓦和制陶器的主要手工业作坊区。西南部新桥区存在夯土台基较少，且相距甚远。在这个地区发现有铸炉、炼渣、锡块和房屋建筑以及与冶铸有关的鼓风管、耐火泥等，也有被火焚炭化了的稻米遗迹。看来，这一带应是以金属冶铸为主的手工业作坊区。

西北部的徐岗区，地面留存的夯土台基更少，且有早期墓葬发现，其他遗物发现也不多，目前还难以肯定这一带遗存的性质。

城垣四周附近已发现的考古资料表明：城南的许多夯土台基有可能为祭祀或守卫都城的遗址；城西、城北有密集的居民区；城东附近靠近湖边的河旁还有制陶作坊遗址；城周附近（如雨台山墓地）有许多大小贵族的墓葬区，有可能是《周礼・地

官》中所谓的“邦墓”之地；而离城稍远的八岭山、纪山一带，大型的土冢林立，很有可能为楚国国君、王室墓地所在，亦即《周礼·地官》中所谓“公墓”之地。

简报最后强调，楚国是我国古代的大诸侯国。人口众多，幅员辽阔，立国时间长达800年，最后几乎统一整个南方。楚郢都是楚国强盛时代政治、经济、军事和文化的中心，认真做好楚都纪南城的考古工作，对于深入开展楚文化和我国古代历史的研究具有重要意义。

903.江陵发现一件春秋带铭夔纹戈

作　者：王毓彤

出　处：《文物》1983年第8期

1979年夏，湖北荆州博物馆收购到江陵县拣选的一件青铜戈。刃部略有小缺。胡有三穿，内两面铸有相同的要纹。阴铸铭文三字。前两字识为“梾”，后一字识为“中”（仲）。简报配以拓片予以介绍。

按照简报的理解，戈铭“梾梾中”三字，前一字代表国别或地名，后二字应为人名。此戈从形制、纹饰特征看，似属春秋中、晚期兵器。

904.江陵溪峨山楚墓

作　者：湖北省博物馆江陵工作站　杨定爱

出　处：《考古》1984年第6期

1980年8月至12月，为配合江陵县皮革厂基建工程，在湖北省江陵县溪峨山清理了6座楚墓。6座墓位于溪峨山东北部，其西约1公里的张家山、西北约300米的太晖观60年代曾发掘过楚墓。

简报分为：一、墓葬形制，二、随葬器物，三、结语，共三个部分。有手绘图、照片。

根据这6座墓陶器的基本组合及主要器物形制的不同，可将它们分为三期：第一期为M3、M7；第二期为M2、M6；第三期为M1、M5。第一期墓年代应为战国早期。第二期墓其相应年代为战争国中期偏早。第三期墓其相应年代应为战国中期偏晚。这6座墓的葬具均为一椁一棺，与文献记载的“士有椁而不重棺”的棺椁制度相符，而且都随葬仿铜陶礼器、漆木器等，墓主的身份应大致相当于士这个等级。6座墓共出土器物280余件。

简报称，这次出土的骨质蚁鼻钱及有朱书文字的木俑，是以往楚墓出土物中所少见的，为研究楚国的文字、货币提供了新的资料。

905.湖北荆州砖瓦厂 2 号楚墓

作　者：荆州地区博物馆
出　处：《江汉考古》1984 年第 1 期

荆州砖瓦厂位于江陵县荆州城西门外 4 公里许，东北距楚故都纪南城约 10 公里。砖瓦厂施工取土使大部分墓葬都暴露了出来。2 号墓分布在砖瓦厂东北角的高地上，距 1 号墓约 100 米。考古人员于 1982 年 1 月 7 日对该墓进行了发掘。

简报分为：一、墓葬形制，二、随葬器物，三、小结，共三个部分。有照片、手绘图。

从墓葬形制和出土器物来看，2 号墓是江陵地区常见的楚墓。此墓为土坑竖穴墓，椁室周围填厚达 2.82 米的青灰泥；一椁一棺，椁室有头箱、棺室，棺室与头箱之间有窗户；棺为悬底弧形棺等，都具有江陵楚墓的特点。时代简报推断为战国中期。随葬品有镇墓兽、陶器、铜戈等计 22 件，其中出土了一定数量的漆木器，制作较精巧美观，反映了当时的工艺水平，是研究楚国工艺史的材料。特别是出土的漆深腹杯，在江陵和其他各地的楚墓中均未发现，应是一种饮酒用具。

906.江陵张家山 201 号楚墓清理简报

作　者：荆州地区博物馆　王从礼
出　处：《江汉考古》1984 年第 2 期

1976 年 3 月，在距荆州城西北 1.5 公里的张家山江陵县砖瓦厂内，因制砖取土发现了一座土坑穴墓，墓口与墓坑上部填土被推土机推走。考古人员对该墓进行了清理，编号为张家山 M201。简报配以手绘图、照片予以介绍。

该墓为长方形斜壁竖穴土坑墓，有青灰泥，棺椁已朽，一椁两棺。随葬品大都出在椁南室（主要有青铜礼器与青铜生活用器），东室与北室放置少量的青铜兵器与生活用具。主室中尸骨已朽烂无存。出土遗物按其用途可分青铜礼器、青铜生活用器、兵器、车马器、玉石器等。墓主人身份为楚国大夫。

907.江陵李家台楚墓清理简报

作　者：荆州博物馆　王毓彤
出　处：《江汉考古》1985 年第 3 期

1974 年 6 月，北距荆州城大北门 2 公里的李家台，在兴修水利工程中暴露了 4 座古墓。两座无器物的小狭棺已在施工中被挖掉，考古人员清理了三、四号墓。简报共分三个部分予以介绍，有手绘图。

据介绍，三、四号均属小型墓。三号墓的时代应不晚于战国中期偏早，四号墓的时代应为战国中期偏晚，四号墓葬具上有假门，结构复杂。随葬品中 7 件铜砖码、铜肖形印、铜鼎所用铁足等值得注意。绘有孔雀等图案的彩绘漆木盾也十分精美。

908.江陵蚂蝗山越人墓简报

作　者：胡文春

出　处：《考古与文物》1987 年第 5 期

1982 年 10 月下旬，考古人员在江陵县九店乡雨台村境内，清理了一座战国墓，出土了越式铜鼎等 5 件文物。简报配以手绘图予以介绍。

这座墓为竖穴土坑小型墓，没有斜坡墓道。清理时，墓坑上部已被破坏，葬式不明。这座墓随葬器物共 5 件，其中铜器 3 件，铁、陶器各 1 件。简报推断为战国中期墓。墓主人有可能是越人。

909.江陵马山砖厂二号楚墓发掘简报

作　者：荆州地区博物馆

出　处：《江汉考古》1987 年第 3 期

江陵马山砖瓦厂位于荆州城西北约 15 公里处，原始地貌为一隆起的岗地。1980 年以来，砖厂在取土工程中陆续发现有战国时期的墓葬，被确定为一处古墓地。1982 年 1 月，考古人员发掘了其中一座战国楚墓，编号为江马砖 M1。1982 年冬，砖厂取土工程中又暴露出古墓葬一座。1983 年 1 月下旬进行了清理，编号为 M2。

简报分为：一、墓葬形制，二、出土器物，三、结语，共三个部分。有手绘图、照片。

M2 为一长方形竖穴木椁墓。葬具为一椁重棺。曾被盗过，劫余随葬品有礼器、乐器、木俑、日用漆器等。墓主身份应为大夫级。该墓为战国中期前段楚墓，与 M1 或同为一个家族的墓。但 M2 时代上要早于 M1，墓主人身份也应高于 M1。从盗墓者遗留的盗墓工具看，此墓在战国晚期—秦时已被盗。

910.纪南城松柏鱼池探掘简报

作　者：湖北省博物馆江陵工作站　韩楚文

出　处：《江汉考古》1987 年第 3 期

1979 年 11 月中旬，松柏大队在纪南城内东部龙桥河南岸长年渍水的低洼地段挖养鱼池。鱼池东至襄沙公路（即纪南城东城墙），西邻余家岔河，全长约1100米。同年11月底，考古人员赶赴现场调查并配合发掘。

简报分为：一、地层堆积，二、出土遗物，三、结语，共三个部分。有照片、手绘图。

据介绍，松柏鱼池发掘面积仅12平方米，出土了一批较完整的生活日用陶器，主要器类有鬲、盂、豆、罐、盆、瓮等。时代约为战国中期或稍早。1980年又进行了第二次发掘，发现有建材及墙基、下水道、水井等。由此不难推断出早在春秋战国时期这里就是当时的居民区或街道的一个组成部分。这次调查与发掘，为研究纪南城内的城市布局提供了新的资料。

911.湖北江陵雨台山21号战国楚墓

作　者：湖北省博物馆　陈逢新、宋有志等

出　处：《文物》1988年第5期

1986年，为配合荆沙铁路工程，考古人员先后在江陵县雨台山清理了数十座古墓葬，其中21号墓出土4支有音律名称的残竹律管。简报分为“墓葬形制”“随葬器物”“结语”，共三个部分。

21号墓位于江陵县纪南区雨台村的一处台地上，是一座长方形土坑竖穴木椁墓。葬具为一椁一棺，椁室构筑在墓坑底部，平面成“Ⅱ”形，由盖板、椁壁、底及枕木组成。木棺置于椁室北侧，棺下垫两根枕木。棺底、四壁、棺均由整木做成。人骨架头向南，仰身直肢。随葬品都置于棺外头端，出土木器、竹器、木俑、陶器等，计20件。竹律管4件，发现于棺南端和棺下。由于椁室进水，致使棺移位倾斜，将律管压坏，律管仅存有文字的两支残管和两截残片，另有残片若干。律管用竹管制成，墨书处经刮削呈条状平面。该墓的年代，简报推断为战国中期偏早。出土的竹律管为我国音乐史研究提供了重要实物资料。

912.江陵秦家咀楚墓发掘简报

作　者：荆沙铁路考古队　陈耀钧

出　处：《江汉考古》1988年第2期

1986年5月至1987年6月，为配合荆沙铁路修建工程，考古人员在江陵庙湖鱼场所辖的秦家咀铁路线段上共发掘楚墓105座。秦家咀系雨台山南端余脉，北起龙会河，东、南、西为庙湖环绕，南北长约2.2公里，东西宽约2公里。秦家咀属丘陵地带，地势高低起伏，岗地与稻田延绵，墓地发掘前系岗地和稻田，不见墓冢。

简报分为：一、墓葬形制，二、随葬器物，三、墓葬年代，四、小结，共四个部分。有照片、手绘图。

据介绍，这批楚墓均为长方形竖穴，没有发现设置台阶的墓。墓口一般大于墓底，坑四壁平整光滑，墓口至葬具顶部一段呈斜坡状，葬具至坑底一段垂直。出土器物有陶器、铜器、玉器等。在 M1、M99、M13 三座小型墓中还出土了残简 41 支（段），打破了只有大型墓才有简牍出土的看法。出土了大批兵器，在青铜剑中，出土了一件形体短小的空首柱脊剑，这是江陵地区出土的最早的剑，时代可能早到春秋中期。另外，出土的双孔连发弩机、原始瓷罐、彩绘木俑等也很珍贵。

913.江陵太湖港古遗址与墓葬调查清理简报

作　者：江陵文物局　王从礼、何万年

出　处：《江汉考古》1988 年第 2 期

为了配合 1984 年、1986 年荆州古城两季排渍工程，考古人员在工程地段调查和清理了一处古文化遗址和三座古墓葬。

简报分为：一、马眼桥遗址，二、墓葬，三、结语，共三个部分。有照片、手绘图。

马眼桥遗址位于荆州城小北门外护城河西 600 米处的北岸，南距荆州城北墙约 250 米，北距川汉公路约 500 米。出土有陶器、铁器、瓦当、砖等。应是东汉晚期一处民营制陶作坊遗址。三座墓葬出土有陶器、铜器等。时代简报推断为战国中期。M1、M2 为一棺一椁，墓主人或接近士大夫级。M3 为单棺，墓主人似为庶民。

914.沙市罗场高家坟楚墓清理简报

作　者：沙市市博物馆　文必贵

出　处：《江汉考古》1988 年第 2 期

高家坟位于沙市市东北郊，属郊区罗场乡河垱村四组地面，临汉沙公路南侧，西距楚都纪南城直线距离约 13 公里，其北有长湖，南部是一片与长江毗连的湖沼地，所处地势平坦，土质属岗地缓坡地带土层。高家坟原有封土堆，土改时还作过村民大会的讲台，数年前才被平整为农田，现种植水稻。1986 年春，当地村民在田里耕地，犁出铜器。考古人员闻讯后，立即到现场进行了调查，确定为一座已遭到部分破坏的古墓，遂进行了抢救性清理发掘。

简报分为：一、墓葬形制，二、随葬器物，三、墓的年代及特点，共三个部分。有手绘图。

据介绍，此墓为带长方形斜坡墓道的土坑竖穴木椁墓，封土已遭破坏。葬具为一椁一棺，墓主人当属士一级贵族。随葬品中附在戈上的木握手较罕见，其他铜器、陶器等，均属战国中期楚墓常见之物。

915.江陵马山十座楚墓

作　者：湖北省博物馆江陵工作站　杨定爱、韩楚文
出　处：《江汉考古》1988 年第 3 期

纪南城西北约 8.5 公里的马山砖瓦厂地处一片土岗丘陵。考古人员于 1982 年、1983 年曾先后发掘了厂区内一号、二号 2 座楚墓。在配合马山砖瓦厂取土工程中，考古人员于 1984 ~ 1985 年又发掘了 8 座楚墓，编号马砖 M10 ~ M17。与此同时，在砖瓦厂西边约 1 公里处的联山林场渠道边，发掘了 2 座楚墓，编号马联 M1、马联 M2。

简报分为：一、墓葬形制，二、随葬器物，结语，共三个部分。有手绘图、照片。

据介绍，10 座墓均为长方形土坑竖穴墓，带墓道的 2 座（M1、M17），有壁龛的 1 座（M13）。M13 为一棺，其余 9 座均为一椁一棺。出土遗物有陶器、铜器、玉珠、石珠、骨管等。其年代为战国早期至战国晚期，应为楚墓。

916.湖北江陵武昌义地楚墓

作　者：江陵县文物局　王传富、杨明洪等
出　处：《文物》1989 年第 3 期

1978 年 1 月，考古人员在配合江陵九店公社纪城大队武昌义地修渠时，清理了小型楚墓 13 座，编号 M1 ~ M4、M6、M8 ~ 15（另有两座已被破坏，不作介绍）。武昌义地是一处高出周围地面约 1 ~ 4 米的土岗，东西长 400 米，南北宽 150 米，南距楚都纪南城北垣 60 米，东南距雨台山约 2 公里。朱河从西南流入纪南城与龙桥河相汇。岗西是一片低洼地，岗东较平坦。墓葬分布于岗地东端和北部新挖的水渠内。

简报分为：一、墓葬形制，二、随葬品，三、小结，共三个部分。有手绘图。

这批墓中，东西向的两座（M2、M12），南北向的 11 座（M1、M3、M4、M6、M8 ~ 11、M13 ~ 15），均为长方形竖穴。墓具均为一椁一棺，大都保存较好，椁由盖板、壁板、挡板、底板组成。随葬品以仿铜陶礼器为主。简报将这批墓葬分为四期：第一期为春秋中期（M1）；第二期为战国早期（M9、M15）；第三期为战

国中期（M3、M4、M8、M12、M13、M14）；第四期为战国中晚期秦将白起拔郢前后（M6、M10、M11）。

917.江陵官坪楚墓发掘简报

作　者：江陵县文物局　叶　华、何万年
出　处：《江汉考古》1989年第3期

1986年11月17日至12月29日，为配合荆沙铁路修建工程，考古人员在江陵县雨台乡官坪村一组铁路线上共发掘楚墓12座。该墓地位于纪南城北垣外，南距纪南城东北拐角城垣约1.5公里，东南2公里是雨台山，东为农田和村民住宅，西距襄沙公路约0.5公里，北为一片由南向北逐渐下降的梯田。墓地发掘前被压在农田和居民住房之下。

简报分为：一、墓葬形制，二、随葬器物，三、时代，四、结语，共四个部分。有手绘图。

据介绍，官坪墓葬皆为小型，时代除M5稍早，其他墓葬时代较为集中。分布在墓地北端的墓葬葬具腐烂，分布在南端的墓葬具完好，尤其M9葬具保存较好。这批墓葬虽出土铜器较少，却较重要，特别是M9出土的一把有铭文铜剑，铸造技艺较高，至今锋刃锐利如初。根据官坪墓葬出土的器物形制与特征，简报推断这批墓葬大都是战国中、晚期的小墓。

918.江陵纪南城陕家湾楚墓发掘简报

作　者：湖北省文物考古研究所、江陵工作站
出　处：《江汉考古》1989年第4期

陕家湾位于纪南城西北部的徐岗村，墓地在陕家湾的东南侧。墓地为一片高坡地带。20世纪60年代中期，考古人员在纪南城西北部的陕家湾配合农田水利建设，在新挖的渠道上发现了4座墓葬，并对其中的2座墓进行了清理发掘，编号为M1、M2。为了弄清楚陕家湾墓地的分布情况，考古人员于1981年4月，对该墓地进行了全面性勘探，勘探面积为2500平方米，发现墓葬3座，编号为M3、M4、M5，并对这3座墓葬进行了清理发掘。

简报分为：一、墓葬形制，二、随葬器物，三、结语，共三个部分。有手绘图。

据介绍，3座墓均为小型土坑竖穴墓。这3座墓的随葬器物，因M3、M4破坏严重而未见，只有M5随葬了4件陶器。简报推断，M5的时代在春秋中期或早期偏晚。

919.江陵雨台山楚墓发掘简报

作　者：湖北省文物考古研究所　陈逢新
出　处：《江汉考古》1990 年第 3 期

雨台山是一座海拔 60 余米的小土丘，南距江陵县城约 5 公里，西距楚纪南城东垣约 500 米，属江陵县纪南乡雨台村。1986 年 5 月至 1987 年 6 月，为配合荆沙铁路工程，考古人员在铁路线上共发掘楚墓 73 座。

简报分为：一、墓葬形制，二、随葬器物，三、结语，共三个部分。有手绘图、照片。

据介绍，墓坑均为长方形土坑竖穴，仅一座墓有封土，墓口至葬具顶部向内斜，葬具顶部至墓底近垂直，有青膏泥。17 座墓有墓道，6 座墓有壁龛。遗物有陶器、玉石料器、残皮铠甲、丝绸腰带、麻鞋底、麻绳等，还有 11 件黄金小装饰品、4 支有音律名称的竹律管。

简报称，这批墓可分 5 个时期：第一期，春秋晚期；第二期，战国早期；第三期，战国中期前段；第四期，战国中期后段；第五期，战国晚期前段。

简报指出，在 21 号小型墓中出土了我国最早的竹律管，这是音乐考古方面的一个重要发现。在 10 号小型墓中出土了 11 件小型金饰品，这在小型楚墓中尚属首例，当引起重视。在墓坑形制方面除长方形土坑竖穴和长方形土坑竖穴在短边设斜坡墓道外，又发现了三种新的形制：一是在长边设斜坡斜向墓道，二是长边设台阶状似横墓道，三是在长边两侧设台阶。这三种新的形制虽然很少，但为研究和探讨葬制提供了新的资料。

920.1988 年楚都纪南城松柏区的勘查与发掘

作　者：湖北省文物考古研究所　杨权喜
出　处：《江汉考古》1991 年第 4 期

1988 年冬，全国重点文物保护单位江陵楚都纪南城遗址内，松柏、新桥、纪城、徐岗四村都各自在本村靠近河流的低洼地带兴建大型的养鱼池，在施工过程中暴露了大量的遗迹遗物。考古人员进行了抢救性发掘。

简报分为：一、勘查发掘经过，二、文化堆积情况，三、古河道，四、大型建筑遗迹，五、制陶作坊遗迹，六、主要遗物，等几个部分。有手绘图。

松柏鱼池修筑于纪南城松柏区龙桥河边的中部。1988 年 12 月中旬，当考古人员抵达工地时，5 个大型鱼池已基本形成，每个鱼池均呈长方形，5 个鱼池排列成曲尺形。施工过程中推土机已将部分古代遗迹推坏。从出土遗物看，可分早、晚两期。

早期约为战国早期，晚期约为战国中期。此次发掘，为判断纪南城修筑与废弃年代，提供了重要依据。

921.江陵扬家山 135 号秦墓发掘简报

作　者：湖北省荆州地区博物馆　刘德银等
出　处：《文物》1993 年第 8 期

扬家山墓地位于湖北省江陵县荆州镇黄山村五组与黄山村一组交界处的一座南北走向的土岗上，西南距江陵县城（荆州城）约 4 公里，西距汉代古郢城东垣约 1.5 公里，西北距楚故都纪南城约 5 公里，高出周围地面 1.5 ～ 3 米。1990 年 12 月至 1990 年 12 月，为配合宜黄公路江陵段施工，考古人员对整个墓地进行了发掘，共发掘不同时代的古墓葬 178 座，其中绝大多数为秦汉墓，共 127 座。

简报分为：一、墓葬形制，二、随葬器物，三、墓葬年代与墓主身份，共三个部分。配以照片、手绘图，先行介绍规模最大、保存完好的 135 号秦墓。

扬家山 135 号墓位于土岗北端地势最高处，墓上有封土，当地称“贺家冢”。封土保存完好，墓坑为长方形竖穴土坑，棺椁保存完好。出土各类随葬品 90 余件。简报认为此墓墓主人为秦国人，年代上限不会早于公元前 278 年秦军拔郢，下限应在西汉以前。

922.江陵纪南城遗址内出土“郝公”陶豆

作　者：胡文春
出　处：《江汉考古》1993 年第 1 期

1981 年，在江陵纪南城遗址内西北部之徐岗乌龙遗址，出土一有字陶豆。简报配以拓片、手绘图予以介绍。

据介绍，此豆残，缺盘及座，仅存豆柄。豆柄上刻文三字“郝公祏”，其中一字黄炳全先生释为“公”。据《包山楚简》，楚除县令称“公”外，县以下某些组织也可称“公”。“郝公”当与雨台山楚墓所出“郡公戈”之“郡公”类同。此物出于纪南城内，颇耐人寻味。“公”很可能是属于当时城内某一地区或分管某一方面工作的官员，其实际含义还需进一步研究。

923.江陵朱家台两座战国楚墓发掘简报

作　者：湖北省文物考古研究所　杨权喜
出　处：《江汉考古》1992 年第 3 期

江陵楚纪南城北垣水门外的朱家台，不但是一处重要的新石器时代遗址，而且是一处东周和明代的墓地。考古人员在 1990 年冬对该地的发掘中，发现了两座具有打破关系的小型楚墓。

简报分为：一、六号墓，二、七号墓，共两个部分。有手绘图。

据介绍，江陵楚墓分布极为密集，排列一般有一定规律，墓坑与墓坑之间均相隔一定距离。而朱家台发现的这两座具有打破关系的楚墓则非常少见，是很重要的考古资料。这两座墓从地层学方面，为楚墓分期提供了可靠依据。较小的 M6 打破了较大的 M7，下葬年代应相距较远。被打破的 M7，出土了一组典型的楚墓随葬陶器。M7 的年代简报推断为战国早期，M6 年代可断为战国晚期偏早，即公元前 278 年秦将白起拔郢前后。

简报称，朱家台南距楚纪南城北垣水门仅约 140 米，其东与武昌义地楚墓区隔朱河相望。可见，纪南城北垣外侧、护城河边分布有大量的楚墓。这些墓一般均为小型墓，其年代大都与纪南城同时，这对于研究楚国墓制和楚都建制都有重要意义。

924.江陵王家台 15 号秦墓

作　者：荆州地区博物馆　刘德银等
出　处：《文物》1995 年第 1 期

王家台墓地位于湖北省江陵县荆州镇郢北村一座东西向的小土岗上，南距汉代古郢城北垣约 1 公里，与鸡公山墓地为一冲之隔，西北距楚国故都纪南城约 5 公里，北距长湖约 1 公里，西南距江陵县城（荆州城）约 5 公里。1993 年 3 月，郢北村挖鱼池，暴露出一批墓葬。考古人员发掘清理秦汉墓葬 16 座，其中 15 号墓出土了大批秦代竹简。

简报分为：一、墓葬形制，二、随葬器物，三、结语，共三个部分。有照片、手绘图。

据介绍，王家台 15 号墓位于土岗东北地势较高处，发掘前为一片稻田，未见封土痕迹。无椁室无墓道，单棺。随葬品中最重要的是竹简，内容丰富，其中有的内容为首次发现，对于秦代的法律、数术、易学研究都有十分重要的价值。简报推断该墓的相对年代上限不早于公元前 278 年白起拔郢，下限不晚于秦代。墓主人应为秦人。

925.湖北江陵县九店东周墓发掘纪要

作　者：湖北省文物考古研究所　杨定爱、韩楚文

出　处：《考古》1995 年第 7 期

九店墓地坐落在楚故都纪南城东北 1.2 ～ 1.5 公里的施家洼、范家坡的丘陵地带，现属纪南乡雨台村。自 20 世纪 60 年代以来，在纪南城四周已调查发现大大小小的楚墓数千座，地面可见有封土的冢墓多达七八百座。已发掘的等级最高的有楚国封君墓——天星观一号墓，大夫级的墓有包山二号、望山一号、藤店一号等。城近郊丘陵地带已发现东周小墓群 30 余处。这些墓葬的年代除赵家湖可早到西周晚期外，其他墓葬的年代都被定为春秋中期至战国晚期早段（秦拔郢的公元前 278 年前）。九店墓地共发掘西周晚期墓 1 座，东周墓 596 座，是历年来在同一墓地发掘墓葬最多的一处。发掘工作是为配合江陵县纪南第二砖瓦厂的取土而进行的，自 1981 年 5 月开始，至 1989 年底结束，历时 9 年。这批墓葬从葬制和随葬器物观察，显然分属两处不同的文化，其中 19 座墓系姬周文化系统，称为甲组；另 500 余墓当属楚文化系统，称为乙组。

简报分为：一、甲组墓，二、乙组墓，三、结语，共三个部分。有手绘图。

据介绍，19 座甲组墓均为长方形土坑竖穴墓，南北向，5 座墓有腰坑。无葬具的墓 1 座，单棺墓 2 座，一椁一棺墓 16 座。乙组墓可分四期七段，其年代为：一期一段，春秋晚期晚段；二期二段，战国早期早段；三期三段，战国早期晚段；三期四段，战国中期早段；三期五段，战国中期晚段；四期六段，战国晚期早段；四期七段，战国晚期晚段。这批资料系统、完整地反映了东周时期特别是战国时期作为楚国都城的江陵纪南城地区下层贵族、庶民阶层的丧葬习俗、文化基本状况。甲、乙两组墓在墓葬形制、随葬器物的组合以及器物的形态特征等方面存在着明显的区别，都有着属于自身文化的显著特征。概言之，甲组墓属姬周文化，乙组墓为楚文化系统。乙组墓的 M104 号有陪葬车马坑，坑内葬车两辆、马四匹。车的复原填补了战国中期楚车的实物缺环，为研究楚国葬制、交通史、兵器史提供了实物标本。M56 壁龛内出土了主要内容为《日书》的楚简。此前，《日书》曾见于云梦秦简，说明秦简《日书》可能源于楚简。《日书》中有些是讲一年的时日吉凶，十二个月是按照月序排列的，这对于楚国历法的研究有一定的帮助。

今有武象璧先生著、王杰先生编《观象授时：楚国的天文历法》（湖北教育出版社 2001 年版）一书，可参阅。

926.纪南城新桥遗址

作　者：湖北省文物考古研究所　杨定爱、韩楚文等

出　处：《考古学报》1995 年第 4 期

从纪南城外西南沿城垣流来的新桥河到了南城垣近中部地段转而北折，穿过南城垣。在沿河一带宽 300 ～ 500 米的低洼地，有丰富的东周文化遗存。1975 ～ 1979 年，曾在沿河低洼地中部偏东的松柏，发现陶圈井 15 座、土井 3 座，考古人员发掘了其中的 4 座陶圈井。在城东北的龙桥河地段发现古井 256 座、窑址 4 处、古河道 1 条。在南城垣新桥河入口处，发掘水门、木构建筑 1 处。这以后，又在龙桥河南岸的松柏鱼池，发掘了几处遗址。其时代都为春秋中晚期至战国。现今的新桥鱼池，也在沿河的低洼地带，位于纪南城内西部、新桥河北段西岸的新桥村。在 1983 年以前，这里还是一片稻田，因地势低洼，长年积水，在以后的一二年内相继改为鱼池。1987 年 11 ～ 12 月，新桥村利用冬闲，对鱼池进行大规模的清挖、修整，工程范围内的遗迹、遗物较为丰富。考古人员发掘陶窑 4 座；对 29 座古井普遍作了钻探，并清理了其中的 20 座，发掘到底或近底的各 1 座；清理了 14 个灰坑中的 12 个、4 条排水管中的 2 条；同时对 1 座房屋的残墙基、2 条沟作了调查。获得了一批东周时期的重要考古资料。

简报分为：一、地层，二、遗迹，三、遗物，四、结语，共四个部分。有照片、手绘图。

据介绍，此次发现的春秋晚期至战国晚期早段陶窑 4 座。Y1、Y4 较大，Y2、Y3 较小，都仅存底部。四座窑形制、结构基本相同，均为半地穴式椭圆形窑，亦称“半倒焰式馒头窑”。从前到后分为窑前室、窑室（包括火门、火膛、窑床）、烟囱三部分，基本处于一条中轴线上。陶窑构筑程序及方法应为：（1）挖坑；（2）用灰黄土夯筑地下部分的窑壁、窑床；（3）做窑顶托架，利用托架建造窑顶；（4）修整、在壁面抹细泥；（5）砌筑烟囱；（6）建造简易木、瓦结构的窑前室；（7）焙烧。

简报认为，此处遗址的性质，应是楚王室掌管的，以烧制随葬陶礼器为主的官窑。同一地区发现的灰坑和井，也均为围绕陶窑生产而形成的窑穴、泥料坑、垃圾坑等。

927.江陵枣林铺楚墓发掘简报

作　者：江陵县博物馆　张世松

出　处：《江汉考古》1995 年第 1 期

枣林铺墓地位于枣林铺镇北侧，南距楚故都纪南城北垣约 500 米，西傍荆襄公路，东与雨台山相望，地势平坦。1988 年 10 月，江陵县纪南乡税务所在此地建房，暴露出 2 座墓葬，考古人员进行了抢救性发掘。

简报分为：一、墓葬形制，二、随葬器物，三、结语，共三个部分。有手绘图。

据介绍，两墓均为带斜坡墓道的竖穴土坑墓。葬具均为一椁一棺，M1出土的上有“遣周羽”三字的舞蹈用道具剑、虎座乌架鼓、手鼓等，对研究战国中期前段楚国音乐史等有较高价值。

928.沙市市杨岔古遗址试掘简报

作　者：沙市市博物馆

出　处：《江汉考古》1995年第2期

杨岔古遗址位于沙市锣场乡长湖村二组，西距关沮口约2公里，南离汉沙公路仅1公里。1984年9月，在开展文物普查时即发现这一遗址。1985年4月22日至5月12日，考古人员对遗址进行了试掘，实际发掘面积72平方米，先后共清理房屋基址2座、灰坑4个，出土了一批文化遗物。简报分为四个部分予以介绍，有手绘图。

遗址出土遗物有陶器等。年代上限可到两周之际，下限到春秋中期。此处与楚纪南城一水相连，同纪南城距离近在咫尺。它的发现，对于我们探讨江陵地区早期楚文化的形成及其发展具有重要意义。

简报称，杨岔古遗址发现的房屋基址系木骨土墙结构，浅地穴式的内室面呈椭圆形，并以草木灰烘烤地面，地表涂以白灰面。这种房屋基址在纪南城地区尚属首次发现，这无疑为我们研究楚国早期房屋建筑形式提供了十分可贵的资料。

929.江陵车垱战国墓清理简报

作　者：荆沙市文物处　严　烽

出　处：《江汉考古》1996年第1期

江陵车垱一号墓位于荆沙市荆州区纪南乡枣林村二组。该墓西距枣林铺集镇2公里，南距纪南城北垣1公里，1992年5月30日农民开挖水渠时发现。考古人员前往调查并进行了清理。

简报分为：一、墓葬形制，二、随葬器物，三、结语，共三个部分。有手绘图。

据介绍，该墓为长方形竖穴土坑木椁墓，葬具为一椁一棺，保存较好，人骨为仰身直肢葬。出土器物26件，有铜器、漆木器等，不见陶器。铜礼器鼎、敦、壶组合齐全，制作精美，保存良好。壶内铸造时填置的黄沙尚存，表明这批礼器在死者生前还未使用，是专用于随葬的。该墓随葬的兵器、铜器、漆木器丰富，证明墓主为富有之人且为战国中期前段家境较富裕的武士阶层。这座墓的发掘为我们增添了研究楚文化的新的实物资料。

930.湖北荆州秦家山二号墓清理简报

作　者：湖北省荆州博物馆　王明钦等
出　处：《文物》1999 年第 4 期

秦家山位于湖北省荆州市马山镇濠林村，北距荆门市纪山墓地约 6.5 公里，南距楚故都纪南城约 3.5 公里。秦家山高出周围地面 2 ～ 5 米。在这片岗地西部，顺着岗地的走向排列着 3 座较大的墓葬。3 座墓葬之间的距离约为 110 米，其中 M2、M3 的封土早年皆被取走，仅 M1 还保存着较为完整的封土堆。岗地的东部则为一片小型墓地。1997 年 8 月中旬，秦家山 M2 遭到盗墓破坏。为了避免该墓遭受更为严重的损毁，1997 年 8 月下旬，考古人员对该墓进行了抢救性发掘。

简报分为：一、墓葬结构与形制，二、随葬器物，三、结语，共三个部分。有照片、手绘图。

秦家山墓葬很有规律地分布在岗地上。据调查，除岗地西部的 M1、M2、M3 以外，东部李家山的小型墓葬排列也很整齐，墓道一律在东。因此，这里很可能是一处楚国贵族的家族墓地。M2 的墓主在这一家族中居于比较重要的地位。虽然 M2 被盗扰严重，但保存较好的墓葬形制、棺椁等皆为研究楚国贵族的丧葬制度提供了资料。出土的玉覆面，更是研究古代“玉殓葬”的珍贵文物。年代简报推断为战国时期。

简报认为，M2 的墓主不是楚人，其族属可能是中原或秦，到楚国生活了相当长的一段时间后，虽为楚人所同化，但仍保留着原有的文化传统，带有一定的中原诸姬及秦文化因素。

931.湖北荆州纪城一、二号楚墓发掘简报

作　者：湖北省文物考古研究所　梁　柱、陈文学、田桂萍等
出　处：《文物》1999 年第 4 期

1994 年 11 月 15 日，武汉铁路分局的干警从四名文物贩子手中截获了 8 件文物，当即引起有关方面的高度重视。1995 年 3 ～ 4 月，考古人员发掘了被盗的纪城一号墓，并对新发现的二号墓也进行了清理。

简报分为：一、一号墓，二、二号墓，三、结语，共三个部分。有彩照、手绘图。

据介绍，纪城墓地位于楚故都纪南城外的东北部，西邻武昌义地墓地，隶属荆州市荆州区纪南镇纪城村。其中，一号墓位于枣林铺以西约 800 米，南距纪南城北

墙约450米。二号墓位于一号墓墓道的西南边，两墓间距最近处仅有1.1米。二墓的时代简报推定为战国中期早段。纪城一、二号墓都是南北向的长方形土坑竖穴墓，都使用白（青）膏泥裹椁，悬底弧棺，用竹席裹尸，随葬镇墓兽和鼎、敦、缶组合的陶礼器，表明处于同一时代。但一号墓有墓道，随葬4套仿铜陶礼器（角、敦、缶和鼎、簠、壶各2套），还有兵器、车马器、乐器等；二号墓没有墓道，只随葬2套仿铜陶礼器（鼎、敦、缶），无车马器和乐器。这说明，两座墓墓主的身份、等级有别，前者属于上士墓，后者属于下士墓。两墓似乎有主从关系。

932.湖北荆州市施家地楚墓发掘简报

作　者：湖北省文物考古研究所　熊北生
出　处：《考古》2000年第8期

施家地位于湖北省荆州市荆州区纪南镇（原属江陵县）雨台村的北部，现为纪南第一砖瓦厂（原江陵九店公社砖瓦厂）的所在地。这一带原为一片连绵起伏的低矮土岗，在这片岗地上分布着密集的小型土坑墓，以楚墓为主，实际上应是雨台山古墓群的一部分。1981～1989年，为配合砖瓦厂生产取土，考古人员对墓地进行了持续的发掘。1990年至1998年，又在砖瓦厂取土场东部配合取土工程进行了发掘，共发掘墓葬283座，出土器物2000余件，依自然地名和文化属性将这批墓葬称为“施家地楚墓”。

简报分为：一、墓葬形制，二、出土器物，三、结语，共三个部分。介绍其中16座墓发掘的部分收获，有手绘图、照片。

据介绍，从墓坑形制、棺椁结构及随葬器物特征等方面的总体情况来看，这批墓葬时代多属战国中、晚期，且有较完整的序列，另外也有少量春秋时期和战国早期墓葬。简报称，施家地楚墓的发掘，增添了新的考古资料，对于楚墓的深入研究具有不容忽视的意义。

933.湖北省荆州市天星观二号墓发掘简报

作　者：荆州市博物馆　丁家元、邓启江等
出　处：《文物》2001年第9期

2000年2月中旬，由于长湖水位下降，荆州市沙市区观音垱镇天星观村（原五山大队）村北的湖滩上暴露出古墓葬一座，考古人员对其进行了抢救性发掘。1978年在此已经发掘了天星观一号墓，所以将这次发掘的墓葬编号为天星观二号墓。

简报分为：一、地理位置，二、墓葬形制及葬具，三、随葬器物，四、结语，

共四个部分。有彩照、手绘图。

据介绍，二号墓的具体位置为天星观村北的长湖南岸湖滩上，西距荆州古城24公里。二号墓为长方形竖穴土坑带墓道的木椁墓，葬具为二椁二棺，椁内分五室。虽经多次盗扰，墓中仍出土器物1199件，有铜器、漆木竹器、骨角器、玉石陶器、银器、丝麻织品、皮甲等。按用途可分为礼器、乐器、生活用具、兵器、车马器、工具、丧葬用器等。许多器物造型精美，还有一些器物属首次发现，也有的则与宗教、神话有关。简报推断这座墓葬属战国中期，墓主人应是楚国的贵族。由于与天星观一号墓并列埋葬，且有许多共同点，也因二号墓与一号墓相比出土兵器极少，仅两件铜戈，推测墓主有可能是一号墓墓主的夫人，即邸阳郡番勳的夫人。天星观二号墓的发掘，为研究楚国的金属冶炼、铸造，漆木器的制作、髹漆、彩绘、雕刻以及音乐诸方面提供了大量有价值的实物资料，对研究楚国的历史文化也有着重要的意义。

934.荆州擂鼓台秦墓发掘简报

作　者：荆州市荆州区博物馆　张世松
出　处：《江汉考古》2003年第2期

擂鼓台墓地是荆州市一处较重要的秦汉墓地，1991年抢救性发掘了2座秦墓，出土了一批铜、陶、漆木器。

简报分为：一、墓葬形制，二、随葬器物，三、结语，共三个部分。有手绘图、照片。

擂鼓台墓地位于荆州市荆州区岳山村，西南距荆州城约3公里，南距草市街约2公里，墓地高出四周地面约2米。1991年3月，原江陵县饲料公司在该地埋设下水管道，暴露出两座古墓。两墓相距2.5米，呈南北向排列，墓上部填土已被挖取若干，为长方形竖穴土坑墓，椁室呈长方形，棺为长方盒形平底方棺。M1应为秦统一后至秦代末年之间的墓，M2稍晚，为秦代末年至西汉前期之间的墓。墓主人应为小地主。

史载公元前278年，秦将白起拔郢，江陵（荆州）为秦所有。此后，江陵出现大量的具有秦文化特征的墓葬。擂鼓台发掘的这两墓时代为秦统一之后至西汉前期，为我们研究这一时期江陵地区的政治、经济状况，提供了较为重要的资料。

935.湖北荆州市沙市区肖家山一号秦墓

作　者：荆州博物馆　郑忠华等
出　处：《考古》2005年第9期

肖家山墓地位于湖北省荆州市沙市区关沮乡凤凰村八组，东倚长湖，西距古郢城东垣约 5.2 公里，西南距荆州城约 7.5 公里。20 世纪 90 年代初，为修建宜黄高速公路，这里作为取土场被夷为平地。为配合施工，考古人员曾在此进行过勘探和发掘，清理出了一批战国秦汉时期的墓葬。1999 年 6 月，当地村民在此以机械取土时破坏了一座古墓。考古人员对其进行了抢救性发掘。

简报分为：一、墓葬形制，二、随葬遗物，三、结语，共三个部分。有照片、手绘图。

该墓为长方形竖穴土坑木椁墓。发现时仅剩底部，墓坑西、北两侧已被破坏。墓坑口大底小，斜壁，平底。葬具保存较差，为一椁重棺，椁盖板、西侧挡板、北侧墙板已不存，棺的墙板和挡板也已错动。椁内置棺，空出头端和右侧形成头箱和边箱。内外棺均为长方盒形。外棺保存稍好，墙板两端各有一道竖槽，墙板上方有子口与盖板子母扣合，并以生漆封口。内棺略小于外棺，已残朽。棺内人骨已腐，有一层含腐殖质的黑色淤泥。

肖家山 M1 是一座残墓，为长方形土坑竖穴墓，近坑底处设生土二层台，椁室平面呈长方形，椁周围填青膏泥，具有楚墓特点。这些特点以后又在秦汉时期的土坑墓中继续流行。而椁底板横铺，其下无垫木，头向西，这在楚墓中较少见。内外棺均为长方盒形，这在楚墓中也少见，而为秦汉墓常见。

简报指出，公元前 278 年秦将白起拔郢后，秦之势力随即入主荆州，一批秦器物如蒜头壶等开始进入楚地，而楚墓中常见的仿铜陶礼器锐减，代之以日用陶器等。公元前 221 年秦始皇统一全国后即采取了一系列巩固统一的措施，包括收毁六国兵器、统一度量衡等。肖家山 M1 直接以楚式兵器、衡器随葬，说明其下葬时间不会迟于公元前 221 年太久。综上所述，肖家山 M1 的年代当为秦代，其上限为秦统一前后，下限在西汉以前。肖家山 M1 的发掘为研究秦王朝统一进程中秦楚文化的融合增添了新的实物资料。

936.湖北荆州黄山墓地 40 号战国楚墓发掘简报

作　者：荆州博物馆　朱江松、李　亮

出　处：《江汉考古》2007 年第 4 期

黄山墓地位于荆州古城东北约 6 公里的郢城镇黄山村和澎湖村境内，2002 年 6 月至 2004 年 10 月，为配合襄荆高速公路建设，考古人员对该墓地进行了抢救性发掘，共发掘墓葬 600 余座，其中 40 号楚墓出土了一批重要文物。

简报分为：一、墓葬形制，二、随葬器物，三、结语，共三个部分。有照片、手绘图。

据介绍，M40 为长方形竖穴土坑单棺墓。墓口已被工程取土破坏，坑内填土为

青灰泥。葬具为悬底方棺，腐烂较严重，残长208厘米，宽60厘米，高45厘米。人骨已朽，葬式不明。在墓坑内西侧木棺外出土有陶壶、铜砝码、铜天平盘和铜蚁鼻钱等随葬品13件，墓主人当为庶民。时代简报认为不早于战国中期。铜天平、标有重量单位的砝码和楚国货币蚁鼻钱，对于研究楚国的度量衡制度及货币史具有重要意义。

937.湖北荆州院墙湾一号楚墓

作　者：荆州博物馆　田　勇、赵晓斌等
出　处：《文物》2008年第4期

院墙湾墓地位于荆州市荆州区马山镇濠林村，属于马山古墓群。濠林村地处纪山的余脉，南距楚故都纪南城约4500米。2006年3月22日，该墓地的一座墓被盗掘。考古人员进行了抢救性发掘，编为院墙湾一号墓。在发掘过程中发现晚期盗洞没有到达椁室，但是，有一早期盗洞深入椁室，其中南室已被盗掘一空。

简报分为：一、墓葬形制，二、随葬器物，三、结语，共三个部分。有彩照、手绘图。

据介绍，此墓为中型土坑竖穴木椁墓，由封土、墓道、墓室三部分组成。封土因平整土地几已不存。葬具为一椁二棺，保存较差。墓主年龄为35～40岁。此墓早年曾被盗扰，但仍出土许多随葬器物，其中有陶器、铜器、漆木器、玉器和金器等。院墙湾一号墓的下葬年代是战国中期，墓主应为士或大夫等级。墓葬内出土的神人操两龙形玉佩、龙鸟鱼形玉佩等均较少见，为研究楚式玉器增添了新资料。

938.湖北荆州熊家冢墓地考古发掘简讯

作　者：荆州博物馆　贾汉清
出　处：《江汉考古》2008年第2期

熊家冢墓地是一处高等级的楚国贵族墓地，由主冢、陪冢、车马坑等部分组成，位于湖北省荆州市川店镇张场村三组一带，东南距荆州古城约33公里，距楚故都纪南城约26公里，东距荆门纪山古墓群约20公里，西北隔一条水渠与当阳市接界。由于地处偏僻，交通不便，该墓地时常受到盗墓分子的威胁。2006年8月15日，考古人员对墓地外围的车马坑和殉葬墓进行了抢救性发掘。简报配以照片予以介绍。

通过多年的考古勘探和发掘工作，已弄清了墓地的布局。墓地以主冢为中心，北为陪冢，西边为车马坑，主冢南面和陪冢北面都有殉葬墓。另在车马坑一带和主

冢南北两侧都发现了大量的祭祀坑。车马坑由一座大型车马坑和33座小型车马坑组成。大车马坑（CHMK1）南北长132.6米，宽11～12米，深约2米，已遭破坏。清理了两座小车马坑。仅出土一车两马及玉片、铜车毂等。殉葬墓分为主冢殉葬墓和陪冢殉葬墓。主冢殉葬墓在主冢南面，结合勘探共发现排列有序的殉葬墓92座。大体规律为四个一排，共24排。考古人员对主冢殉葬墓中的36座进行了清理。这些殉葬墓规模大体相当，长约4.7米，宽约3.3米，深约4.7米，均为土坑竖穴墓，少量为一棺一椁，多为单棺，棺椁和人骨均仅存痕迹。36座殉葬墓共出土以玉器为主的文物1000余件。祭祀坑共发现190余座，主要分布在主冢南边，主冢与陪冢之间及车马坑的北边也有少量的分布，清理了其中的5座。这些祭祀坑坑口呈方形或圆形，原深度在6～8米左右，一般在底部埋有一件玉璧。JSK3坑口为刀把形，在坑中部龛内发现一块玉璧，在坑底部发现两件合在一起的玉璜。

939.湖北荆州熊家冢墓地2006～2007年发掘简报

作　者：荆州博物馆　王明钦、杨开勇、丁家元、赵晓斌等

出　处：《文物》2009年第4期

熊家冢墓地是东周楚国大型墓地之一，因多次被盗及20世纪60年代以来生产建设的影响，墓葬的埋藏环境遭到严重破坏。2005年11月，考古人员对熊家冢墓地车马坑和部分殉葬墓进行抢救性考古发掘。

简报分为：一、墓地位置与发掘概况，二、主墓与陪葬墓，三、殉葬墓，四、车马坑，五、祭祀坑与附属建筑，六、东周遗址及其他，七、结语，共七个部分。配以彩照、手绘图，介绍了2006～2007年的发掘情况。

熊家冢墓地位于湖北省荆州市荆州区川店镇张场村、宗北村与当阳市河溶镇星火村交界处。这里分布着许多岗地，墓地处在一条南北走向的西山岗上。墓地东南距楚故都纪南城遗址约26公里，距荆州古城约34公里，东距纪山古墓群约14公里，南距八岭山古墓群约20公里，西北距沮漳河及赵家湖古墓群约4.5公里。简报称，此是东周楚国大型墓地之一。殉葬墓出土的器物以玉器为主，另有铜、铁、陶器等，其中玉器有璧、环、珩、佩、牌、管、坠、珠等。车马坑出土有铜器、锡器和玉器等。有殉人。此次发掘揭示了东周楚国高等级大型墓地的基本内涵，为探讨楚故都纪南城与其周边大型东周墓地的关系以及溯源早期楚国都城等提供了重要的实物资料。

940.湖北钟祥黄土坡东周秦代墓发掘报告

作　者：荆州博物馆、钟祥市博物馆　郑忠华等
出　处：《考古学报》2009 年第 2 期

黄土坡位于汉江中游西岸，属于湖北省钟祥市文集镇康集村。1988 年秋，文集镇砖瓦厂在生产取土过程中推毁 2 座墓葬 M1、M2。考古人员自 1988 年 12 月开始，相继进行了七次考古勘探和发掘，至 1996 年底，发掘墓葬 49 座，其中东周、秦代墓葬 48 座，晋代墓葬 1 座（M49）。

简报分为：一、墓地概况与墓葬形制，二、随葬器物，三、分期与年代，四、结语，共四个部分。先行介绍七次发掘的 48 座东周及秦代墓葬，有彩照、手绘图。

钟祥在春秋时属楚国，公元前 278 年秦将白起占领该地，从此归秦国。黄土坡墓地发掘的 48 座中小型墓葬，年代从春秋中期晚段一直延续到秦统一时期，恰恰反映了这段历史。早期的墓葬，是典型的楚墓；晚期的墓葬，未见典型的秦式器物，应属秦国统治下的楚国遗民墓。

在出土遗物中，M3 所出邓国铭文铜盘值得注意。邓国于公元前 678 年被楚国所灭，史实不甚明了，此发现可补充史籍之不足。M31、M35 有殉牲、殉人现象，为研究楚墓的殉牲、殉人制度，提供了新的材料。

941.荆州川店楚冢调查与研究

作　者：邓启江、贾汉清
出　处：《江汉考古》2010 年第 117 期

距荆州城 5 公里的纪南城遗址为战国时期楚国的都城，以纪南城为都城时期正是楚国国力比较强盛的时期，川店镇位于荆州市西北。2007 年考古人员进行了调查。简报配以手绘图予以介绍。

这次调查，在川店镇范围内共计发现带封土堆的楚墓 203 座，其中特大型封土堆（直径在 70 米以上）13 座，大型封土堆（封土直径在 70 米以、下 50 米以上）24 座，中型封土堆（封土直径在 40 米左右）61 座，小型封土堆（封土直径在 20 米以下）105 座。在这些封土堆中，特大型的封土堆极有可能是楚国高级贵族的墓葬，大中型的封土堆应该是楚国中等贵族的墓葬，而小型封土堆则有可能是低等级的贵族墓。墓葬分布最密集的有三个区域：第一个区域是西北部和北部的宗北村、徐坪村、双宗村、应市村、三界村一带；第二个区域是东南部的双店村、双堰村、望山村、玉南村、云南村、藤店村、古松村、紫荆村南部、太阳村一带；第三个区域是紫荆村北部，

与湖北省荆门市纪山镇交界。

942.湖北荆州熊家冢墓地2008年发掘简报

作　者：荆州博物馆　李志芳、丁家元等
出　处：《文物》2011年第2期

熊家冢墓地位于湖北省荆州市川店镇张场村三组和宗北村一组的西山岗上。由主冢、袝冢、殉葬墓、祭祀坑、车马坑等组成。2006～2007年发掘了部分殉葬墓，2008年以发掘车马坑为主。简报分为：一、大车马坑，二、小车马坑，三、马坑，四、结语，共四个部分。有彩照等。

大车马坑面积达950平方米，出土车43乘、马164匹，大部进行了发掘。小车马坑39座，发掘了其中的3座。马坑6座。其余均因盗扰或取土已遭破坏。大车马坑的保存情况较好，车辆分两排放置，排列有序，同类型的车放在一起。出土的车辆制作精美，有的车辆在车厢前面或载上绘有红色纹饰，有的车辆装饰有铜构件，有的车辆上有伞并绘有精美纹饰。大车马坑车辆的类型多样，有一般的战车、配件修理车，也有运送物资的车。运送物资的车的车辕普遍较长。另外还有出行带伞的礼仪车，制作较精致，车厢的车栏饰有纹饰，应是妇女出行所乘的车。年代为战国中期。

简报指出，熊家冢墓地车马坑的规模之大，在我国尚属首例，它的发掘对于研究战国车制具有重要的意义。

943.荆州嵥峨山楚墓2010年发掘简报

作　者：荆州博物馆　刘建业等
出　处：《江汉考古》2013年第2期

荆州嵥峨山（以往称“溪峨山”）墓地位于荆州城西门外0.5公里处，北依太湖港（河），西与荆南寺相望。其名为山，实为一处高出附近约4米的土冈。1980年，为配合江陵县皮革厂基建工程，考古人员在嵥峨山清理了6座楚墓和一座汉墓，编号M1～M7。1986年6～7月，为配合水利部门太湖港堤加固工程，在墓地西部清理10座楚墓，编号M8～M17。2010年10～12月，为配合荆州市逸居园小区房地产开发项目，在嵥峨山墓地清理了15座楚墓，编号M18～M32，均为长方形竖穴土坑。其中4座墓葬被破坏殆尽，无葬具器物，分别为M20、M21、M28。简报分为：一、墓葬形制，二、随葬器物，三、结语，共三个部分。有手绘图。

据介绍，这15座墓为楚墓，共出土器物112件，按质地主要分为陶器、铜器、

漆木器、玉石器等。推测这批楚墓的年代约为战国早中期。墓主身份有的可能相当于战国时期的士，有的身份可能还要稍低一些。此次发掘，已是嵠峨山墓的第三次发掘，是对前两次发掘资料的补充，为研究荆州地区楚文化内涵提供了新的资料。

此次发掘有两点值得注意之处：一是 M19 棺与椁板的侧面缝隙中，随葬有一柄长矛，这或是墓主为武人的反映，或是出于楚人避邪的风俗；二是 M19 有一块玉璧是绑缚于棺盖之上的，以往少见，或许是对葬具的一种装饰。

944.荆州纪南城烽火台遗址及其西侧城垣试掘简报

作　者：湖北省文物考古研究所　李天智、王家益、笪浩波、郭长江
出　处：《江汉考古》2014 年第 2 期

2011 年 10 ~ 12 月，为配合“大遗址保护荆州片区‘楚故都纪南城国家考古遗址公园’”建设，考古人员对纪南城烽火台遗址进行了试掘。发掘本着保护为主、研究为辅的原则，尽量少破坏，少动土，大部分探沟只发掘到夯土层即止，局部进行了解剖性发掘。

简报分为：一、地层堆积，二、遗迹及遗物，三、结语，共三个部分。有彩照、手绘图。

通过本次发掘，基本弄清了城垣与夯土台基的始建年代、两者的关系。简报推断，城垣的始筑年代不早于战国早期。

945.荆州纪南城遗址松柏区 30 号台基 2011 ~ 2012 年发掘简报

作　者：湖北省文物考古研究所　高旭旌、周　蜜等
出　处：《江汉考古》2014 年第 5 期

纪南城遗址地处江汉平原的西缘，湖北省荆州市荆州区之北。1961 年国务院公布其为全国第一批重点文物保护单位。2011 年 9 月至 2102 年底，考古人员对纪南城遗址城内台基进行了重新调查、勘探，并对南垣烽火台遗址进行了解剖发掘，对松柏区 30 号台基进行补充发掘。简报分为：一、前言，二、发掘概况，三、地层堆积，四、遗迹与遗物，五、分期与年代，六、结语，共六个部分。有照片、手绘图。

据介绍，纪南城遗址松柏区 30 号台基 2011 ~ 2012 年发掘获取了一批东周和北宋时期遗存，其中东周时期遗存以窑址、房基和灰坑为主。遗存主体以位于火龙堤下的 Y1、Y2 两座窑址为核心，包括了配套的水井、取土坑、房基，其下打破了 20 世纪 70 年代发掘的 F2 同期夯土堆积，其上叠压 F1 同期夯土及废弃堆积。本次发掘对揭示 F1、F2 之间的关系、明确其年代、了解其建造过程乃至纪南城遗址的分期均有重要意义。

宜昌市

946.长江西陵峡考古调查与试掘

作　者：中国科学院考古研究所长江队三峡工作组　董希箴、伦景轩、高　平
出　处：《考古》1961 年第 5 期

1960 年 4 月至 7 月，在 1958 年长江工作队考古调查的基础上，考古人员沿长江西陵峡及附近部分地区进行了第二次调查。这次共复查遗存27处，调查15处，试掘4处。

简报分为：一、地理环境与遗存现况，二、遗存分类，三、几点认识，共三部分。有手绘图。

据介绍，遗址多分布在现代村落附近，简报配有“西陵峡遗址分布示意图”。全部遗存分为遗址、采集点和古建筑古遗迹三种。遗址按文化内涵分长江南岸、长江北岸等五类。采集点集中在入峡前的江岸及峡谷中较缓的坡地上。复查和调查的古迹和古建有三游洞、黄陵庙、屈原庙，属后代建筑的“楚王城”等。简报推断，西陵峡地区的古文化遗存，大致属于楚文化系统。

947.湖北枝江百里洲发现春秋铜器

作　者：湖北省博物馆
出　处：《文物》1972 年第 3 期

1969 年 8 月，湖北省枝江县百里洲八亩公社农民，在王家岗挖沙时发现一批春秋铜器。

简报分为：一、发现情况；二、器物；三、小结，共三个部分予以介绍，有照片等。

据介绍，百里洲在长江南岸，北隔长江与枝江县城相望。铜器在王家岗近南坡处发现，有鼎、盒、方壶、盘和匜，共 8 件，其中盒二件和匜一件都有铭文。年代简报推断为春秋早期。

948.湖北枝江出土一件铜钟

作　者：荆州地区博物馆
出　处：《文物》1974 年第 6 期

这件铜钟是 1973 年 5 月，在荆州城西约 50 公里云台公社新华三队（属枝江县

问安区）出土，农民在犁地时发现，并于7月交给了荆州地区博物馆保存。简报配以照片予以介绍。

简报介绍，钟微呈绿色，有光泽。器身大部分饰花纹。钟外一面刻有铭文十二字，钲部四字，为“秦王卑命”，鼓左八字，为“竞坍（墉）王之定救秦戎”。这件钟只是一套编钟中的一个，所以铭文不全。它的时代简报推断为春秋中晚期至战国早期。

949.湖北省当阳县出土春秋战国之际的铭文铜戈

作　者：卢德佩

出　处：《文物》1980年第1期

考古人员为配合当阳县赵家湖排灌工程，发掘了西周晚期至战国晚期的楚墓三百多座。出土文物数千件。简报先行介绍了金家山43号和45号墓出土的两件错金铭文铜戈。

据介绍，番仲戈出土于43号墓，保存完好。有错金篆体鸟纹图案，并有错金铭文八字，均为鸟篆体，简报录有全文。许戈在45号墓出土，保存较好，其形制、花纹和铭文字体的风格均与番仲戈一致。有错金铭文四字，二字在援，二字在胡（第二字锈蚀不清），简报录有全文。

950.当阳季家湖楚城遗址

作　者：湖北省博物馆　杨权喜等

出　处：《文物》1980年第10期

季家湖位于湖北省当阳县东南隅，距县城约40公里。1973年以来，当地农民在季家湖西岸挖出过一些重要铜器，考古人员前往调查，发现并纪录了东周古城的部分城墙、台基等重要迹象和北部的鲁家坟墓群，并初步划出了东周遗迹遗物分布范围，同时在杨家山子附近采集了不少新石器时代遗物。同年9月至11月进行试掘，试掘总面积约350平方米。同时在鲁家坟墓地还发掘了小型墓葬两座。

简报分为“试掘地点及其地层堆积”“季家湖楚越遗址”“结语”，共三部分。有照片。

据介绍，这次试掘，在南部九口堰发现了城墙和城壕，在中部杨家山子、北部季家坡1号台基等地发现了大型房屋的台基，并在相当大的范围内出土了同期的陶片、瓦片，可以证明季家湖城址是一座比纪南城稍早的东周城址。该城址外围，已发现有丰富的楚文化遗存，如当阳赵家湖楚墓群、江陵八岭山楚墓群、枝江青山墓群等，这都表明季家湖城址的重要地位。

951.湖北当阳县金家山两座战国楚墓

作　者：湖北省宜昌地区文物工作队　高应勤、冯有林
出　处：《文物》1982年第4期

为配合水利工程，考古人员在1977年至1978年期间，在当阳赵家湖的金家山墓区清理的两座墓葬（M43、M45）中，分别出土番国和许国的错金铭文铜戈，较为重要。简报配以照片予以介绍。

两墓均为长方形土坑竖穴木椁墓，南北向。发掘时墓口都因取土损残。椁板已朽，盖板残存四块，棺已朽，仅存棺痕。随葬器物陶器均已残，不能复原，铜器有戈（两戈有铭文，简报录有铭文内容）、剑、箭镞、马衔、马络饰、盖弓帽、圆形马饰、拉丝弹簧、鎏金管络饰等。简报推断此墓为楚墓无疑。

952.当阳金家山九号春秋楚墓

作　者：湖北省宜昌地区文物工作队　高应勤、王家德等
出　处：《文物》1982年第4期

从1975年冬至1979年8月，为配合当阳县河溶公社的水利工程，考古人员在赵家湖的排灌渠道线上共清理周代楚墓近300座。其中以金家山墓区的九号墓保存最好，随葬器物也较为丰富。简报配以手绘图、照片予以介绍。

金家山位于赵家湖南岸，西距沮漳河仅1公里，东离楚都江陵纪南城30公里，南去10公里为季家湖楚城，近邻的余家塝、杨家山、磨盘山等地发现多处周代的居住遗址。在赵家湖周围的丘陵岗地上，分布着密集的楚墓群，为数当在万座以上。九号墓为长方形土坑竖穴木椁墓。葬具为一棺一椁。棺内置人骨架一具，仰身直肢。出土的器物有小铜鱼片、木俎、陶豆、竹篓、大小铜鼎、铜簠、陶鼎、陶鬲、陶壶、陶罐、竹席、引幡、麻鞋、竹片、艾蒿、麻绳、兽骨、人骨、木片等。

此墓没有发现纪年铭文，简报推断这座楚墓的年代应在春秋中期。

953.湖北当阳赵家塝楚墓发掘简报

作　者：湖北省文化局　高仲达
出　处：《江汉考古》1982年第1期

赵家塝楚墓位于赵家湖西北角的赵家塝村后湖滨坡地，在沮漳河东约0.5公里，北距当阳县河溶镇约7.5公里，东南距江陵楚都纪南故城约30公里，与江陵双冢大

墓群相距约5公里。1973年4月当阳县孙场公社新生大队在这里开挖赵家湖溢洪道时发现墓葬，同年5～7月进行了清理发掘。

简报分为：一、墓葬形制，二、随葬器物，三、结语，共三个部分。有手绘图。

此次共发掘了7座古墓。这7座墓均为小型竖穴土坑一椁一棺或单棺墓，方向180°，其墓口除M4呈南宽北窄的梯形外，其他均为长方形。仅M5挖有一壁龛。葬具为棺、椁。其中M1、M2、M3、M4、M6五座为单棺单椁墓，M5和M7两座为单棺墓。这7座墓似可分为两期。第一期墓有M2、M6、M5、M1、M75座，时代似为两周之际至春秋早期；第二期墓有M3、M4两座，其时代为春秋。

简报称，这7座墓的随葬器物，具有明显的特点，如用黑皮光陶和盂形豆随葬，同型陶鬲在一个墓中多到9件或6件，与陶盂形豆、盘豆、罐各有4件一起随葬的特点，在中原地区的同期墓中所不见，在鄂、豫、湘地区现已发现的春秋晚期至战国楚墓中也少见。因此，这7座墓对于研究楚文化的发展，具有一定的重要性。

954.当阳发现一组春秋铜器

作　者：宜昌地区博物馆　余秀翠

出　处：《江汉考古》1983年第1期

1974年11月，当阳县赵家湖以北的慈化公社电一大队农民在平整土地中，发现了一组青铜礼器，立即报告了文化部门。考古人员到现场进行了调查，出土青铜礼器共6件。从棺椁腐烂痕迹看，这组青铜礼器应是一墓所出。简报配以手绘图、拓片予以介绍。

根据铜器的形制特点和花纹来看，简报推断其年代可能相当于康王时代或晚于康王时代，已是春秋晚期。至于铜鼎铭文楚子“赿”是否释作“超”，有待进一步研究。

955.湖北长阳出土一批青铜器

作　者：长阳县文化馆　张典维

出　处：《考古》1986年第4期

湖北长阳县文化馆自1969年以来，陆续收集了一批青铜器，大多有明确的出土地点。简报配以照片予以介绍。

这批青铜器年代大多为战国或东周。虽然在时代上各异，但从形态、纹饰、制作风格来看，与川东、湘西及贵州北部等地所出均相似，尤其是錞于、钲、洗、戈、釜等，具有明显的巴蜀文化特点。

简报称，清江古称“夷水”，又称“盐水”，是廪君传说的发源之地，也就是秦统一巴蜀以前巴部族分布之处。这些青铜器的出土，为研究巴部族在清江流域的活动提供了实物证据。

956.湖北长阳县发现一件青铜钟

作　者：长阳县文化馆　张典维

出　处：《考古》1987 年第 7 期

1984 年 10 月 7 日，长阳榔坪区马坪乡渠安头大队农民取土时发现此编钟。编钟窖藏在离地表约 50 厘米的老白山土中，保存完好。简报配以照片予以介绍。

据介绍，编钟重 7.5 公斤，通高 54 厘米，周长 12 厘米，椭圆形，中空。钲面两区间有 24 枚呈圆锥形乳钉，正、背面共 48 枚。编钟通体素面，合范铸造，舞面不在同一平面上。

简报认为，这件编钟，钟体特别扁，素面无文，钲面两区间呈圆锥形的乳钉比其他编钟多两组六枚，形制特别，纹饰简单，地方特点明显。简报推断它可能是战国中、晚期巴族的遗物。

957.枝江县青山古墓群调查简报

作　者：湖北省宜昌地区博物馆　杨　华

出　处：《江汉考古》197 年第 2 期

青山在枝江县问安公社境内，与当阳县交界，位于沮漳河的西岸，南距长江约 15 公里。青山古墓群，为湖北省第二批重点文物保护单位。考古人员从 1982 年 2 月 21 日至 3 月 15 日进行了实地调查。这次调查的步骤是由北向南，即从袁码头、竹园、革新等大队起，至新建大队止。通过这次调查，共发现有 31 座大型的封土冢子，其中枝江县境内 24 座，当阳县境内 7 座。另外还发现古墓群 5 处，遗址 5 处。简报配以手绘图予以介绍。

据介绍，青山古墓群，大致上可分为四个墓区。袁码头、英雄大队为第一墓区，竹园大队为第二墓区，革新、青山大队为第三墓区，七星台公社新建大队为第四墓区。有的古墓已遭破坏。从实地调查的情况来看，青山一带的冢子包，应是一处集中的楚国贵族墓地，看来与季家湖楚城城址关系密切。从地域上来讲，这又是江汉平原的过渡地段，土地肥沃，交通方便，水利资源丰富，是理想的居住和生产的地方。青山古墓群分布如此之广，规模又是如此之大，这绝不是偶然的，它显示出楚人在这一带是有着悠久的历史基础的。

958.湖北枝江县姚家港楚墓发掘报告

作　者：湖北省宜昌地区博物馆　余秀翠

出　处：《考古》1988 年第 2 期

姚家港第一砖瓦厂位于枝江县城关镇以西约 16 公里，南面 2.5 公里左右为长江，是一处高出地面 5 米左右的土岗，周围由于推土形成各种高低不齐的土堆，并由农田环绕。此地楚墓分布密集，一般可见封土堆，另有少量汉墓、东晋墓分布于此。1972 年考古人员曾在此进行汉代与晋代墓葬发掘。1983 年，考古人员曾在此进行文物普查，发现楚墓将有被挖掉的危险；1984 年，该厂在推土中发现一座较大的古墓，随即电告文化部门，1984 年 5 月由考古人员对 M2 进行了发掘清理。1985 年 5 月，该厂继续推土发现了 M3，又对 M3 进行了发掘清理。M2、M3 均是推土所发现，人为破坏严重，损失较大，M2 推去了南半部分，毁坏掉三分之二；M3 基本见到棺底，故保存情况不佳。

简报分为四个部分介绍补救的M2全部资料以及M3部分文物清理情况，有手绘图。

据介绍，这两座墓为土坑竖穴，棺木有绳索捆缚的痕迹。出土器物与同地楚墓的特点相同，推断是一座楚墓，年代不会晚于战国中期。M3 为三级台阶一椁双棺的结构。虽无完整器，但从残器组合为鼎、簠、壶、罐来看，推断其时代不会晚于战国中期，可能还要偏早。

M2 发现一具腐烂并挪动位置的尸体，墓口到棺椁面积较大并有车马陪葬坑，虽然被盗，但仍出土较多铜器、乐器。如未经盗掘，M2 定是随葬青铜礼器、乐器、日常生活用具较全的墓葬，附有陪葬坑。简报推断，M2 墓主身份大约相当大夫一级。M3在M2旁边，距离较近，出土器物和墓葬结构都与M2略有别，尤其是无车马陪葬坑，其身份应低于 M2 的墓主。

959.当阳曹家岗 5 号楚墓

作　者：湖北省宜昌地区博物馆　赵德祥等

出　处：《考古学报》1988 年第 4 期

曹家岗地处当阳县河溶镇东南约 4.5 公里，西去 5 公里抵沮、漳二水汇合处。曹家岗地形为略呈十字形岗坡，岗上密布墓葬群。环绕四周的磨盘山、赵家湖等十多处岗地，分布着内涵丰富的周代文化遗存。5 号墓坐落在岗脊西侧偏北。1979 年夏，当地百姓在紧靠 5 号墓东 1 ～ 2 米处的堰塘边拾到“王孙雹作蔡姬食簠”等一组铜器之后，经钻探发现此墓。1979 年在 5 号墓以东 200 米处，曾发掘地 4 座小墓。

1984年，考古人员于10月10日开始发掘5号墓，至11月20日发掘工作结束。

简报分为：一、墓葬形制，二、随葬器物，三、附葬坑及出土铜器，四、年代与墓主，结语，共五个部分。有照片、手绘图。

据介绍，该墓为一椁多棺，另有陪棺两具。该墓早年曾被盗，但仍出土有甲片金属、皮甲片、乐器、铜器等近千件，无陶器。简报称，出土随葬品之多，当称当地已发掘300多座楚墓之第一。该墓的年代推断为春秋晚期。简报怀疑墓主人是楚平王姬蔡姬，考古发掘表明当时楚蔡两国关系密切。

出土遗物中，瑟、皮甲及金属装饰的出土，为研究我国古代音乐、军事、工业史等方面提供了新材料。过去在信阳、长沙、随县、江陵等地发现的战国及其以后的瑟，都不及这两件春秋瑟的形制、规模和工艺。皮甲的发现，使我们找到了楚甲的发展祖型。春秋以前，金属用于作战时防护身躯的甲属之类，这批皮甲金属装饰的发现，是这次发掘最重要的收获。这说明楚国军事装备、冶金铸造工业和手工业的高度发达。另外，从出土物的纹饰及部分装饰物来看，楚人特别崇拜超自然的龙。皮甲的金属装饰、瑟面上的雕刻和彩绘、龙饰片和雕花木片以及铜器纹饰几乎为龙纹所垄断。这些龙的造型和图案，充分反映出楚人的思想意识。

简报强调，对早期楚国的政治、经济中心的认识和研讨，曹家岗5号墓并非是一个孤立的线索。在赵家湖一带分布着十多处内涵丰富、时代清楚的两周文化遗物和数千座楚墓，不同的墓区反映了墓主人的不同身份（即贵族墓多分布于曹家岗、赵家塝一带，平民墓多分布于金家山、杨家山等地）。这不仅是楚国社会阶段关系和社会结构在葬制中的反映，更重要的是说明春秋及其以前，这一带已存在着一个人口稠密的城邑，存在着数千座墓和丰富的文化遗存，是有它的历史渊源的。

960.湖北枝江姚家港高山庙两座春秋楚墓

作　者：湖北省宜昌地区博物馆

出　处：《文物》1989年第3期

高山庙位于湖北省枝江县姚家港镇姚家港村，南距长江北岸0.5公里，东距枝江县城约10公里，西距姚家港3公里。高山庙为一小山岗，平面近似圆形，直径约200米，最高处高出附近地面约25米。岗上已辟为耕地，耕土层厚0.25米，其下为黄色带斑点的黏性生土。1984年，枝江县第二砖瓦厂在此取土时，发现一批土坑墓。1985年4至5月，考古人员进行了发掘，共发掘西周至战国时期的楚墓23座。其中14、15号墓位于山顶，两墓相隔5米，呈东西向排列，保存较好，随葬品全部为铜器。简报分为“14号墓”和“15号墓”两部分，并配以拓片和照片予以介绍。

这两座墓葬均为竖穴长方形窄坑墓，墓口长宽的比例约 2:1，墓坑四壁较接近垂直。椁的长宽比例也为 2:1。14 号墓的器物组合为鼎、簠、缶、盘、匜、瓢。15 号墓的随葬品虽然以车马器为主，但器上纹饰与 14 号墓一致，都以蟠螭纹、凸绹索纹、兽面纹为主。两墓出土的瓢的形制、纹饰几乎完全一样。两墓距离很近，都为南北方向。两墓的时代应为春秋晚期。简报称，墓内出土的青铜器是宜昌地区发现的春秋时期楚国的一批重要器物。

961.当阳金家山春秋楚墓发掘简报

作　者：湖北省宜昌地区博物馆　高应勤、王家德、杨　华等
出　处：《文物》1989 年第 11 期

1984 年 9 月，当阳县赵湖乡在金家山村修鱼塘时，发现 8 座楚墓。考古人员进行了清理。8 座楚墓中 1 座已被破坏，其余 7 座只墓口遭到一点破坏，棺椁尚保存较好。金家山是一片蜿蜒的丘陵岗地，东去 30 公里为楚郢都纪南城，南距季家湖楚城 8 公里，西近沮漳河，北临赵家湖，与荆门三界冢、江陵双冢祠、马山等墓葬群相望，并连成一片面积 120 平方公里的墓区，其间还分布有东周时期楚文化遗址数十处。从 20 世纪 70 年代开始，考古人员曾先后在赵家湖一带配合水利工程发掘了 200 余座东周时期的楚墓，尤以金家山墓区发掘的最多，且棺椁保存较好。这次发掘的墓葬仍按赵家湖的统一序号编排，墓号 M245 至 M252。

简报分为：一、墓葬形制，二、随葬品，三、结语，共三个部分。配以照片。

据介绍，这 7 座墓均为长方形竖穴土坑墓，口大底小，墓葬均为南北向。7 座墓中有 3 座被盗，墓室内只残留部分陶器，葬具保存较好。随葬品有铜器、陶器、木器和丝织品等，有的棺内尚有保存完好的麻鞋。这批楚墓时代应为春秋中期或偏晚。

以前认为，以鼎、盏、铆为组合形式的青铜礼器多出土于一棺一椁的墓中，而这次在等级较低的单棺墓头龛中也出土了相同的青铜礼器，说明当时在墓葬等级上有了僭越的现象。目前发现赵家湖地区的楚墓有千座之多，其中有相当一部分是春秋时期的楚墓。这反映了赵家湖一带在春秋时的楚国具有重要的地位，有可能是当时一个重要的城邑，从而进一步说明了沮漳河流域是探讨早期楚文化的中心地带。

962.湖北枝江姚家港楚墓第四次发掘简报

作　者：宜昌地区博物馆　余秀翠等
出　处：《文物》1990 年第 10 期

姚家港第一砖瓦厂位于枝江县城关镇以西约 16 公里，南临长江，是一处高出地面约 5 米的土岗，周围由于烧砖取土形成高低不齐的土堆，并被农田环绕。此地楚墓分布密集，一般可见封土堆；另有少量汉墓、东晋墓分布于此。1972 年、1974 年，考古人员在这里先后进行了两次发掘。1984 年，进行了第三次发掘。1987 年 4 月至 1988 年 1 月，砖瓦厂在取土时又发现了一些中小型墓葬，考古人员对这批墓葬进行了第四次抢救性的清理发掘。这次共发现墓葬 11 座，依前三次发掘的顺序编号为 M4 ~ M14。其中 M4 已被砖瓦厂取土破坏，M6 ~ M8 为残砖室墓，早年被破坏，仅剩残砖块，未出任何随葬品；M12 为一大土冢，由于不属砖瓦厂的征地，未能清理。简报配以照片、手绘图，介绍了其他 6 座墓葬的清理情况。

6 座墓葬均为长方形土坑竖穴木棺墓，有的带长方形斜坡墓道，棺（椁）已朽，棺（椁）上四周有较薄的青膏泥封闭。除 M10 墓葬结构保存较完整外，其余破坏严重。出土有铜器、陶器、玉饰、料珠等。简报推断这 6 座墓葬为战国中期左右的楚墓。

963.湖北当阳赵巷 4 号春秋墓发掘简报

作　者：宜昌地区博物馆　高应勤、余秀翠、卢德佩等
出　处：《文物》1990 年第 10 期

1988 年 6 月，湖北当阳县陈场砖瓦厂在赵巷以东工程中发现 10 座古墓，考古人员对已遭破坏的 4 号墓进行了抢救性的发掘，取得了重要收获。

简报分为：一、墓葬形制，二、出土器物，三、结语，共三个部分。有照片、手绘图。

据介绍，赵巷 4 号墓位于河溶镇以东 4 公里，西邻沮漳河。4 号墓是一座无墓道的长方形土坑竖穴墓，由于砖瓦厂取土，原墓口及填土已被破坏。墓坑西北角有一个直径 1.5 米的盗洞顺坑壁而下，打穿第一块椁板的北端，向下延伸至椁室。盗洞口的上下部残留漆器、竹器及铜器若干件。主棺经过翻动，内、外棺的棺板被撬开移动，整齐地叠放在墓室中部偏北。尸骨也移位，头骨移至椁室西南角。墓坑填土接近椁盖板时，有青膏泥密封层。椁室四周填黏性较强的白膏泥。墓内偏东部有 4 个殉人陪葬棺。墓主的足下及南侧有 5 个陪葬棺，经鉴定，陪葬者均为青少年女性，推测其身份为墓主生前的侍妾或奴婢。墓内西南部及椁室南墙板

外随葬16具家畜个体，经初步鉴定，有黄牛13头（均仅有头骨和四肢骨），猪、羊各1只，还有1只绑缚在木棍上的狗。据现场观察，这些家畜骨骼排列无序，堆积厚薄不匀，西高东低，似从西南角随意放置堆积起来的。这种以牲随葬的现象，在已发掘的楚墓中尚属首见。出土有劫余的铜器、漆器、陶器、玉器等70余件，其中漆器保存尚好，制作精良。

该墓的年代，简报推断为春秋中期偏晚，墓主人应为大夫级贵族。

964.湖北当阳县出土的战国青铜器

作　者：谭宗菊

出　处：《考古》1990年第2期

1988年3月，当阳县草埠湖季家湖楚城遗址附近，当地砖瓦厂在取土时发现三件青铜器，其中铜钫壶一件、盥缶二件。根据现场观察，这三件青铜器应出自同一座战国墓葬。简报配以手绘图予以介绍。

据介绍，三件青铜器，特别是其中的通体用绿松石镶嵌的铜钫壶，是比较罕见的，它为研究我国战国时代的镶嵌工艺提供了实物资料。

965.当阳窑湾陈家坡东周墓葬清理简报

作　者：湖北省文物考古研究所　杨权喜、陈振裕

出　处：《江汉考古》1990年第1期

1972年春，宜昌地区第二期文物考古干部训练班在当阳县发掘刘家冢子东汉画像石墓和考古调查以后，还在窑湾陈家坡配合砖瓦厂取土进行过土坑墓葬的清理发掘。陈家坡墓葬是楚墓，由于训练班结束以后资料的辗转，部分手绘图、照片已丢失。陈家坡是沮河畔的一个楚国墓地，所发掘的墓葬尚有一定的研究价值。

简报共分：一、墓葬形制，二、随葬器物，三、结语，共三个部分。有手绘图。

据介绍，窑湾在当阳县城关以南约12公里，陈家坡东周墓地在窑湾以西约200米处。共发现土坑墓十余座，清理了其中的8座。8座墓均为口大底小的土坑墓。出土有陶器和铜剑1把、铜镞1件。年代简报推断为战国早、中期。此次发现，在楚文化渊源探索中有其特殊意义。

966.湖北枝江关庙山一号春秋墓

作　者：枝江县博物馆　黄道华
出　处：《江汉考古》1990 年第 1 期

1987 年 8 月 11 日，枝江县问安镇关庙山遗址发现铜器。铜器出土点在关庙山大溪文化遗址西南边缘外，东北 6 公里处即是湖北省重点文物保护单位青山楚墓群分布区，东距季家湖楚城址 10 公里。铜器系土窑场工人取土挖出，经实地调查，出土点是一座长方形土坑墓。简报配以照片、手绘图予以介绍。

据介绍，墓已挖坏，棺、椁仅存残迹，据工人讲原有人骨。出土器物有缶盖、缶耳、勺、戈、锁形器等铜器 11 件。推断为春秋晚期墓。

967.湖北宜昌姚家港高山庙楚墓发掘简报

作　者：宜昌地区博物馆　卢德佩
出　处：《考古》1991 年第 11 期

1985 年 4 至 5 月，为配合枝江县第二砖瓦厂取土工程，考古人员在姚家港镇高山庙清理了 12 座楚墓。据调查，整个山岗是两周时期的古墓群。一共发掘 23 座墓葬，其中有部分墓是以前发掘的，这次实际发掘数是 12 座，编号为 M5 ~ M13、M16 ~ M18，均分布在岗的东北部。

简报分为：一、墓葬形制，二、出土遗物，三、几点看法，共三个部分予以介绍，有手绘图。

墓坑均为长方形土坑竖穴式。墓口略大于墓底，坑四壁平整光滑，唯 M5 南壁中部有一壁龛，内置一鬲。随葬品以陶器为主，年代可分四期：西周中晚期、春秋晚期、战国早期、战国中期。这批墓葬规模较小，随葬器物简单，不出铜器，而且陶器火候低、质地差。由此，简报认为该墓地属于穷人墓地，其墓主身份最高可能是士一级。

968.当阳何家山楚墓发掘简报

作　者：宜昌地区博物馆　余秀翠
出　处：《江汉考古》1991 年第 1 期

何家山位于当阳市脚东乡境内，西离当阳县城约 15 公里，南面 2 公里为官垱镇，北面约 10 公里是焦枝铁路，东面与荆门的周家集、张家畈接壤。何家山砖瓦厂建于此地，1987 年推土时发现大批墓葬，考古人员进行了抢救性发掘。简报配以手绘图予以介绍。

据介绍，共清理发掘了22座墓葬，其中土坑墓19座，砖室墓3座。19座土坑墓中，M3、M4、M5、M6、M8、M11、M12、M13、M15、M16、M17、M18、M19、M20、M21、M24有随葬品，其他3座墓是空墓。大致有三种情况：第一种是有台阶的土坑墓（M8）；第二种是无墓道的土坑墓（M3、M5、M6、M11、M12、M13、M15、M16、M17、M18、M19、M20）；第三种是有墓道的土坑墓（M4、M21、M24）。随葬品有陶器、铜器等。简报推断该墓为春秋晚期至战国中期楚墓。

969.当阳季家湖楚墓发掘简报

作　者：宜昌地区博物馆　余秀翠

出　处：《江汉考古》1991年第1期

当阳季家湖楚城是湖北省重点文物保护单位，位于赵家湖以南约10公里处的草埠湖农场三分场。1974年3月、1988年3月，当地都曾挖出过青铜器。季家湖楚城应是楚国一个重要城邑。1988年4月，考古人员对已发现的古墓、古窑进行了正式发掘。简报配以手绘图等予以介绍。

此次共发掘了M1、M2两墓。M1为一空墓。M2有棺、椁，已朽，人骨已朽。随葬品共计13件，均为陶器，主要器形组合为鼎、敦、壶、豆、盘、匜、缶、勺等。

该墓的时代，简报推断为战国中晚期。

970.当阳赵巷楚墓第二次发掘简报

作　者：宜昌地区博物馆　余秀翠

出　处：《江汉考古》1991年第1期

1988年6月，当阳县陈场砖瓦厂在赵巷取土过程中发现一批古墓，考古人员于6月对这批古墓进行了第一次发掘。10月至11月，又进行了第二次发掘。赵巷位于河溶镇以东4公里，西临沮漳河，南距赵家湖楚墓群约5公里，东接江陵的川店、马山，东西长约500米，南北宽约400米，高出四周地面约2～4米，当地人称“老曹家岗”。其中部东西向分布着10座墓葬，其中M1～M3、M5是第二次发掘的。

简报分为：一、墓葬形制，二、出土器物，三、结语，共三个部分。有手绘图。

M1已被推土机推掉，仅见青灰泥，未见任何遗物，其余均为长方形土坑墓。M2、M3葬具为一椁一棺，人骨已朽。M5曾被盗，但在椁盖板上装置器物箱，这在众多楚墓中还是首见。虽然该墓被盗一空，但这一特殊棺椁结构的发现，为对东周时期楚人的丧葬礼制等方面进行研究提供了新的实物资料。M2、M3的时代，简报推断为春秋中期稍晚。

971.枝江近年出土的周代铜器

作　者：枝江县博物馆

出　处：《江汉考古》1991 年第 1 期

枝江县近年陆续出土了一批周代青铜器，出土地点确切，有一定特点。简报配以手绘图予以介绍。

据介绍，计有春秋早期柱足鼎 1 件、春秋早期后段徐太子鼎 1 件（有铭文）、两周之际圈足盘 1 件，以及错银车害 2 件、错银戈镈 4 件，另有剑、镜、矛等。时代最晚到战国早期。

972.宜昌朱其沱遗址发掘简报

作　者：三峡考古队　张昌平

出　处：《江汉考古》1994 年第 1 期

朱其沱又名“朱溪沱”，位于宜昌县太平溪镇苏家坳村四组。这里毗邻三峡大坝坝址，属于三峡工程坝区范围。遗址最初发现于 1984 年并作过小范围试掘。1993 年 5 月，考古人员为配合工程建设对遗址进行发掘。

简报分为：一、地理环境与地层堆积，二、遗物，三、结语，共三个部分。有手绘图。

朱其沱遗址为其堆积性质所限制，出土遗物难以依地层关系推断早晚，对明显属于不同阶段的陶器，简报只能对照其他地点相应器物加以推断：小罐、鼎足应属于这里早一阶段遗物，其时代约在商时期；AI、AII、I 式高鬲足、AI 式中领罐均可在柳林溪遗址找到相类似的形制，AI、AII 高尖唇作风在近年江汉地区发现较早的楚文化遗址中也多有出现，这些遗物时代当在春秋中期；春秋晚期到战国中期遗物较为丰富，其特征与江陵一带同类器几无二致。

历次发掘的三峡地区周代遗址表明，约在春秋中期，楚文化势力已在这一地区文化中占据绝对优势。朱其沱遗址的遗物正是这一历史背景的反映。

973.西陵峡北岸周家湾山岗遗址

作　者：湖北省文物考古研究所　杨权喜

出　处：《江汉考古》1994 年第 1 期

1984 年 6 月在配合三峡工程前期准备工作中，考古人员前往大坝工区进行了一次较大规模的古遗址发掘工作，在发掘苏家坳周代遗址过程中，调查发现了周家湾山岗遗址。

周家湾遗址是一处较特殊的周代遗址，位于长江西陵峡中段，即大坝坝基北岸一座山岗上。1985 年 5 月，考古人员对周家湾遗址进行了复查和局部发掘，发掘面积仅 25 平方米。1985 年 7 ~ 9 月，对周家湾遗址调查发掘资料进行了初步整理。

简报分为：一、遗址的分布与堆积情况，二、文化遗存，三、结语，共三个部分。有手绘图。

周家湾发掘的文化层，属于历代冲积层，存在倒转情况，出土物的层位关系只能作参考。遗址中，不见早期巴文化的器物，其时代应不早于西周。陶器中，出现大量粗陶鼎和釜，同时又存在制作较为精细的高甗，还有东周特征明显的细柄豆、盖豆等。该遗址的时代简报推断为周代，并可归为楚文化遗址。

该遗址陶鼎、釜、鬲、甗共存，并有大量粗陶，纹饰中横向乱绳纹别具特色。这些都是研究三峡地区楚文化的重要资料。

974.宜昌县小溪口遗址发掘简报

作　者：湖北省文物考古研究所　胡文春

出　处：《江汉考古》1994 年第 1 期

小溪口遗址位于长江西陵峡的北岸，其东为小溪口，南临长江，西距太平溪镇约 1000 米，隶属宜昌县太平溪镇西湾村柑桔厂。为配合三峡大坝工程，1984 年 6 月和 1986 年 11 月，湖北省文物考古研究所对该遗址进行了两次发掘。

简报分为：一、地层堆积，二、遗迹，三、遗物，四、小结，共四个部分。有手绘图。

小溪口遗址的文化内涵比较复杂。鬲、罐、瓮、盖豆、豆等是东周时期楚文化的典型器物，而鬶、小罐等的年代可能较早而与早期巴文化的特征近似。鼎比较发达，表现了三峡地区的土著风格。小溪口遗址文化遗存的具体年代、性质等都有待于进一步的研究。

975.湖北当阳唐家巷三号楚墓

作　者：宜昌市博物馆　李梅田等

出　处：《文物》1995 年第 10 期

为配合当阳市河溶镇前春村砖瓦厂基建工程，考古人员于 1994 年下半年对砖瓦厂所在的唐家巷进行考古调查，确认此地为春秋战国时期的楚国墓地。唐家巷地处沮漳河东岸平原，西北距当阳市约 40 公里，西距已发掘的赵家湖墓葬群 5 公里，东去楚都纪南城约 40 公里。在砖瓦厂施工过程中，揭露墓葬 3 座（编号 M1 ~ M3）。其中 Ml、M2 早年被严重破坏，仅见墓底，M3 也已暴露墓口。考古人员对 M3 进行了抢救性清理。

简报分为：一、墓葬形制，二、随葬器物，三、小结，共三个部分。并配以照片。

M3 为竖穴土坑式，棺内尸骨无存，仅在棺外盗洞处发现少许骨骼痕迹。出土青铜器 21 件、玉牌饰 1 件、陶盂 1 件，共 23 件。M3 的年代应为春秋时期。该墓曾被盗扰，从现存的车马器和兵器等仍能反映出墓主人的身份当属贵族。

简报称，春秋时期的大中型楚墓在鄂西的襄樊、江陵、当阳、枝江等地屡有发现，随葬器物多以铜、陶礼器为主。唐家巷 M3 出土的兵器和车马器，丰富了鄂西楚文化研究的内容，为研究楚文化的渊源、传播等提供了新的资料。

976.湖北宜昌市中堡岛遗址西区 1993 年发掘简报

作　者：宜昌博物馆　卢德佩

出　处：《考古》1996 年第 9 期

1993 年 9 月至 12 月，考古人员配合三峡大坝工程，在坝址所在地中堡岛进行第三次大规模抢救性发掘工作。

简报分为：一、地层堆积，二、屈家岭文化遗存，三、商时期文化遗存，四、东周时期文化遗存，五、结语，共五个部分。配以手绘图等，介绍了西区 T215、T216 两个探方（共 200 平方米）的发掘资料。

据介绍，遗址发现有石锄、石斧、石锛、石凿等屈家岭文化遗存，应属屈家岭文化晚期。商时期文化遗存不多，主要为陶器。东周时的遗存也主要为春秋时期的陶器，表明楚国在当时已扩张至三峡地区。

977.湖北当阳发现春秋时期人殉楚墓

作　者：宜昌博物馆

出　处：《江汉考古》1997 年第 3 期

1996 年 3 月，河溶镇陈场砖瓦厂在赵巷取土时，发现两座古墓。1 月 10 日至 20 日，对此两座墓葬进行了紧急清理。两座墓葬中的第 13 号墓椁室内设有头箱和棺室，棺室内置两具棺，均为二重套棺。因早期被盗，墓室内山空无一物。第 12 号墓棺椁保存状况良好，椁室内设有头箱、棺室，棺室内置三具棺，中间为大套棺，即内外棺相套，套棺两侧各置一个单棺。各棺均为悬底方棺结构，每棺内均有人骨架一具（仅存人骨腐烂痕迹）。该墓亦早年被盗，但仍清理出300余件文物，器物质地可分为陶、金、铜、竹、木、皮等几类，以青铜器和漆木器最多。青铜器有车軎、马衔、马镳、铜环、戈、矛、匕、削、勺、镬；漆木器有器物架（可能为悬挂编钟之用）、鼓、瑟、盾柄、弓、兵器杆、伞柄、车辕、豆、几、梳、杖、匜等，其中器物架和豆的纹饰十分复杂精美，颜色完好如新。此外，还发现竹笥、盾、竹席、金属和皮质铠甲片，其中金属甲片上贴饰有金片。这些文物中，乐器和车马器数量最多，乐器最具特色。根据墓葬的形制、棺椁结构、随葬品的种类和数量，可推断以上墓葬的年代为春秋末期，墓主人身份可能属楚国中下等贵族，其级别大体相当于大夫。

简报称，此有殉人楚墓在古代楚文化区内也是少见的，这些出土文物和人殉资料弥足珍贵，在楚国葬制、音乐、军事乃至整个楚文化史研究上均具有十分重要的价值。

978.三峡库区秭归曲溪口遗址发掘简报

作　者：宜昌市博物馆　李梅田

出　处：《江汉考古》1999年第2期

曲溪口遗址位于湖北省秭归县茅坪镇曲溪村，北临长江，南靠大山，东5公里为三峡大坝坝址所在地三斗坪镇。遗址于20世纪80年代的文物普查发现。由于长期受江水冲刷及水土流失影响，文化堆积已受到严重破坏。考古人员于1997年9月至10月中旬对曲溪口遗址进行了抢救性发掘。

简报分为：一、地层堆积与遗迹，二、出土遗物，三、结语，共三个部分。有手绘图。

曲溪口遗址是一处以东周遗存为主的遗址。遗址发现有周代陶器、铜锥、磨制石凿等遗物，六朝的遗物主要为青瓷器，不多。东周遗物以楚文化因素为主，也有少许巴蜀风格因素，表明这一地区正是楚文化与巴蜀文化的交会地带。

979.柳林溪遗址1998年发掘主要收获

作　者：国家文物局三峡湖北工作站　罗运兵

出　处：《江汉考古》2001年第4期

柳林溪遗址处于长江西陵峡庙南宽谷西端、长江北岸的二级台地上。这里江面宽阔，沿江两岸阶地发育，是三峡古文化遗址分布密集地区之一，早在1960年即已发现。198年1、1994～1995年、1997年、1998年多次进行过调查和发掘。发掘简报已发表，此次是在原简报基础上再行补充。

新石器时代早期遗存是在此发掘的主要收获。第一次发现并清理了长方形土坑竖穴墓三座，东西向，头向东，无随葬品。遗物有石器、陶器和大量的鱼骨、兽骨。器分打制、磨制、琢制，器类有斧、锛、凿、锄、网坠、砺石等。另发现一些石刻、石佩饰和一件十分精美的黑色石雕人像。石雕高约4.5厘米，屈腿而坐，双手支于膝上，头顶双冠，身材匀称，面相逼真，采用透雕手法而成，为我国目前所发现的时代最早的雕饰人像。其精湛的工艺和奇特的造型为研究当时手工工艺水平和当时人们的审美情趣、精神信仰提供了生动、直观的实物资料。陶器也十分丰富并具特色，为研究当地龙山时代至夏商时代文明提供了宝贵资料。东周时期遗存也十分丰富。简报怀疑此处有东周大型建筑遗址。从遗物可看出楚文化比例越来越大，超过土著文化。另有少许东汉、六朝遗存。

980.宜昌龙泉发现东周时期巴楚青铜兵器

作　者：王家德

出　处：《江汉考古》2002年第1期

2000年7月30日，宜昌县龙泉镇峡木岭村村民在该村取土时拾得青铜剑、矛各2件。考古人员赶到现场，村民主动将妥善保管的4件文物上交文物部门。经鉴定，此4件兵器为东周时期遗物，其中剑为东周楚国兵器，矛为春秋时期巴人遗物。简报配以照片予以介绍。

据介绍，剑2件。其一，剑首有两道圆箍。全长55厘米，宽3.5厘米，重700克。其二，剑身呈柳叶形，两刃锋利，保存完好。全长58.6厘米，宽4.5厘米，重850克。矛，2件。双骰式，两件形制相同。矛上饰动物纹。通长15厘米。这种双骰式矛在三峡一带尚属初次发现，为研究三峡一带巴楚文化的交流与融合提供了新的实物资料。

荆门市

981.荆门出土的一件铜戈

作　者：王毓彤

出　处：《文物》1963年第1期

1960年5月，在荆门漳河车桥，发现一戈一剑，特别是戈的形制与花纹有异。简报配以照片予以介绍。

在车桥西南端的小山岗上，约 50 ～ 60 平方米的范围内，先后发现 5 座竖穴土坑墓。其中 4 墓发现的遗物，均为常见之战国楚器。出戈的墓发现时，骨架残存一半。戈放在墓南壁中间，共存物尚有铜剑一件，放于北壁墓主人头侧。此戈简报推断为西周晚期或春秋初的作品。两器虽同出一墓，但在制作地区和时代上可能有区别，初步推测铜剑最迟是战国时期的遗物。

982.荆门市包山大冢出土一批重要文物

作　者：荆沙铁路考古队　王红星

出　处：《江汉考古》1987 年第 2 期

1986 年 11 月至 1987 年 1 月，考古人员对工程涉及的荆门市十里铺镇王场村境内的包山墓地进行了发掘。该墓地北距十里铺镇 3 公里，南距楚故都纪南城约 16.5 公里。这次共发掘 8 座墓葬，其中 5 座楚墓，3 座汉墓。包山大冢为其中最大的一座，编号为包山 M2，是目前湖北省已发掘的仅次于江陵天星观 M1 的大型楚墓。简报配以照片予以介绍。

据介绍，该墓有盗洞，但未被盗成，故保存完好，为一有封土堆的土坑竖穴木椁墓。封土堆高出周围地面约 5.8 米，坑底中部有一腰坑，坑内葬一整羊。椁近方形，长 6.32 米，宽 6.24 米，高 3.1 米。盖板上覆盖八床竹席，保存完好。椁分东、南、西、北、中五室，中室置四层套棺，余四室放随葬器物。内棺为彩绘方棺，通体除底面外，其他五面均满幅彩绘。棺内人骨完好，仰身直肢，男性，年龄约 50 岁。贴身随葬有璧、璜等玉器。各室随葬用品的放置是：东室主要随葬青铜礼器；南室放兵器、车马器；西室有起居等生活用具；北室主要为日常用具和竹简。据初步统计，共出土铜、陶、漆、木、竹、丝、麻、玉、石、骨器 500 余件。其中有补充先秦文献的大批竹简，有证楚之礼制的礼、乐器，还有数件前所未见的珍宝。竹简共约 438 支，其中有 130 余支空白简，保存基本完整，墨书文字清晰，内容多为记事、占祷与遣策。墓主人应为楚国左尹。下葬时间在公元前 323 ～前 278 年之间的战国中晚期。

983.荆门市包山楚墓发掘简报

作　者：湖北省荆沙铁路考古队包山墓地整理小组

出　处：《文物》1988 年第 5 期

包山墓地位于湖北省荆门市十里铺镇王场村的一座名叫“包山大冢”的土岗

上，北距十里铺镇约3公里，南距楚故都纪南城约16公里。在包山土岗东1公里处，鲍家河由北向南流去。这座土岗高出周围地面2～6米。岗脊中部由南往北分5个土冢，这5个土冢下是6座古墓，依次编为1～5号墓（3号墓封土堆下有3A、3B两座墓）。在土岗偏西，又有3座古墓，编为6～8号墓。这9座墓构成了包山墓地。据调查，以包山墓地为中心，半径10公里范围内，还分布着直径20米以上的土冢41个，集中分布于河流两岸，越靠近楚故都纪南城越密集。1986年11月到1987年1月，为配合荆沙铁路建设，考古人员对墓地进行了发掘，共发掘墓葬9座，其中3号墓（3A、3B）和7、8号墓为西汉墓，其余5座为战国楚墓。据发掘前钻探，在包山墓地附近未见其他墓葬或附属设施。

简报分为：一、大型墓，二、中、小型墓，共两个部分。配以照片、手绘图，先行介绍了5座战国楚墓的情况。

据介绍，大型墓仅2号墓一座。封土保持尚好。发现有盗洞直至椁盖板之上，仍出土有竹简、礼器、乐器、兵器等，总数达千余件。中、小型墓包括1、4、5、6号共4座，也均曾被盗，但仍出土有礼器、乐器、兵器、车马、生活用具1000余件，大部分残破未及修复。1号墓的下葬年代应与2号墓大体同时。4、5号墓的下葬年代应比2号墓晚，在秦将白起拔郢（公元前278年）之前。6号墓的年代应在战国中晚期。至于墓主人，1、4号墓墓主人应为下大夫级，5号墓应属士一级，6号墓为庶人。而2号墓的墓主人名邵𬁡，官居左尹，下葬的年代为公元前292年。

简报指出，包山墓地大、中、小楚墓并存，分布有一定规律，年代关系清楚，为研究楚墓的等级分类、年代分期及墓地性质提供了有价值的实例。大批竹简的发现，弥补了先秦文献的不足。有些葬俗为过去鲜见。漆画及大批珍贵文物的发现，更为研究楚人的精神文化和物质文化提供了重要资料。同刊同期发表有《包山2号墓竹简概述》一文，可参阅。

984.荆门胡家岗遗址发掘简报

作　者：荆沙铁路考古队

出　处：《江汉考古》1988年第2期

胡家岗遗址隶属荆门市十里镇十里村二组，南距楚国故都纪南城19公里，是一处高出周围地面约8米的岗地。为配合铁路建设，考古人员进行了发掘。

简报分为：一、地层堆积，二、遗迹，三、遗物，四、结语，共四个部分。有手绘图。

据介绍，遗迹有一处窑址和两个灰坑。遗物有陶器、玛瑙等。时代从春秋早期至春秋中期。遗物风格应属楚文化。

985.荆门铁匠湾遗址发掘简报

作　者：荆沙铁路考古队　王红星

出　处：《江汉考古》1988 年第 2 期

铁匠湾遗址隶属荆门市十里铺镇车坪乡新桥村七组，其南距十里铺镇约 2 公里，西距襄沙公路约 0.5 公里。

简报分为：一、地层堆积，二、遗迹，三、遗物，四、小结，共四个部分。有手绘图。

此遗址系配合荆沙铁路建设而进行发掘的古代遗址之一。遗址的时代当在春秋晚期至战国早期。铁匠湾遗址陶器的主要器类为鬲、甗、罐、豆，纹饰为绳纹，其总体特征与江陵地区已确认的楚文化特征完全相同，应属楚文化遗存。

986.荆门十里砖厂一号楚墓

作　者：荆门市博物馆　李云清

出　处：《江汉考古》1989 年第 4 期

荆门十里砖厂位于荆门市十里铺镇北约 1.5 公里处，东距襄沙公路约 0.5 公里。原始地貌为一隆起的山岗，俗名“门板山”。该厂建厂以来，一直将门板山作为取土场。1988 年 4 月，该厂在取土时于东侧缓坡腰部发现一座古墓，考古人员对该墓进行了发掘清理，编号为荆十砖 M1。

简报分为：一、墓葬形制，二、出土器物，三、结语，共三个部分。有手绘图。

该墓为竖穴土坑木椁墓。发现时推土机已将墓口上部推平，椁盖板全部暴露，故封土堆与墓道的情况不清楚。葬具为一椁二棺。出土有木俑、木梳、骨器、铜镜、仿铜陶器、铜铁合体剑等随葬品 30 余件。推断简的时代可定在战国中期偏晚，下限不晚于公元前 278 年秦将白起拔郢之时，为楚墓，墓主人身份为上士一级。

987.荆门市响岭岗东周遗址与墓地发掘简报

作　者：荆门市博物馆　李兆华

出　处：《江汉考古》1990 年第 4 期

响岭岗东周遗址与墓地位于汉水、沮水和漳水之间的荆门城西南约 8 公里的响岭岗上。这条岗地从荆门山南麓开始，由坡地变为平地，一直向南延伸至纪山一带，长达百余里，是古代南阳、襄阳到荆州的必经之路。岗地北头至今尚保存有古烽火台、古道路等遗迹。1987 年，响岭村在此兴建葡萄园，将遗址与墓地的部分暴露出来。经勘探调查，遗址南北长约1000米，东西宽约300米，总面积约30万平方米。文化层平均厚度为0.8米。墓地位于遗址南部偏西，相距不到20米，分布面积18000多平方米。

简报分为：一、遗址，二、墓葬，共两个部分。有照片、手绘图。

响岭岗墓地的年代与响岭岗遗址的年代一样，也当从春秋早期至战国中期，其文化类型的总体特征与江汉地区的楚文化特征一样，同为楚文化范畴。墓地为遗址居住者的墓地。值得注意的是，从发掘情况看，在响岭岗遗址这块地方，铁器的大量使用应当从春秋晚期就开始了。

简报称，从遗址方面看，它可能是当时楚国的一处极为重要的军事基地或大镇。从墓地方面看，它是一处以芈姓楚人为主的贫民阶层的墓地。二者关系紧密，不可分割。但由此又提出了一个问题：既然遗址这么宏伟、重要，当时的居住者就一定有很多身份地位较高的人。然而，响岭岗墓地的死者身份最高的不过士这一阶层。这就说明，当时的贵族墓地应另辟于他处，尚有待发现。

988.荆门简家湾墓葬和窑址发掘简报

作　者：荆沙铁路考古队

出　处：《江汉考古》1992年第1期

简家湾是个小村庄，隶属荆门市十里铺镇车坪乡新桥村七组。它的北面是同组的铁匠湾村，南面距十里铺镇约2公里。襄沙公路擦村西而过。墓葬和窑址紧邻村东，集中分布在略高于村庄的岗地上。发掘前这一岗地已改造成较平坦的水稻田。简家湾墓葬和窑址，是1986年春，为配合湖北省的荆沙铁路建设，考古人员对施工路段内作专线考古钻探调查时发现的。在此路段内共发现古墓葬5座、古窑址1座。同年4月，考古人员对其进行了考古发掘。

简报分为：一、墓葬；二、窑址，共两个部分。有手绘图。

据介绍，墓葬均未见封土，葬具保存不好，人骨腐烂，3墓属春秋、战国之际，2墓属战国中、晚期。窑为残窑，还残留有火门、火膛、窑床、烟囱和窑墙等部位，火门朝西略偏北。这类窑可能流行于春秋中晚期以后，而废弃时期大体在战国时期。

989.纪山楚冢调查

作　者：荆门市博物馆　崔仁义

出　处：《江汉考古》1992年第1期

为加强重点文物分布区的保护工作，1990年元月，考古人员对纪山楚墓群进行了较为详细的调查。调查中发现，纪山楚墓群不仅数量多，而且墓地形态及冢子排列形式特殊。考古人员认为，现存于纪山楚墓群中的一些材料，对于探索楚国的丧葬制度及其有关问题具有重要价值。为此，在调查的基础上，先后进行了局部测量与勘探。

简报分为：一、地理位置与环境，二、墓地与冢子，三、结语，共三个部分。有手绘图。

据介绍，考古发掘和调查资料表明：以纪南城为中心的四周，东周时期的邦墓众多，分布密集；公墓区域，楚冢遍布，绵延百里，它们是纪南城繁华时代的历史记录。纪山楚墓群是纪南城之北的一个较大的公墓区域，它将城址周围的楚冢连接成为彼此相关的整体。西南有八岭山、望山、滕店、左家冢、郭家岗等墓地，东北有四方楚家（包括金牛冢、齐心店墓地）和长湖沿岸的后港、天星观以及十里楚墓群（包括包山墓地、梁家湾墓地）等，这些冢子和墓地应与纪南城的兴废相始终。纪山楚墓应为楚人公墓。冢的大小是身份的象征，有无冢则是贵族与庶族的区别。

990.荆门仙居出土的龙虎纹铜剑

作　者：黄　冰、山　人

出　处：《江汉考古》1995 年第 4 期

1990 年 11 月，荆门市仙居乡砖瓦厂在施工取土中暴露出一件铜剑。剑身两面分别饰有龙纹和虎纹图案。龙的构想起源于原始社会的氏族图腾崇拜，在中华民族大融合的历史过程中逐渐演化成智慧和力量的象征物；虎是巴人的图腾，而该剑的形制为楚式。因此该剑的出土，对于研究巴楚关系具有重要价值。

简报分为：一、地理位置与铜剑的出土情况，二、铜剑的形制与纹饰分析，三、铜剑的时代与相关问题，共三个部分。有拓片。

仙居乡位于荆门市西北部，与南漳、宜城毗邻。该地处在荆山东麓，西距漳泙水约 30 公里，北距蛮水约 32 公里，东距汉水约 35 公里，南距荆门市区约 100 公里。在这一带，东周文化遗物的出土尚属首次。简报认为，此剑的时代，应是巴楚联盟的春秋时期。

991.荆门郭店一号楚墓

作　者：湖北省荆门市博物馆　王传富、汤学锋等

出　处：《文物》1997 年第 7 期

郭店墓地位于湖北省荆门市沙洋区四方乡郭店村一组，南距楚故都纪南城约 9

公里，东侧约1公里处207国道经墓地向南北延伸，西与江陵川店镇豪林村毗邻。整个墓地坐落在一高出周围地面约3～5米的土岗上，南北长约700米，东西宽约350米，岗上分布有塌冢子、大陈湾冢、李家冢等10余座中小型楚冢，与郭家岗墓地、尖山墓地、冯家岗墓地、大薛家洼墓地等22处墓地连成一片，构成了庞大的楚墓葬群。1993年8月23日，郭店一号墓被盗掘至椁板。10月中旬该墓再次被盗，盗墓者挖出已回填的泥土，在椁盖板东南角（头箱南端）锯开0.4米×0.5米的长方形洞，并撬开边箱，盗取文物，致使墓内器物残损、混乱，雨泥浸入椁室内。考古人员于10月18～24日对郭店一号墓（M1）进行了抢救性清理发掘。

简报分为：一、墓葬形制，二、随葬器物，三、结语，共三个部分。有彩照、手绘图。

据介绍，郭店M1位于土岗南端，发掘前为耕地，封土早年夷平。墓坑为长方形土圹竖穴，墓口距地表0.5米，虽两次被盗，仍出土290件（组）遗物。尤其是800余枚楚简的出土，更为珍贵。简报推断郭店M1的年代为战国中期偏晚。墓主人应为贵族中的上士。

992.湖北宜城县肖家岭遗址的发掘

作　者：湖北省文物考古研究所、宜城县博物馆　张昌平、李福新等
出　处：《文物》1999年第1期

肖家岭遗址位于宜城县城关镇交通路西侧。县城地处汉江中游的河谷地带，东西两侧为大洪山和荆山的余脉。这里是沿汉江河谷沟通南阳盆地和江汉平原的通道，其间多有周代遗址和墓葬的分布，楚皇城遗址即在县城东南8公里处。遗址东西长300米，南北宽70米，是一片低平的岗地，东北距汉江2公里。1991年春配合基建时发现该遗址，考古人员进行了发掘。

简报分为：一、地层堆积和遗迹，二、出土遗物，三、结语，共三个部分。有照片、手绘图。

据介绍，遗迹有灰坑23个。遗物以陶器为大宗，另有少量骨器、石器、甲骨等。年代可分四期：春秋早期、春秋中期、春秋晚期和战国早期。以春秋早期的遗存最为丰富，为我们认识早期楚文化提供了新的实物资料。

此次肖家岭遗址所出土的两片甲骨值得注意，系以双联钻为特征，时代分属春秋早、中期。甲骨的整治方式与周原所见西周甲骨相同，钻凿方式虽然有别，但这种双联钻的渊源似仍与西周卜甲圆钻的方式有密切联系。

993.湖北省荆门市四冢一号楚墓

作　者：荆门市博物馆　崔仁义等

出　处：《文物》1999 年第 4 期

四冢一号楚墓（M1）位于湖北省荆门市东南约 45 公里的丘陵地带，属沙洋区烟垢镇四冢村。东距汉水约 8 公里，南距长湖约 18 公里，西距 207 国道约 27 公里。墓地中部偏东原保存有大小不同的 4 座古冢，南北排列。四冢村因此而得名。分布在南的 2 座古冢，20 世纪 60 年代因农田水利建设被夷平；分布在北的 2 座古冢，现残存封土堆。M1 为由南向北排列的第 2 座。四冢村村民建房时将 M1 墓坑局部破坏。1995 年 5 月初，考古人员对 M1 进行了抢救性发掘清理。

简报分为：一、墓葬形制，二、随葬器物，三、小结，共三个部分。有照片、手绘图。

据介绍，该墓原存封土高约 5 米，灰白土，发掘时高出现存地表的封土已不复存在，但墓口、墓道口上仍有一层灰白土覆盖，墓口距墓底深 5.15 米。葬具与人骨架均腐朽。据遗迹判断，葬具为一棺一椁，设有头箱。根据文献记载，墓主的身份应属士一级。随葬品中，使用 2 套鼎、敦、壶，不足于“士三鼎”，且随葬物品也不丰富，证明墓主相当于下士。该墓的年代，推断为战国中期后段。

简报称，该墓随葬品有限，但也有精品。如出土的玉璧，造型极薄，上面雕刻的龙纹细致生动，线条流畅。又如铜匕首，一面内凹，另一面凸脊起棱，两刃仅见于前锋部分，为以往的考古发掘所不见，为研究楚国兵器提供了新资料。

994.湖北钟祥市冢十包楚墓的发掘

作　者：湖北省文物考古研究所、荆州市博物馆、钟祥市博物馆　杨定爱、韩楚文

出　处：《考古》1999 年第 2 期

冢十包坐落在钟祥市郢中镇（原钟祥县城）西北约 28 公里的丘陵岗地上，现隶属钟祥市磷矿镇长坪村四组。为配合襄石铁路复线工程的建设，考古人员对该墓群进行了发掘，共清理楚墓 7 座。此次发掘的 7 座墓葬中有 5 座（M1、M2、M4、M6、M7）分布在南北走向的同一岗脊上。另 2 座略偏东，位于岗地东半坡上。发掘工作自 1993 年 12 月开始，至 1994 年 1 月结束。

简报分为：一、墓葬形制，二、随葬器物，三、结语，共三个部分。有手绘图、拓片。

简报将随葬品的组合及其形态特征与相邻近地区的材料作横向对比，推断这批墓葬当属楚墓无疑。钟祥的这 7 座墓的封土直径在 15 ~ 16 米，但从墓葬规模及随葬器物种类、多寡等因素综合考察，墓主身份只能是士。

995.湖北钟祥丽阳遗址试掘简报

作　者：焦柳铁路复线襄石段考古队　张正发
出　处：《江汉考古》2002年第4期

丽阳遗址位于湖北省钟祥市胡集镇丽阳村。遗址堆积从春秋战国时期延续到明清时期。从陶瓦、盆的大量发现等现象分析，发掘者认为丽阳遗址可能为具有古驿站、馆舍遗存的属性。

简报分为：一、地层堆积，二、文化遗存，三、结语，共三个部分。有手绘图等。

丽阳遗址位于湖北钟祥市胡集镇东南约1.5公里，在丽阳村境内的一高岗地上。遗址西临207国道，南边为丽阳河，焦柳铁路横穿其西南端。丽阳遗址东西长约1000米，南北宽约500米，现存遗址面积约为45万平方米。1982年，湖北省第一次文物普查时发现该遗址，于同年定为县级文物保护单位。1994年，为配合焦柳铁路襄石段复线修筑工程进行了发掘。207国道襄荆段，历史上被誉为“南北大道”。早在殷商时期，襄荆之间这条适合人类通行的自然道路就被开拓形成。春秋战国时期，楚在纪郢建都400余年，襄荆大道成为楚国通往中原最为重要的道路。同时，楚国创建了以纪郢为轴心，向四周辐射的道路网络，后历经两汉、南北朝至唐宋，湖北境内形成了以襄阳、江陵、江夏为枢纽的三角骨架驿道网。现代许多重要的公路路线、走向仍保留着春秋战国时期所形成的网络。丽阳遗址地依207国道襄荆段中段位置。据文献记载，明时期称“利阳站”，为襄荆古道上驿站口之一，后名“丽阳司”；清时期称“丽阳驿镇”，时为以驿站为依托的著名集散之地。尽管未见文献对丽阳之地作较早的注名，但从丽阳遗址发掘的资料和以上文献所述中，该地自春秋战国时期以来直至明清，作为古驿站、驿馆的存在并非猜疑。

996.湖北荆门黄付庙楚墓发掘报告

作　者：荆门市博物馆
出　处：《江汉考古》2005年第1期

黄付庙位于荆门市沙洋县纪山镇付场村，与荆州市荆州区交界，西南距楚都纪南城约4公里。2000年夏曾发掘过50多座墓葬，2001年9月至2002年1月，又发掘出30座墓葬。

简报分为：一、墓葬形制，二、随葬器物，三、结语，共三个部分。有手绘图。

据介绍，30座墓均为小型长方形土坑竖穴墓，有的有墓道。大部分葬具都保存不好，从保存较好的棺椁墓和清晰可辨的棺椁痕迹来看，除一座单棺墓外，余下皆为一棺一椁墓。人骨已朽，只有少数墓葬有人骨残骸，葬式不明。随葬品的放置较有规律，一般放置于头箱和边箱中。遗物有铜器、漆器、木器等共计 286 件。墓主人应属楚国士一级贵族。时代为战国中期偏早、战国中期偏晚不等。

997.湖北沙洋县程新村花果山战国楚墓的发掘

作　者：武汉大学历史学院考古系、荆门市博物馆　王　然、曹　昭、乐新珍、朱远志等

出　处：《考古》2013 年第 2 期

花果山墓地位于沙洋县纪山镇东北约 3 公里的程新村，南距荆州纪南城址约 10 公里，西北距包山楚墓约 4.1 公里。2000 年 7 ～ 10 月，为配合襄荆高速公路的建设，考古人员对沙洋县程新花果山楚墓进行了抢救性发掘，出土随葬品 90 件。

简报分为：一、墓葬概况，二、出土遗物，三、结语，共三个部分。有彩照、手绘图及表格。

据介绍，19 座墓均为长方形竖穴土坑墓，4 座有封土，10 座带墓道，3 座设壁龛，2 座有生土二层台。葬具已朽，可辨为一椁一棺或单棺，2 座墓的椁有分室。骨架多已腐朽，可辨者均为单人仰身直肢葬。有 1 座墓随葬成套的铜礼器，其余的主要随葬仿铜陶礼器。

简报认为，此次发掘的这批墓葬为典型的战国楚墓，年代从战国中期早段至战国中期晚段、战国晚期早段不等。墓主当为平民和下层贵族。

鄂州市

998.湖北鄂城鄂钢五十三号墓发掘简报

作　者：鄂钢基建指挥部文物小组、鄂城县博物馆

出　处：《考古》1978 年第 4 期

1976 年 4 月，考古人员在鄂钢基建工地发掘了两座战国时期的墓葬，五十三号墓是其中的一座。

此墓位于湖北鄂城县城关西南约 0.5 公里，这里原为一片俗称“桂花园”的丘陵台地，东面是武阳公路，北靠西山，西南面是武大铁路和鄂钢厂房区域。鄂钢五十三号墓的发掘工作，自 1976 年 4 月 15 日开始，5 月 10 日结束。

简报分为：一、墓葬形制，二、随葬器物，三、结语，共三个部分。有手绘图。

据《史记·楚世家》，鄂城在春秋战国时期属楚国鄂君的封地，因此在这里反映的文化特征，是属楚文化体系，和江陵出土的楚文物大体相似，但略有差异。根据出土器物及墓葬形制特点，简报推断五十三号墓为楚墓。值得注意的是，这座墓出土的140件锡环，重达5公斤，与布带一起相串铺于棺盖上。这类葬俗，在过去还是少见的，为我们了解战国的葬俗提供了新的材料。

999.鄂州市燕矶坝角村出土一批兵器

作　者：熊亚云

出　处：《江汉考古》1990年第3期

1978年4月，鄂州市燕矶镇坝角村的农民在该村临近的走马湖畔围垦造田时，在湖边的淤泥中约30厘米深的泥层中挖出一个大陶瓮，瓮中装满铜兵器的残片，约30公斤。次年又在同一地点的泥层中出土铜钲一件。这些残兵器与铜钲均藏鄂州市博物馆。简报配以手绘图、照片予以介绍。

这批兵器有铜剑残片、箭镞、铜矛、铜钲、铜壶盖、马饰、弩机等。这些遗存应是战国时遗物，推断是汉代时经水路运往坝角村走马湖南岸约2.5公里的童家坝村一铸造私钱的秘密作坊化铜时落入了水中。

1000.湖北鄂州新出一件有铭铜戈

作　者：中国钱币博物馆、鄂州市博物馆　黄锡全、冯务建

出　处：《文物》2004年第10期

2001年8月，为配合市政工程，考古人员在古墓区南部的凤凰山广场工地北部清理了一批墓葬，其中M31出土有铭铜戈1件。此墓为土坑楚墓，保存较差，葬具已朽，根据痕迹，当为一棺一椁。墓中共出土随葬器物16件。其中陶器为鼎、盉、豆、高足杯等14件，铜器为剑、戈2件。铜戈是这批墓葬出土的唯一一件有铭文的兵器。简报配以拓片予以说明。

据简报考证，戈上铭文一行6字，其含义是警戒新城的步兵所用之戈。从该墓的情况看，墓主人身份不高，应是楚国一名守卫过新城的小军吏。文字有三晋文字的某些特点，故此戈又可能是战利品。

孝感市

1001.湖北孝感野猪湖中发现大批楚国铜贝

作　者：程欣人
出　处：《考古》1964 年第 7 期

1963 年 12 月，湖北省孝感县野猪湖发现了大批楚国时期的铜贝——蚁鼻钱。连少数泥土在内共重 21.5 公斤，估计约为 4000 枚。简报配图予以介绍。

据介绍，出土地点在北泾嘴村东北 0.5 公里许。铜贝是在湖底地下深约 1 米处发现的，没有墓穴的迹象，可能出土于古代的窖藏。这批铜贝的形制，平面略呈椭圆形，正面凸起，背面平坦，每枚约重 5 克。由于在土内埋存时间久远，多半锈结在一起，在已拨开整理的十多公斤中还发现有一枚三棱铜镞和一件铜弩机牙残件。这批铜贝的正面都铸有阴文。铜贝的形制虽大体相同，但厚薄不一。

1002.湖北云梦睡虎地十一座秦墓发掘简报

作　者：湖北孝感地区第二期亦工亦农文物考古训练班
出　处：《文物》1973 年第 9 期

1975 年底至 1976 年春，考古人员在云梦睡虎地发掘了 12 座战国末年至秦代的小型土椁墓，其中 11 号墓的发掘简报已经发表。

简报分为：一、墓葬形制，二、随葬器物，三、年代和墓主，四、几点认识，共四个部分。配以手绘图等，介绍了其余 11 座墓。

睡虎地位于云梦县城关西郊。从发掘情况看，这里东周时还是村落，直至战国晚期才变为墓地。这 11 座墓均为长方形竖穴土坑墓，出土遗物有陶器、漆器、铜器等 300 多件。其中漆器，9 号墓出土的铜镜、铁鼎，3 号墓出土的铁足铜鼎、铜壶及 7 号墓出土的彩绘陶壶等，均有较高工艺水平。

简报称，睡虎地 7 号墓椁室的门楣上刻有“五十一年”字样，为秦昭襄王五十一年（前 256 年）的墓葬。这座有绝对年代墓葬的发掘，为这批秦墓的年代定位提供了依据。睡虎地 11 座墓葬的墓主身份，从棺椁与随葬器物等分析，并跟睡虎地十一号秦墓的墓主喜作了比较，应均为低级官吏或中、小地主阶级分子。

另据《江汉考古》1990 年第 1 期介绍，1989 年 10 ~ 12 月，考古人员在云梦县龙岗配合县公安局“三所”（预审、拘留、看守所）工程建设进行考古发掘中，发掘了9座秦代墓，出土了一批陶器、漆木竹器等。其中M6出土的一件木牍和一批竹简，内容为一种新的秦法律文书，已引起社会各界人士的关注。

据介绍，9座墓葬均为长方形小型土坑竖穴木椁墓。葬具为一棺一椁或单棺，或无棺，仅以芦席裹尸。随葬品有陶器、漆木器。M6出土有一件木牍和一批竹简。这批简编为283个号，如全部拼接起来，约有百枚。简文的内容，经初步译读，系秦法律文书。其中130简所记有“于禁苑中者吏与参（三）辨券”；173简所记有“苑律论之”，“苑”上当脱一“禁”字。据此初步推断这批竹简中应有秦代《禁苑律》，具有很高的研究价值。

1003.湖北省汉川县发现一批春秋时期青铜器

作　者：汉川县文化馆　沈银华
出　处：《文物》1974年第6期

1974年2月，在汉川县城关镇西正街尾修建公路的施工中，城关搬运工人挖土时，发现了一批春秋时期的青铜器，有盉、簋、鬲（两件）、舟等，还有陶鼎、陶豆（此两件器物已成破片）。他们及时将这批器物送交了县文化科。简报配以照片予以介绍。

1973年9月，考古人员在汉川县南河公社发掘西周文化遗址时，曾到该地进行过现场调查，认为该处属于一处古代墓地。这批青铜器的发现，为研究汉川一带春秋时期的历史提供了新的资料。

1004.湖北云梦睡虎地十一号秦墓发掘简报

作　者：孝感地区第二期亦工亦农文物考古训练班
出　处：《文物》1976年第6期

1975年12月，考古人员在湖北省云梦县城关西部的睡虎地墓地发掘了一座葬于秦始皇三十年（前217年）的墓——睡虎地十一号秦墓，发现了秦始皇时期的法律和文书等内容丰富的竹简1100余枚和重要的历史文物70多件。

简报分为：一、墓葬形制，二、竹简，三、随葬器物，四、年代和墓主，五、结语，共五个部分。有手绘图等。

据介绍，十一号秦墓是当时清理、发掘的12座秦墓中一座小型竖穴土坑墓。墓主为一40多岁男性，仰身曲肢。除随葬大批竹简之外，还随葬有器物70余件，绝大部分保存完好，主要有漆、木、竹、铜、铁、陶和玉石等类，其中漆器最多。

此墓出土竹简总计1100余枚。分为八组，堆放有序，分别置于棺内人骨架的头部、右侧、足部和腹部等处。除少数因积水浮动而散乱且置于足部的竹简残断较多外，绝大部分保存完好。根据初步整理，这批竹简的主要内容有：秦始皇二十年（前227年）南郡郡守腾的文书；秦代的法律条文三种；秦代的治狱案例一种；论为吏之道的书籍一种；秦昭王元年（前306年）至秦始皇三十年大事记；《日书》等占卜一类书籍。据竹简，知墓主人叫喜，死于秦始皇三十年。

1005.云梦睡虎地秦墓出土陶量——秦斗

作　者：云梦县文化馆

出　处：《文物》1978年第7期

1976年底至1977年初，湖北云梦睡虎地发掘了12座战国晚期到秦代的小型土坑木椁墓。其中7号墓出土陶量一件。器质为细泥灰陶，硬度较大。圆筒形，平口，直壁，平底，外壁饰凹弦纹十余道，口内径约15.8厘米，底内径约16.4厘米，内壁高约8.7厘米，外壁高约9.1厘米。同出土的有彩绘木壁、木佩、圆奁盘等漆木器物以及陶壶、铜鍪等共40余件。简报配以照片予以介绍。

据介绍，云梦原为楚地，后归秦。睡虎地十一号秦墓出土陶器印有“安陆市亭”戳记，4号秦墓出土木牍写有“安陆”地名，可知当时云梦属安陆。7号墓的年份是秦昭王五十一年，即公元前256年。陶量的制作年代，应以此为下限。

简报称，著名的商鞅方升和秦始皇方升，分别制作于秦孝公十八年（前344年）和秦始皇二十六年（前221年），容积都是200毫升。这是两件官府制定的铜质标准量器。睡虎地7号墓陶量，经湖北省计量局用小米作介质测定，容积为2000毫升。按《汉书·律历志》：“合龠为合，十合为升，十升为斗，十斗为斛，而五量嘉矣。”在十进位的量制中，这一陶量当为秦斗。

睡虎地秦斗的年代下限，晚于商鞅方升88年，早于秦始皇方升35年，升斗容量完全符合十进位计算，证明从秦孝公变法到秦始皇统一六国的120多年内，秦国量制是稳定的。睡虎地7号墓是一椁一棺的小型墓，与同时发掘的12座秦墓的墓具和随葬器物相比较，推测墓主人身份属于中小地主阶级。因此这一秦斗可能是当时民间使用的量具。

简报称此秦斗的出土，对于研究秦国统一度量衡的进程，有着很重要的意义。

1006.湖北云梦木匠坟秦墓发掘简报

作　者：云梦县博物馆　张泽栋

出　处：《江汉考古》1987 年第 4 期

1975 年，云梦睡虎地出土了大批珍贵的秦代竹简和重要的历史文物，引起了国内外的重视。同年 12 月底，又在睡虎地以北约 200 米处“楚王城”古城址西北、汉丹铁路以西的木匠坟墓地发掘了两座小型土坑墓葬。

简报分为：一、墓葬形制，二、随葬器物，三、结语，共三个部分。有手绘图。

据介绍，两墓均为竖穴土坑墓，未见墓道，有青灰泥，均为一棺一椁，椁室分为棺室和头箱，随葬品有陶器等 29 件。两墓的年代，应在秦统一以后。M2 有彩绘陶器，或为保留了一些楚国风俗的楚墓。

1007.湖北应山吴店古墓葬清理简报

作　者：应山县文化馆文物组　张学武等

出　处：《文物》1989 年第 3 期

1987 年 2 月，吴店镇居民冯先亮在自家院里打井时，发现盘、匜、甗 3 件青铜器，立即报告县文化馆。经勘察，这里是一座古墓葬，考古人员对此墓进行了抢救性发掘。简报配以拓片和照片予以介绍。

此墓为长方形竖穴土坑墓，无封土，墓口多处被现代灰坑扰乱。墓中出土铜器 11 件（边箱 8 件，足箱 3 件），玉器和陶器各 1 件。此墓的年代简报推断为西周和东周之交。

春秋时期，应山曾属贰国地域。据《左传》，桓公十一年（前 701 年）贰国还存在。应山县吴店春秋墓葬是否与贰国有关，是一个值得研究的问题。

1008.孝感市天津湖战国墓清理

作　者：孝感市博物馆　李端阳

出　处：《江汉考古》1990 年第 2 期

1978 年元旦，毛陈镇毛陈村农民在天津湖开挖沟渠时，发现墓葬一座，出土器物数件。考古人员奔赴现场，对残墓及文物进行了实地调查。从农民手中收回文物 4 件（另有陶器两件被损坏），并作了清理工作。简报配以手绘图予以介绍。

据介绍，该墓位于天津湖西岸，已被挖坏。清理中见到散乱棺木、人骨、青灰泥。出土遗物有陶器、铜鼎、铜戈、铜剑等。推断为战国晚期楚国墓。

1009.湖北大悟吕王城遗址

作　者：孝感地区博物馆
出　处：《江汉考古》1990年第2期

吕王城遗址位于大悟县城东约70公里处，1958年文物普查时发现。1979年、1982年进行了考古调查和抢救性发掘。

简报分为：一、地理环境与文化堆积；二、遗迹和遗物；三、结语，共三个部分予以介绍。

据介绍，该遗址有新石器时代、西周时代遗存，但吕王城应属春秋战国时期楚国城池。这一地区应是楚国向东扩张的一个重要的军事要点。应建于春秋、战国之际。据当地人讲，1949年以前，尚有高约2米的残存城墙。20世纪50年代挖河道时几乎全被挖掉。仅存一点根部，为夯筑。另外，发现有古井6口、古窑一座及大量建材。

简板认为，吕王城应建于春秋晚期或战国早期，汉代时沿用。

1010.安陆发现一批东周时期青铜器

作　者：安陆市博物馆　余从新
出　处：《江汉考古》1990年第2期

安陆市地处长江中游，为桐柏、大洪两山脉所蔓延的丘陵与江汉平原相交会的地带。境内西北与正北为地势较高的岗地，中部和南部为涢水、漳水的冲积平原，埋藏在地下的文物极为丰富。十余年来，考古人员先后在解放山、王家山、死土岗、羊子山、晒书台、潘塆等地出土了一批商周和东周时期的青铜器。商周的铜甗、铜觚、铜爵等原已发表。简报配以照片，介绍了东周时期的青铜器。

这些铜器，可分为炊器、盛食器、兵器、车马器等类，还有铜矛、铜泡、铜带钩等，具有鲜明的中原地区东周文化的特征，为研究安陆地区青铜文化面貌及东周文化在江汉平原的形成和发展提供了重要的实物资料。

1011.湖北云梦木匠坟秦墓

作　者：云梦县博物馆　张泽栋等
出　处：《文物》1992年第1期

1975年，云梦睡虎地出土了大批秦简和重要文物，引起了国内外的重视。在进一步了解古城址、墓葬区分布的同时，同年12月底，又在睡虎地以北约200米处、楚王城古址西侧、汉丹铁路以西的木匠坟，发掘了两座小型土坑墓葬，分别编为木匠坟 1、2 号墓。

简报分为：一、墓葬形制，二、随葬器物，三、结语，共三个部分。配有照片。

这两座墓葬均为竖穴土坑墓，葬具均为一棺一椁。两座墓共出土漆器、铜器、陶器、木器等共 29 件。墓葬年代应为秦统一以后。

简报称，值得注意的是木匠坟 2 号墓随葬器物中发现彩绘的陶鼎、陶壶。这种小口瓮、釜、罐以及彩绘鼎、壶的组合关系，反映了秦占领的安陆（今云梦）地区存在复杂的历史背景，这种情况可以与云梦秦简《语书》记述的楚人坚持楚国的传统习俗相联系。

1012.92 云梦楚王城发掘简报

作　者：湖北省文物考古研究所、孝感地区博物馆、云梦县博物馆　李桃元、宋有志、张泽栋等

出　处：《文物》1994 年第 4 期

楚王城位于湖北云梦县城关，1958 年调查发现。1986 年以来，配合工程建设对其进行过三次不同规模的试掘。初步了解这座古城由大城和小城组成，城址总面积约 1.9 平方公里，夯土城墙总长约 9700 米，现东、南、北三面及中部尚有高出地面 2 ～ 4 米的土垣，东西长约 1900 米，南北宽约 100 米，城外有宽 40 余米的护城河环绕，四周分布着近 10 个大型墓地，古城东北角现存一座烽火台。1992 年 6 月，为配合云梦县城市建设工程，考古人员对楚王城遗址中垣、南垣及其结合部进行了为期两个月的发掘，对城垣形制结构及其两段城垣之间的相互关系、城垣的营筑方法及其时代等有了一个基本的了解。

简报分为：一、地层关系，二、遗迹，三、出土遗物，四、结语，共四个部分。有照片、手绘图。

据介绍，云梦楚王城始筑于战国中晚期，到西汉初年加筑中城垣，城址的废弃当在东汉早期或更早。这一点从城郊的几个墓地可以看出端倪。1972 年以来，先后在楚王城城郊发掘了一批战国至秦汉时期的墓地，这些墓地均距城不远。从某种意义上说，它们与楚王城应有一定的内在联系，也就是说这些墓地是城址在使用时期修造的，城址废弃以后，才出现了墓葬埋于中垣的现象。

1013.云梦楚王城 H11 清理简报

作　者：云梦县博物馆　杨文清
出　处：《江汉考古》1996 年第 4 期

1992 年 7 月，云梦建行在城关朝阳路兴建储蓄所。施工队在附近的城关财政所院内挖石灰坑时挖出了大量的西周至东周时期的陶片。考古人员赴现场进行抢救，挖掘清理出一灰坑。

简报分为：一、灰坑形状与内涵，二、出土遗物，三、结语，共三个部分。有手绘图。

据介绍，灰坑位于楚王城南城垣以南约 100 米处，出土器物主要为陶片。根据文献记载，云梦楚王城为春秋时期楚昭王避吴难奔云中所筑。近几年来，根据调查和勘查，特别是楚王城的几次发掘资料看，楚王城的时代与文献记载基本相符。此灰坑出土的一批器物正好在年代上与楚王城时代相衔接，表明在楚王城筑城以前的相当长一段时间内这里就有人居住。此次发掘，证实两周之际这里应有一定人口规模。

1014.湖北孝感吴家坟遗址发掘

作　者：孝感市博物馆　熊卜发、李端阳等
出　处：《考古学报》1998 年第 3 期

吴家坟位于湖北省孝感市城区东，遗址为圆形土台地，高出四周农田约 1.5 ~ 3 米，总面积约 6 万平方米。遗址东紧靠滚子河，滚子河自东流入澴水。1989 年冬至 1991 年春 7066 基地在此修建厂房破土动工时发现遗址。考古人员对吴家坟遗址墓葬进行了勘探调查工作，确认此处为一处新石器时代遗址和东周、唐宋时期的墓地。为了配合工程建设，考古人员进行了抢救性发掘，发现新石器时代灰坑 5 座、窖穴 5 座、灶 8 座、房址 7 座、墓葬 3 座，东周墓葬 19 座，唐代墓葬 2 座，宋代墓葬 3 座。除此之外还在该厂区外清理了元代窑址 1 座。

简报分为：一、屈家岭文化晚期墓葬，二、龙山文化遗存，三、东周墓葬，四、唐代墓葬，五、宋代墓葬，六、元代窑址，七、结语，共七个部分。先行介绍遗址的遗迹和墓葬的情况，有照片，手绘图。

吴家坟新石器时代遗存堆积厚薄不一，应属一个时期的文化遗存，但有早晚之分。已发掘的新石器时代 7 座房址排列有序，分布规律，结构相同，为地面建筑，平面为圆形和椭圆形，均设有门道。F1 设保存火种的长形火膛，F2 地面铺一层红烧土层，厚 0.1 ~ 0.15 米。房址柱洞底分别放置石头和红烧土块。从 7 座房址的造型特点看，

既具有中原地区同期房址的某些特点，又有浓厚的地方风格。陶器以夹砂灰陶为主，次为红陶，泥质黑陶和磨光黑陶占有一定比例，多素面，少量弦纹、附加堆纹，有罐、盘、豆等，石器和陶纺轮较少，也有地方特色。

简报称，19 座东周墓葬，可分为春秋和战国两个时期，且每一时期又有早晚的不同。除 M18、M21、M22、M24、M26 应属战国时期外，其余均属春秋时期。春秋墓出土的陶器以夹砂陶为主，少量褐红陶。纹饰以绳纹为主。陶质坚硬，火候较高。器形有鬲、鼎、盂、罐、壶、豆。更多地具有地方特色。战国墓出土的陶器与前期相比存在较大区别。陶器以泥质褐红陶为主，次为灰陶，纹饰多素面，少量彩绘花纹、弦纹。器形有鼎、敦、壶、豆、盂、盘、匜。这种器物组合形式应属楚文化风格。但从器物造型来看，与典型的楚器仍有较大的差别，尤其是战国早期墓葬出土的陶器，地方特色更为鲜明。

1015.孝感黄土岗战国楚墓发掘简报

作　者：湖北省京珠公路考古队孝感组　汪艳明
出　处：《江汉考古》2000 年第 3 期

黄土岗战国墓地位于孝感市城南约 10 公里处的三汊镇涂店砖厂，西临澴水。墓地在一椭圆形台上。台地东西宽约 400 米，南北长约 500 米，高出四周约 1 米，总面积约 20 万平方米，现为砖厂取土场。1991 年孝感市曾配合工程清理战国时期土坑木椁墓 5 座，编号 M1 ~ M5。京珠高速公路从台地东部穿过。1998 年 7 月对京珠公路经过地段及附近进行了勘探，对已暴露在外的一座墓葬进行了清理，编号 M6。

简报分为：一、墓葬形制，二、随葬器物，三、结语，共三个部分。介绍了 M6 的发掘情况，有手绘图。

据介绍，M6 为东西向的长方形土坑竖穴木椁墓，一椁一棺，出土有陶器、木器、葫芦等共 16 件。其中木虎座立鸟较珍贵，该墓为战国中期楚墓。

1016.孝感大家园东周遗址发掘简报

作　者：湖北省文物考古研究所、湖北省孝感市博物馆　刘志升
出　处：《江汉考古》2006 年第 2 期

大家园遗址位于孝感市政府东南 23 公里处，南距孝南区祝站镇政府 1 公里，东与武汉市黄陂区祁家湾镇隔界河相望，隶属孝感市孝南区祝站镇祝站村段家田湾。1982 年孝感地区文物普查时发现该遗址，1984 年列为县级文物保护单位。为

配合汉孝高速公路建设，2004 年 4 ～ 5 月，考古人员对该遗址进行了局部发掘。

简报分为：一、遗址概况，二、地层堆积，三、出土遗物，四、小结，共四个部分。有手绘图。

简报介绍说，该遗址与 1982 年发现时比，由于 20 多年界河水的冲洗，遗址范围已大大缩小。根据现存遗址临河床的断面分析，其中心已被水毁，现存的仅为遗址的东边缘。从 1982 年采集的标本看，遗址年代属春秋、战国两个时期。本次发掘时采集的铁镬，是战国时期的遗物。陶器器类有鬲、豆、盆、罐、器盖等。夹砂红陶居多。纹饰以中粗或粗绳纹为主，且多见斜行绳纹，竖行次之。属春秋中晚期楚文化遗存。

黄冈市

1017.湖北英山、浠水东周遗址的调查

作　者：王善才

出　处：《考古》1963 年第 12 期

1958 年 7 月下旬，考古人员前往英山、浠水地区作了一次考古调查。在这次调查中，共发现东周遗址 7 处。简报配以照片、手绘图予以介绍。

据介绍，发现的遗址有锥子铺遗址、庙林嘴遗址、错罐林遗址、吴家山遗址、雷家坳遗址、猫儿嘴遗址等，均位于靠近河流的台形土墩和小山坡上，周围有适宜耕种的平地，生活比较方便。各遗址的包涵内容都基本相同，即都是以夹砂粗、细红陶为主，绳纹陶鬲特多。陶器多以手轮兼制，也有模制的，火候较高，质地坚硬。几处遗址陶器上的纹饰特点和器形均相类似，简报认为其时代应属于东周时期或稍早一点。

1018.湖北黄州国儿冲楚墓发掘简报

作　者：黄州古墓发掘队　王善才、吴晓松

出　处：《江汉考古》1983 年第 3 期

1981 年冬，湖北省黄冈县黄州公社星火大队砖瓦厂在取土中发现一批古墓，经调查属战国竖穴土坑木椁墓。1982 年春，考古人员对这批墓葬进行了清理发掘。墓地位于黄州北约 5 公里的星火砖瓦厂南面岗地的北坡，南距国儿冲 50 余米，北距禹

王城（郝城）1 公里。清理发掘工作从 3 月 7 日开始，到 12 日结束，历时六天，共清理战国墓四座，编号为国 M1、国 M2、国 M3 和国 M4。不久后又发现一座，于 11 月初清理，编号为国 M5。

简报分为：一、墓葬形制，二、随葬器物，三、结语，共三个部分。有手绘图、照片。

从形制和出土器物的组合关系看，这批墓葬应为楚墓，其年代应为战国中晚期。简报称，这批楚墓的发掘，在鄂东地区的长江以北还是首次。它为了解此地与禹王城遗址的关系及研究鄂东地区楚文化面貌提供了珍贵的实物资料。

1019.湖北广济发现一批周代甬钟

作　者：湖北省博物馆、广济县文化馆　梁　柱

出　处：《江汉考古》1984 年第 4 期

1984 年 2 月 9 日，广济县航运公司的挖沙船在县城东边约 4 公里的长江航道上（即武穴水道鸭儿洲）挖沙疏航作业时，从水面以下约 19 米深的江底泥沙中（水深约 13 米，江底以下约 6 米），挖出青铜甬钟和句鑃 25 件。当时，它们裹在沙里被分别装在该县和开往江苏省南通市的运沙船上。除一件甬钟是在挖沙现场发现外，余皆先后在两地的卸沙场上发现。

简报分为：一、甬钟，二、句鑃，共两个部分。有手绘图。

这批甬钟和句鑃计有甬钟 23 件、句鑃 2 件。其年代约当春秋早期前后。广济甬钟和句鑃具有浓厚的地方特点，其中最主要的是其正面有花纹，反面无花纹；舞作两面坡形。这类形制的甬钟，到目前为止，中原地区不见，而湖北大冶、广东清远、广西恭城等地区已有所发现。句鑃则被认为是吴越地区特有之物。因此，广济钟、鑃的同时发现，应与吴越有关，对研究吴越文化无疑是大有帮助的。至于这批文物是否窖藏，暂难断定。20 世纪 40 年代有日本船只沉没在鸭儿洲一带，故又有人怀疑这批文物原系日本人盗运的中国文物，因船沉而没于长江之中。

1020.黄冈罗汉山楚墓

作　者：黄州古墓发掘队　吴晓松

出　处：《江汉考古》1986 年第 1 期

罗汉山位于黄冈县堵城镇，是一处略高于四周的山丘。南距黄州 12 公里，南约 7 公里是东周时期的禹王城址。1976 年和 1984 年在罗汉山之南和西南面分别发现有战国铜器。罗汉山是黄冈县砖瓦厂的取土场之一，1982 年 10 月在取土中破坏一座墓

葬，文物散存在工人手中。考古人员征集回十余件青铜器，并对已暴露的两座墓葬（M1、M2）进行了清理发掘，有照片、手绘图。

据介绍，两墓均已被盗，劫余的随葬品有陶器等。征集的铜器有铜鼎、铜壶、铜盉、铜戈等，据工人讲也同出一地，应为某一墓葬的随葬品。这批墓葬的时代应为战国中期或偏晚。

简报称，罗汉山楚墓的清理发掘为我们研究鄂东楚墓提供了新资料。墓葬形制上显示出来的坑大棺椁小和方形墓穴等埋葬习俗又为我们提供了可与江汉平原西部楚墓相区别的显著的地方特征。

1021.湖北蕲春县出土一批战国青铜器

作　者：汪守耀、张寿来

出　处：《文物》1990 年第 1 期

1986 年春，蕲春县长石乡长石村杨塆一农民挖砖瓦窑取土时，于距地表深 1.5 米的黄色黏土中发现 1 个灰色陶罐（已毁废），内有青铜器 109 件和铜钱牌 10 枚。考古人员前往现场调查，并收集了这批文物，交李时珍文物管理所收藏。简报配以拓片予以介绍。

据介绍，青铜器有镞 37 件、剑 56 件、臿 9 件、斧 7 件；铜钱牌 10 枚均为长方形，其中 5 枚两面均饰勾连卷云纹，一面中部铸两同心圆圈纹，圆圈纹之间有钱文。简报推断这批青铜器及铜钱牌的时代应为战国中期。

1022.黄州龙王山砖厂战国墓葬发掘简讯

作　者：潘佳红

出　处：《江汉考古》1990 年第 1 期

1989 年 11 月 22 日至 12 月 1 日，考古人员发掘了黄冈地区黄冈县黄州龙王山砖厂取土揭露的一座战国墓葬。

据介绍，墓葬位于砖厂北部山坡的顶端，带有斜坡墓道。墓坑为长方形竖穴土坑，墓口长 6.10 米、宽 5.70 米、深 5.68 米，墓底长 3.56 米、宽 2.72 米，墓道长 7.60 米。填土上部为掺杂白膏泥的呈红色或黄褐色的五花土，椁室上部和四周填塞青膏泥。葬具为单棺单椁。在椁内有纵横两根的隔梁木呈“T”形搭于椁室壁上的凹槽，其上铺分板。头箱、边箱、棺室间均有隔板，隔板保存不完整。墓葬早年被盗，出土的随葬陶器有鼎、簠、壶、盂、豆、高把壶形器、陶勺等，随葬的兵器有青铜剑、短剑、戈和漆盾及剑鞘，青铜剑带有剑鞘。另出有一件滑石璧。从墓葬形制和出土器物来看，为战国楚墓。

简报称，这座墓葬的发掘，对研究战国时期鄂东地区的楚文化具有一定的意义，为研究鄂东地区战国楚墓的葬制、器物特征等提供了新的实物资料。

1023.湖北麻城吴益山出土青铜器

作　者：麻城市博物馆　徐志乐

出　处：《文物》1992 年第 5 期

1983 年 5 月，麻城县宋埠区吴益山砖瓦厂工人在施工取土时挖出一批青铜器。考古人员前往调查，发现该地为一处古墓葬区，并征收了出土的青铜器。简报配以照片予以介绍。

据介绍，青铜器有鼎 1 件、矛 1 件、戈 2 件、剑 1 件、车軎 2 套、衔 2 件。简报推断青铜器的时代在春秋晚期至战国早期。这批青铜器，是楚文化中常见的器物，应为楚国吞灭黄国后在这一地区留下的遗物。

1024.黄州龙王山砖厂 5 号墓发掘简报

作　者：湖北省文物考古研究所　王凤竹

出　处：《江汉考古》1993 年第 1 期

1989 年 11 月，湖北省黄冈县黄州龙王山砖厂，在生产取土过程中发现一座古墓葬。11 月 22 日，考古人员前往调查，经现场调查确定为战国竖穴土坑木椁墓。该墓除墓圹上口有一部分被破坏外，基本保存完好。23 日对该墓葬进行抢救性发掘清理。墓葬位于黄州城北约 4 公里的黄州龙王山砖厂北部取土场的顶端，北距战国时期的禹王城（邾城）约 2 公里，距星火砖瓦厂国儿冲墓地约 0.5 公里。此前在龙王山砖厂取土场上发现并清理了两座砖室墓和两座土坑墓，破坏都十分严重。这次发现的这座墓葬编号为龙 M5。

简报分为：一、墓葬形制，二、随葬器物，三、小结，共三个部分。有手绘图。

据介绍，该墓葬为一长方形竖穴土坑木椁墓，随葬器物有铜器、陶器、漆木器等。根据墓葬形制和随葬器物组合特征，推断龙王山砖厂这一墓葬的年代为战国中晚期，墓主属武士一级。

简报称，该墓葬的发掘清理，为研究龙王山墓地的性质与年代、龙王山墓地及国儿冲墓地与禹王城的关系，以及研究鄂东楚墓都提供了富有特征的新的资料。

1025.武穴鼓山发掘一座春秋越人墓

作　者：湖北省京九铁路考古队
出　处：《江汉考古》1996 年第 4 期

1993 年底，考古人员对位于武穴市四旺镇栗木村花坑的鼓山古遗址进行了发掘，发现了迄今为止鄂东地区最大的新石器时代聚落遗址。在遗址 TN1E3 西南角第二层下发现一座铜器墓（编号 M23）。墓为土坑竖穴，填黑灰色花土，平面大致呈长方形，长 208 厘米，宽 86 厘米，深 27 厘米，墓口距地面 128 厘米。该墓打破两座新石器时代墓葬（M27、M60），南部被一明清时期的灰坑打破。随葬器物大部分放在墓的北端，人骨架腐朽无存。简报配以手绘图予以介绍。

墓中出土器物有陶罐 1 件、陶豆 1 件、铜鼎 1 件、铜削刀 2 件。简报推断此墓为春秋早期越人墓。

1026.湖北麻城市李家湾春秋楚墓

作　者：湖北省文物考古研究所　黄凤春、田桂萍
出　处：《考古》2000 年第 5 期

麻城市位于湖北省东北部，其北与河南省商城县和新县毗邻，东北与安徽省接壤。李家湾墓地位于麻城市西南约 25 公里的宋埠镇，现隶属于宋埠镇拜郊管理区红梅山村管辖。李家湾墓地处在中部河谷冲积平原与丘陵相连处，西北约 400 米为一座战国至西汉的女王城古城址。墓地所在的李家湾，是一块南北走向的椭圆形并高出周围农田约 8 米的红砂岩岗地。据当地老百姓反映，“文化大革命”期间在此平整土地时，曾破坏大批墓葬，在红砂岩露头的地段迄今仍可见到一座座被当年破坏的墓坑。1992 年在该地取土再次发现一座春秋墓葬（M1）。1993 年，京九铁路工程动工，为配合京九铁路建设工程，考古人员对该墓地进行了勘探和发掘。勘探和发掘工作自 1993 年 11 月起，至 1995 年 1 月止，共发掘墓葬 98 座，其中春秋墓葬 12 座，余皆为西汉墓。

这批春秋墓葬简报分为：一、墓葬形制，二、随葬器物，三、结语，共三个部分。有手绘图、拓片。

据介绍，12 座墓葬皆为竖穴岩坑墓，各墓都出有青铜器，其中还发现了一座随葬日用陶器的墓葬（M44）。通过随葬器物的比较分析，确证这批墓葬属春秋楚墓。从保存较好的墓葬看，腐痕都表现为一棺一椁墓，推测这批墓葬墓主多属楚国的士一级阶层；从多随葬车马兵器看，极有可能属楚国的军旅阶层。

1027.湖北黄冈两座中型楚墓

作　者：黄冈市博物馆、黄州区博物馆　吴晓松、洪　刚等
出　处：《考古学报》2000年第2期

黄冈市位于湖北省东北部的江北地区，数年来科学发掘或零星发现了东周时期百余座楚墓。

简报分为：一、曹家岗5号墓，二、芦冲1号墓，三、结语，共三个部分。先行介绍城南曹家岗墓地、城北芦冲墓地发掘的两座中型墓葬，有照片、手绘图。

据介绍，曹家岗5号墓和芦冲1号墓是东周时期禹王城地区已发掘的楚墓中最大的两座，一座保存完好，一座基本结构及部分随葬品尚存。曹家岗5号墓的年代为战国晚期前段。芦冲1号墓的年代为战国中期后段。两墓墓主人应为下大夫。这次发掘，对于考察鄂东地区楚墓特点及楚贵族丧葬礼俗都具有较重要的价值。

1028.湖北黄州楚墓

作　者：湖北省文物考古研究所、黄冈市博物馆、黄州博物馆
出　处：《考古学报》2001年第2期

黄州地处湖北省东部，原为黄冈县，现为黄冈市黄州区。黄州濒临长江中游北岸，南与鄂州市隔江相望。其境内为大别山南麓，以低山丘陵地貌为主。黄州楚墓主要集中分布于市治北郊约5公里的禹王城（邾城）周围。自1981年起，考古人员曾先后发掘了十余座战国楚墓。1987年禹王城遗址及其周邻的墓群一起被公布为市级文物保护单位。1991年冬，在兴建黄团公路工程中，考古人员配合进行了抢救性发掘。1992年2月，考古人员对工程范围内的汪家冲和曹家岗墓地进行了勘探与发掘；与此同时，对邻近的龙王山墓地已暴露出的少量墓葬也进行了发掘。发掘工作自1992年3月1日起至5月30日止，历时3个月，共发掘墓葬96座。其中曹家岗4座、龙王山2座，汪家冲墓地的墓葬分布最为密集，共发掘墓葬90座。

简报分为：一、墓葬形制，二、随葬器物，三、分期与年代，四、结语，共四个部分。先行介绍其中60座楚墓的材料，有手绘图等。

本次发掘的96座墓葬，有东周楚墓60座、西汉墓葬16座、东汉墓葬1座，均为中小型墓葬。除19座空墓外，其余77座都有为数不等的随葬品，计712件，包括陶器、铜器、玉石器、漆木器、皮革、铅器、锡器、铁器等，其中陶器455件。

简报称，此处应为生前身份不高的楚人公共墓地，年代应属战国中期。简报怀疑墓主人与楚国灭邾国后将邾国后人从山东邹县一带迁来此处有关。楚灭邾，时为

公元前 369 年，正值战国中期。

这批楚墓虽未见高级随葬品，但部分随葬品也颇有特色。例如：

陶器彩绘比较独特。尽管陶器彩绘的出现与邻近的江陵楚墓的时间一致，都在战国中期，但黄州楚墓的彩绘陶器主题则是千篇一律的卷云纹并间以凤鸟图案，基本不见江陵、信阳等地楚墓所常有的多色菱形图案。

陶器的制法可谓匠心独运，尤其是战国中期的楚墓，陶器的附件，如鼎、敦的耳和足以及勺的柄皆采用榫卯结构。战国中期晚段后，一些鼎耳则径直做成榫卯结构与器身分烧后再套合，这种可以脱卸的附件装饰艺术基本不见于其他地区，显然，这种陶器的制法是仿用了木工的榫卯工艺，对于研究中国古代制陶工艺的多样性有着重要的参考价值。

原始青瓷器比较发达。在这批墓葬中共出土了 3 件小瓷罐，这是历次在此发掘出土最多的一次，这类器物过去在这一带也屡有发现。这种火候极高、叩之有声的瓷器在其他区域的楚墓中极少见，而在属于吴越文化的江浙地区却较流行，这无疑是特定的地理位置在文化交流上构成的一个区域特点。另外，漆木器的制造也有独到之处，诸如镇墓兽皆制成矮颈、狗形，缺乏江陵所习见的双头、张口吐舌的狰狞感，更不见江陵楚墓所常见的形态各异的虎座飞鸟，这极有可能就是宗教信仰的不同反映在随葬品的形制和品类上的差异。凡此种种，足以说明黄州楚墓具有多种地域特点，将其作为楚文化的一个区域来研究楚文化的传播和演进过程至关重要。

咸宁市

1029.湖北阳新蔡家祠出土一批铜器

作　者：贾晓玲

出　处：《考古》1994 年第 3 期

1983 年湖北省阳新县国和公社蔡家祠生产队一农民在挖地时发现一批铜器，后由阳新县博物馆收藏。据了解，这批铜器出土时装在一个陶罐内，惜陶罐已被毁弃。铜器计 16 件，其中有齿刃镰、矛、斧、镞、剑、钱币、刨状器等。简报配以手绘图、照片予以介绍。

这些出土物从形制上看，其中的宽格、茎上有两箍的剑是战国楚墓中较常见的一类，窄叶三棱形带铤的箭镞在战国墓中也发现较多。“良金四朱”与湖北大冶出土的战国青铜器窖藏中的“良金四朱”形制一样。由此，这批青铜器的时代应为战国时期。

简报称，齿刃铜镰在阳新县为首次发现，在全国发现的数量也不太多。此镰的出土为研究齿刃铜镰形制上的地区性差异及分布范围，无疑又提供了一个新的实物资料。

1030.湖北阳新县半壁山一号战国墓

作　者：咸宁地区博物馆、阳新县博物馆　朱伟峰、钱公麟

出　处：《考古》1994 年第 6 期

1984 年 3 月 20 日，湖北省咸宁地区阳新县半壁山农场的砖瓦厂在炮儿山由北向南取土时，发现一座长方形竖穴土坑木椁墓。该场农工自行挖掘，将墓坑北壁和东壁北部破坏。墓坑填土也已取至椁盖板处，并将椁室头箱和右边箱、左边箱、中室的北半部掘开，取出这几室的部分器物。23 日下午考古人员赶到现场，了解墓葬破坏情况，将砖瓦厂农工私自取出的 44 件文物全部登记收回。

简报分为：一、墓葬形制，二、随葬器物，三、年代与类别，四、结语，共四个部分。有手绘图、拓片。

据介绍，墓坑为长方形土坑竖穴。坑壁从保存较好的南壁、西壁以及东壁的南半部来看，为垂直状，且比较光滑，有明显的修筑加工痕迹。葬具一棺一椁，保存较好。该墓共出土器物 62 件，其中陶器 52 件、铜器 5 件、玉器 2 件、漆木器 3 件。根据对半壁山 M1 的综合分析及与其他相关资料的对比，推断 M1 的时代在战国晚期后段，墓主应是士阶层中等级较高者。

随州市

1031.湖北随县东周遗址的发现

作　者：毛在善、李元魁

出　处：《考古》1959 年第 11 期

1957 年，考古人员为配合水利建设，在湖北发现古代遗址 12 处。简报配以照片，先行介绍随县的三处遗址。

据介绍，这三处遗址是：

一、泰山庙遗址，位于随县前进乡泰山庙小学前约 200 米的土丘上，年代应为

东周。

二、城北关遗址，位于随县城北关外，出土遗物应包括汉代以前及汉代遗存。

三、窑湾遗址，位于随县县城西北 45 公里的唐县镇南 0.5 公里处，也包括了汉代以前及汉代遗存。

1032.湖北随县曾侯乙墓发掘简报

作　者：随县擂鼓墩一号墓考古发掘队

出　处：《文物》1979 年第 7 期

随县曾侯乙墓，位于县城西北约 3 公里叫“擂鼓墩”的地方，原编为擂鼓墩一号墓，东边紧靠溳水，南距涢水 2 公里许，西北是山峦起伏的丘陵地带。墓坑在一东西走向的小山岗（当地称为“东团坡”）的最东端。1977 年 9 月，中国人民解放军某部在兴建营地、平整山头时发现此墓。1978 年 3 月，考古人员进行了全面的调查与钻探。5 月上旬开始发掘，6 月底基本完成。

简报分为：一、墓坑和棺椁，二、出土遗物，三、年代和墓主，四、结语，共四个部分。有手绘图、彩照、拓片。

据介绍，墓坑主要建筑在白垩第三纪红色砂砺岩上，坑壁垂直，修削比较规整。由于砂岩松散，个别地方埋葬不久就已崩塌。墓坑内置木椁。墓中出土的大量青铜器和金器、玉器、漆木器等，在同期墓葬发掘中都是罕见的，特别是钟、磬、鼓、瑟、琴、笙、萧、笛等乐器，种类全，数量多，制作精，保存好。墓主人是一个诸侯国的君主。简报推断这座墓的时代为公元前 433 年或稍晚。

随县曾侯乙墓出土的文字资料极为丰富，各种铜器铭文、石磬刻文、木器上的刻文和漆书以及竹简文字等，字数总计在 1 万以上，对于古文字和当时历史的研究都有很大意义。

1033.湖北随县城郊发现春秋墓葬和铜器

作　者：随县博物馆　陈彦昭

出　处：《文物》1980 年第 1 期

1979 年 4 月随县城郊公社八一大队第一生产队农民在季氏梁西侧挖水沟时挖出了鼎、簠、甗、编钟、戈、马衔等铜器 37 件。经调查，该处是一座古代墓葬。简报分为三个部分予以介绍，有照片、拓片、手绘图。

据介绍，墓坑仅存底部，填有白膏泥。葬具都已腐朽，坑底中部仅见黑色腐烂木炭和丝麻织物残痕，其下又有红色朱砂一层。随葬的物品放在墓坑的西侧，马衔放在北端，车害放在西南角，戈放在东北部，玉器放在中部偏东。经过对墓底的清理，又出土了编钟、车軎、玉器等7件器物。共计出土随葬器物44件。据初步调查，这一带古代遗存比较丰富。1980年5月在距季氏梁约500米处的余角楼又出土了青铜器十多件。八角楼出土青铜器，年代简报推断为春秋早期。风格与此前出土的曾国青铜器相近。季氏梁出土青铜器，据铭文为陈国遗物，年代为春秋中期。

1034.湖北随县新发现古代青铜器

作　者：随州市博物馆　黄敬刚
出　处：《考古》1982年第2期

简报配以照片、手绘图，介绍了湖北省随县先后出土的好几批青铜器。

据介绍，出土地点有三里岗公社、何店公社贯庄、尚店、何家台子、浙河等。凡有铭文者简报均录有全文。这些青铜器的年代应是西周晚期至春秋早期。尚店出土了一件以往未见的“鄁公汤”之器。简报称，随县往年出土过曾、黄、楚、息、鄦、陈等国的铭文铜器，此次又出土鄁公之器，为研究此一地区的古代历史提供了新的实物资料。

1035.湖北随县刘家崖发现古代青铜器

作　者：随州市博物馆　黄敬刚
出　处：《考古》1982年第2期

1975年至1980年，随县均川刘家崖先后发现了几批古代青铜器。简报分为三个部分予以介绍，有照片、手绘图。

据介绍，1975年冬，均川公社国胜大队在均水北岸刘家崖后山包上改田时，连续发现了几批古代青铜器。据当地人反映，这些铜器是分三次在百米范围内先后出土的，但墓坑大小和器物位置已不清楚。收集的器物中，较为完整的有鼎5、毁4、壶2、簠4、甗1、盘3、车軎2件。此外，尚有鼎耳5个，鼎盖5个，鼎口沿2个，鼎足23处，有的有铭文。简报推断为春秋中晚期遗物。

刘家崖位于均河上游，距著名的曾侯乙墓40公里。涢水之滨和均水沿岸，在西周、春秋至战国时期，已是古代曾国活动的地域。刘家崖出土的铜器铭文中的“盏叔”“连迁”应属曾国贵族。

简报指出，这几批铜器为研究随县境内古代随国与擂鼓墩出土的曾侯乙战国墓，提供了十分珍贵的参考资料。

1036.随州擂鼓墩砖瓦厂十三号墓发掘简报

作　者：随州市博物馆　王世振

出　处：《江汉考古》1984年第3期

1983年4月，擂鼓墩大队砖瓦厂在烧砖瓦取土时发现古墓，经钻探是一处古墓葬群。考古人员进行了清理发掘。

简报分为：一、墓葬形制，二、随葬器物，三、结语，共三个部分。有照片、手绘图。

擂鼓墩砖瓦厂墓葬群位于著名的曾侯乙墓西南约500米处的黄土丘上。M13为长方形土坑竖穴墓，是该墓地已发掘的30座墓葬中规模最大的一座，是出有青铜器较多的两座墓之一。简报推断M13为战国中期楚国墓，墓主人应为一下层贵族。

1037.湖北随州擂鼓墩二号墓发掘简报

作　者：湖北省尊物馆、随州市博物馆

出　处：《文物》1985年第1期

1981年7月，在随州市擂鼓墩曾侯乙墓的西侧，又发现了一座战国时期的古墓葬，编号为擂鼓墩二号墓。这是继曾侯乙墓发掘之后，随州地区又一重要考古发现。考古人员组织清理发掘。

简报分为：一、墓葬形制，二、出土遗物，三、结语，共三个部分。有照片。

据介绍，二号墓与擂鼓墩一号墓——曾侯乙墓相距102米，为岩坑竖穴木椁墓，墓圹建在红砂岩上。棺椁均已腐烂，仅见残痕，结构已难以辨认。二号墓出土遗物包括青铜乐器、容器、杂器、车马器及陶器、玉石器等类，计2770余件。简报推断此墓年代晚于曾侯乙墓，但不会相差太远，可定为战国中期。

1038.湖北随州市发现秦国铜器

作　者：随州市博物馆　左得田

出　处：《文物》1986年第4期

1981年6月，考古人员在随州城东北角、距市中心约1.5公里的环城砖瓦厂，收集到铜鍪和铜扁壶各1件。据调查，这两件器物为当地同一墓葬所出，惜墓葬已遭彻底破坏，不知原来葬式、葬具以及其他随葬品。简报配以照片予以介绍。

铜鍪，敞口，圆唇，束颈，圆鼓腹，圆底近平，两侧附一大一小两个环形耳，肩饰一道凸弦纹。

铜扁壶，敞口，细颈，溜肩，扁腹，下腹内收，平底，长方形圈足，两肩附铺首衔环一对，外壁四侧饰十字形格栏，十字格栏交叉处饰环形纹，格栏内饰精细的蟠螭纹，颈部、底部饰凸弦纹。简报推断两件铜器为战国时秦国器物。

据《史记·秦始皇本纪》可知，早在公元前278年，楚国的宛、郢已归秦国。据《随州志》记载，随州在当时为南阳郡所辖，因而秦器得以在随州出土。

1039.随州均川出土铭文青铜器

作　者：随州市博物馆　王世振

出　处：《江汉考古》1986年第2期

1975年，随州市均川刘家崖出土了青铜器盖。器盖内壁铸有铭文。简报配以照片、手绘图予以介绍。

铜器盖有两件，内有铭文二行四字。两件铭文一致。因仅存盖，未知此器用途。简报推测为铜方壶、铜方豆一类容器，应为春秋中晚期器物。

1040.随州东城区发现东周墓葬和青铜器

作　者：随州市博物馆　熊　燕

出　处：《江汉考古》1989年第1期

1980年10月，随州市东城区八角楼街八一大队一居民在挖水沟时发现一座古墓。考古人员前往现场调查了解，并进行了清理，在调查中还收集了几件出土青铜器。简报配以手绘图予以介绍。

据介绍，墓葬位于随州市东2公里的义地岗中段的水库100米处，为长方形土坑竖穴墓。葬具、尸骨已朽。遗物有铜鼎1件、铜盏1件、陶鬲1件、陶罐1件。简报推断该墓的时代约在战国早中期。

1041.湖北随州市安居镇发现春秋曾国墓

作　者：随州市博物馆　左德田、余四清

出　处：《江汉考古》1990年第1期

1988年元月，随州市安居镇徐家咀村汪家塆窑场民工做砖取土时，偶然挖掘出古代青铜器。考古人员前去调查，认定该处是一座古墓葬。

简报分为：一、墓葬形制，二、出土遗物，三、墓葬年代，共三个部分。有手绘图。

据介绍，此墓位于涢水北岸、溠水以东，西距安居镇约4公里。由于窑场历年在此取土，该墓封土早被挖掉。从残存的墓穴看，应为土坑竖穴墓。葬具应为一棺一椁，已朽，人骨已朽。出土有铜器、陶器等共9件。该墓的时代应为春秋晚期。

1042.湖北省广水市彭家塆古墓清理简报

作　者：广水市博物馆　张学武

出　处：《江汉考古》1990年第2期

1986年7月，广水市应山办事处前河村彭家塆砖瓦厂职工取土时，挖出铜鼎和铜壶各两件，送交市文化馆。考古人员前往实地勘察，发现该器物原属墓葬所出，遂对砖瓦厂取土处进行了抢救性的清理，共清理了4座残墓。除M1出土器物较为完整外，另3座墓因破坏严重，随葬器物尚未修复。简报配以手绘图，先行介绍了M1清理发掘过程。

据介绍，彭家塆砖瓦厂位于市东北约2.5公里。此处是一座小山岗，东有石龙山，应山河由北向南环绕山岗三面。M1为长方形竖穴土坑木椁墓，葬具人骨已朽，共出土铜器、玉石器17件。简报推断为战国晚期士一级墓，当属楚墓。春秋时，广水市属贰国，后贰国为楚国所灭。战国时，广水市属楚国疆土。

1043.随州庙台子遗址试掘简报

作　者：武汉大学历史系考古专业、襄樊市博物馆、随州市博物馆　李克能、叶　植、熊跃泉

出　处：《江汉考古》1993年第2期

庙台子遗址位于随州市淅河镇金屯村以西约0.5公里的一方形台地之上，地处涢水北岸支流漂水东岸。遗址所在的台地高出四周田地约4～6米，总面积约16800平方米，系由新石器时代和商周时期的文化层堆积而成，现为农耕地。该遗址于1958年第一次文物普查时发现，至此次发掘前仍保存较好。1983年10月至11月考古人员对遗址进行了试掘，发掘总面积100平方米，共清理出房基2处、灰坑7个、墓葬11座，出土了一批有价值的文化遗物。

简报分为：一、地层堆积，二、新石器时代遗存，三、商代文化遗存，四、西周文化遗存，五、东周文化遗存，六、结语，共六个部分。

简报认为，庙台子遗址新石器龙山时期文化遗存的相对年代大约与西花园遗址中晚期相当；商代文化遗物年代为殷墟文化早期；西周时期文化遗物第四层年代为

西周前期，第三层年代为西周晚期，其下限可能已进入第四层；东周时期的文化遗物第二层年代上限可早到春秋战国之际乃至春秋晚期。

简报称，庙台子遗址发掘资料，特别是西周和东周时期的陶器资料，对于进一步研究和全面认识曾（随）文化及其与其他文化的关系有较为重要的价值。

1044.湖北随州擂鼓墩战国墓出土有铭铜戈

作　者：左德田

出　处：《考古》1994 年第 2 期

1983 年，考古人员在随州城西郊擂鼓墩发掘了一批战国墓葬。其中 M13 曾经报道。该墓出土之铜兵器，由于锈蚀较重，未经处理，当时未发现铭文。经去锈处理后，发现其中一件铜戈有铭，对于研究有关问题很有意义。简报配以照片予以补充报道。

据介绍，M13 出土两件形制相同、大小略异的铜戈。其中一件无铭文，另一件有铭文二字，刻划较浅。类似铭文的铜戈，除传世品外，在湖南、湖北曾有出土。简报认为铭文字意是指用“铁”这种金属制作的戈。

1045.湖北随州义地岗又出土青铜器

作　者：随州市考古队　黄建勋、余四清

出　处：《江汉考古》1994 年第 2 期

1993 年 6 月，湖北随州市大堰坡乡张嘴村农民周和平在市东郊义地岗取土时，发现鬲、盘、匜等重要青铜器。考古人员即赴现场勘查，发现系一春秋墓葬出土。所出土的文物已被市考古队收藏。墓葬位于东城区义地岗南端，东接民宅，西临随信公路，西南距义地岗 M81 约 40 米，其北约 1 公里处曾于 1986 ~ 1987 年先后发掘了两批战国墓葬，西北与擂鼓墩战国古墓葬隔溳水相望。此地是一处重要的东周古墓葬区。这次被破坏的古墓葬，与 1992 年 12 月暴露的东汉墓（M82）相距约 5 米，编号为 M83。

简报分为：一、墓葬形制，二、随葬器物，三、年代推断，四、几点认识，共四个部分。有手绘图、拓片。

据介绍，M83 为一长方形竖形土坑墓，葬具已腐烂，不见任何痕迹。墓内除出土有铜、盘、匜和玉环外，还残留有漆木器腐烂痕迹。依据出土器物形制推断，M83 的年代在春秋早期。

1046.湖北随州市擂鼓墩墓群的勘查与试掘

作　者：湖北省文物考古研究所、随州市文物局　张昌平、熊　艳等
出　处：《考古》2003 年第 9 期

随州市地处随枣走廊东段，大洪山、桐柏山余脉形成的丘陵与涢水水系形成的冲积平原相间。这一带周代文化遗存分布密集，其中规模较大者在随州市区附近就有擂鼓墩墓群、义地岗墓地及小北门遗址。擂鼓墩墓群位于市区西北。为编制擂鼓墩墓群文物保护规划，考古人员对擂鼓墩墓群进行了重点调查、钻探和试掘，初步探明了墓群的分布范围、年代及墓葬规模。

简报分为：一、墓群概况，二、试掘墓葬，三、结语，共三个部分。有手绘图。

此次勘查首次明确了擂鼓墩墓群的文化内涵及分布范围，特别是新发现的墓地大大扩展了擂鼓墩墓群的分布范围。另外还发现了新石器时代和西周、东周及东汉等不同时代的文化遗存，其中东周墓葬是墓群的主体部分。墓葬分布在岗地之上并被自然分隔成不同的墓地，各个墓地之间的墓葬年代、性质以及墓地布局有一定的内在联系，墓群具有整体性。带封土的大型墓均未发现墓道和附属车马坑，这与团坡 M1（曾侯乙墓）、M2 一致。王家包 M1 和蔡家包 M14 规模较曾侯乙墓更大一些，无疑也应是曾国国君之墓，其年代简报推断在曾灭国即战国中期偏晚之前。这批小型墓葬应属于战国中晚期，其与带封土墓之间的关系还有待于进一步探讨。

1047.湖北随州市黄土坡周代墓的发掘

作　者：随州考古队　拓　古、熊　燕等
出　处：《考古》2007 年第 8 期

黄土坡位于随州市北郊办事处太上庙村，南距义地岗墓地 6 公里。2000 年 11 月，取土场民工在黄土坡取土时发现一件青铜鼎。文物部门确认铜鼎出自一座西周、东周之际的墓葬（M1），并对该墓进行了清理。

据介绍，黄土坡 M1 为土坑竖穴墓。葬具已朽，根据痕迹可知为一棺一椁，墓主骨骼已朽，葬式为仰身直肢。随葬品共 8 件，有陶器和铜器，陶容器和铜容器放置在棺椁之间，铜兵器则放置在棺内。

简报指出，该墓的随葬品数量不多，但出土的铜鼎、铍均较重要。鼎为深腹、矮足。敦形鼎是春秋早中期之际出现的平盖深腹鼎的雏形。平盖深腹鼎曾在春秋中期前后流行于山东和豫南地区，在楚国早期青铜器中也占有相当的数量。黄土坡 M1

出土的青铜鼎应是平盖深腹鼎的祖型。从形制看，黄土坡M1出土的铜铍的年代远早于薛国故城出土的铜铍，是研究铜铍起源的重要资料。

1048.湖北随州义地岗墓地曾国墓1994年发掘简报

作　者：湖北省文物考古研究所、随州市曾都区考古队、随州市博物馆

出　处：《文物》2008年第2期

义地岗墓地位于湖北省随州市东城区。这里地处随枣走廊东部，涢水及其支流㵐水汇集于墓地西南部。墓地所在的随州市区及周边地区多有东周时期曾国遗存：墓地之北有蒋家岗墓地，墓地之西有五眼桥遗址，擂鼓墩墓群隔㵐水与义地岗墓地相望。义地岗墓地面积约18万平方米。这里原为一处东北—西南走向的岗地，现为城区。20世纪70年代以来，在此处多次发现周代墓葬和铜器。

简报分为：一、墓葬形制，二、随葬器物，三、结语，共三个部分。配以彩照、手绘图，介绍了1994年的发掘情况。

义地岗墓地主要是一处春秋中期至战国早中期的曾国贵族墓地。1994年在该墓地的西南部发掘了3座曾国墓，出土了大量的陶器、铜器和玉器等，其中铜器多有铭文，为判断墓主的身份提供了依据。M1出土有兵器而无玉器，应为男性。据铭文，墓主为曾国少宰黄仲。M2的墓主名可，身份不详。M3墓主是女性，随葬品无兵器而多玉器。从墓葬形制和随葬器物的特征看，3座墓的年代为春秋晚期偏晚阶段。铜器铭文中还有一些涉及器物自铭的新材料。它们作为器物专名多见于楚系铜器，这也是春秋晚期之后楚系铜器的一个特征。

1049.湖北广水巷子口遗址发掘简报

作　者：湖北省文物考古研究所、广水市博物馆　黄文新、黄　波、李治明、李广安

出　处：《江汉考古》2008年第1期

巷子口遗址是随枣走廊东南部一处重要的东周时期遗址。西周初年，周王朝在汉水的江北地区进行了两次大规模的分封，形成许多小方国，诸姬文化才得以在这里兴起和发展。巷子口遗址出土的鬲、盆、豆等与随州擂鼓墩一号墓、二号墓和庙台子遗址、叶家湾遗址、梅鹤子塆遗址以及枣阳周台遗址所出土的同类器特点相同。陶鬲与枣阳郭家庙曾国墓地、周台遗址和广水黑洞湾春秋早期的陶鬲有一定的继承关系，而与汉水以西的襄樊真武山和其他楚文化遗址有较大的差别。因此，巷子口

遗址应是曾国的一处村落遗址。简报分为五个部分予以介绍，有手绘图、照片。

巷子口遗址隶属随州广水市杨寨镇程家河村二组，西北距广水市区 23.8 公里，2006 年 6 ～ 8 月为配合京广铁路复线工程，考古人员进行了发掘。遗存大致可分两个时期：早期为春秋中期或稍晚，晚期为战国早期。简报称，巷子口遗址的发掘，揭示出随枣走廊春秋晚期曾国的文化面貌，为我们研究曾国的发展历程增添了一批新的实物资料，对研究随枣走廊汉阳诸姬文化的进入和楚文化入侵具有重要的意义。

1050.湖北随州义地岗曾公子去疾墓发掘简报

作　者：湖北省文物考古研究所、随州市博物馆　黄凤春、郭长江、张成明、项　章

出　处：《江汉考古》2012 年第 3 期

2011 年 9 月，为配合随州城市建设工程，考古人员对随州义地岗墓地进行了一次抢救性发掘，清理出墓葬 4 座。其中 M6 发现有铜器、陶器、玉器、骨器等共计 94 件（套），在铜鼎、铜簠、铜甗、铜壶、铜斗、铜缶上发现有“曾公子去疾”的铭文，据此判断墓主人为曾公子去疾。

简报分为：一、墓葬形制，二、随葬器物，三、结语，共三个部分。有手绘图、照片、拓片。

据介绍，M6 为一长方形竖穴土坑墓。葬具为一椁一棺，出土有铜器 47 件，包括礼器、兵器、车马器及日常用器四类。此地应为曾国贵族家族墓地。根据墓葬形制、随葬品形制以及铜器纹饰、铭文综合判断，M6 的年代约在春秋晚期。曾公子去疾墓的发掘对研究汉水流域春秋时期曾国墓地的重要标准性器物群、墓葬年代、文化属性及判定墓主身份有重要的参考价值。

1051.湖北随州文峰塔墓地考古发掘的主要收获

作　者：湖北省文物考古研究所　黄凤春、郭长江

出　处：《江汉考古》2013 年第 1 期

随州文峰塔墓地位于湖北省随州市文峰塔社区居委会二组的义地岗的东南部，南距随州市交通大道 48 米，北距迎宾大道 200 米。2009 年，随州市在建设文峰塔社区建房时还发现了一座早年被盗的残墓，同时采集到了少量有铭曾国残编钟，遂确定这一区域应为一处墓地。2012 年 1 月至 2012 年 5 月，考古人员进行了考古勘探，先后勘探出 4 座墓（编号 M4、M5、M6、M7）并进行了抢救性发掘，初步确认了该墓地应是一处

春秋晚期至明代的墓地。2012 年 6 月，再次进行了大规模的考古勘探，结果发现在原民房下有墓葬 60 余座。2012 年 9 月至 2013 年 1 月，考古人员对勘探出的所有墓葬进行了考古发掘。

简报分为：一、墓地发现经过，二、墓葬形制综述，三、主要出土遗物、墓葬年代与国属，四、墓地学术价值与意义，共四个部分。有手绘图、彩照。

此次共发掘墓葬66座，其中土坑墓54座、砖室墓12座，另有车马坑2座、马坑1座。土坑墓大部分为东西向，极少南北向。墓坑规模可分为大中小三类，其中大型墓7座(长度在 5 米以上），中型墓 8 座（长度在 4 米左右），其余皆为小型墓葬。其中大型墓葬皆在早期被盗掘过，所存遗物不多。大多数小型土坑墓都未被盗掘，出土遗物较丰富。在已发掘的这批土坑墓葬中，有 3 座大型墓葬发现有腰坑，坑内或葬狗、或葬陶器。可辨葬具的可判定有一椁三棺、一椁二棺、一椁一棺和单棺四种，部分已朽棺椁墓的棺盖上还可辨有棺饰物，棺内大部分都有朱砂。人骨保存不好，葬式都为仰身直肢，头向东。2 座车马坑和 1 座马坑均保存不太好。1 号车马坑为 2 马驾，从位置看应归属 M43；2 号车马坑为 4 马驾，应归属 M29。车均为整体随葬，皆为独辕。马坑内共葬马 8 具，由于附近没有与之对应的墓葬，其归属无法确定，可能属于墓地的祭祀坑。发掘的 12 座砖室墓，均为小型墓，保存皆不好，全在早期被盗扰过。未见券顶，有的仅存底部。大多未见随葬品。除 1 座为东汉时期的砖室墓，残存有少量碎瓷器外，其余皆为宋明清时期的。

简报称，本次发掘所出遗物主要出自中小型土坑墓，质地有铜、陶、漆木、骨、皮革、玉石等，共 1027 件（套）。其中铜器 577 件，器类主要有鼎、簠、簋、方壶、缶、甗、鉴、盘、匜等。部分铜器上有铭文，铭文有“曾”“曾子”“曾公子”及“曾孙”等。有 1 件带有“随”字铭文的铜戈。陶器皆破损，主要为仿铜陶礼器，器类主要有鼎、簠、簋、盘、匜等，由器物形制可知，应属东周时期。根据器形及铭文，墓葬时代从春秋中期一直到战国时期。大多数春秋至战国中期土坑墓的国属应为曾，主要为春秋中晚期曾国贵族墓葬，同时还发现有少量战国晚期的楚墓。

随国是春秋战国时期的一个重要姬姓古国，其中心区域位于汉东地区的今随州市。据史料记载，随是汉东第一大国，但长期以来，在古随国的辖境内从不见随国铜器出土，反而全部所见的是姬姓曾国铜器，特别是 1978 年曾侯乙墓发现后，引起了学术界对曾、随之谜的一场大讨论。由于曾随两国的族姓相同，且又不见随国铜器，于是大多数学者认为曾即随，即一国两名。本次首次出土随国铜戈，对探讨曾随之谜有重大的学术价值。

简报认为，文峰塔墓地春秋至战国时期曾国墓葬是近年来在随州比较集中的一次发现。此地多为春秋晚期曾国贵族墓地，这是继叶家山西周曾侯墓地发掘之后所发现的又一重要曾国墓地，对完整揭示曾国历史有重大的学术价值。而且，曾、楚墓葬在该墓地同时发现，为确立楚灭曾的确切年代提供了重要的依据。

1052.湖北随州叶家山 M28 发掘报告

作　者：湖北省文物考古研究所、随州市博物馆　黄凤春、方　勤、郭长江、胡　刚、黄旭初等

出　处：《江汉考古》2013 年第 4 期

随州叶家山西周墓地于 2010 年底发现。2011 年 1 月至 6 月，考古人员对该墓地进行了第一次大规模勘探和发掘，发掘 63 座墓葬和 1 座马坑，出土了大批西周早期文物。资料公布后，引起了学术界的极大兴趣和高度关注，被评为 2011 年中国考古学论坛六大新发现和 2011 年中国十大考古新发现。

叶家山 M28 位于叶家山西周墓地的中部，是墓地中规模较大的墓葬之一。2013 年墓地第二次发掘中，考古人员对该墓地进行了全面揭露，出土铜、陶、玉、原始瓷、漆木等质地的器物约 600 件。

简报分为：一、墓葬形制，二、随葬器物，三、结语，共三个部分。配有手绘图。

据介绍，M28 呈不大规整的“凸”字形，分为墓道和墓室两个部分。墓室东部中端有一椭圆形盗洞，盗洞挖至 5.5 米处终止。而 M28 墓口至墓底深 9.2 米，盗洞未盗掘至底，故 M28 还保留有丰富的随葬器物，计 662 件（包括填土中的随葬品）。按质地可分为铜器、陶器、原始瓷器、玉石器、漆木器、动物遗骸等。据出土多件带“曾侯”“曾侯谏”铭文的青铜器，结合墓葬规模、随葬品情况，可推定该墓为一代曾侯墓，年代为西周早期。墓中出土的 2 块随葬铜锭，经检测铜含量达 98% 以上，这是全国西周墓地的一次极重要发现，可证明西周早期的曾国已有了独立的青铜冶炼业，同时为研究汉东方国铜料来源提供了非常重要的实物依据。

1053.湖北随州市文峰塔东周墓地

作　者：湖北省文物考古研究所、随州市博物馆　黄凤春、胡　刚、郭长江

出　处：《考古》2014 年第 7 期

随州文峰塔墓地位于随州市东城区义地岗墓地的东南部，现隶属于随州市文峰塔社区居委会二组。墓地现地貌绝大多数都为现代民房所叠压，局部保留了原始岗地地形，其南部已建成数栋现代高楼，北部局部为岗地的坡地和低凹地。

简报分为：一、墓地发现经过，二、墓葬，三、车马坑，四、出土遗物，五、结语，

共五个部分。有彩照、拓片、手绘图。

根据器形和纹饰等，简报推断东周曾国墓葬的年代上至春秋中期，下至战国中期后段；楚墓的年代大多在战国中期后段至战国晚期，这可进一步说明楚灭曾的年代大致在战国中期偏晚。此次首次出土随国铜器，对探讨曾、随关系有重大学术价值。

1054.随州文峰塔 M1（曾侯與墓）、M2 发掘简报

作　者：湖北省文物考古研究所、随州市博物馆

出　处：《江汉考古》2014 年第 4 期

文峰塔墓地是随州义地岗墓群的一部分。2009 年为配合工程建设，考古人员在此抢救发掘了三座墓葬（M1、M2、M3）。墓葬是随州市修建随州东城区文峰塔还建小区时发现的。发掘的三座墓葬，其中两座为东周墓（M1、M2），一座为明代小型砖室墓（M3）。

简报分为：一、墓葬形制，二、出土遗物，三、结语，共三个部分。有彩照、拓片、手绘图，主要报道 M1、M2 发掘情况。

根据墓葬规模和出土器物，特别是 M1 出土带有曾侯與铭文的编钟、铜鬲等，可确定该墓为春秋“曾侯與”墓。M2 为积石墓，规模比 M1 稍大，被盗严重。推断 M1 的年代为春秋晚期，M2 的时代稍晚于 M1。简报称，本次发掘所获资料十分重要，尤其是“曾侯與”编钟铭文为研究曾国族属及曾随关系提供了重要论据。

恩施州

1055.利川县出土一件虎钮錞于

作　者：利川县文化局　孙　绘

出　处：《江汉考古》1985 年第 3 期

1985 年 7 月 30 日，利川县凉雾区农民方宗田在自己的责任田里发现一件造型精致、保存完整的古代巴人军用乐器——虎钮錞于。简报配以照片予以介绍。

据介绍，此件錞于用青铜铸成，高 62 厘米，腹径 42 厘米，重 18 公斤。顶部虎钮伫立，栩栩如生。经初步鉴定，此件錞于为战国早期巴人遗物，距今 2000 多年。此件錞于在利川出土为研究古代巴人在鄂西的活动提供了重要实物证据。目前，这一文物被珍藏在利川县文化局。

1056.建始发现桥形钮錞于

作　者：建始县文化馆　邹待清
出　处：《江汉考古》1987 年第 1 期

建始县青花乡石柱河南侧二台地反洼坡上发现一件器形别致的春秋战国时期的青铜桥形钮錞于。重 4 公斤，通高 370 厘米，空径 170 厘米，上大下小，状如碓头，顶端上铸有椭圆形盘。盘中立一桥形铜钮，以作悬挂之用。这件器物是 1983 年 7 月一次暴雨时坡地崩塌而暴露出来的。1984 年申酉乡石柱河村民谭大秀在反洼沟内打猪草时发现，乃出售给青花供销社收购门市部。考古人员经鉴定实属珍贵历史文物，并立即进行实地考察，没有古墓迹象。简报配以手绘图予以介绍。

据史料考证，我国出土錞于重者 26.5 公斤，轻者十余公斤，最轻者是淳熙十四年（1187 年）湖南慈利虎錞，重 7.5 公斤，而这一具仅 4 公斤，十分小巧灵便。全国出土錞于已有 30 件上下，但多数为虎钮，少数双虎钮或马钮，但从未发现桥形钮的。錞于盛行于春秋，终于汉代，是用于指挥战争行退的军乐器，与今天的军号等同。虎钮是巴人图腾信仰的标志，桥形钮的出现，说明巴族族属之众，或战争之频繁。

简报称，建始号称楚蜀咽喉，山多谷深，关驿险要，乃历代兵家要地。因此鄂西出土的形状别致多样大小不同的錞于给研究巴蜀文化的人带来新的考古资料。

1057.湖北巴东县汪家河遗址的发掘

作　者：武汉大学考古系、湖北省文物局三峡办公室　王　然、徐承泰、熊跃泉
出　处：《考古》2003 年第 11 期

汪家河遗址位于湖北省巴东县官渡口镇五里堆村，地处长江北岸的一级台地上。1994 年 3 月，考古人员对三峡库区巴东县淹没区进行考古调查时发现了该遗址，并于 1999 ~ 2000 年对该遗址进行了三次发掘，三次发掘的面积总计为 2175 平方米。发掘结果显示，该遗址的战国时期文化堆积保存较好，发现较丰富的遗迹和遗物，另还发现少量六朝至清代的晚期文化遗存。

简报分为：一、地层堆积，二、出土遗迹，三、出土遗物，四、结语，共四个部分。有手绘图、拓片。

据介绍，遗址中发现的遗迹数量不多，保存状况较差，种类有灰坑、房址等。遗物的年代简报推断大体为战国中、晚期，但有部分遗物可能属战国早期。

1058.巴东县宝塔河遗址东周遗存

作　者：武汉大学考古系、湖北省文物局三峡办　徐承泰、王　然、贺世伟
出　处：《江汉考古》2007 年第 1 期

宝塔河遗址出土的东周时期遗迹有灰坑、陶窑和墓葬，遗物仅见陶器与石器，器类包括鼎、釜、罐、鬲、盂、豆等。

简报分为：一、地层堆积，二、遗迹，三、遗物，四、结语，共四个部分。有手绘图。

据介绍，发掘地点位于巴东县东壤口镇绿竹筏村二组，西距巴东旧县城 5 公里。1998 年 10 ～ 12 月发掘，发现墓葬 4 座，遗迹还有 7 个灰坑及窑址。遗存可分三期，第一期的年代为春秋早期，第二期为春秋中晚期，第三期为战国早期或稍晚。内涵分为两组，一组以鼎、釜、罐为核心，代表着峡江地区一支传统的鼎釜文化；一组以鬲、盂、豆为核心，为楚文化。发掘证实，宝塔河东周遗存有一个动态的发展过程：春秋早期以传统鼎釜文化为主；春秋中期以后，楚文化逐渐介入；春秋晚期以后，楚文化在这一地区已成为主导文化。这一过程为我们研究峡江地区传统文化的发展脉络，楚文化的扩展趋势，提供了极为重要的依据。

1059.湖北鹤峰刘家河遗址发掘简报

作　者：湖北省文物考古研究所、恩施自治州博物馆、鹤峰县博物馆　王晓宁
出　处：《江汉考古》2012 年第 4 期

刘家河遗址位于鹤峰县铁炉乡江口管理区江口村五组，与湖南桑植县接壤。1997 年 9 ～ 12 月，考古人员对该遗址进行了第一次发掘，发现春秋至六朝时期的房屋遗迹 5 座、灰坑 33 个以及沟、灶等，出土器物较为丰富，以陶器为主，另有石、铜、铁器等。此次发掘对研究楚文化在鄂西南地区的发展以及巴楚关系等有重要意义。

简报分为：一、遗址概况，二、地层堆积，三、东周遗存，四、六朝时期遗存，五、结语，共五个部分。有照片、手绘图。

据介绍，刘家河遗址规模较大，发现的遗迹、遗物很丰富。特别是几座房屋建筑遗迹的发现，使我们了解了从春秋到六朝时期这里人们的居住情况，也让我们看到了当时这里的建筑从圆形半地穴式到长方形地面式的历史演进过程。东周时期遗存应属楚文化，但这里当属巴、楚交界地区。从发现的大量陶器看，当时这里的经济比较发达，先民的生活相对比较富裕，生活器皿的种类较丰富。从发现的生产工具看，这里的人们是以捕鱼为生，兼以采集和打猎（在遗址中发现有鹿头等兽骨）。他们自己纺线织布，过着自给自足的生活。

仙桃市

1060.湖北仙桃市长丰村出土青铜甬钟

作　者：荆州博物馆　张正发
出　处：《文物》1999 年第 8 期

1998 年春，仙桃市张沟镇长丰村六组农民在水塘清淤过程中，挖出一件青铜甬钟，现藏荆州博物馆。简报配以照片、手绘图予以介绍。

据介绍，甬钟通高 29.4 厘米，甬长 10.4 厘米，体高 19 厘米，舞宽 13 厘米，两铣间距 15.5 厘米，重 2.5 公斤。钟甬部素面，上面范痕明显，并有孔洞。甬下部有旋，较宽，钟钮接旋与甬下端，钮饰绹索纹。舞部饰对称的两组粗线云纹，钲部素面，两侧各有钮三排，每排 3 枚。篆部饰“S”形细线云纹，且不甚规整。隧部为一组略对称的兽纹。于部为折平沿，无内勾。简报推断年代为春秋早中期。出土地点周围不见其他遗迹。简报怀疑可能与祭祀有关。

潜江市

1061.湖北潜江龙湾发现楚国大型宫殿基址

作　者：荆州地区博物馆、潜江县博物馆　陈跃钧、罗仲全、院文清
出　处：《江汉考古》1987 年第 3 期

龙湾镇位于潜江县西南部，南与监利县相接，西与江陵县毗邻，东北距潜江县城园林镇约 30 公里，西距故楚都纪南城约 50 公里。1984 年春，在龙湾镇东约 3 公里处的章家台、华家台等地约 200 万平方米的范围内，发现了大量东周时期及汉代的陶片，以及成组的台基。1986 年 1 月，又对该遗址进行了复查，经踏勘和局部钻探，确认大部分土台系夯土台基，1987 年进行了试掘。

简报分为：一、宫殿基址的地层堆积，二、遗迹现象，三、出土遗物，共三个部分。有照片、手绘图。

据介绍，该遗址形成期应是丘陵地带，有小山，有河湖，有岗地。夯土台基的大部分布在遗址东南部，已调查发现的有放鹰台、荷花台、打鼓台、陈马台、无名台、

章家台、郑家台、小黄家台、华家台等10余个台基。这些台基的时代，有东周的、也有汉代的。出土遗物以砖瓦等建材为多。该宫殿的建筑时间，可能在春秋中晚期，使用至废弃时代，可能延至战国中期。简报指出，此次试掘工作收获甚大。规整的红砖墙、曲形垛侧门、贝壳路、大型方形半明柱的柱穴，均系国内同时期遗址中首次发现。其宫殿规模之大、保存之完好，亦为国内已发掘的东周遗址所罕见。

1062.潜江龙湾小黄家台楚墓

作　者：潜江博物馆　罗正松

出　处：《江汉考古》1988年第4期

小黄家台位于潜江县龙湾镇东部约3公里处，西北角距楚都纪南城约50公里，是一处略高于四周的小高地，钻探表明属墓地。其范围东西长260，南北宽220米。1987年3月农民挖鱼池时暴露出一批楚墓。1988年初，考古人员清理了已遭破坏的六座古墓，编号为小黄家台M1 ~ M6。

简报分为：一、墓葬形制，二、随葬器物，三、小结，共三个部分。有手绘图、照片。

据介绍，发掘地点位于东风村。6座楚墓虽都遭到严重破坏，但仍有3座墓的棺椁形制基本清楚，出土器物的组合也较齐全，保存也基本完好。3座墓中所出陶器，全属仿铜陶礼器，其组合为鼎、簠、壶、豆、盘、匜。这批仿铜陶礼器形制古朴，不饰彩绘，故推断墓葬为春秋晚期平民墓葬。这批仿铜陶礼器的出土，把荆州地区这一楚国腹地楚墓中随葬仿铜陶礼的时代从战国早期提早到了春秋晚期，这在楚墓研究中是一次较重要的突破。

1063.湖北潜江龙湾发现一处东周窑址

作　者：潜江市博物馆　罗正松

出　处：《考古》1997年第5期

1988年春，湖北省潜江市龙湾沱口渔场在打鼓台（属楚章华宫东周遗址群范围）挖鱼池时，挖出一似水泥板状的椭圆形硬物体。考古人员赶赴现场勘察，经考证为一东周窑址。简报配以手绘图、拓片予以介绍。

据介绍，该窑挖在一小黄土岗上。因早年挖鱼池遭毁坏，现仅存窑底部分，窑底平面呈椭圆形，分窑室、火膛两部分。窑壁及室面均为泥坯筑成，且烧成紫红色，非常坚硬。窑室及火膛内填有绳纹筒、板瓦残片及草木灰与兽骨等。

简报称，从窑壁及窑四周火烧的痕迹看，该窑使用年代较长。窑室内出土的筒、板瓦和附近著名的放鹰台楚宫基址及郑家湖东周遗址出土之瓦相近，推断章华宫东周遗址群的一些屋面之瓦应系此窑烧制。它的发现为研究东周时期制陶工艺及综合考察楚章华宫遗址群具有十分重要的意义。

1064.潜江市龙湾遗址群放鹰台第 3 号台试掘简报

作　者：潜江市博物馆　罗正松、叶和玉

出　处：《江汉考古》2001 年第 1 期

放鹰台 3 号台遗址位于龙湾镇东北部约 4 公里处的一高岗地上，东北距潜江市约 30 公里，西北距荆州纪南城直线距离约 50 公里，属瞄新九组辖区。放鹰台是一处高出周围地面约 0.5 ~ 3 米的不规则长方形岗地，东西长约 380 米，南北宽约 90 米。其上明显分布 4 个高台子（台子间隔约 10 ~ 20 米），自东向西分别编号为 1 号台、2 号台、3 号台、4 号台，系龙湾遗址群中最高的几个台子。1999 年春，考古人员在 3 号台进行了试掘。

简报分为：一、地层堆积，二、遗迹，三、遗物，四、小结，共四个部分。有手绘图。

据介绍，发现有东周夯土基西北部边缘及红烧土柱洞和瓦碴，西周灰坑、方形水井等重要遗迹，出土了瓷器、陶器、建材等一大批遗物，取得重大收获。东周遗存上限为春秋晚期，下限为战国中期。夯土基遗址不是一般平民居住区，应是始建于春秋晚期东周宫殿基址，废弃于秦将白起拔郢（公元前 278 年）前后。两周遗存均属楚文化。

1065.湖北潜江龙湾放鹰台 I 号楚宫基址发掘简报

作　者：荆州市博物馆、潜江市博物馆　罗正松

出　处：《江汉考古》2003 年第 3 期

湖北省潜江市龙湾放鹰台 I 号台基东周楚宫殿基址自 1987 年至 2001 年历时几个春冬的发掘，发掘面积共 350 平方米，揭露出东周楚宫殿基址的一、二、三层台主体建筑及其附属建筑遗迹，出土了一大批建筑遗物和铜、陶质生活器皿，为研究楚文化及楚宫殿建筑艺术提供了丰富的实物资料。

简报分为：一、地层堆积，二、遗迹，三、遗物，四、小结，共四个部分。有照片、手绘图。

龙湾放鹰台 I 号楚宫基址地处潜江市龙湾镇瞄新村九组，西距龙湾镇约 4 公里，西北距荆州楚纪南城约 50 公里，东北距潜江市府约 30 公里。I 号基址是放鹰台 4 个

夯土台基中最高的一个，面积约 15600 平方米。发掘表明，I 号台基的始建年代当为春秋晚期早段偏晚。废弃年代，当在战国中期晚段，或是在公元前 278 年秦将白起拔郢时被付之一炬。

简报初步推测宫殿基址建筑布局：I 号台宫殿基址的台基东部为三层台建筑（系宫殿主体建筑，其朝向为坐北朝南）；西部为二层台建筑；台南地貌平坦，似为广场式建筑；台北、台东为亭廊环绕的园林式建筑。台周曲廊环绕，台内曲径穿梭于一、二、三层之间，台东有大河奔流，台西、北有湖水漾波。规模之宏伟、工程之巨、时代之早、延续时间之长、保存之好，在全国实属罕见。

有专家认为，此台址应就是楚灵王于公元前 535 年修建的章华台。

天门市

神农架林区

湖南省

1066.湖南楚墓中出土的天平与砝码

作　者：高至喜

出　处：《考古》1972 年第 4 期

1949 年以来，考古人员在湖南长沙、常德、衡阳等地区，清理发掘了将近 2000 座楚墓，其中有 101 座墓出土了天平和砝码。

简报分为：一、天平、砝码的出土情况，二、天平、砝码的形制，三、关于天平、砝码的年代，四、关于天平、砝码的组合和重量，五、关于天平、砝码的用途，共五个部分。有照片。

据介绍，长沙地区的楚墓出土天平、砝码的比较多，在 101 座中占了 85 座，其余的，常德地区 9 座，衡阳地区 6 座，株州地区 1 座。在 101 座墓中，出土铜砝码的有 99 座。各墓所出砝码多少不等，最多的 10 个，最少的 1 个，总共出 389 个。出天平的墓有 15 座，其中 2 座出土的天平是完整的，1 座只有天平杆而无天平铜盘，另外 12 座只有天平铜盘。铜盘一般为 2 个，只有长沙的一座墓因被盗过，所以只出了 1 个铜盘。完整的天平共 2 件，另有 12 座墓只出铜盘，铜砝码均为环形。由于各墓没有明确纪年，根据同出的其他器物推断，天平、砝码随葬的年代主要在春秋末到战国中期。简报附有“砝码重量表”。简报推测，在当时的黄金流通使用中，把所需要的量凿下来，一定还要经过天平权衡才能确知其重量。

1067.湖南衡南、湘潭发现春秋墓葬

作　者：湖南省博物馆　周世荣、何介钧

出　处：《考古》1978 年第 5 期

1963 年 8 月和 1975 年 11 月，考古人员在衡南县保和圩农场和湘潭县古塘桥公社枫树大队各发掘了一座春秋时期的墓葬。简报配以手绘图予以介绍。

保和圩农场位于衡阳市西北约 10 公里，系一丘陵地带，北濒湘江。墓葬位于该场湘江南岸的胡家港山顶上，墓距江面约 60 米，早年因兴修水渠曾在这里发现古文

化遗址三处。墓室作长方形。墓葬除了一些铅块与磨石外，都是青铜器。

古塘桥在湘潭市南25公里，濒临湘江支流涓水西岸。墓葬在古塘桥公社枫树大队一个叫“黄狗洞”的山头上。1975年11月，枫树大队小学在山头开荒发现了此墓，并挖出了部分器物。考古人员进行了清理。墓室平面作长方形，随葬品除一件陶豆外，其余全为青铜器。

根据衡南县胡家港和湘潭县古塘桥出土的这两座墓葬及其出土器物特点，简报推断两墓的时代在春秋中期。

长沙市

1068.长沙仰天湖第25号木椁墓

作　者：河南省文物管理委员会　戴亚东等

出　处：《考古学报》1957年第2期

仰天湖25号墓于1953年发掘。简报分为：一、发现及清理经过，二、墓葬形制，三、棺椁结构，四、随葬品，五、结语，共五个部分。有照片。

据介绍，该墓呈“凸”字形，原有封土。墓东端有两个盗洞。一为老盗洞，一为1947年的新盗洞。仅出土劫余的俑、铜剑、玉珥、陶器等，另有竹简43片。年代推断为战国晚期，墓主应为贵族。

此次发掘的一大收获是棺椁。简报称其木质如新，保存完好，共分外椁、内椁、外棺、内棺计4层。

1069.长沙烈士公园3号木椁墓清理简报

作　者：高至喜

出　处：《文物》1959年第10期

考古人员在1958年1月配合烈士纪念塔修建工程进行了古墓清理工作，共计清理楚、汉等时期的古墓17座，其中3号木椁墓是形制较大的一座楚墓，出土有刺绣及其他珍贵文物。

简报分为：一、墓葬形制及结构，二、随葬器物，三、结语，共三个部分。有照片、手绘图。

据介绍，该墓位于烈士纪念塔塔基东部，在抗日战争前被盗掘过。盗墓者从墓道打盗洞通入墓室，凿开椁棺盖板，在葬具的头箱、边箱内窃取文物。据说墓内出土文物甚多，有铜器、漆器、木器等。其中最名贵的有两件，一件是木制的镇墓兽；另一件是有铭文“廿九年六月己丑、乍告、吏丞向、右工币（师）象　工六人台”的漆奁。墓正西向，为长方形土坑竖穴墓。死者遗骸已被扰乱，清理内棺时，发现有死者的头发、头骨、四肢骨。随葬物绝大部分被盗，残存的又遭到损毁，仅在头箱、边箱等处发现木篦、木俑头各1件，漆豆2件，漆片，竹筐边缘1件，肉脯共26条，鸡骨，皮带，鞋底，绳子，琉璃珠，丝被和刺绣2件。此墓的年代简报断定为公元前5世纪的春秋战国之际。

1070.长沙左家塘秦代木椁墓清理简报

作　者：湖南省文物管理委员会　张中一
出　处：《考古》1959年第9期

左家塘位于长沙之南，距市区约5公里，原来是一个历代丛葬的小山丘。考古人员自1956年至1957年的两年中，在该地区清理了自战国至宋代的古墓100余座。1957年7月中旬，又在该地清理了一座木椁墓，惜被盗过，墓中文物已遭洗劫。除了一些陶器的碎片外，在木椁西边的耳室中，发现一件上面刻有“四年相邦吕工寺工龙承”铭文的铜戈。这一铜戈的发现，证明它是秦代的墓葬。

简报分为：一、墓葬的形制及清理过程，二、出土器物，三、年代推论，共三个部分。有照片、手绘图。

据介绍，该墓椁室完全由楠木做成，墓内有盗洞，但仍有陶器、铜器、玉璧等出土。据铜戈铭文，该戈应为秦吕不韦秦始皇四年（公元前243年）制。故此墓上限不会超过公元前243年，下限可推至西汉早期。

1071.51长·子·17号墓清理简报

作　者：周世荣、文道义
出　处：《文物》1960年第1期

1957年8月，长沙市建设局在长沙南郊修建宿舍。这里有一座大型木椁墓，1935年曾被盗掘过。当盗墓贼挖至墓室底部时，发现墓很早以前已被盗掘了，因此没有继续盗掘。推测这个墓大约在宋代就被盗掘了。1949年后，又有人在这座墓里盗走了一个镇墓兽的木座子。由于墓的形制较大，虽被盗数次，考古人员仍然进行了清理。简报分为“墓葬形制结构”“随葬器物”“结语”，共三个部分予以介绍。

该墓葬具分三层：内棺、外棺和外椁。距地表约7.45米，为带斜坡形墓道的长方形土坑墓。仅出土劫余的木鼓、陶罐、木俑、石环、铜环、鹿角等21件遗物。其中木鼓、两件带釉小陶罐等值得注意。该墓年代简报推断为战国中晚期。

1072.长沙太子冲文化遗存

作　者：周世荣

出　处：《文物》1960年第3期

太子冲位于长沙南郊约5公里，是树木岭附近的一个小地名，南面是一片广阔的稻田，穿插在稻田中有一条曲折的小溪流。1958年11月间，因为修筑京广复线铁路而把这座山劈成了两半，山脚下的田垅边挖下去2米多。在这田垅的断面上发现了9个小灰坑，灰坑上原来是水田，沙土下沉，在田底结了一层坚硬的“铁夹子”土。9个灰坑只清理了5个，其他4个已保护起来。简报配以手绘图予以介绍。

清理的灰坑中出土有石器、陶器，其中以炊器、食器最多。简报推断这些遗存的时代为春秋战国时期。

1073.长沙东郊发现的周代遗址

作　者：周世荣

出　处：《考古》1965年第3期

1957年秋，在长沙市东郊发现一处周代文化遗址。该遗址在市蔬菜公司工地内一个小山坡上。考古人员清理了9处小型灰坑，最小的直径仅50厘米，坑作圆形、椭圆形或不规则的方形。

据介绍，出土了一些石器和陶器。出土石器共23件，有长条形石斧2件、石锛2件、石镞3件及一些砺石。出土的陶器均为残片，陶质有红陶与灰陶两种，以红陶为多，且多夹砂；灰陶较少，多泥质或夹细砂。器型有豆、罐、纺轮、网坠、铃形器以及一些大口器的器口残片、圜底片等。纹饰有绳纹、方格席纹、划纹与附加堆纹等。年代简报推断为春秋或更早。

1074.湖南浏阳县北岭发现青铜器

作　者：湖南省博物馆　张欣如

出　处：《考古》1965年第7期

1964年7月，浏阳县文教科通知湖南省博物馆说北岭发现青铜器。浏阳北岭全是起伏的高山峻岭，青铜器发现在山腰处。考古人员到现场时，铜器已全部取出。据发现人讲，这些铜器出土时周围是松土，除铜器外并未发现其他遗物。据以上情况，估计这里可能是一座古墓，也可能是一处窖藏。这批铜器计有鼎 3 件、匜 1 件、勺 1 件。简报推断这批铜器为战国遗物，或者可早到春秋。

1075.长沙浏城桥楚墓

作　者：不详

出　处：《文物》1972 年第 1 期

1971 年 2 月，考古人员在长沙市区浏城桥发掘了一座长沙地区较为稀见的用白膏泥填塞的春秋晚期的木椁墓。由于白膏泥的防腐作用，棺椁和随葬品保存较好。椁室西侧置四壁外凸作弧形的漆棺。随葬器物共 250 件，绝大部分出自内外椁之间。值得注意的是 93 件多种多样的兵器。有长短戈、矛（木柄戈长 3.14 米，木柄矛 2.97 米，藤柄矛 2.8 米），有长戟（“积竹”柄长 3.1 米），还有一种有棱无刃长 3.1 米的木棒，这可能是《考工记》上所记的“殳”。殳、戈、长戟、短矛、长矛是“车之五兵”，都是古代车战的兵器。此 5 种兵器插在战车两旁备用。这座墓既出有车马具，因此墓中所出的兵器就有可能包括一组“车兵”。墓中还发现不少箭，箭头有三棱形、扁平形、三翼形三种，还有竹弓、短剑等。

1076.长沙浏城桥一号墓

作　者：湖南省博物馆

出　处：《考古学报》1972 年第 1 期

1971 年 2 月，湖南省博物馆配合长沙市东区某工程，在浏城桥清理了一座较大而完整的楚墓。

简报分为：一、墓葬形制，二、随葬器物，三、结语，共三个部分。有照片、手绘图。

据介绍，这座墓编号为 71 · 长 · 浏 · M01。墓室为长方形土坑。木椁四周上下填塞有 60 厘米厚的白膏泥。这种白膏泥是含有二氧化硅、三氧化二铝、灼碱及少量铁、钙、镁、钠的氧化物的白色或黄色瓷土，具有防腐作用。所以棺椁得以保存完好，墓室内的竹、木、丝织品等纤维物件均被保存下来。墓有两椁一棺。出土随葬品 262 件。该墓的年代，简报推断为春秋晚期。出土遗物中，有铜器、漆器 160 多件。出土兵器有剑、戈、戟、矛、弓等十余种共 80 多件，几占出土遗物的三分之一，数量之多值得注意，也为我国古代兵器史研究提供了宝贵的实物资料。

1077.新发现的长沙战国楚墓帛画

作　者：湖南省博物馆

出　处：《文物》1973 年第 7 期

1942 年 9 月，在长沙市城东南子弹库的楚墓中因盗掘出土了一件珍贵的文物《缯书》，后被外国人掠走。1973 年 5 月，考古人员又对这座墓葬进行了科学的发掘和清理，最可喜的收获是发现了一件稀有的艺术珍品——人物御龙帛画。简报专门讨论了这幅帛画。

这幅帛画是细绢地，呈长方形，右边和下边未加缝纫。最上横边裹着一根很细的竹条，上系有棕色丝绳。整个画幅因年久而呈棕色。出土时平放在椁盖板与外棺中间的隔板上面，画面向上。画的正中为一有胡须的男子，侧身直立，手执缰绳，驾驭着一条巨龙。龙头高昂，龙尾翘起，龙身平伏，略呈一舟形。龙不作腾云驾雾状，是因古人想象的神仙多在海中，求仙必先渡海，只得以龙为舟。在龙尾上部站着一鹤，圆目长喙，昂首仰天。人头上方为舆盖，三条飘带随风拂动。画幅左下角为一鲤鱼。画幅中舆盖飘带、人物衣着飘带和龙颈所系缰绳飘带拂动方向一致，都是由左向右，表现了风动的方向，反映了画家作画时的细致精确。而所绘图像，除鹤首向右上方外，其余人、龙、鱼都是朝向左方，表现了行进的方向。整个帛画的内容应为乘龙升天的形象，反映了战国时盛行的神仙思想。

墓主人为男性，应就是帛画中描绘的男子。

1078.长沙子弹库战国木椁墓

作　者：湖南省博物馆　何介钧、周世荣、熊传新

出　处：《文物》1974 年第 2 期

1973 年 5 月，考古人员在长沙市城东南子弹库（现湖南林业勘查设计院内）发掘了一座战国木椁墓。编号为 73 · 长 · 子 · M1。该墓曾于 1942 年被盗，此次发掘，除进一步弄清了墓葬形制、棺椁结构外，还出土了一批文物，特别重要的是发现了一幅人物御龙帛画。

简报分为：一、墓葬形制，二、棺椁葬具，三、随葬器物，四、结语，共四个部分。有照片。

据介绍，该墓构筑在夹有大量白色斑块的网纹红土中，为一带斜坡墓道的长方形竖穴墓。棺椁共三层，即椁、外棺、内棺。随葬器物有木雕龙、漆器、陶器、木俑、铜剑等。该墓虽在 30 多年前被盗，但墓中骨架仍保存完整，棺椁也未完全腐朽，特别是帛画，质地还相当坚致，其原因主要青膏泥隔绝氧气起了防腐作用。墓中出土

的帛画，是我国出土的战国时期的第二幅帛画，它对研究战国楚国的社会思想和艺术技巧都具有重要的价值。该墓的主人，应为战国中晚期之交一位士大夫级贵族。

1079.长沙识字岭战国墓

作　者：单先进、熊传新

出　处：《考古》1977 年第 1 期

识字岭位于长沙城东工农村附近，1974 年 10 月考古人员在此地清理了两座战国时期的墓葬，分别编号为 74 长识基 M1 和 M2。

简报分为：一、墓葬形制，二、随葬器物，三、小结，共三个部分。有手绘图。

两墓均为长方形土坑竖穴木椁墓，棺椁腐烂，漆木器腐烂。M1 出土铜剑、铜戈、铜鼎等遗物 21 件。M2 出土铜勺、铜鼎、铜盘等 5 件。两墓的年代，简报推断为战国中期。

简报称，出土器物中的铁足铜鼎、蕉叶纹铜壶是长沙楚墓中发现较少的器物；兵器铜殳在战国中期还在使用，也是很少见的；“长邦”铜戈则更为罕见。这些铜铁分铸和纹饰繁缛的器物出土，为研究当时的冶炼技术提供了比较重要的资料。

1080.长沙工农桥一号战国楚墓

作　者：长沙市文物工作队　杨　桦

出　处：《文物》1983 年第 6 期

1979 年 12 月在长沙市工农桥居民点工地平土方时，发现一座中型长方形竖穴土坑墓，编为一号墓。简报配以手绘图予以介绍。

该墓墓底有稀薄的白膏泥，棺椁及漆木器已腐朽，但痕迹依然存在，可以看出原有一棺、一椁及左、右、头、足四个边箱。墓内尚存的随葬品除马衔与车害外，其余都在左边箱和足箱内出土。陶器 19 件，均为泥质灰胎，涂白衣，火候较低，出土时多被压烂。出土的铜车害、铜马衔、铜投壶、箭镞等值得注意。简报推断此墓年代为战国晚期。

1081.长沙市红龙山战国墓发掘简报

作　者：长沙市文物工作队　何旭红

出　处：《江汉考古》1992 年第 3 期

1989 年 8 月，考古人员在市人民防空办公室红龙山基建工地发掘了三座楚墓。

简报分为：一、墓葬形状，二、随葬器物，三、墓葬年代及问题，共三个部分。有手绘图。

3 座墓均为长方形竖穴土坑墓，人骨均已腐朽，出土了一批铜器、陶器、料器等。根据 3 座墓陶器组合，简报推断 M2、M3 的时代为战国早、中期。

简报称，红龙山 3 座楚墓尤其应该注意的是其随墓品中 3 支座平底罐形器的出现。这一器物为目前楚墓中仅见。

1082.长沙市白泥塘 5 号战国墓发掘简报

作　者：长沙市文物工作队　何旭红、傅星生等

出　处：《文物》1995 年第 12 期

1994 年 3 月至 4 月，考古人员在长沙市工区白泥塘湖南省人民政府院内配合基建工程清理了 5 座古代墓葬，其中 M1、M5 为战国墓，M2、M3、M4 为东汉砖室墓。M1 ~ M4 被破坏或盗掘。M5 未被盗扰，出土器物十分丰富。

简报分为：一、墓葬形制，二、随葬器物，三、结语，共三个部分。配有照片。

据介绍，受基建施工和环境影响，M5 发掘了第三级二层台以下部分，第一、二级二层台和墓道只选出一部分剖面分析。M5 为不太规整的长方形土坑竖穴墓，墓壁斜直光滑。墓坑内夯土为红土捣碎回填，棺椁大部分已朽，仅存椁底板。随葬器物有铜器、陶器、玉器、琉璃器等 77 件。

根据墓葬规模和随葬品，墓主应为大夫一级的楚国贵族，时代应为战国中期略偏早。

1083.湖南省博物馆收藏的一件战国时期楚刻铭玉璧

作　者：湖南省博物馆　邓昭辉

出　处：《文物》2001 年第 4 期

湖南省博物馆最近在整理馆藏文物时，发现有一件战国时期楚刻铭玉璧。简报配以拓片予以介绍。

据介绍，此璧玉质呈青色半透明，器表有光泽，为扁平体，圆形，肉质好。两面均饰弦纹两周，间饰谷纹。外缘处略有残损，器表残留有黄土沁。玉璧外沿有一行阴刻铭文，为“六百八十三”，是一件较为少见的器物。

玉璧为 1949 年前长沙近郊战国楚墓中盗掘出土。商承祚先生在长沙曾见到两件外沿刻有数字铭文的玉璧：一件玉璧出于长沙南门外柳家大山，外沿刻有数字

"千四百九十止"；另一件外沿刻有"千五百有（又）□□"。商先生推测："璧上记数之大无逾于此，此为制造或使用时行次之最末璧，故曰'止'，为仅见。"另外，长沙左家塘秦墓出土有谷纹玉璧一件，外沿刻"四百十一"。

简报称，湖南省博物馆收藏的这种玉璧，为研究战国时期楚地这类带有刻铭的玉器提供了实物资料。

1084.长沙市茅亭子楚墓的发掘

作　者：长沙市文物考古研究所　李鄂权、黄朴华、邱东联

出　处：《考古》2003 年第 4 期

茅亭子位于长沙市开福区，这一带的原始地貌为江南地区典型的低矮小山丘，是长沙市出土战国、西汉时期墓葬相对比较集中的地区。1996 年初，长沙市一医院在此兴建门诊综合楼，于平整土地时发现一座木椁墓。1996 年 12 月 21 ~ 31 日，考古人员对该墓进行了抢救性发掘。清理结果表明，这座墓葬是长沙地区近 10 年来发现的规模较大、保存完整、出土文物丰富的战国楚墓。

简报分为：一、墓葬形制和棺椁结构，二、随葬器物，三、结语，共三个部分。有手绘图。

根据墓葬形制、棺椁结构和随葬器物的特征等方面来加以分析判断，这座墓葬的年代应为战国中期偏早阶段，墓主人的身份应属大夫一级。该墓出土遗物丰富，计有陶、铜、漆器 63 件。保存基本完整，为湖南长沙地区楚文化的研究提供了新的资料，具有较高的学术价值。

1085.长沙市马益顺巷一号楚墓

作　者：长沙市文物考古研究所　何　佳、宋少华

出　处：《考古》2003 年第 4 期

马益顺巷位于长沙市老城区的南缘，当地居民俗称"蚂蚁巷"，其北临南门外的西湖路，东邻黄兴南路，西隔书院路与湘江相望，南以妙高峰为屏。妙高峰是长沙市区南端一峰，是第四纪网纹红土砾石层的堆积经流水切割而成的一处高地，海拔 70 米，其东南坡脚地势陡峭，而西、北坡脚曲缓斜长，绵延至西湖路、南门口、黄兴南路一带而成平缓之势。马益顺巷楚墓恰位于这绵延起伏的丘峦之间。1991 年 12 月因基建打桩在该地点发现一座棺椁保存完整的楚墓，有民工擅自进入墓内盗扰，公安部门追缴回被盗出的玛瑙环、铜镜等物。随后考古人员对该墓进行了清理，清

理工作始于 1992 年 5 月 18 日，至 6 月 4 日结束。该墓编号为 92 长 · 南 · 马 M1，虽经盗扰，但棺椁结构保存较好，出土遗物丰富而有特色，属于长沙地区一座重要的楚墓。

简报分为：一、墓葬概况，二、出土遗物，三、结语，共三个部分。有手绘图、拓片。

通过分析比较，马益顺巷一号楚墓年代应为战国中期中段，墓主应属楚国下大夫一级的贵族。

1086.湖南长沙三公里楚墓发掘简报

作　者：长沙市文物考古研究所　马代忠等

出　处：《文物》2007 年第 12 期

2002 年 3 月，考古人员在长沙市开福区营盘西路进行考古调查时，于三公里路段发现一座木椁墓。该墓西距湘江约 3 公里。发现时，该墓的上部及墓室西北部填土已遭施工破坏。2002 年 4 ～ 5 月，考古人员对该墓进行了抢救性考古发掘。该墓虽遭两次盗掘和现代建设的破坏，但出土文物仍丰富。

简报分为：一、墓葬形制，二、随葬器物，三、结语，共三个部分。有彩照、手绘图。

据介绍，该墓为带斜坡墓道的长方形土坑竖穴木椁墓，墓口平面呈“凸”字形，清理时封土已无存。在墓室东南部发现两个盗洞，均未到达墓室底部。葬具为两椁两棺，随葬品以仿铜陶礼器为主，此外还有铜器等。年代简报推断为战国早期中段，墓主人应为从郢都直接派往长沙的军事统治者，应为卿大夫一级，故该墓风格为楚墓。

株洲市

1087.湖南株洲战国墓清理

作　者：高至喜

出　处：《考古》1959 年第 12 期

1955 年 5 月，考古人员于株洲洋星岭清理了 10 座战国墓。简报分为：一、墓葬形制，二、文化遗物，共两个部分。有手绘图。

据介绍，10 墓均为土坑竖穴墓，出土遗物有陶器、铜镜、料璧等，陶器中豆比较多。10 墓中长方形窄坑墓 3 座应为战国早期墓，其余的应为战国中、晚期墓。

1088.湖南攸县发现一件古代透光铜镜

作　者：攸县文化局　贺鸿武

出　处：《文物》1989 年第 3 期

最近，湖南攸县湖南坳乡一座古代墓葬中出土一件透光铜镜。简报配以拓片予以介绍。

据介绍，该镜直径 21.8 厘米，厚约 0.2 厘米。三弦纹纽，圆纽座。内、外区均以云雷纹为地，上饰蟠螭纹。窄平缘。镜背的纹饰在镜面隐然有迹，镜面在承受日光时，镜背图案能清晰地反射出来。简报推断其为战国时期的遗物。这样早的透光镜，在全国出土文物中还是罕见，堪称古代铜镜中之精品，遗憾的是出土时被人为损坏。

湘潭市

1089.湖南湘潭下摄司的战国墓

作　者：周世荣

出　处：《考古》1963 年第 12 期

下摄司是湘潭市郊的一个小市镇。1959 年在这里发现了 9 座战国墓，出土遗物近 20 件，计有铜剑、矛各 2 件，铜戈、硬陶罐、残陶鬲、绳纹陶鉢各 1 件，以及一堆陶鼎、豆、壶、勺等碎片。1959 年 9 月 8 日，考古人员前去调查，发现此处尚有古墓近 20 座，又清理了其中的 7 座，4 座墓没有遗物出土，其他 3 座墓葬都很完整。简报按时代先后配以照片和手绘图予以介绍。

3 号墓，长条形土坑竖穴墓，在头部左侧出土 1 件夹砂灰陶鬲。足端左侧出土圆筒形铜器 1 件，状如矛镦。

1 号墓，长条形土坑竖穴墓。墓室足端有一条小二层台。出土物有残铜环 1 件，陶器 8 件。陶器器形有鼎、敦、壶、匜、盘、豆和鼎鬲。壶、盘之类皆有彩绘，白色绘弦带纹，朱色绘菱花格子纹，但多已剥落不清。

2 号墓，墓室接近方形，这是该地晚期战国墓的特征之一。有头箱而无边箱，头箱内置随葬品，有空首铜剑、小铜矛和长胡三穿铜戈各 1 件，灰胎黑衣泥质陶豆两件。

以前发现的 9 座墓，墓室形制与上述基本相同，早期作长条形，晚期作方形。

早期墓出土物以陶鬲为代表，同时出土的还有空首剑。陶器均属灰砂灰陶，火候很低。晚期遗物中有铜剑1件（已残断），铜矛2件，硬陶罐1件。除此以外，其他器物均属泥质灰陶，外壁着黑衣，颜色深浅不同，或灰或黑。

1090.湖南韶山灌区湘乡东周墓清理简报

作　者：湖南省博物馆　周世荣

出　处：《文物》1977年第3期

因修建湖南韶山灌区大型水利工程，考古人员对灌区文物古迹及时进行了勘察、发掘和清理工作，取得了重大成果，仅在湘乡县就清理了东周墓76座。

简报分为：一、东周早期墓，二、东周中期墓，三、东周晚期墓，共三个部分。有照片、手绘图。

这些东周墓，可分早、中、晚三期。计东周早期墓19座、东周中期墓52座、东周晚期墓5座。时代跨越从春秋至战国末年、秦汉之际。出土有陶器、铜器、铁器、琉璃珠、金片等数百件。M74所出牌子，简报认为有可能是算筹。

衡阳市

1091.衡阳市发现战国纪年铭文铜戈

作　者：单先进、冯玉辉

出　处：《考古》1977年第5期

1974年考古人员在衡阳市东南郊白沙洲唐家山市二木工厂基建工地上发掘了一批战国小型墓葬。其中编号M2的墓中出土铜戈一件，戈上阴刻小篆十二字。该墓长2.7米，宽1.4米，方向朝北。随葬品有陶鼎、敦、壶、豆、勺等，还有铜剑一件，漆器多已腐朽。陶器置于头部椁箱中，兵器则放在边箱之中。简报配以照片、手绘图予以介绍。

该墓为一棺一椁长方形土坑竖穴墓。铜戈上有铭文，知为战国时魏惠王三十三年（前338年）兵器，为当时楚国武士攻打魏国时所获战利品。铜戈似经多次磨洗，应长期使用过。陶器皆为泥质灰陶，火候不高，敦、勺已残破。

1092.衡阳博物馆收藏三件周代铜器

作　者：冯玉辉
出　处：《文物》1980 年第 11 期

湖南衡阳市博物馆近年来屡次收集到周代青铜器。简报配以手绘图予以介绍。

甬钟 1 件。1978 年，衡阳市城北土石方工程队在市郊西南岳屏公社北塘大队林木皂挑土时，在地表以下大约 60 厘米处发现一件立放着的青铜钟，即甬钟。镈 1 件，1976 年从废品收购站挑选所得，无出土地点。戈 1 件，1977 年从废品收购站挑选所得，无出土地点。三件铜器中，甬钟时代约相当于春秋。

1093.耒阳春秋、战国墓

作　者：湖南省博物馆、耒阳县文化局　郑元日等
出　处：《文物》1985 年第 6 期

1982 年 6 月，考古人员在县水泥厂（灶市）附近的公路工地上发现了一批春秋时期的墓葬，在同年 9 月和 1983 年 6 月作了两次发掘。1983 年 7 月，又对县石油公司加油站工地的战国墓葬作了抢救性清理。

简报分为：一、春秋墓，二、战国墓，三、结语，共三个部分。有手绘图。

据介绍，墓葬分布在县城的灶市和城里，两地相距约 5 公里。灶市耒阳县水泥厂发掘春秋墓 19 座。石油加油站工地发掘战国墓 17 座。另外，在城里县政府新址清理战国墓 4 座。春秋墓除一座（M8）外，均为狭长竖穴土坑墓，应属春秋时期越人墓，受中原及楚文化影响要多一些。战国墓中也有一座较大、较特殊。年代从战国中期至战国晚期不等。

简报指出，耒阳春秋、战国墓的发掘，使我们在一定程度上了解到地处湘中南的越人文化和楚、越文化的交融情景，给我们研究楚文化以及越文化增添了新的实物资料。

1094.湖南衡山县出土战国青铜剑

作　者：刘冬华
出　处：《考古》1989 年第 11 期

1987 年 5 月，衡山县马迹乡界牌钾钠长石矿民工在修矿区公路时，挖出三把青铜剑。这三把青铜剑仅藏于地下 0.33 米深左右，未发现其他器物。考古人员判断这

几把剑属于窖藏。简报配以照片予以介绍。

据介绍，三把青铜剑保存较为完整，其中一把在出土时被挖断。三把剑外表颜色各异，长度均在60厘米以上。有一把为两色剑。根据鉴定，三把剑为战国时期的器物。根据剑的造型特点来看，属于战国时期的典型楚式剑。

简报称，这三把青铜剑在衡山县是第一次发现，它们为研究这一地区的楚文化提供了不可多得的实物资料。

1095.湖南耒阳市阴间巷发现战国墓

作　者：向新民

出　处：《考古》1990年第8期

阴间巷位于耒阳市西南约2公里，地属湖南耒阳市城关镇聂洲村，墓在山顶偏西坡。1987年7月，考古人员配合基建施工，在此清理了两座战国土坑墓。出土了铜、陶器共26件，其中M1有11件，M3有15件。

简报分为：一、墓葬形制，二、随葬器物，三、结语，共三个部分。有手绘图。

两墓形制为长方形，无墓道和小龛，随葬器物以陶器为主，具有典型的楚式风格。简报推断时代在战国中期偏晚。

1096.耒阳发现春秋越墓

作　者：唐先华

出　处：《江汉考古》1993年第4期

1990年10月，耒阳师范附小在基建施工中，发现一座古墓。考古人员赶赴现场勘查并进行了抢救性发掘。简报配以手绘图予以介绍。

耒阳师范附小坐落于耒阳市城关西北隅，东距耒水约600米。墓葬（编号为90耒师附小M1）埋于红色网纹土中，墓为狭长形竖穴土坑，无腰坑与头龛，随葬器物4件。简报推断此墓为春秋时期越人墓葬。

1097.湖南衡阳县赤石春秋墓发掘简报

作　者：衡阳市博物馆

出　处：《考古》1998年第6期

1985年夏秋，衡阳市文物普查人员在衡阳县赤石乡的小鸡坪、黄泥岭、寺湾山、鹅公山岭和长岭一带丘岗发现了古墓葬群。1985 年 12 月至 1988 年 11 月，衡阳市文物工作队和衡阳市博物馆，对已暴露出墓坑的墓葬进行了抢救性清理发掘，共发掘春秋至东汉时期的墓葬 456 座，其中春秋墓 66 座、战国墓 184 座、西汉墓 102 座、新莽墓 20 座、东汉墓 84 座。

简报分为：一、地理位置及墓葬分布，二、墓葬形制，三、随葬器物，四、结语，共四个部分。介绍了 66 座春秋墓的发掘情况。

据介绍，衡阳赤石县 66 座春秋墓中狭长形竖穴土坑墓的年代要早于长方形竖穴土坑墓。从墓葬的形制及随葬品分析，46 座狭长形竖穴土坑墓中有 26 座有随葬品，其余 20 座墓未见随葬品。这与湖南、广东、广西等地早期古越族墓葬出随葬品墓的比例相近。简报推断，这类墓葬当属古越族的墓葬，其年代可定在西周末年或春秋早期。另外，M315 是这次发掘的春秋墓中规格最高的一座，综合该墓随葬品的形态及文化特色，该墓也应属于古越族墓葬。

1098.湖南辰溪县米家滩东周墓发掘简报

作　者：怀化地区文物管理处、辰溪县文物管理所　向开旺、田云国、陈启家
出　处：《考古与文物》1998 年第 2 期

米家滩东周墓位于辰溪县辰阳镇米家滩村、沅水二级台地上，西距县城 1 公里，现为辰溪新城开发区。1988 至 1990 年，考古人员发掘了县工业品供销公司、辰阳镇水泥制品厂基建工地的东周墓葬 16 座。

简报分为：一、墓葬形制，二、随葬器物，三、结语，共三个部分。有手绘图。

据介绍，该批墓葬规模较小，形制简单，均为中小型竖穴土坑墓。封土堆无存，墓葬深度不明。葬具与人骨骸腐朽。随葬器物有陶器、铁刀、铜矛、铜剑、琉璃珠等。战国早期墓 5 座，战国中期墓 2 座，战国晚期墓 8 座。M15 无随葬品，无从判断。

邵阳市

1099.湖南发现的春秋时期青铜饰件及相关问题

作　者：熊建华
出　处：《文物》1995 年第 5 期

1990 年 5 月，考古人员从湖南水电师范学院基建工地得知，省建四公司长沙分

公司一队保卫科扣押了一批文物。文物是邵阳县东田乡综合村十四队村民在新宁县高木塘废品店从一位捞河沙人处购得，出土情况不详。简报配以照片予以介绍。

据介绍，这批器物在湖南属首次出土，共17件。其中凹槽板状舆饰2件，V形截面包角4件，圆形管状器8件，锥形管状器1件，L状釭形舆饰2件。除圆形管状器素面、锥形管状器近銎部饰云纹一周外，其余构件器表通体饰蟠螭纹，且有几何纹作边饰。器表大都锈蚀，颜色与南方红色土壤接近，呈黄红色，无锈结处泛青光，与湖南出土的同期青铜器色泽接近，新宁一带出土的可能性较大。初步推断这批器物的年代上限在春秋晚期或稍早，下限为战国早期。

岳阳市

1100.湖南平江县发现春秋早期甬钟

作　者：胡啸椎

出　处：《考古》1990年第12期

最近，湖南省平江县钟洞乡出土春秋早期甬钟一件，现藏县文物管理所。简报配以照片予以介绍。

此钟呈铜绿色，通高38厘米，甬长13厘米，重8.83公斤。合范铸成，钟体作合瓦形，上窄下宽。钟体较薄，内腔在接甬处有一个四方形凹窝。甬，圆柱形。该钟出土时无其他共存物，应属窖藏。其形制和纹饰与湖北广济县野儿洲出土的A型Ⅰ式甬钟一样。此外，湖北大冶、广东清远等处亦出土同一类型甬钟。其制作年代简报推断应为春秋早期，从其云雷纹和变形夔纹看，此钟应属越族的文化遗物，地方特点十分明显，应是湖南本地铸造。

1101.湖南省华容县丰家山东周墓发掘简报

作　者：岳阳市文物工作队、华容县文物管理所　郭胜斌、罗仁林

出　处：《文物》1993年第1期

华容县丰家山位于华容县县城以西护城乡白鼎村，距县城约3.5公里，为一东西长500米，南北宽约300米的平缓小山岗。1991年10月，丰家山兴建大型电站时发现了一批古墓葬，考古人员对丰家山进行了全面的调查和勘探，共发现古墓葬13座。同年11月，对这批墓葬进行了发掘。

简报分为：一、墓葬形制，二、随葬器物，三、结语，共三个部分。配有照片。

据介绍，这批墓葬均为小型土坑竖穴墓。墓坑均开在第四纪红色网纹土中，坑壁光滑、平整，与墓底垂直。墓深 1.1 ～ 4.5 米。多为东西或南北向。多数无葬具，尸骨已腐朽。根据墓葬的形制，分为长方形窄坑墓和长方形宽坑墓 2 种。共出土陶器、铜器、铁器、漆器共 27 件。年代应在春秋中晚至战国中期。

先秦时期，今洞庭湖区属河网切割地貌，与澧水流域、江陵一带同属一个文化范围。所以，丰家山东周墓葬与江陵楚墓存在着相当的一致性。

1102.湖南省岳阳县凤形嘴山一号墓发掘简报

作　者：岳阳市文物工作队　郭胜斌、符　炫、赵立恒等

出　处：《文物》1993 年第 1 期

1986 年 6 月，岳阳县筻口镇莲塘村凤形嘴山出土 3 件青铜器，当即被岳阳县文化局收集。考古人员于同年 9 ～ 12 月对凤形嘴山进行勘查，发现这里是一处墓地，并清理发掘了 3 座墓葬。

简报分为：一、墓葬形制，二、随葬器物，三、有关墓葬年代，共三个部分。配有拓片、照片。

凤形嘴山位于岳平公路中段筻口镇的莲塘村和移山村之间，西南距县城 23 公里。山南部因岳平公路穿过被挖平。墓葬位于凤形嘴山东部，3 座墓呈“品”字形排列，均为长方形竖穴土坑，填以原生土。M2、M3 均无器物出土，M1 出土铜器共 10 件。M1 的时代简报推断为春秋中期偏晚或春秋中、晚期之交。

1103.湖南省岳阳市郊战备山战国墓清理简报

作　者：岳阳市文物工作队　敦胜斌、欧继凡、赵立恒

出　处：《江汉考古》1993 年第 3 期

战备山位于岳阳市郊城陵矶南部，地属城陵矶粮食仓库，南距岳阳市约 8 公里。1991 年 4 月，城陵矶粮食仓库新建库房，在战备山取土时发现了青铜剑、铜镜和陶器。考古人员立即对战备山进行了全面的调查和勘探，勘探中发现古墓葬 10 余座。考古人员进行了抢救性发掘。这次发掘共清理古墓葬 13 座，其中属于战国时期的墓葬有 4 座，唐宋明清时期的墓葬 9 座。

简报分为：一、墓葬形制，二、随葬器物，三、小结，共三个部分。介绍发掘的 4 座战国墓，有手绘图。

据介绍，4座战国墓分布在战备山顶部，封土已荡然无存。墓坑挖在第四纪红色网纹土中，挖出的土捣碎后即回填。填土都经夯实。4座墓均属小型土坑竖穴墓，尸骨腐朽无存。随葬器物共39件。经过平行材料的对比分析，推断M7的年代较之其他三墓明显要早些，其时代在战国中期；M9、M2的年代要稍晚，可定在战国中期偏晚；而M6在这4座墓中是最晚的，其时代应为战国中晚期之交，甚至可进入战国晚期。

1104.湖南汨罗罗国城遗址的调查与探掘

作　者：岳阳市文物工作队　郭胜斌、欧继凡

出　处：《江汉考古》1996年第1期

罗国城遗址系湖南省人民政府1956年公布的省级重点文物保护单位。它位于湖南省汨罗市城西北的罗城，今属岳阳市屈原行政区蚕种场。1957年进行了勘探和试掘，发现罗城确为东周时期的一个城址。除了发现平面略呈长方形的城址大体轮廓以及护城河外，还在城址内西南部发现了建筑基址以及建筑构件的残器如板瓦、绳纹筒瓦等。在城址东南面的遗址内出土了灰陶绳纹鬲、灰陶豆和黑衣陶罐等生活器皿。1985年，对罗城再次进行了调查。发现了罗城城址南面的百丈口东周遗址与罗城城址西面的鸡公滩东周遗址。1992年12月至1993年1月，考古人员进行了小规模试掘，清理灰坑1个。

简报分为：一、地理环境，二、城址概貌，三、遗迹、遗物，四、结语，共四个部分。介绍了历年来的调查与试掘情况，有手绘图。

据介绍，罗国城城址整体略呈长方形，南面略向城内凹进。城址东西长约590米，南北宽约400米，总面积达23.6万平方米。城址四周城墙除东面有一段城墙保存较好外，其余部位多被夷平，但墙基均清晰可见。东城墙墙基宽达14米，现存高度为3米，城址应兴建于春秋晚期偏早以前。至于罗国，应在公元前698～公元前691年被楚国所灭，遗民迁往此地居住。这里保留有罗人栖息时所留下的地名，诸如罗城、罗水、罗山、罗渊、罗汭等，而且在这些以“罗”为地名的地方都发现了与罗国城遗址所出相同的文化遗存。这些遗存与考古界公认的楚文化遗存完全一致，这也是不足为怪的。因为，罗楚同源同祖同姓，文化也属同一谱系。尤其是楚灭罗后，罗必遵楚制、从楚俗，其文化面貌当然高度一致。自楚文王迁罗至江南到秦将白起拔郢直至楚亡，前后数百年，罗国遗民生活在此，绝非一个罗国城所能容纳。无庸置疑，这类遗存的主体应该是罗国遗存，当然，也有迁居汨罗江畔的楚人以及已从楚俗的原居土著留下的遗存在内。

简报称，罗国城遗址及汨罗江下游两岸的同时期遗址和墓葬等，应该是罗国遗民及其后裔定居汨罗数百年休养生息留下的文化遗存。

1105.湖南省汨罗市高泉山人民路东周墓发掘简报

作　者：汨罗市文物管理所

出　处：《江汉考古》2008 年第 2 期

2007 年 2 月上旬，考古人员在配合市文化局新建办公楼工程进行文物调查、勘探过程中，发现了一座东周时期墓葬（编号 M1），并进行了抢救性考古发掘。

简报分为：一、墓葬形制，二、随葬器物，三、结语，共三个部分。有手绘图。

M1 为长方形竖穴土坑墓。未见葬具。出土的随葬器物仅见陶器，计有罐 1 件、钵（盂）2 件、豆 3 件。简报推断为东周时楚墓。

常德市

1106.湖南德山出土楚文物

作　者：杨　桦

出　处：《考古》1959 年第 4 期

1958 年 10 月，常德市德山棉纺织厂工地上被推土机和民工挖坏了 30 多座古墓，其中有木椁的十余座。1959 年 1 月初，考古人员将清理的 85 座战国时代的古墓以及文物 700 余件陆续运到常德市进行整理。简报配以照片予以介绍。

据介绍，德山工地出土文物是很丰富的，尤其是棉纺织厂工地，在清理的 67 座战国墓葬中有 13 座是有木椁的。最完整的一座，尸骨及脑髓尚未完全腐蚀。较完整的有 3 座，存有牙骨及头发的一座，出土的漆、木、铜器不少，连工地破坏的木椁墓共计有二十余座，出土文物有五山字、四山字、变形龙纹、五花规矩等大铜镜，有文字的铜鼎、铜戈，和带篆书的铜印玺，有嵌银丝花的铜戈镦及铜矛镦、木杖铜镦和铜剑钩、铜带钩、铜棺环等，有色彩鲜美而调和的圆耳方耳漆羽角、漆奁、漆盒；有形象雕刻很生动的站、坐木俑，有花纹精美的笭床，有当时使用的天平砝码和蚁鼻钱，有锋利的铜剑、铜戈、铜矛，有绘彩的陶鼎、陶壶、陶敦、陶匜、陶盘、陶豆等，有料璧、料珠、铜弩机（已烂）、铜瓢、铜盆，有生产工具铁铲两把，有木鼓、木鼓棒、木剑、木矛、木梳、木篦、木发叉、木车轮、木篦等。此外还有陶勺、陶合、陶瓶和我国早期绳纹陶鬲、陶壶、陶簋等文物，共计七百余件。

简报推断这批墓葬为战国时期楚墓。

1107.湖南常德德山战国墓葬

作　者：湖南省博物馆　文道义
出　处：《考古》1959 年第 12 期

1956 年 5 月在常德东郊德山地区发现不少战国时代的墓葬。经过将近两个月时间，共清理了 44 座墓葬，出土遗物共 287 件。德山位于沅水的南岸，是常德市郊的一个小镇，距市东约 5 公里。此地为一丘陵地带，战国墓葬即分布在附近山岗的山脊或斜坡上面。从发掘的情况来看，这个地方可能是一个战国的丛葬区。简报分为几个部分予以介绍。

据介绍，发掘的 44 座墓葬都是竖穴墓，按照墓坑的形制及随葬器物的种类，可以分为长方形窄坑（8 座）、长方形宽坑（36 座）两个类型。出土有陶器、铜剑、铜矛、铜戈、铜镞等。推断为战国墓。

1108.湖南常德德山楚墓发掘报告

作　者：湖南省博物馆　杨　桦
出　处：《考古》1963 年第 9 期

1958 年 10 月，常德德山镇发现一批古墓葬。考古人员前往清理，工作从 10 月 29 日开始，至 1959 年 3 月 5 日结束，共清理战国墓 84 座，出土遗物 990 件。简报分为：一、早期墓葬，二、中期墓葬，三、晚期墓葬，四、结语，共四个部分。有手绘图。

据介绍，早期墓葬共 17 座，都为长方形土坑墓。其中又可分为狭长方形的（16 座）和长方形的（墓 8）两种。葬具和人骨架均已腐朽，随葬品以陶器为主，铜器、铁器不多。墓中随葬品少则 2 件，多则 6 件。中期墓葬计 18 座，长方形竖穴墓，其中 M26 为两椁一棺，较大。晚期墓葬 49 座，其中保存较好的木椁墓 8 座。德山楚墓的分期，简报认为早期应属于春秋或稍早，迟至战国初期；中期墓葬约相当于战国前期；晚期墓葬可早到战国后期，晚到秦楚之际。

1109.湖南石门县古城堤城址试掘

作　者：湖南省博物馆　周世荣
出　处：《考古》1964 年第 2 期

古城堤城址位于石门维新公社古城大队，在先洋河的南岸约 0.5 公里。简报配以照片予以介绍。

据介绍，城址为正南北向，呈长方形，南北长约300米，东西宽600米。城垣残缺不一，宽约8米，高约2～3米。出土遗物有筒瓦、板瓦、陶器等。年代下限简报推断为春秋战国。

1110.常德县官山战国墓清理简报

作　者：湖南省常德地区文物工作队　刘廉银

出　处：《考古》1985年第12期

官山在常德市东北约12公里，位于常德县白鹤山公社青合大队二生产队的西北。1980年冬，考古人员对这一带山地进行了文物调查，发现上百座小山似的土堆，初步认为是古墓群。官山岭上有两座古墓因农田建设平土，封土堆已被破坏。考古人员于1983年4月，配合农田建设，对这两座古墓进行了为时10天的清理。

简报分为：一、墓葬形制，二、随葬器物，三、结语，共三个部分。有照片。

两座古墓编号为M1、M2，都是上大下小的土坑墓，除墓底各有两根横置的垫木槽沟遗迹外，再没发现任何葬具的痕迹。两墓墓坑四边都有生土台阶。两墓共出器物15件，分陶器和铜器两类。

M1在墓底西南角与北部偏西处发现陶器和铜剑、铜矛、铜戈、残漆片。M1所出铜器，时代要比陶器早，为前代所遗留。简报推断此墓为战国中期。

M2出土器物少，仅出扁茎有格铜剑一件。这种短剑，一般不多见，1981年常德地区慈利县官地M5出一件，也与平底壶同出，原定为战国早期之物。但M2有墓道，墓道下口距墓底较高这种情况在长沙战国中期比较多，故M2的年代也可能在战国中期。又，M2与M1相比，基本情况相似，但M2有墓道，可能较晚，但最晚也不会晚于战国中期偏晚。

通过此次清理发掘的两座墓葬，初步了解了常德县白鹤山古墓群所属的时代和特点，取得了一些重要参考资料，对该地楚墓的进一步研究性发掘，对探讨两湖地区楚文化的发展和相互间的关系，将有一定意义。

1111.湖南澧县新洲一号墓发掘简报

作　者：湖南省博物馆、澧县文管所　裴安平

出　处：《考古》1988年第5期

澧县新洲一号墓位于新洲乡车渚村二组一小山头上，西北距县城25公里，距新洲镇4公里，东距澧水河1公里。据近年调查发现，这里沿河一带及附近低山丘陵

地区聚集了许多战国墓葬，其中一号墓就是规模最大的一座。由于当地农民挖土制砖，墓葬已部分遭到破坏。1985年冬考古人员对该墓进行了抢救性发掘，并有重要收获。

简报分为：一、墓葬形制，二、出土器物，三、结语，共三个部分。有手绘图。

据介绍，墓葬坐西朝东，平面呈“甲”字形。由于葬具腐朽，棺椁制式不详。仅据残迹观察，应为一棺一椁。棺位于椁室北侧，墓主人头向以器物位置判断应朝东。墓葬早年被盗，椁室头、边箱器物所剩无几，残留漆木器、漆皮软陶器均已破损腐朽，型式难辨。不过，棺内安然无恙，全套玉器、铜剑、琉璃珠饰等近身之物保存完好，是本次发掘的主要收获。其中的一套完整玉器为湖南同期墓首次发现。特别是龙形佩饰，制作精细，造型生动，更属上等精品，充分显示了墓主人生前较高的身份和地位。简报推断，该墓时代属战国晚期。

1112.湖南桃源三元村二号楚墓

作　者：王英党

出　处：《考古》1990年第11期

桃源县位于湖南省西北部，沅江中下游。墓葬位于桃源县三汉港乡三元村乡办机砖厂工地，距县城东约14公里处。1985年8月6日，该砖厂施工时曾发现一座战国晚期楚墓。后经考古人员实地勘察，此地属一古墓群。1987年1月8日，该砖厂在施工中又发现了一座古墓，考古人员立即赶赴现场，对墓葬进行了抢救性清理。简报配以手绘图、照片予以介绍。

据介绍，该墓编号为桃三M2，是一座长方形竖穴土坑棺椁墓，随葬器物除二件残木俑外，全部是仿铜陶礼器。器物受自然破坏较严重，但通过修复后尚能复原。该墓出土的随葬器物的特征，均与湖南临澧、慈利、溆浦、保靖、益阳等地楚墓出土的器物特征相似。因此，简报推断该墓属于战国时期楚人的墓葬。

1113.湖南桃源县狮子山战国墓发掘

作　者：湖南省文物考古研究所、桃源县文化局、桃花源文物管理所　郑元日等

出　处：《文物》1992年第7期

狮子山古墓群位于桃源县城以北5公里、茅草街乡政府偏东2公里，东临沅水，西靠常桃公路，北近北洋河，南邻黄楚古城。狮子山为一小山包，因山包东端有一大封土堆，形状如狮，故名。1984年1月，当地村民在开挖水池时发现古墓葬3座，桃源县文化局进行了清理。之后，考古人员多次对古墓群及相邻的黄楚古城址进行

调查。由于古墓葬破坏严重，9 月中旬至 10 月下旬，发掘了这批古墓。此次共清理战国、西汉、宋代墓葬 67 座，再加上桃源县文化局清理的 3 座，共 70 座，包括 41 座战国墓、28 座西汉墓、1 座宋墓。

简报分为“墓葬情况”“出土器物”等两个部分。配以照片、手绘图，先行介绍了战国墓的资料。

据介绍，战国墓均为竖穴长方形土坑墓，保存完整，无盗掘现象。除 M55、M66、M69 因封土堆处于西汉墓的封土下面得以保存外，其余均被夷为平地。墓葬均无腰坑、脚窝，除 M49 还保存部分棺椁外，其余均无葬具、尸骨痕迹，葬具结构和葬式不明。从墓坑平面的长宽来看，可分为长方形窄坑和长方形宽坑两种。长方形窄坑墓的年代为战国早期。长方形宽坑墓的年代为战国中期至晚期。

1114.湖南常德县黄土山楚墓发掘报告

作　者：常德市文物管理处

出　处：《江汉考古》1995 年第 1 期

黄土山楚墓群位于湖南省常德县灌溪镇黄土山村黄土山，南距常德城 12 公里。1985 年黄土山村在黄土山的大山、地磨山两个山头上兴建砖厂。为配合砖厂生产，考古人员在砖厂取土范围内进行了全面勘探，勘探出春秋战国楚墓 100 余座，并陆续对这批墓葬进行了部分发掘。

简报分为：一、墓葬综述，二、墓葬分类，三、随葬物品，四、结语，共四个部分。有手绘图。

据介绍，共发掘墓葬 49 座，均为长方形或近方形竖穴土坑墓。其中有墓道的墓有 3 座，有壁龛的墓 13 座。共计出土遗物 294 件，随葬品以陶器为主，可分两大类：一为日常陶器用品，二为仿铜陶礼器。时代为战国晚期、战国晚期后段不等。有 4 座墓无随葬品，其时代暂定为东周。

1115.湖南省常德市出土战国鎏金铜方壶

作　者：龙朝彬、郑祖梅

出　处：《文物》1996 年第 4 期

1993 年冬，常德市自来水公司在市区沅江内堤修建水泵房时，在距河堤 10 余米的沅江中，发现鎏金铜方壶及陶器。陶器除一件罐外，其余均被弃于江中。简报配以照片、手绘图予以介绍。

简报称，根据形制和纹饰，鎏金铜方壶和陶罐当属战国晚期的遗物。器物出土时周围有木头和黑泥，应是一座墓葬。在沅江江中发现战国时期重要铜器，在常德还属首次。这为研究沅江河流改道等历史地理问题，提供了珍贵的实物资料。鎏金铜方壶现藏常德市博物馆。

1116.湖南常德德山战国墓出土鸟篆铭文戈

作　者：常德市文物处　文　志

出　处：《江汉考古》1996 年第 3 期

1994 年 8 月，为配合常德市德山二砖厂取土施工，考古人员在该地发掘一座战国墓。该墓位于德山二砖厂一小山丘顶，西北距常德市区约 5 公里，北距沅水仅 1 公里之遥。

简报分为：一、墓葬形制，二、出土器物，三、年代推断，共三个部分。有手绘图。

据介绍，墓葬为长方形土坑竖穴，有斜坡状墓道。有白膏泥，从遗迹看葬具应为一椁一棺。有盗洞。遗物仅存铜铺首 1 对、陶鼎 1 件、陶壶 1 件、陶豆 1 件及鸟篆铭文戈 1 件。此墓应属战国晚期后段楚墓。而有铭戈的制作年代，应是春秋晚期至战国早期。铭文的大意是说此戈是用上等青色金属材料铸造的。见到此戈的有关专家持不同意见：一种认为其属吴越文化，为楚人之战利品；另一种则认为此戈属楚文化，为楚人之制品。鸟篆铭文戈的出土为更多地了解楚文化之内涵或楚文化与吴越文化之间的联系增添了新的实物资料。

1117.湖南汉寿县祝家岗战国墓发掘简报

作　者：常德市文物事业管理处、汉寿县文物管理所　龙朝彬、郑祖梅

出　处：《江汉考古》1996 年第 4 期

常德市汉寿县位于湖南省的北部，县东、北部地势较低，沅江在该县境内注入洞庭湖。祝家岗战国墓群位于该县西北部新兴乡，距县城 15 公里，距新兴乡政府所在地 4 公里，往北约 500 米便是沅江。1995 年 4 月，为配合该乡新建机制砖场，考古人员在新兴嘴（祝家岗）进行了抢救性发掘。

简报分为：一、墓葬分布及形制，二、随葬器物，三、小结，共三个部分。有手绘图。

据介绍，首批清理了墓葬 10 座，均为中小型竖穴土坑墓。由于长期耕作，封土无存，一部分坑内填土曾经夯打，没发现使用白膏泥。葬具和人骨架均腐朽。随葬品以陶器为主。另有铜器，在 M5 中发现，保存极差，可能是铜编钟之类的冥器，体小壁薄，无实用价值。铁器，出土时锈蚀严重，可能是锄等工具。残玉环一段。这批墓葬可

分两组，第一组的时代为战国早期晚段到中段，第二组为战国晚期中到后段。

值得注意的是该墓群器物反映的时代虽属征战不已的战国晚期，但却与德山所出同时期墓葬特点大相径庭，不见有剑、戈、矛之类的兵器，出土陶器器形奇大，造型别致。各墓中完整的器物组合似乎还透露出一种和平宁静而少征伐气息，表明该地区社会生活处于相对平静之中，没有出现过重大变化，应一直处于楚人控制之下，属于楚人的后方。

1118.湖南常德德山茅湾战国墓发掘简报

作　者：常德市文物事业管理处　龙朝彬、郑祖海

出　处：《江汉考古》1997 年第 3 期

德山位于常德市区东南 5 公里处。1993 年 10 月，考古人员为配合当地工程建设进行了发掘，共发掘清理了古墓 25 座，出土各类文物 98 件。

简报分为：一、墓葬形制，二、出土器物，三、结语，共三个部分。有手绘图。

据介绍，墓葬规模较小，形制简单，属小型墓。墓葬为长方形土坑竖穴式，无封土堆，墓坑深浅不一，坐落在第四纪红色网纹土中，填土经捣碎，仅少数经夯打。各墓排列密集而无打破关系。因处于酸壤区又无厚的白膏泥保护，葬具和骨架均腐朽，仅极少数可见到棺椁和竹席痕迹，葬式均已不明。该处墓葬以罐、钵、豆为主，除 M22 外，随葬兵器较少。墓葬规格较小，形制大致相当，时代延续变化不大，没明显的贫富差别，简报认为该墓地可能为战国中期较早时平民的公用墓地。

1119.湖南常德跑马岗战国墓发掘简报

作　者：常德市博物馆　龙朝彬

出　处：《江汉考古》2003 年第 3 期

跑马岗战国墓群位于常德市鼎城区白鹤山乡，处于沅水流域和澧水流域交汇处的低岗上。1999 年冬为配合省道改道施工而进行了发掘。发掘地点南距常德市区 25 公里，为一古墓葬区。此次集中清理了 38 座战国楚墓，随葬品以陶器为主，其次为铜器和漆木器，是一批极有研究价值的楚文化资料。

简报分为：一、墓葬形制，二、随葬器物，三、时代及相关问题，共三个部分。有手绘图。

据介绍，38 座战国墓均为小型竖穴土坑墓，发掘前无封土和墓道，采用五花土回填，少数使用膏泥，部分经过夯筑，墓壁多垂直，修造规整，少数经过二次加工。墓葬主要呈东西或南北方向分布，各墓相距很近。除 6 座墓无随葬品外，其余各墓

共出土随葬品311件（套）。该墓群的时代，从战国早期至战国中期再到战国晚期末段。出土遗物中兵器仅见3件，与湖北雨台山出兵器的墓数略占总墓数的40%的现象大相径庭，显现当地应有一个相对平静的生活环境，无剧烈变革。大批战国晚期后段楚墓的出土，证明当时这一带仍应属楚人的势力范围。

1120.湖南常德黄土山板栗岗楚墓群

作　者：常德市文物处、常德市鼎城区文管所　王永彪

出　处：《江汉考古》2004年第1期

板栗岗楚墓群南距常德城区12公里。1997年至1999年，考古人员对这批墓葬进行了抢救性发掘，共发掘墓葬75座，其中东周墓68座。东周墓按墓葬形制分为三大类：带墓道的土坑墓，带二层台与龛的土坑墓，简单的土坑墓。出土随葬器物262件，其中陶器245件、铜器15件、铁器1件、石器1件。陶器组合形式主要分为日用陶器组合和仿铜陶礼器组合两大类。日用陶器组合的器物有鬲、罐、钵、豆等，仿铜陶礼器组合的器物有鼎、敦、壶、盒等。墓葬年代从春秋晚期到战国晚期后段。这批墓葬的发掘为楚墓和楚文化的研究提供了有价值的新材料。

简报分为：一、墓葬形制，二、出土遗物，三、结语，共三个部分。有手绘图。

据介绍，黄土山楚墓群所有墓葬现已均无封土堆，葬具、尸骨均腐朽无存，但可看出墓葬头向无明显规律。有4座墓为空墓。

张家界市

1121.湖南慈利石板村36号战国墓发掘简报

作　者：湖南省文物考古研究所、慈利县文物保护管理研究所　柴焕波　高中晓等

出　处：《文物》1990年第10期

1987年5、6月间，考古人员在慈利城关石板村发掘了一批战国、西汉墓葬。墓地在慈利县城东3.5公里，处于低矮的黄土山丘上，西临零阳水，西北约3公里处有澧水回绕而过。其中，36号墓为规模最大的一座战国墓。

简报分为：一、墓葬形制，二、随葬器物，三、结语，共三个部分。有照片、手绘图。

据介绍，此墓为长方形竖穴土坑木椁墓，发掘时，西南角尚存高2.5米、宽3

米的封土堆，其余已因建民宅被推平。墓坑填土分 3 层，坑口下 3 米为夯筑洗砂土，3 ~ 3.8 米为青绿色药物混合土，3.8 米以下至椁室周围和底部均为白膏泥。葬具为一椁一棺，保存完好。尸体已朽，葬式不明。随葬器物大部分置于头箱和东侧边箱。头箱出土铜器有鼎、钲、镜、剑、铍、戈、矛、镞等，陶器有鼎、敦、壶、缶、盘、勺、斗、匜，漆木器有奁、篦、镇墓兽、瑟等。头箱北侧出土竹简，覆盖在陶壶、漆奁上，因棺内隔板下陷和淤泥的侵入，已被压弯或断裂，错位十分严重。东侧边箱出土兵器及乐器等。此外，棺内前后部均发现“人”字纹竹席，应为包裹尸体所用。简报推断该墓为战国时期楚墓，墓主人为下大夫一级贵族。

简报指出，此次发掘最重要的收获就是竹简。由于淤泥渗入，出土时大部分互相紧粘在一起。竹片较薄，无一完整。完整时估计长约 45 厘米，数量约 800 ~ 1000 枚，2 万余字。清理后，共有残段 4557 片。竹简为毛笔墨书而成，部分残段字迹清晰，但有 60% 左右的文字字迹比较模糊，有些字还存在缺笔。字体不同，估计不是出自一人之手。文字风格与河南信阳长台关，湖北江陵望山 1、2 号墓出土的楚简相似。通过初步清理，知其为记事性的古书，内容以吴越二国史事为主，如黄池之盟、吴越争霸等，可能与《国语》《战国策》《越绝书》等某些记载相同。36 号墓所出竹简无论从史料内容还是从文字学角度都是不可多得的资料。此外，墓中所出的铜铍、铜镜等，均为以往发现中所少见。这一切，对于研究澧水流域的战国文化尤其是楚文化，都有极为重要的意义。

1122.湖南桑植县朱家台战国墓

作　者：桑植县文物管理所　尚立昆

出　处：《江汉考古》1991 年第 3 期

桑植县位于湖南省西北边陲，是个少数民族聚居区，境内山峦叠嶂，沟壑纵横，澧水就从这儿发源。朱家台坐落在县城西郊的澧水西岸，属新城区，版图隶属澧源镇朱家台村。它与桑植旧城一水相隔，越过澧水便是旧城。朱家台是一较大的台地，东西宽 1 公里，南北长 2 公里。1982 年 2 月当地基建发现古墓，进而进行了发掘。1988 年和 1990 年两次清理的战国墓共 22 座。这 22 座墓分布于四个地点，计老干部局院内 1 座、石油公司院内 1 座、朱家院子 2 座、皮肤病防治所院内 18 座，相距均在百米以内，基本属于同一地理环境。

简报分为：一、墓葬形制，二、随葬物品，三、结语，共三个部分。有照片、手绘图。

据介绍，已经清理的 22 座战国墓，都是小型竖穴土坑墓。因多年垦植和进行基本建设，封土已荡然无存，有的墓的填土和墓壁仅留下几十厘米。一般说来，窄坑墓的做工简单、粗糙，宽坑墓多数做工比较精细，墓壁光滑。大多有白膏泥。随葬品共计64件。其中陶器58件，占90%以上。铁器的出土值得注意，说明在战国中期，边鄙闭塞的桑植已在使用铁器。从器物形态上看，朱家台战国墓也强烈地反映出当地先民坚持土著文化为基调同时吸收和融合楚、中原、巴蜀等外来文化因素的做法。

简报称，朱家台战国墓随葬品中陶豆相当普遍。原因不详，只是豆在湘西区战国楚墓的随葬品中的位置，绝不在决定身份等第的鼎之下。湘西区在战国前后似有一个有别于长沙、江陵、巴蜀的“蛮国”，或有一个以豆为中心作随葬品的政治区域和埋葬制度。

1123.湖南桑植县朱家台战国瓦窑和水井发掘报告

作　者：桑植县文物管理所　尚立昆、周杨声
出　处：《江汉考古》1994年第2期

朱家台遗址在桑植县城西，距县城1公里许，属新城区，与桑植旧城仅隔一条澧水，隶属澧源镇朱家台居委会管辖。朱家台是一个较大的台地，方圆约2公里，庙弯田坐落在台地的东北端。1991年以来，考古人员为配合桑植卷烟厂、长征路等基本建设工程，在庙弯田附近方圆约150米的范围内，先后发掘探方18个，都获得大批筒瓦、瓦当、板瓦等遗物。当时推测此地有窑址或城址存在的可能，并曾多次寻找。1992年8月，为配合桑植县烟嘴棒厂基本建设工程，在朱家台庙弯田发掘了5米×5米探方6个，清理了1座古代瓦窑和1口水井。瓦窑和水井都完好无损。清理时，瓦窑内满装一窑已经烧好但未曾取出的陶瓦成品，窑门外北侧土台上堆放有一堆瓦碴，此外，还清理土灶1座，水池1个，柱洞17个，墓葬1座，获得各种遗物多件。

简报分为：一、地层与遗迹，二、出土遗物，三、结语，共三个部分。有手绘图、照片、拓片。

据介绍，这次发掘清理的庙弯田瓦窑、水井等都完整无缺，完好不损，实属罕见。它为研究澧水上源地区的历史、手工业史、植物史和少数民族历史等，提供了新的实物例证，也为寻找古充县城址提供了新的线索。简报推断，庙弯田瓦窑、水井、灶和房基应属战国中、晚期遗存。

1124.湖南慈利县石板村战国墓

作　者：湖南省文物考古研究所、慈利县文物保护管理研究所　高中晓、柴焕波等
出　处：《考古学报》1995年第2期

石板村位于慈利县城东3.5公里处，西距战国白公城城址1.5公里。墓地大部分

属于石板村的叶家凸，仅有一座墓（M4）属于邻村零溪村的朱家凸。20 世纪 70 年代初，在枝柳铁道工程中，曾于此处推毁过战国、西汉墓数十座。1986 年，县水泥厂在此地取土时，又发现古墓数座。1987 年 5 ～ 6 月，考古人员对此墓地进行联合发掘，共发掘战国墓 18 座、西汉墓 12 座。

简报分为：一、墓葬形制，二、随葬器物，三、分期与年代，四、结语，共四个部分。先行介绍此次发掘的 18 座战国墓的资料，有照片等。

据介绍，18 座战国墓多为长方形竖穴土坑墓。可分为三期，年代分别为战国早期、战国中期前段和战国晚期后段。一、二期风格与湖北楚墓相近，三期风格接近长沙楚墓。

简报指出，M36 是这次发掘规模最大的一座楚墓，有墓道，台阶，棺椁，铜、陶礼器，铜兵器以及漆木器和乐器，尤其有大量竹简出土，表明其不是一般庶民或士的墓，应属于下大夫一级墓葬。M36 出土的竹简，是湖南省以往所发现的楚墓中时代最早、数量最多的一次。以前在湖北、湖南、河南一带出土的楚简，如仰天湖二十五号墓、信阳一号墓、望山楚墓、天星楚墓、包山楚墓等，其内容涉及卜筮、疾病杂记、司法文书、遣策等几类，而石板墓葬出土的记载史事的竹简还是首次。这批竹简中屡屡出现“王曰”“是谓”“可谓”等字条，文理具有夹叙夹议性质。记载有楚和吴、越两国的史料，如“攻吴王夫差”“（越）王曰：吴为不道□□□社稷宗庙”等。其中所载“吴齐黄池之盟”“吴越争霸”等内容，与《国语》《战国策》《越绝书》等大体吻合。这批竹简无论对研究我国春秋战国时期的历史，还是研究文字学或书法艺术等，都是值得珍视的新资料。

简报称，此次出土的青铜器，品种较多，制作精美，其中多件保存有彩绘柄或积竹柲的兵器，在湖南还是首次发现。M36 出土的两件有柄的铜铍，是湘北已发掘的几百座楚墓中的首例。M20 出土的铜匕首、M36 出土的铜镜，也很精美。

简报认为，石板墓地是湖南省发掘的一处重要的楚国墓地，虽然发掘面积不大，但出土随葬品的种类和数量较多，尤其是兵器、竹简等一批重要遗物的出土，为这一地区的历史和文化以及对楚文化的研究都提供了重要的资料。

益阳市

1125.益阳楚墓

作　者：湖南省益阳地区文物工作队　盛定国等

出　处：《考古学报》1985 年第 1 期

20 世纪 50 年代初期，今益阳市郊陆贾山、桃花岭一带曾零散出土过一些楚式铜器，惜多已散失。1975年上半年，在距益阳市区20公里的烂泥湖水利工地发现了一批楚墓，考古人员进行了发掘。1977年下半年至1978年，为配合益阳县赫山庙、新桥山一带的基建施工，考古人员发掘了古墓220多座，内有楚墓150余座，出土了大批精美的楚文物。自1979年2月至1981年底止，为配合益阳市、县基建施工，考古人员先后在桃花岭、天成垸、赫山庙、羊午岭等地发掘清理古墓葬160余座，其中楚墓93座。这批楚墓的分布情况是：益阳市桃花岭10座（编号为桃M1～桃M10），益阳县天成垸23座（编号为天M1～天M23），赫山镇四十座（编号为赫M1～赫M40），羊午岭20座（编号为羊M1～羊M20）。上述墓地彼此相距不远，器物类型说太大的差别。

简报分为：一、前言，二、墓葬形制，三、随葬形制，四、结语，共四个部分。有照片、手绘图。

据介绍，这批楚墓均为中小型竖穴土坑墓，原来应有封土，部分稍大的墓有斜坡墓道。出土随葬器物820件，有陶器、石器、铁器、玻璃器、玉石器等。其中大批铁器的出土值得注意，表明益阳也是我国使用铁器最早的地区之一。另外，出土的带有巴文化特色的两颗铜印也值得重视。简报认为墓主人是战国初徙居楚地的巴人。

这批墓葬的年代，从春秋中晚期延续至战国晚期前段，下限应在秦国战国末年攻取益阳之前。

1126.湖南桃江腰子仑春秋墓

作　者：益阳市文物管理处　盛定国、邓建强等

出　处：《考古学报》2003年第4期

桃江县地处湘中偏北，资水从县境中间穿过。腰子仑墓地位于桃江县城关镇东南8公里处的桃谷山乡腰子仑村。从县城往南去灰山港的简易公路在墓地西边辟开一道缺口，当年修筑公路时，曾挖出多件越式青铜器，大部分器物当场遭到破坏并已散失。1986年，当地村民在墓地西南边掘土时发现铜剑等器物，由桃江县文物管理所收集。考古人员到现场进行调查，并发掘了一座已遭到严重破坏的狭长方形竖穴土坑墓。1987年12月，腰子仑村民在墓地取土烧砖，又挖出了多件青铜兵器和陶器。考古人员对生产区临危墓葬进行抢救性发掘，共发掘春秋墓葬14座。从墓葬形制及随葬器物分析，腰子仑墓群应属于越文化墓地。1989年11月，湖南省文物局举办全省文物考古工作人员培训班，决定在桃江腰子仑墓地进行发掘。共发掘春秋墓57座，出土了大批重要的越文化遗物。1990年12月，益阳市文物工作队对该墓地再次进行发掘。共发掘春秋墓44座，出土了一批重要遗物。

简报分为前言：一、墓葬形制，二、出土遗物，三、结语，共三个部分。有照片、手绘图。

据介绍，腰子仑历年共发掘春秋墓 113 座，均为竖穴土坑墓。出土陶器、铜器、铁器、石器等遗物 350 件。墓内人骨均已腐朽，墓具情况不明，并有 17 座是空墓。年代从春秋中期早段至春秋晚段到战国初期不等。桃江腰子仑春秋越墓群是迄今为止长江以南已大面积发掘的几个越文化墓地之一。113 座墓葬基本保存完好，出土遗物数量颇丰。墓地中反映出的楚、越文化相互交融的现象应引起注意，可为我们认识研究楚越文化提供新的材料。

桃江腰子仑越墓出土遗物全部为实用器。出土陶鬲并不同出越式陶鼎和越式铜鼎，而同出越式兵器、工具，可将出土陶鬲墓葬定为越文化墓葬中的楚人墓。从楚越两族共用墓地，并存在相互打破关系的情况看，可知春秋中期至晚期，这里楚、越两族混居，和平共处，并不是征服与被征服、统治与被统治的关系。楚人墓出土随葬品的数量与质量并不胜出越墓，甚至弱于越墓。楚越两族混杂而居，所以楚墓出土了一些越式兵器和工具；但楚越两族又固守自己的传统生活习性，所以楚人墓出土陶鬲等楚式陶器，而越人墓出越式陶鼎或铜鼎是非常自然的。

简报指出，楚人早在春秋中期就到了资水的中下游桃江一带，但可能只是少数地位低下的楚人因某种原因迁徙至资水中下游的偏僻之地，融入了当地土著越人的群落中，主动或被动地接受了越人的生产和生活方式，甚至包括丧葬风俗。春秋晚期至战国初期，楚人的政治势力大举进入资水中下游以后，生活在桃江腰子仑的越人逐渐融合于楚文化中。这与资水中下游战国早期以后已极少见越墓的情况相符。此次发掘，对应的正是这样一段历史。

郴州市

1127.湖南资兴旧市战国墓

作　者：湖南省博物馆　吴铭生等

出　处：《考古学报》1983 年第 1 期

1978 年秋，资兴县东江水电站动工兴建，县属旧市、厚玉两公社被划为淹没区。为配合水电站的工程，考古人员进行了发掘。历时两年，共发掘春秋至东汉的墓葬近 600 座，其中战国墓 80 座，集中发现于旧市。旧市位于资兴县城南 10 公里。据清《兴宁县志》记载，东汉以来这里一直是县治所在地，故有“旧县”之称。此地群山环绕，古墓成群，封土累累，民间相传有九十九堆之说，实际上这里是古代一个庞大的墓地。这次发掘的战国墓分为两个墓区：一个在旧市的曹龙山一带，有73座；另一个在公社所在地东向2公里的送塘山腰，有7座。送塘还有春秋早期墓。

简报分为：一、墓葬形制，二、出土遗物，三、年代推断，四、结语，共四个部分。有照片、手绘图。

据介绍，墓葬均为土坑竖穴，保存完整，有的至今还残存封土堆。按墓坑长宽比例划分，可分为长方形窄坑（一型）和长方形宽坑（二型）两大类。出土遗物478件，包括陶器236件、铜器177件、铁器32件、铅器2件、琉璃器22件、玉器1件、石器8件。年代有战国早期、战国中期、战国晚期三段。早期遗物多有百越文化风格。后期则楚国文物、百越文物并存。

简报指出，这些资兴旧市楚墓中包含着不少的百越文化的遗物，它不仅证实湘南确有百越文化的存在，而且为研究湖南地区百越文化的概貌，楚、越文化相互的关系，都提供了可贵的实物史料。

1128.湖南资兴出土战国农具

作　者：湖南省博物馆　吴铭生

出　处：《农业考古》1984年第2期

1978年秋，考古人员在湖南资兴县发掘了80座战国古墓。遗物中有47件铁、铜生产工具，计有铜工具17件、铁工具30件。

简报分为：一、种类，二、用途，共两个部分。有照片、手绘图。

简报的最后结论有三：一是战国时代楚的南疆铜、铁工具同时并用；二是新兴的铁制工具，已广泛得到应用，并且已经有了多种用途的农具；三是当地土著民族——古越族也使用了楚国先进的铁锄农具，在越式陶器组合墓中往往有楚式“凹”字形铁锄出现。

1129.湖南郴州东周墓发掘简报

作　者：郴州地区文物工作队　龙福廷等

出　处：《文物》1990年第10期

1984至1986年，为了配合基本建设，考古人员抢救性清理发掘古墓葬共80座，其中东周墓8座，编号为84郴电M1、85郴八M5、85郴地建M4、85郴八M9、85郴八M6、84郴高M5、85郴八M7、84郴收M1。

简报分为：一、墓葬形制，二、出土遗物，三、结语，共三个部分。有照片、手绘图。

这批墓葬分布在郴州市内东区、南区地势较高的地方，均属小型竖穴土坑墓。在其周围还发现有汉代和晋代墓葬。由于基建施工，原地面情况不清楚，墓室残存深度不一。按照墓坑长宽比例，可分为长方形窄坑（I型）和长方形宽坑（II型）墓两类。出土遗物计36件，其中陶器24件、铜器7件、玉器1件、玻璃器1件、石器3件。随葬的兵器只出剑、矛，而未发现戈。陶器不见鬲。84郴收M1出土的陶瓮、85郴八M6中的铜鼎属古越族的遗物，简报认为这批楚墓受到越文化的影响。I型墓中85郴地建M4年代为春秋时期，其余为战国早期。II型墓年代为战国晚期。

1130.湖南郴州发现随葬陶鬲的东周墓

作　者：龙福廷

出　处：《华夏考古》1997年第4期

郴州，位于湖南省南部、湘江上游，南与广东毗邻，东界江西，西邻广西，北达中原。境内溪流密布，丘陵起伏，自古是粤、桂通至中原的必经之地。这批出土陶鬲的墓葬，相对集中于郴州市区内高山背方圆约1平方公里的范围内。高山背处在郴州市内的东北部，地势相对较高，郴江水从东向西而流。

简报分为：一、墓葬形制，二、随葬器物，三、结语，共三个部分。有手绘图。

这批随葬陶鬲的墓葬共发现9座，均为中小型竖穴土坑墓，形制简单。除几座墓基建时被破坏外，未发现早期盗扰现象，有无封土已无法得知。这批墓葬共出土器物51件，其中陶鬲9件（可复原7件），陶器35件，石器1件。简报推断这批墓葬的年代应属春秋晚期至战国早中期。此次发掘为研究历史上楚国版图的南界、古代陶鬲的分布、楚文化与越文化的关系，都提供了重要的实物资料。

1131.湖南郴州出土的铁制生产工具

作　者：湖南省郴州市文物管理处　龙福廷、谢晓玲

出　处：《农业考古》1997年第1期

近年来，郴州市文物事业管理处在考古调查发掘工作中，从墓葬和遗址中出土了21件铁质生产工具。出土时锈蚀严重，但基本形状完整，其中有锸11件、铣3件、斧5件、锄2件。简报配以照片择其部分标本予以介绍。

这批铁制生产工具除标本8外均为从墓葬中发掘出土，而且大多数是在墓坑填土中发现的。另外，根据从墓坑底部出土的几件标本看，其放置的情况极不规范，有些侧放，有些直立，有些倒置，有些斜卧，还有些残缺不一。从出土的部位和出

土时摆放的情形分析，当时可能放置在棺椁上，由于棺椁腐朽，铁工具沉落于墓底。因此，简报断定它们都是当时挖掘墓坑的工具。铁锸的时代属战国时期，铁锨的时代应为战国，铁斧的时代应属西汉时期，横銎铁锄时代应属清代。

根据有关资料记载，郴州最早开发的矿物是铁矿。结合近年文物普查时发现的数十处古代冶炼遗址考证，这些铁器应是当地冶炼铸造的产品。说明郴州古城不仅用铁历史悠久，而且是古代重要的矿产资源采掘、冶炼的地区。这对追寻、研究湖南地区的冶铁史具有重要意义。

永州市

1132.湖南宁远县出土青铜兵器

作　者：周九宜

出　处：《考古》1990 年第 2 期

考古人员在距宁远县城 15 公里的下灌乡马脚洞村发现了周代青铜兵器，包括短剑 1 件（剑身长 22 厘米，宽 2 厘米，中有脊）、铜钺 1 件、铜矛 1 件（全长 10 厘米）、铜镞 1 件、铜戈 2 件（残，援长 15 厘米，宽 3 厘米）。简报配以照片予以介绍。

据介绍，这些青铜兵器是马脚洞村村民在取土制砖时发现的，已由宁远县文物管理所收藏。宁远县周代青铜兵器出土还是第一次，这批周代文物的发现，将有助于湘南地区与百越的历史文化研究工作。

1133.湖南宁远县出土的两件战国青铜兵器

作　者：周九宜

出　处：《文物》1996 年第 7 期

湖南省宁远县文物管理所新近收藏两件战国青铜兵器，为剑、矛各一件。兵器出土于县城以北 30 公里的柏家坪镇柏家村。县文物管理所闻讯前往勘查，发现器物出土地点有白胶泥，初步认为这是一座被扰乱的土坑竖穴墓。简报配以照片予以介绍。

铜矛长 22 厘米，宽 2.8 厘米。断面为菱形，中空，管形銎，起脊，两侧有弧形血槽，銎一侧有附耳。铜剑通长 55 厘米，身长 46 厘米，柄长 9 厘米，宽 4.6 厘米。起脊，喇叭形柄首，柄茎中部有两凸箍。根据这两件兵器的形制等特征，简报推断应为战国时期的遗物。

1134.湖南道县出土战国青铜兵器

作　者：宁远县文管所　周九宜
出　处：《考古》1996 年第 5 期

1986 年，道县进行文物普查时，在蚣坝乡大圹尾村征集和采集到青铜兵器三件。简报配以照片予以介绍。

据介绍，三件兵器计钺一件、矛一件、剑一件。后两件均残。三件兵器中，剑是在现场采集的，出土时共存有一头盖骨，应为墓中随葬品。钺的形制、纹饰特征具有战国早期越文化的特点。

1135.湖南江华县蒙家寨发现一件东周青铜镐

作　者：宁远县文物管理所　周九宜
出　处：《考古》1997 年第 4 期

1987 年，湖南省零陵地区文化局组织文物普查队对江华瑶族自治县进行文物普查时，在该县清圹乡蒙家寨遗址发现一件青铜镐。简报配以照片予以介绍。

据介绍，镐为竹叶形，两头圆尖内弧，外面平整光滑，内面中部合脊，色呈青黑色。镐叶全长 30 厘米，宽 12 厘米。四周刃口锋利，素面，未见纹饰及铭文，铸工精细。

该遗址有镂孔豆柄残片，故简报推断此镐为春秋时期遗物。

怀化市

1136.湖南麻阳战国时期古铜矿清理简报

作　者：湖南省博物馆、麻阳铜矿　熊传新、吴铭生、曾德球、陈建中
出　处：《考古》1985 年第 2 期

湖南麻阳铜矿在开采过程中，曾不断地发现一些矿脉已被前人部分地开采过。这样的采空区矿山俗称为老窿。在部分“老窿”中，先后发现了一些木支柱、铁锤、铁錾和陶器等遗物。1979 年 6 月，考古人员去铜矿对老窿进行了初步调查，从中采集了一些木槌、陶片等。木槌经北京大学历史系考古专业碳 14 测验室测定，年代为 2730±90 年，相当于春秋时期。1982 年 4 月，对老窿中保存较好的 2202 段进行了清理。简报配以手绘图予以介绍。

据介绍，麻阳铜矿位于麻阳县李家湾西北。发现的古矿设施相当简陋。井高仅0.6～1.4米，只能采用背负方式，发现有竹片、藤条。排水似采用人工舀水，遗留有木瓢、陶罐。通风采用自然通风。

简报称，麻阳古铜矿是继湖北大冶铜绿山春秋战国时期古铜矿之后，发现的又一重要古铜矿遗址。

1137.湖南沅陵木马岭战国墓发掘简报

作　者：湖南省文物考古研究所、沅陵县文管所　胡建军、夏湘军

出　处：《考古》1994年第8期

为配合五强溪电站基本建设工程，考古人员于1990年10月至12月，对五强溪库区淹没区暨新建移民区——沅陵境内的太常乡木马岭、窑头村地下文物进行了第一阶段抢救性清理发掘，发掘了战国至汉代墓葬101座。

简报分为：一、墓葬概况，二、出土器物，三、结语，共三个部分介绍暂编号90YTM106的战国墓，有照片。

据介绍，墓葬位于沅江北岸，濒临沅水和沅水支流穿衣溪畔，为江边丘陵地中一较平缓的山岗。墓葬东距沅陵县城约6公里，南距窑头战国古城约2.5公里。墓葬为长方形竖穴，葬式不明。据现场痕迹观察结合邻省研究成果，可推断为单棺单椁墓。该墓填土中出有2件铁器；陪葬头箱内出土陶鼎4件、陶敦2件、陶盖4件、陶盘1件、陶匜1件；另出土一套带有铭文的青铜砝码共计5件，青铜乳钉25枚和若干铜碎片渣。

90YTM1016墓年代大概不出战国晚期。沅陵县位于湖南省西北部，战国时期属楚黔中郡。目前从湖南境内沅水流域——溆浦、辰溪、沅陵、桃源、常德等地已发掘的大批战国末期楚墓资料来看，沅水流域的绝大部分地区直到战国末年仍掌握在楚国手中。该墓出土的一套彩绘陶礼器如鼎、敦、壶器物形态与湖南晚期楚墓主要器形特征基本一致。特别是鼎演变为小平底，菱形实足以及流行的陶礼器彩绘纹饰等均反映了湖南晚期楚墓的特征。

简报称，90YTM1016号战国墓是木马岭墓群中居中的一座，其中出土的铭文砝码是我国新中国成立以来经科学发掘的首次发现（1949年前湖南长沙近郊曾出土过砝码），这无疑对研究我国战国时期的衡制具有重大的意义。

1138.湘西地区出土的战国生产工具

作　者：湖南怀化地区文物工作队　向开旺

出　处：《农业考古》1994 年第 1 期

湘西地处湖南西部边陲，与川东、鄂西、黔东接壤。自古以来，这里就是少数民族聚居之地，素有“五溪蛮”地之称。从已发表的资料统计，这里已发掘战国时期的墓葬 288 座，出土文物 1717 件；古铜矿遗址 1 处，出土文物 80 件；另有待刊以及未整理的墓葬资料约 100 座，文物 300 余件。出土的 2000 多件文物中，属于生产工具的 41 件，包括木器、铁器两大类。简报现把这些资料详细综合介绍，有照片。

木器类生产工具，均是在麻阳古铜矿遗址中发现的，有 13 件。考古人员采集一部分实物标本。这批生产工具的年代属于战国时期。

铁器类生产工具，共出土 28 件。其中古丈白鹤湾 5 件，溆浦马田坪 7 件，溆浦江口 1 件，辰溪米家滩 2 件，麻阳 4 件，黔阳黔城 9 件。包括锄、镬、削、刀、刮刀、锤、夯锤、錾八种。另外古丈白鹤湾采集 1 件，溆浦马田坪 M76、溆浦高低村 M14 各出土 1 件，均锈蚀严重。出土的 11 件铁锄，均出于墓葬填土中，开始认为不是作为随葬物品埋入墓内，似为无意中遗弃的一种工具。其实不然，从现在湘西一些地区流行的将掘茔工具弃于墓内以去霉气的习俗看，简报认为，当今的流行习俗就是古代习俗的延伸和继续。它是掘茔人有意弃于墓坑的掘土工具。

1139.湖南怀化出土一件“武王”铜戈

作　者：怀化地区文物管理处　向开旺

出　处：《文物》1998 年第 6 期

1993 年春，湖南省怀化市中方乡恭园坡村民在罗溪掘洞采金时发现铜戈一件，后上交文物部门，现由怀化地区博物馆收藏。简报配以照片、手绘图予以介绍。

据实地调查，铜戈出自一座墓葬，墓约长 3 米，宽 1.6 米。墓葬已在采金取土时破坏，地面散见陶鼎、敦、壶等器物的残片，上面均有彩绘。简报将此戈定为秦国器，年代应在公元前 311 年至公元前 307 年之间。据铭文推测为秦武王之戈。

据《文物》1985 年第 6 期报道，1978 年 8 月，辰溪县城郊公社东风大队，也曾出土过剑形铜器 1 件，专家认定是春秋战国时期的兵器。

娄底市

湘西州

1140.湘西吉首出土錞于

作　者：湘西土家族苗族自治州博物馆　林时九
出　处：《文物》1984 年第 11 期

1981 年 8 月，湖南湘西土家族苗族自治州吉首县万溶江公社双合大队第五生产队农民在黄土园的麻园整屋场时，掘出一个窖藏，出土虎纽錞于 4 件、铜壶 1 件。简报配以照片等予以介绍。

据介绍，此 5 件铜器未见铭文，推断为春秋时巴人遗物。

1141.古丈白鹤湾楚墓

作　者：湖南省博物馆、湘西土家族苗族自治州文物工作队　吴铭生　贺　刚等
出　处：《考古学报》1986 年第 3 期

古丈县位于湖南西部，隶属湘西土家族苗族自治州。白鹤湾位于县西北之酉水南岸，距县城约 15 公里。1979 年该县文物专干罗尚全等在此发现古墓。1984 年秋为配合建设民族中学新舍，考古人员对墓地进行抢救性的清理，共清理墓葬 64 座，其中 M63、M64 位于距白鹤湾约 1 公里的沙湾。发掘工作历时 40 余天。

简报分为：一、墓葬形制，二、随葬器物，三、年代，四、结语，共四个部分。有照片、手绘图。

据介绍，随葬器物 313 件，包括陶器 214 件、铜器 88 件以及铁器、水晶器、燧石器等。年代上限为战国早期，下限为战国中期。

简报认为这批墓为楚墓，墓中出土兵器颇多，不仅包括楚文化兵器，也有巴人兵器。说明在战国早期，楚人已进入湘西，兵器之多，是楚人对湘西武力攻伐的体现。至于巴人兵器如带有巴人图腾虎的兵器，应是战利品。

1142.湖南龙山里耶战国——秦代古城一号井发掘简报

作　者：湖南省文物考古研究所、湘西土家族苗族自治州文物处、龙山县文物管理所　张春龙、龙京沙等

出　处：《文物》2003年第1期

里耶战国——秦代古城址位于湖南省龙山县里耶镇，在沅水主要支流酉水岸边，1996年由湘西土家族苗族自治州文物处文物调查时发现。古城所在的里耶镇东南距自治州首府吉首124公里。由于修建湖南省重点工程碗米破水电站，需在里耶镇酉水东岸修建防护堤。防护堤工程部分涉及里耶古城遗址。考古人员于2002年4月开始对古城址进行抢救性发掘。现已探明古井数座，清理完毕的有两座。发掘工作正在进行中。

简报分为：一、发掘区位置及探方分布，二、J1概况，三、出土遗物，四、结语，共四个部分。配以彩照、手绘图，先行介绍一号井的情况。

据介绍，里耶战国——秦代古城正好在今天的里耶小学内，避免了近年大规模基本建设的破坏。古城为方形，包括护城河和城墙墙基，南北长235米，东西现存150米，东侧临江处数十米已被江水冲刷掉。西北部分护城河尚保留。一号井位于城内遗址区。现在可见的井口距地表3米。井内堆积物分为18层（含28小层），出土了大量文物，其中最为重要的是简牍。简牍主要是秦代县一级政府的部分档案，内容包括政令、各级政府之间的往来公文、司法文书、吏员簿、物资登记等，具有重要的研究价值。

从简牍上的纪年看，这批文献主要是秦始皇及秦二世时的遗物，可见在那时秦王朝已对湖南武陵山地区实行严格的管理。从中可窥见秦王朝是如何具体运作的。

同刊同期载有李学勤先生《初读里耶秦简》一文，指出里耶秦简的性质为行政文书，有固定的格式和习语，与秦律《行书律》参照，知道有收发文书的时间与经手人员的记录。这些文书应为当时洞庭郡迁陵县的档案，而出文书的城址可能即迁陵县治。

广东省

1143.广东增城、始兴的战国遗址

作　者：广东省文物管理委员会、中央美术学院美术史美术理论系　莫　稚、李始文

出　处：《考古》1964 年第 3 期

增城西瓜岭遗址 1958 年发现，1962 年发掘。始兴白石坪山遗址，1961 年发现，1962 年发掘。

简报分为：一、遗址概况，二、随葬品，三、小结，共三个部分。有手绘图、照片。

据介绍，西瓜岭村和白石坪山这两处遗址虽均属于战国时期，但具体年代前者约为战国早、中期，后者约相当于战国中、晚期。出土有陶器、铜器、铁器、石器等。当时广东地区生产力还很低下，金、铁、马、牛、羊等，均由中原输入。

《考古》1961 年第 11 期，还曾报道了广东惠阳、钦县、揭阳等地出土的春秋战国时期的青铜器。

1144.广东发现的几座东周墓葬

作　者：何纪生

出　处：《考古》1985 年第 4 期

自 1962 年以来，广东各地连续发现东周墓葬，出土了一批青铜器、陶器，为研究广东先秦历史提供了重要的实物资料。简报配以手绘图、照片介绍四会龙江、怀集冷坑、佛岗高岗、龙门平陵等地发现的墓葬。

据介绍，4 个地点 5 座墓的时代，多数为战国时期，少数为春秋时期。虽然墓坑受到不同程度的破坏，器物也往往散失不全，但对研究广东先秦历史仍有一定价值。从广东东周时期墓葬的分布情况来看，西江流域和珠江三角洲是重要区域，发现墓葬最多，但其余地区除海南岛外，也有这一时期的墓葬发现。墓葬大都以青铜器为主要随葬品，说明东周时期广东青铜器相当普及，一般自由民也能使用。在青铜器组合方面，亦有一定的规律，一般的墓葬有炊器、兵器、工具，较大的墓葬才出容器、乐器和人首杖头器。

春秋墓往往只出一件几何印纹陶罐，战国墓最流行的是米字纹大陶瓮，几乎都在墓底另挖腰坑埋放。这时期釉陶器已逐渐推广。这些都反映出岭南先秦文化的发展和进步。

广州市

1145.广州东郊罗冈秦墓发掘简报

作　者：广州市文物管理委员会　麦英豪

出　处：《考古》1962 年第 8 期

1962 年 1 月初，考古人员在广州市东郊罗冈发掘两座长方形竖穴木椁墓（编号 62 区犀 M3、4 号）。4 号墓中出土铜戈一把，刻有“十四年属邦工”等字，为秦代遗物。这是广州地区在中华人民共和国成立后的考古发掘中首次发现有秦代纪年铭文器物的一座墓葬。

简报分为：一、墓葬位置及地面情况，二、4 号墓，三、3 号墓，四、小结，共四个部分。有照片。

据介绍，罗冈在广州市的东北面，距市区约 2 公里，是一个高约 10 米呈漫圆形的土冈，土质坚实，两墓同位于山冈顶部。3 号墓的东南角有近代建筑基础，深入墓穴填土达米许。4 号墓南壁的上半也被一座近代墓所破坏，由于墓穴较深，故下半仍保存完整。随葬品有铜器、漆器、陶器等，以陶器为大宗。据铜戈铭文，4 号墓的年代为秦末，3 号墓的年代为西汉初年。

1146.广州市增城县出土一件青铜甬钟

作　者：张　维

出　处：《文物》1992 年第 12 期

1984 年 4 月，增城县镇龙区汤村乡一农民在挖水松木根时，在离地表 0.9 米处出土青铜甬钟 1 件。此钟现存广东省博物馆。简报配以拓片予以介绍。

据介绍，甬为素面，有干，旋呈索状，断面径 1.4 厘米。枚高 3 厘米，直径 0.5 厘米。钟体呈黑色，范口显得很锋利。钟正面篆周围有尖利似刺的乳钉，上下为双行，左右为单行。钲部饰“人”字形纹，隧部饰云雷纹，中间饰有岭南地区青铜器特色的双“王”花纹。钟体背面纹饰与正面略同，但篆周围的小乳钉均呈单行排列，隧周围为“人”字形纹饰，中间无双“王”纹。

简报称，这件甬钟造型、纹饰独特，应是岭南地区制造的，年代可能为战国时期。

深圳市

1147.广东深圳大梅沙发现青铜兵器

作　者：邱立诚
出　处：《考古与文物》1987 年第 5 期

1982 年 8 月在深圳市东 20 余公里的盐田公社大梅沙古文化遗址发现青铜兵器两件：一件戈、一件镞。简报配以手绘图等予以介绍。

此两件青铜兵器的年代，简报推断为春秋时期。与中原地区同时期遗物大体相同，但也有些地方特色，应是当地土著越人所制。当时越人应受到了楚文化影响。

1148.深圳市叠石山遗址发掘简报

作　者：深圳博物馆　容达贤等
出　处：《文物》1990 年第 11 期

叠石山遗址位于深圳市南头区茶光村南面。1987 年 4 月，在配合广深高速公路基建施工的考古调查中发现此遗址，10 月发掘。共发现建筑遗址 1 处，包括柱洞 49 个、灰坑 1 个。出土大量文化遗物，有陶片、石器、青铜器和铁器。引人注目的是出土了 4 件铁斧。在广东地区，从夔纹陶类型文化遗址中出土铁器，尚属首次。

简报分为：一、遗址的分布和地层，二、遗迹，三、遗物，四、结语，共四个部分。有照片、拓片、手绘图。

据介绍，出土有磨制石器 5 件、青铜器 1 件、铁斧 4 件以及陶器等。陶器上有刻画文字或符号。出土的铁器不排除从湖南传至广东的可能性。叠石山遗址的年代推断为战国中期前后。

1149.广东深圳大梅沙遗址发掘简报

作　者：深圳市博物馆　叶　杨等
出　处：《文物》1993 年第 11 期

大梅沙遗址在 1982 年全省文物普查时被发现。1983 年市政府将之公布为市级文物保护单位。1992 年春，大梅沙海滩要被辟为旅游度假中心，为避免遗址遭到破坏，考古人员于 5 ~ 6 月进行了第一次发掘。

简报分为：一、新石器时代遗存（I 区），二、青铜时代遗存（II 区），三、结语，共三个部分。配有照片和拓片。

据介绍，在遗址地表采集到一些新石器时代和青铜时代的陶片以及 1 件青铜戈和 1 件青铜镞。出土有石器、陶器等。大梅沙遗址的年代为春秋晚期或战国早期。

珠海市

汕头市

韶关市

1150.广东始兴白石坪山战国遗址

作　者：莫　稚

出　处：《考古》1963 年第 4 期

1961 年 12 月，考古人员在始兴县发现一处战国时代遗址。遗址位于始兴县东南郊 3 公里白凤塘村旁的白石坪山上，并采集了不少几何形纹硬陶器的碎片和一件铁斧。1962 年 4 月，又到白石坪山遗址对尚保留下来的约 30 平方米的面积进行了全面清理，除了发现一个废窑坑外，还出土了大量几何形纹硬陶器和残片，又有板瓦、筒瓦和半瓦当，并发现一件铁口锄。简报配以手绘图予以介绍。

简报指出，出土遗物中以两件铁器最值得注意。由于它们是早于秦汉时代的铁制生产工具，就打破了过去认为的广东使用铁器不会早于秦汉时代的认识，这是相当重要的。这处遗址的年代最早不能越出战国，最晚不会及于秦汉。

1151.广东始兴县发现两座春秋墓

作　者：始兴县博物馆　廖晋雄

出　处：《考古》1988 年第 6 期

1985 年 7 月，考古人员在始兴县沈所区旱头岭进行野外考古调查时发现了两座被百姓取土破坏的古墓葬，赶赴现场进行清理。

简报分为：一、墓葬位置与形制，二、出土器物，三、结语，共三个部分。有手绘图、照片。

据介绍，旱头岭位于始兴县城西5公里，是一处高出平原的平坦山坡，东临墨江，北向浈江，西连群山，南望平原。两座墓葬位于山坡东部。墓葬均为长方形的土坑墓。随葬器物有青铜器和陶器，计有铜斧、铜剑、铜镞和陶杯，共5件。放置在墓底西北侧处。墓的年代简报推断为春秋晚期。

简报称，铜斧、铜剑的发现，丰富了广东出土青铜器的种类和形制，为研究岭南地区青铜器时代的历史提供了珍贵的实物资料。

1152.广东始兴战国遗址调查

作　者：廖晋雄

出　处：《考古与文物》1993年第1期

1987年6月26日，白石坪山正在扩建始翁公路。考古人员赶赴现场察看，发现大量绳纹板瓦、筒瓦和几何印纹陶片被民工取土时装运去填土方，故于1987年6月27、28日选择挖掘了一段山地做了一些清理工作。同时，在另一处被农民取土制砖挖出的古窑址底部，掘有石器、铁器和大量陶片，取得了一些资料。

简报分为：一、遗址位置，二、遗址，三、窑址，四、结语，共四个部分。有手绘图。

据介绍，遗址位于始兴县城东约3公里的白石坪山上，是一个高出地面20米左右的独立山丘。地势南高北低，总面积约3万平方米。考古人员试掘了一处窑址，地表遍布陶片，推断为战国遗址。始兴战国时属楚。在遗址中发现多件铁制工具，表明当时楚国铁制生产工具使用已较普遍。

1153.广东始兴县白石坪山战国晚期遗址

作　者：廖晋雄

出　处：《考古》1996年第9期

遗址位于始兴县城东约3公里的白石坪的山上，这是一座高出地面约20米的小山丘。山丘大部分为建筑物所占，东南部边沿因村民长年取土制砖，已被挖得坑洼不平，地表到处可见米字纹、水波纹等的陶片，以及绳纹板瓦、筒瓦碎块。1987年6月26日，考古人员得悉白石坪山正在扩建始翁公路，即赶赴现场调查，已出土有大量的绳纹板瓦、筒瓦和几何印纹陶片等遗物，遂于27、28日选择山丘东部边缘将被掘去的山地进行试掘。同时，在南部边缘一处被村民取土挖出的古窑址底部进行试掘，发现有石器、铁器和大量陶片。1990 年至 1992 年，又在该窑址处清理有石器、陶片等遗物。简报分为三个部分介绍了相关资料，有手绘图等。

据介绍，此遗址与 1961 年发现的战国窑址同在一座山丘上，相距 80 ~ 100 米。以米字纹硬陶为代表的战国陶片，在山丘地表上随处可见。山丘的北部和南部边沿各有一座窑址，在两窑之间的山丘东部边缘有房址。从布局看，此地可能是一处面积较大的战国晚期制陶作坊遗址。

佛山市

江门市

湛江市

茂名市

肇庆市

1154.广东德庆发现战国墓

作　者：广东省博物馆、德庆县文化局　徐恒彬、杨少祥、榻富崇
出　处：《文物》1973 年第 9 期

1972 年初，德庆县马墟人民公社凤村大队农民郭子林一家，在落雁山打房基，挖到铜鼎、铜斧、铜靴形刀等文物，及时报告了县文化部门。经清理发掘，初步认定是一座战国墓葬。

简报分为：一、墓葬结构，二、随葬器物，三、初步认识，共三个部分。有拓片、手绘图等。

据介绍，墓在落雁山的西坡，位于马墟东 3 公里，为长方形竖穴土坑墓，分前

后两墓室。随葬器物共 19 件，其中铜器 15 件、石器 3 件、陶器 1 件，大部分放置于后室，前室只随葬 2 件器物。该墓的年代，简报推断为战国时期。

1155.广东肇庆市北岭松山古墓发掘简报

作　者：广东省博物馆、肇庆市文化局　徐恒彬
出　处：《文物》1974 年第 11 期

1972 年 11 月底，广东省肇庆市电化厂职工在北岭松山脚建设厂房，挖出了一些青铜器。考古人员前往调查，清理发掘了这座古墓。

简报分为：一、墓葬结构，二、随葬器物，三、几点初步看法，共三个部分。有照片。

据介绍，古墓位于肇庆市西 7 公里，为土坑木椁墓。出土器物共 139 件，大部分是铜器，因器身较薄，经久腐蚀，不少已破碎，能看出器形的有 108 件，占全部出土器物的 78%。另有陶器 21 件，占 14.7%。金、玉、石、琉璃器 10 件，占 7.3%。此外，还有一些漆器，仅残存红、黑、褐等色漆皮。

简报认为，墓葬的年代不超过战国中期，而可能为接近于秦汉的战国晚期。

1156.广东四会鸟旦山战国墓

作　者：广东省博物馆　何纪生、杨少祥、彭如策
出　处：《考古》1975 年第 2 期

1973 年 7 月底，四会县省属大旺农场职工在鸟旦山挖泥时发现一批青铜器、陶器和砺石。考古人员于 8 月上旬到现场进行调查清理，发现是一座战国时代的竖穴土坑墓。

简报分为：一、地形和墓葬形制，二、随葬器物，三、结语，共三个部分。有手绘图。

据介绍，鸟旦山在县城东南 17 公里，位于绥江和北江合流的三角地。四会战国墓是长方形竖穴土坑墓，分前后室，后室比前室低，在后室中部挖一小坑，内埋陶器一件。随葬器物以青铜器为主，有炊煮器、容器、乐器、兵器、工具和人首柱形器六类，花纹特征与中原地区相似。此次还出土一件陶罐，口沿内划波折纹和连续波折形花纹各一。器外领下和器腹上下两段印方格纹，中间印席纹。简报指出，广东各地发现了大量的几何印纹硬陶文化遗址，大致包括三个阶段，分别以夔纹陶、米字纹陶和加戳印的方格纹陶为标志，前二者时代大约在春秋战国期间。在广州的西汉前期墓中还发现少量米字纹硬陶器，但已到尾声。四会战国墓和广东清远的两座春秋至战国早期墓一样都属于夔纹陶文化类型。从四会战国墓的规模和随葬器物看，墓的主人很可能就是一个拥有相当财富和权势的奴隶主。年代简报推断为战国早期或略晚。

1157.广东广宁县龙嘴岗战国墓

作　者：广东省文物考古研究所、广宁县博物馆　刘成基、吴海贵
出　处：《考古》1998 年第 7 期

龙嘴岗位于广宁县南街镇巷口管理区，北距广宁县城约 5 公里。墓地发现在岗脊的缓坡上，基本顺山脊分布，墓向大致为东北至西南向。

1995 年 6 月，广宁县长荣竹木制品公司在龙嘴岗进行基建施工时，发现一批青铜器和陶器。考古人员赴现场考察，确认应为古代墓葬遗物。据民工提供的线索和遗物出土的位置，考古人员判断这批遗物当出于 5 座墓葬，可依次编号为 M1 ～ M5。同时，还清理了已暴露器物的 M6，从而证实这里是一处重要的战国墓地。1996 年 1 月，考古队对龙嘴岗战国墓地进行正式发掘。此次发掘面积达 300 余平方米，共清理战国墓葬 9 座，编号 M7 ～ M15，出土遗物 200 余件。

简报分为：一、墓葬形制，二、随葬器物，三、结语，共三个部分。有手绘图、拓片。

这批墓葬从形制、随葬品特征及组合等方面皆与两广及邻近地区的战国中晚期墓葬相类似。随葬品中未见到两广地区在汉代流行的那种普遍引入中原和楚地风格的仿铜陶礼器和汉式铜器。简报推断，这些墓葬的时代应在战国晚期，这批墓葬的主人属古越族。

惠州市

1158.广东博罗出土一组青铜编钟

作　者：邱立诚、黄观礼
出　处：《考古与文物》1987 年第 6 期

1984 年 5 月，博罗县分庄区陂头乡大沥散屋村村民在住宅旁边的坡地上挖水沟时，于距地面深约 20 厘米处发现了 7 件青铜钟，呈层叠式堆放，估计是窖藏的遗物。简报配以照片予以介绍。

据介绍，这 7 件铜钟均为甬钟。其中 6 件大小相递，形制一致，花纹风格基本相同。博罗分庄这批铜钟的年代，可定为春秋时期。1 至 6 号钟看来是一组配套的，而 7 号钟的风格与其他钟有异，可能是另行配入的。

1159.广东博罗县园洲梅花墩窑址的发掘

作　者：广东省文物考古研究所、博罗县博物馆
出　处：《考古》1998 年第 7 期

博罗县位于广东省中部，地势由北向南倾斜。园洲镇北面是罗浮山地，南面和东、西两面均为河谷平原地带，东江由镇南边缘流过，隔江与东莞相望。梅花墩窑址地处园洲镇田头管理区塘角村东面，东距博罗县城约 35 公里，西距园洲镇约 5 公里。其附近北有沙河，南有东江，水上交通便利发达。该窑址是 1975 年文物普查时发现的，分布范围约1万平方米。梅花墩为一土墩，四周是一片低洼的水田。这里原有三个高墩，分别为拉尾墩、中间墩和梅花墩，三墩呈南北排列，相距约 20 米。1973 年进行农田水利基本建设时，拉尾墩和中间墩被平整为水田，梅花墩亦遭破坏，但仍保留下墩址。1992 年 1 月，考古人员对窑址进行了首次发掘，出土了大量遗物，并发现一座龙窑的后半部分，当时只作了部分清理。1995 年 1 月，又在原探方基础上进行扩方，将未清理完的龙窑作了全面揭露。

简报分为：一、地层堆积和遗迹现象，二、出土遗物，三、刻画符号，四、结语，共四个部分。

梅花墩窑址是一处以夔纹陶作为主要特征的文化遗存。目前在广东地区已发现的夔纹陶类型文化遗存已达 200 多处，但经正式发掘并已公布的资料却不多，梅花墩窑址的年代约为春秋早期。

简报称，梅花墩窑址出土的原始瓷器是一种高岭石质，烧制时温度高达 1270℃，才可制成吸水率低于 2% 的青釉瓷。

梅州市

1160.广东五华县棉洋墟发现一座战国墓

作　者：邱立诚、李雄坤
出　处：《考古》1988 年第 10 期

1984 年 4 月，五华县棉洋区罗城乡的一户农民在雄鸡拔羽山的南面山脚平整屋基时，发现了一批陶器。考古人员前往调查。经现场勘察，推断为土坑墓所出。该山为一小山岗，高约 20 米，位于棉洋墟镇东南 3.5 公里。棉洋河在山的西面自东南向西北流过。一起出土的陶器共 8 件，均为硬陶。器形有罐、缶、壶、碗、钵等。简报配以手绘图予以介绍。

这批陶器的花纹中，夔纹显然已规格化，拍印整齐、精致。简报推断这批遗物属夔纹陶遗存中的晚期类型，年代约在战国早期。

简报称，以夔纹陶为特征的遗存在广东分布很广，一般认为其年代约在西周后期至战国早期。但对其陶器组合形式至今仍不甚清楚。这次五华发现的遗物，为了解粤东这一时期的陶器组合提供了宝贵的资料。

汕尾市

河源市

1161.广东龙川县出土战国青铜器

作　者：黄　跃
出　处：《考古》1994 年第 3 期

1986 年 3 月，龙川县丰稔佐拔村农民在建坟时，发现一批古代青铜器。考古人员前往出土地点进行了实地调查，查明这批文物均出自一个窖穴。窖穴为长方形，长宽为 75 厘米 ×60 厘米，深约 65 厘米，四壁是黄褐色生土，底为原生黄砂质土。青铜器在坑的西南侧堆放。简报配以照片予以介绍。

据介绍，青铜器为钺、斧、矛各一件。经鉴定，这批青铜器应属战国晚期文物。

阳江市

清远市

1162.广东清远的东周墓葬

作　者：广东省文物管理委员会　莫　稚、朱非素、李始文
出　处：《考古》1964 年第 3 期

1963 年 10 月中旬，在清远县三坑公社马头岗上发现了一件青铜斧。同月 25 日，

又在同一个地点，发现了一批青铜器、石器和陶器。考古人员前往调查试掘。

简报分为：一、墓葬形制和地层情况，二、随葬品，三、小结，共三个部分。有手绘图。

据介绍，此为一狭长形土坑竖穴墓。葬具已朽，葬式不明，编为二号墓。随葬品有青铜器 35 件、石器 3 件、陶器 1 件。墓葬时代应相当于中原地区东周时期，墓主人应为一有权势之人。

1163.广东英德发现战国青铜剑

作　者：邝茂盛、朱超参

出　处：《考古》1995 年第 1 期

1989 年 6 月，地处英德县西牛镇小北江河旁约 300 米的西牛中学，在平整体育运动场地时，从一座高约 8 米的山丘上，于离地面深约 2.3 米的地层中，出土 3 件青铜剑。简报配以手绘图予以介绍。

据介绍，三剑均残损，均收藏于英德县博物馆。这些青铜剑的发现，不但对研究当地的历史文化有重要意义，而且也为研究岭南战国时代的历史文化提供了重要的实物资料。

东莞市

中山市

潮州市

1164.广东潮安梅林湖西岸新石器时代遗址

作　者：曾广亿

出　处：《考古》1965 年第 2 期

1960 年 4 月，揭阳、梅县、潮安三县进行文物普查，共发现新石器时代遗址 50 多处。简报配以手绘图予以介绍。

据介绍，梅林湖西岸遗址位于潮安庵埠之西约 7 公里。遗址之东是梅林湖，南是庄陇山，西靠牛头山，北是金沙村。遗址的范围约 400 米 ×500 米，采集到的遗物有石器 10 件。陶器有两种，一种是灰黑色夹砂粗陶，约占总数的 90%，火候不高，手轮兼制；另一种是灰黑色硬陶，火候高，轮制。纹饰不很复杂。这处遗址的年代应相当于中原的春秋战国时期或稍晚一些，但其下限应该早于西汉。

揭阳市

1165.广东揭阳县战国墓

作　者：广东省博物馆、汕头市文管会、揭阳县博物馆　邱立诚、刘建安、陈瑞和、吴道跃、黄　克

出　处：《考古》1992 年第 3 期

1973 年至 1987 年，揭阳县先后发现了 16 座战国墓。其中云路镇中厦村面头岭 15 座，编号 M1 至 M15；仙桥镇平林村狗屎埔山 1 座，编号 M16。

简报分为：一、墓葬分布及其形制，二、随葬器物，三、结语，共三个部分。有手绘图、拓片。

据介绍，面头岭是一座高约 30 米、坡度平缓、呈南北走向的山岗，位于县城榕城镇东北约 12 公里处，西面不远处有车田河流经。平林村狗屎埔山也是一座低矮山岗，位于县城南面 7 公里处。面头岭的 15 座墓，分布于山的南面山坡，其中 M1、M15、M5 靠近山麓，M2、M3、M10、M14 接近山顶，其余分布在半山腰处。这些墓葬大多数是当地农民平整土地、建造房屋时发现。墓坑多被毁去，随葬品亦多被扰乱和毁损，仅 M1、M3、M14、M16 残存墓坑。这四座墓均为长方形土坑竖穴墓，人骨和葬具腐朽无存。16 座墓共出土器物 112 件，其中青铜器 36 件、铅器 7 件、原始瓷器 47 件、陶器 20 件、石器 2 件。这批墓葬的年代为战国时期。此外，从陶器的形制与广东各地所出有更多相同之处，推测这批墓葬的主人当属土著南越族。

1166.广东揭西县先秦遗存的调查

作　者：广东省文物考古研究所、中山大学人类学系　邱立诚　曾　骐

出　处：《考古》1999 年第 7 期

揭西县位于广东东部榕江流域。20 世纪 80 年代以来，揭西县博物馆在河婆、五

经富、坪上等地调查发现几处先秦时期的遗存，采集了一批有研究价值的遗物。

简报分为：一、北坑山遗址，二、庙山遗址，三、虎尾崃遗存，四、赤岭埔遗存，五、其他地点，六、结语，共六个部分。有手绘图、照片。

据介绍，北坑山与庙山遗址的陶器，其形制、纹饰都与普宁虎头埔窑址基本相同，其年代属新石器时代晚期。赤岭埔的周代遗物中，石犁为农耕用具，其他遗物可分为两组。第一组遗物的年代应与五华屋背岭遗存相接近，即大致在春秋前后；第二组遗物的年代应与揭阳中厦战国墓的二、三期遗物相当，大体为战国中晚期。

简报称，揭西含拍印组合纹陶的遗存中不见夔纹陶，这种情况与北邻的丰顺县很相似。这或许是夔纹，或许是陶这种器物对这一地区影响较少所致，有待进一步探讨。

云浮市

1167.广东罗定出土一批战国青铜器

作　者：广东省博物馆　徐恒彬
出　处：《考古》1983 年第 1 期

1977 年冬，在广东罗定县太平公社引太运河水利工地劳动的农民，挖出一批青铜器。这批青铜器出自三个墓葬。M1、M2 在南门垌发现。南门垌是山谷中一座较平坦的山丘，前面是太平河，后面是大山，引太运河工程从山丘前部切过，挖掉了这两座墓。M3 在山口外，已达山口角处，距 M1 约 1 公里。简报配以拓片、手绘图予以介绍。

据介绍，三墓均为长方形土坑竖穴墓。随葬器物共收集到 151 件，除 8 件陶器和 2 件石器外，余均为青铜器，有的上有字形符号，应是青铜器铸造者的标记。三墓中 M1 最大，长 4 米，宽 2 米左右。出土的器物也大多制造精美，表明死者的身份应为奴隶主贵族。随葬的 43 件铜斧都堆放在一起，均有打磨和使用痕迹，显然不是墓主人个人使用的工具。三墓的时代，简报推断为战国时期。

1168.广东首次发现齿刃铜镰

作　者：广东罗定县博物馆　陈大礼
出　处：《农业考古》1985 年第 1 期

1983 年 11 月，在广东省罗定县背夫山战国墓出土了一件齿刃铜镰，这是目前我国南方地区仅见的一件齿刃铜镰。

据介绍，该铜镰器薄，一面光平，另一面器上边缘和柄下部边缘有一道宽带，柄中有一圆孔，刃缘有一细密的锯齿，刃面饰平行细密而凸起的斜线纹，前端斜出收尖锋。器长 15.2 厘米，高 4.2 厘米，刃长 11 厘米。

简报称，我国出土的青铜齿刃镰，主要分布在江汉及长江下游地区。一般认为齿刃铜镰的存在与水稻的种植有关。罗定县是广东西部偏远山区，这件齿刃铜镰的出土，已引起学界的关注。

1169.广东罗定背夫山战国墓

作　者：广东省博物馆、罗定县文化局　邱立诚、毛衣明

出　处：《考古》1986 年第 3 期

1983 年 11 月下旬，考古人员在罗平区沙头乡横垌村背夫山发现了一座土坑墓（编号 M1）。

简报分为：一、地理环境与墓葬形制，二、随葬器物，三、结语，共三个部分。有手绘图。

据介绍，背夫山是一座高约 20 米的小山岗，位于罗定县罗平圩镇东南 7.5 公里的横垌村后，为长方形竖穴土坑墓，有腰坑，葬具、人骨均已朽。随葬品包括容器、乐器、仪仗器、兵器、工具等，计有青铜器、玉器、石器、陶器、原始瓷器共 116 件，青铜器计 98 件，占 84%。青铜器多见用织物包裹痕迹，其中剑套在髹漆黑地朱绘云雷纹木鞘内；箭镞盛放在黑地朱绘的矢箙内，部分镞铤尚见有残木藁；矛、钺、斧、凿等器的銎口内亦见有残木柄；鉴内有竹编织物痕迹。简报推断该墓为战国早期越人墓葬。

1170.广东罗定出土战国青铜鱼叉

作　者：广东省罗定县博物馆　陈大远

出　处：《农业考古》1987 年第 1 期

1983 年 11 月，广东省罗定县罗平区背夫山战国墓出土了一件少见的渔猎工具——青铜叉。简报配以照片予以介绍。

据介绍，该叉为山形，通长 17 厘米，最宽 8 厘米，柄长 6 厘米。该叉在广东是首次发现，以前各地报道亦少见到。从叉的两侧带有倒刺分析，不宜作兵器使用；其在墓中摆放的位置亦与兵器分开，而与篾刀、削、凿、镰和砺石等放置在一起。据此，推断这应为一件青铜质渔猎工具。该叉的发现为研究南方青铜器时代渔猎经济的特点提供了宝贵的实物资料。

广西壮族自治区

南宁市

1171.广西宾阳县发现战国墓葬

作　者：广西壮族自治区文物工作队　覃义生、兰日勇

出　处：《考古》1983 年第 2 期

1977 年秋和 1979 年冬，宾阳县甘棠公社上塘大队韦坡村村民建造新房清理墙基时，在两个地点先后各发现一批青铜器，其后送存宾阳县图书馆。1980 年 1 月，考古人员证实这原是两座战国墓葬，据其发现的先后编号为 M1、M2。简报配以照片、手绘图予以介绍。

据介绍，韦坡村处于丘陵地区，东、南两面是延绵起伏的土岭，西北面为开阔平地，距宾阳县城 44 公里。这两座墓发现于韦坡村中部，根据实地调查和其所处的地理环境来看，这里可能是一处古墓群。M1 是 1977 年秋发现的，M2 是 1979 年冬发现的。两座墓随葬的铜器出土时是齐全的，存放期间略有散失或残破。M1 现存钟 1 件、鼎 1 件、剑 2 件、矛 2 件、斧 3 件、刮刀 2 件、叉形器 6 件。已知散失的器物有铜钟 1 件、陶碗（杯）1 件。M2 现存铜钟 2 件、铜剑 1 件、铜叉形器 1 件。M1 铜器锈残严重，M2 铜器则较完整。未见铭文。这两座墓葬应为战国时代的墓葬。这两座墓葬皆有铜钟出土，墓主生前可能是有一定社会地位的人。

1172.广西武鸣马头安等秧山战国墓群发掘简报

作　者：广西壮族自治区文物工作队、南宁市文物管理委员会、武鸣县文物管理所　黄云忠、叶浓新等

出　处：《文物》1988 年第 12 期

1985 年 10 月，考古人员在武鸣县马头乡进行文物调查时，根据当地百姓提供的线索，在乡政府所在地马头圩附近的安等秧山坡上发现一处战国时期墓葬群。同年

10 月，考古人员对墓群进行了抢救性发掘，共清理土坑墓 86 座、方形土坑 12 个。

简报分为：一、地理环境与墓葬形制，二、随葬器物，三、小结，共三个部分。有照片、手绘图。

据介绍，墓葬主要分布在武鸣县城东北 30 多公里的安等秧坡顶及较为平缓的东、南、西三面坡地上，东、南两面又较西面密集。由于水土流失，墓坑及部分器物暴露地表。此墓群的规模较小，全系长方形土坑墓，未见葬具及人骨痕迹。随葬器物简单，数量不等，最多 14 件，少的一两件。另有约占总墓数 30% 的墓葬完全没有随葬品。随葬品一般为实用兵器、生产工具、生活用具和少量装饰品，没有明显的器物组合规律。年代简报推断为战国时期，应为骆越民族的墓地。

1173.武鸣独山岩洞葬调查简报

作　者：武鸣县文物管理所　黄民贤
出　处：《文物》1988 年第 12 期

1987 年 4 月，在进行文物调查时，两江乡三联村伏帮屯韦容高等人向考古人员交出 1986 年 11 月他们在村后独山的一个岩洞里发现的十多件古代铜器、玉石器、陶器等。考古人员当即进行了实地调查。同年 5 月再次进行了实地调查。简报分为“地理环境及岩洞葬概况”“随葬品”等几部分并配以照片予以介绍。

据介绍，随葬品主要是铜器，还有陶器和玉石器，共 15 件。岩洞葬的年代应与安等秧战国墓相当或稍早。

简报称，独山岩洞葬的随葬品以铜兵器和工具为主，品种比较齐全，表明墓主人生前社会地位较高。这一洞葬的发现对研究我国南方民族史具有一定的价值。

柳州市

1174.广西柳江县出土春秋战国青铜器

作　者：刘　文、汪燧先、熊启校
出　处：《文物》1990 年第 1 期

1986 年 4 月，柳江县进德乡木罗村农民在挖鱼塘时发现 4 件青铜器，送交柳州市博物馆。从出土地点来看，这里可能是一处窖藏。简报配以照片予以介绍。

据介绍，甬钟 1 件，甬长 5.9 厘米，中空，与钟体相通，断面呈椭圆形，有干和一残耳，旋已脱落。舞作两面坡形，上饰旋纹，篆及隧部饰云雷纹，钲中间饰双线“S”纹。短剑1件，叶较宽，中部有一道裂痕，脊直通锋尖，但未至格部。近格处铸短线纹，呈“八”字形排列，短线纹中间饰一人面纹。另还有无名器1件，已残破。还有1件铜器因破裂，器形不明。这批青铜器的时代应为春秋战国时期。

简报称，出土的青铜器中，人面纹短剑和无名器，在广西是首次出土。

桂林市

1175.广西恭城县出土的青铜器

作　者：广西壮族自治区博物馆

出　处：《考古》1973年第1期

1971年11月间，广西壮族自治区恭城县加会公社秧家大队的农民在秧家附近取土修路时，发现了一批青铜器。考古人员勘查了出土地点，了解了出土的情况。简报配以照片予以介绍。

据介绍，秧家在恭城县的东北部、茶江的西岸，离县城约30公里。青铜器出土的地点就在秧家南面1公里处的社公山和大山头之间、恭灌公路旁的坡地上。器物发现在距地表约2米处，全部系取土时挖出。出土时多数完整，部分已破碎，计有鼎、尊、罍、编钟、戈、钺、剑、镞、斧、凿、车器等，共33件。这批铜器未经正式发掘，缺乏出土地层和墓葬形制的证据，器物上又没有明确的铭文可供考证，确切年代较难断定。但从遗物可推断这批青铜器的年代属于春秋晚期或战国早期。

简报称，恭城县成批出土青铜器还是首次。它们的特点，与中原地区的东周铜器颇多共同之处，都属于中原青铜文化的范畴。从共存关系上，它们不仅为同类铜器的断代研究增添了可靠的标尺，为探索我国古代南北文化的交流和发展也提供了新的资料。因而，这批青铜器的发现，可以补充记载的不足，对于研究广西地区古代历史文化的发展，也具有相当重要的意义。

1176.平乐银山岭战国墓

作　者：广西壮族自治区文物工作队　蒋廷瑜、韦仁义等

出　处：《考古学报》1978年第2期

银山岭位于广西壮族自治区平乐县张有公社燕水大队，离平乐县城东约40公里，

地处五岭山脉都庞岭的南侧。从地理形势上来看，银山岭处在古代跨越五岭山脉的重要通道——湘桂走廊的东侧。银山岭海拔 397 米，地面长满松树和杂树。地下埋藏有丰富的锰矿砂。墓地在银山岭西北麓，墓地是采矿时发现的。自 1958 年以来，民工们在勘探和采矿过程中不断发现青铜兵器、陶器和铁器。1974 年 2 月，考古人员进行了详细勘探，并清理已暴露的 6 座墓葬，证实这是一处重要的战国两汉墓地。同年 11 月正式进行发掘，历时两月结束。

简报分为前言、墓葬形制、随葬器物（附收集器物）、和小结等几个部分，先行介绍其中的战国墓，有照片、手绘图。

据介绍，此次共发掘墓葬 165 座，出土遗物 1400 余件。其中战国墓 110 座，汉墓 45 座，晋墓 1 座，时代不明者 9 座。战国墓都是竖穴土坑墓，除极个别在地面还有稍为隆起的封土堆以外，绝大多数都没有封土堆。墓室规模较小，形制简单。极个别墓底还铺有一层薄薄的白膏泥或炭末。有 10 座墓墓底铺河卵石，占总墓数的 9%。有 87 座墓墓底挖有腰坑，占总墓数的 79%。腰坑的形状有方形、长方形和圆形，以方形为最多，共 50 墓。长方形次之，计 21 墓。圆形 9 墓，形状不明的 7 墓。葬具和人骨都已腐朽。从现存迹象可以推定，有的有棺有椁，有的有棺无椁，个别墓也可能无棺无椁。葬式不明。随葬品较简单，一般都是实用的兵器、生产工具、生活用具。组合比较有规律。具体可区分为五种形式：

一、兵器＋生产工具＋生活用具，30 座；

二、陶纺轮＋生产工具＋生活用具，37 座；

三、兵器＋生活用具，17 座；

四、生产工具＋生活用具，15 座；

五、其他 4 座。

有铜兵器的墓不出陶纺轮；相反，有陶纺轮的墓不出铜兵器。这种现象绝不是偶然的，似与墓主人的性别有关。有铜兵器而无陶纺轮的墓应是男性，有陶纺轮而无铜兵器的墓应是女性。这批墓的年代，简报认为是战国时期，个别的为战国晚期甚至秦至西汉初期。墓主人应为古代越族人。

据《史记·吴起列传》，楚国以吴起为相时，曾“南平百粤”。但吴起变法为时甚短，历史文献上没有留下以吴起为代表的楚国统治者如何经营岭南的记载。一般说来，战国中、晚期，岭南仍然处在几个奴隶制部族的分裂控制状态下，但他们与楚地的往来从未间断。这里的文化受楚的影响是理所当然的。这批墓葬与江淮地区楚墓有不少相似的地方。公元前 221 年，秦军发动了统一岭南的战争，在湘江和漓江的上游开凿了灵渠，沟通了长江和珠江两大水系，为楚越的交往打开了通途。至秦汉时期，岭南地区形势大变，地方文化色彩逐渐与中原融为一体。

梧州市

北海市

崇左市

1177.广西扶绥县山地崖画的调查

作　者：广西壮族自治区文物工作队、扶绥县文化局　覃圣敏、梁纯业、覃彩銮
出　处：《考古与文物》1985 年第 6 期

扶绥县位于广西西南部的左江下游，属喀斯特峰林—槽谷地带。境内山峦起伏，群峰竞秀，左江自西向北蜿蜒穿流其间。过去，在左江两岸的渠黎、渠旧、扶南、龙山等公社境内的高山绝壁上，曾发现 14 处崖画。1984 年 6 月，在渠黎、岜盆、昌平、龙头等公社进行文物调查时，在远离江河的石山崖壁及洞穴里，新发现了 12 处崖画。简报配图予以介绍。

据介绍，新发现的岩画位于岜来山、后底山、仙人山等山地之中。画面以人物为主，数量从 15 个人到上千个人不等。时代为战国时期或稍晚。广西南部左江流域的崖画，不仅数量多，分布广泛密集，而且画面规模宏大，内容丰富多彩，具有鲜明的地方民族特色。时代简报认为是战国时期或稍晚。

来宾市

1178.广西象州县发现一批战国文物

作　者：广西壮族自治区文物工作队　蓝日勇等
出　处：《文物》1989 年第 6 期

1980 年 3 月，象州县罗秀公社军田大队下那曹村村民在村边小河旁清理水碾房地基时，挖出一批铜器和陶器。1982 年，考古人员到当地进行文物普查时，征集了

这批文物。文物出土地点已盖上房子，原埋藏情况不明。简报配以照片予以介绍。

据介绍，这批文物有铜矛、铜人首柱形器各1件，铜钺2件；陶罍1件、陶双耳罐2件、陶小罐1件。文物的年代属于战国时期。

简报称，这批文物集中于一地出土，且器类较多，铜、陶器相杂，应是一座战国墓葬的随葬品。如果是这样，在广西中部地区发现战国墓及其随葬品，这还是第一次。它们对于研究广西青铜文化和战国时期的历史，不失为一批重要的实物资料。

贺州市

1179.广西壮族自治区贺县出土一批战国铜器

作　者：广西壮族自治区贺县文物工作队　覃光荣

出　处：《考古》1984年第9期

1980年冬，贺县铺门公社陆合大队农民在贺江边劳动时，发现了一批古代青铜器，当即送到县文化馆。简报配以照片予以介绍。

据介绍，青铜器有斧13件、钺5件、镞2件。从铜器种类、形制，推断其年代为战国时期。这批战国铜器的出土，为研究岭南这一时期的文化和中原文化的关系提供了新的实物依据。

1180.广西贺县龙中岩洞墓清理简报

作　者：贺县博物馆　张春云

出　处：《考古》1993年第4期

1991年7月，贺县沙田镇龙中村农民在村东的石山上看见一只狐狸钻进山洞，即邀集数人撬开洞口封石进去追捕，无意中在洞内发现一批精美的大型青铜器。考古人员前往调查，发现是一座以天然岩洞为墓穴的古墓葬，并进行了清理。

简报分为：一、墓葬结构，二、文化遗物，三、结语，共三个部分。有照片、手绘图。

据介绍，岩洞墓位于贺县沙田镇龙中村红硃岩山西南麓的半山坡上。东西两侧是石山地带，北面山下是龙中小河，南面隔着宽约500米的平地也是石山地带。平地为狭长形，有小溪自东向西流过。岩洞为天然小岩洞，长18米，宽1.8～3.4米，高0.85～3.8米。洞口用大石块封堵，外表用天然巨石掩饰，泥土填隙。前洞比洞口低近2米，略呈椭圆形。地面是疏松的黑土，厚约40～100厘米。前洞后半部有一道厚约50厘米的岩层把墓室分隔成上下两层。隔层上置一件青铜叉形器，这是整个前洞唯一的一件现存器物。与前洞隔一道长1.0米、宽2.5米、高0.8米的过道是后洞。后洞平面呈长辣椒形，前大后尖。器物已全被农民取出。此遗址的年代，简报推断为战国，或可晚至战国晚期。这批器物是在中原文化影响下并吸收了楚滇因素、在当地铸造的土著越文化青铜器。

玉林市

百色市

1181.广西田东发现战国墓葬

作　者：广西壮族自治区文物工作队

出　处：《考古》1979年第6期

1977年6月，田东县祥周公社甘莲大队在该村附近的锅盖岭发现一批青铜器。考古人员前往现场调查，并进行了发掘，证实原是两座战国墓葬。简报配以照片予以介绍。

据介绍，锅盖岭是一座坡度平缓的小土岭，距右江约4公里。一号墓位于岭顶，仍存有封土堆，葬具无存，有残存人肢骨，出土铜器8件，据发现人说乃呈东西向一字形排列放置。二号墓位于岭西坡，距一号墓约30米。葬具已朽，但仍见木板腐朽痕迹。人骨架外形完整，仰身直肢，两腿微伸张。随葬铜器6件、玉饰5件，分别置于胸部、腰两侧和脚旁。填土中有夹砂粗陶片二片。两座墓的铜器出土时基本完整，除一件矛呈黝黑色以外，其余锈色都呈草绿色，有土锈黏附。该墓的年代，简报推断为战国晚期。

1182.广西那坡县感驮岩遗址发掘简报

作　者：广西壮族自治区文物工作队　那坡县博物馆　韦　江、何安益

出　处：《考古》2003年第10期

那坡县位于广西壮族自治区西南边缘、云贵高原南端，其西北与云南相邻，南部与越南接壤。感驮岩遗址位于那坡县城北约500米的人民公园内，是六韶山余脉后龙西侧山脚一个宽敞的洞穴遗址，洞内有碑刻、石刻54方。1958年，曾在洞内发

现较多的磨制石器和陶片。1962 年，考古人员对洞内残存的堆积进行了试掘，将文化堆积划分为三层，清理出一批陶器、石器及动物遗骸和螺壳，确认是一处新石器时代遗址。为了弄清遗址的保存情况，1997 年 8 月 ~ 1998 年 1 月，考古人员对该遗址进行了发掘，发掘总面积约 380 平方米。

简报分为：一、地层堆积，二、第一期文化遗存，三、第二期前段文化遗存，四、第二期后段文化遗存，五、战国文化遗存，六、结语，共六个部分。有手绘图、拓片。

根据地层关系、出土遗物特征及碳 14 年代测定数据，简报推断：第一期的年代约为距今 4700 年；第二期的年代为距今 3800 ~ 2800 年；M1 的年代大约相当于战国时期。

河池市

钦州市

1183.广西灵山出土青铜短剑

作　者：黄启善

出　处：《考古》1993 年第 9 期

灵山县位于广西壮族自治区的东南部，属于丘陵错列的山区。1974 年以来，该县三海、石塘、新圩、佛子、平南、沙平、烟墩等地陆续发现一批战国至秦汉时代的陶罐、铜剑、铜鼓等遗物。1983 年，在全区文物普查时，发现这些地区分布着战国至秦汉时代的墓葬。简报配以照片、手绘图，介绍了灵山县文物管理所收藏的三件青铜短剑。

据介绍，三件青铜短剑分别出自三海、石塘两个公社。虽然未发现有伴随物作为断代的依据，但从实地考察的情况，再参考剑本身的造型、纹饰来看，三把青铜短剑的年代，最早不超过战国时期，同时也不会晚于秦汉时代。

防城港市

贵港市

海南省

海口市

三亚市

三沙市

重庆市

1184.四川涪陵地区小田溪战国土坑墓清理简报

作　者：四川省博物馆、重庆市博物馆、涪陵县文化馆
出　处：《文物》1974 年第 5 期

涪陵地区小田溪一带处于乌江畔的台地上。1972 年在此清理发掘了三个巴族墓葬，其出土物丰富多彩，为研究我国巴族历史与各民族之间文化的交流融合，提供了新的研究资料。

简报分为：一、第一号墓，二、第二号墓，三、第三号墓，四、结语，共四个部分。有照片。

据介绍，小田溪第一号墓出土了大批铜器，陶器多已破碎散失。除兵器、酒器外，还有 14 个编钟。二号、三号墓出土的铜器也较为突出，其中刻有铭文的戈等，是四川地区战国墓中过去少见的。这三座墓的时代应属于战国时期。

简报称，第一号墓因无确凿的证据，不能肯定为巴的先王陵墓，但至少也应属上层统治人物的墓葬，否则不可能殉葬这样多的精美铜器。小田溪出土的这批文物中，有一部分是相当精美和珍贵的，如错金编钟、错银兽头饰件、镂空双龙纹方铜镜、错银云水纹铜壶等，过去在四川还未见出土。这些铜器证明了战国时代四川地区青铜冶炼、铸造和制作等工艺已达到相当高的水平。

1185.四川涪陵小田溪出土的虎钮錞于

作　者：徐中舒
出　处：《文物》1974 年第 5 期

1972 年，考古人员在涪陵上田溪清理和发掘了三座墓葬。小田溪二号墓除出巴文铜器之外，又出虎钮錞于一、钲一。錞于形制特小，无纹饰。钲亦较小，上有巴文符号，下并列二篆文“王”字。錞于与钲同时出土。

简报介绍，小田溪二号墓有錞于与钲，说明墓主人应有他所号令的士众，应是巴部族的一个酋长。钲上有二“王”字，可能表示他在巴部族内还是称王的。由于墓制

和錞于都小，又可表明他仅是一个小部族的王。小田溪二号墓的时代属于战国时期。

1186.四川涪陵新出土的错金编钟

作　者：邓少琴
出　处：《文物》1974 年第 12 期

涪陵巴族墓葬中出土了 14 枚编钟。编钟由大到小，大者高 27 厘米，小者高 15 厘米，依次递降，基本是成套的。大的多数有错金，小的未错金，与中原地区整套一致者又小有区别。此套编钟比长台出土编钟还多一枚，其出现在战国时期巴族贵族墓中，为我们研究巴族与中原的交往以及中国音乐史，都提供了珍贵的实物资料。

1187.四川涪陵小田溪四座战国墓

作　者：四川省文物管理委员会、涪陵地区文化局　张才俊
出　处：《考古》1985 年第 1 期

1980 年底，涪陵小田溪队办砖厂烧砖取土时发现墓葬。考古人员发掘了三个小型土坑墓和一个残墓，编号 M4 ~ M7，出土器物 46 件。简报配以手绘图、照片予以介绍。

据介绍，三座墓葬均为竖穴土坑墓，墓口略大于墓底，墓坑填土为黄褐色土，并夹有少许绳纹灰陶片。墓坑有狭长形、长方形、方形圆角三种。随葬器物共 46 件，有铜、陶、玉、琉璃等类，其中以铜、陶类器物为多。简报推断，这三座墓属战国时期。

1188.万县又发现虎钮錞于

作　者：廖渝方
出　处：《四川文物》1991 年第 1 期

1989 年 7 月 14 日，万县甘宁乡高梁村公社村民发现铜器。考古人员前往调查。简报配以手绘图、照片予以介绍。

甘宁乡东距万县市 30 公里，这里是三国时东吴甘宁将军故里，故有此名。出土器物为一件青铜虎钮錞于和一件四环钮罍盖，发现时被卡在甘宁坝西侧山地溪沟旁的巨石缝隙中。錞于高 68 厘米，重 30 公斤，上有类似文字的 5 组符号。这两件器物的形制、纹饰均带有强烈的地方色彩。特别是錞于上的 5 组符号，同已知的巴蜀兵器上的符号相同，而这种符号，很多学者都认为是巴蜀古族表达某种信息的专用符号。铜器年代大体在东周时期。

1189.南川出土青铜器

作　者：罗晓耘
出　处：《四川文物》1993年第6期

1990年1月3日，南川县半河乡德春村水利工程中出土铜釜、铜簋各一件。器物出土于距河面百余米高的悬崖石隙中，坐南向北。崖脚系山涧，两岸皆为陡壁。出土时，大、小器物套装覆置于浅灰色风化石泥层中，上覆盖80厘米左右黄泥土，可能是窖藏。简报配以照片予以介绍。

据介绍，铜釜口径36.5厘米，颈径26厘米，通高30厘米，重8.5公斤。铜簋口径24.5厘米，通高14.5厘米，壁厚0.2厘米，颈径19.8厘米，唇宽2.8厘米，圈足底径15.8厘米，重1.9公斤。两件器物纹饰、铜质相同，当为同一时代。其中铜簋与《山东沂水发现商代青铜器》一文中的陶簋形状极似，因此简报推断该器物的时代不会晚于春秋前期。铜簋的出现，在南川尚属首次。

1190.四川开县余家坝战国墓葬发掘简报

作　者：山东大学考古系　栾丰实
出　处：《考古》1999年第1期

余家坝位于长江支流彭溪河右岸的一级阶地上，由两条大致平行的低矮土岗组成。余家坝属渠口镇云安村，西北距开县城14公里，南去1公里即为云阳县界。墓地位于余家坝中部，东侧紧邻彭溪河，西为云安村十二组的农舍。墓区分布于坡地上，面积5万多平方米。1987年8月，考古人员发现了这一遗址，1992年7月进行了复查，1994年春对余家坝遗址进行了小规模发掘，发掘面积190平方米，发现战国墓葬3座，元明时期的墓葬和灰坑各1座。

简报分为：一、地层堆积，二、墓葬形制，三、文化遗物，四、结语，共四个部分介绍战国墓葬的情况，有手绘图、拓片。

据介绍，余家坝墓地的3座墓葬均为土坑竖穴墓，葬具为一棺或一椁一棺，出土器物以青铜器为多。M2和M3两座墓葬，时代应相当，很可能是一对夫妻的并墓葬。M4的墓室较大，墓主生前的社会地位显然要高于M2和M3，其身份应是中下级军官。

简报称，余家坝应是一处十分重要的巴人墓地。这一墓地的发掘，对于进一步揭示巴文化的内涵和促进巴文化研究的深入，无疑会有重要意义。

1191.四川奉节老油坊遗址试掘报告

作　者：吉林大学考古学系　赵宾福、滕铭予、李　言

出　处：《江汉考古》1999 年第 3 期

老油坊遗址位于川东地区奉节境内，属朱衣乡仙女村，地处长江北岸，东北距奉节县城约 14.5 公里，于 1993 年发现，1994 年试掘。

简报分为：一、地层堆积，二、遗迹，三、遗物，四、结语，共四个部分。有手绘图。

老油坊遗址出土的遗物数量有限。其中石器和骨器数量很少，一时还难以了解其全貌。所见陶器全部为碎片，无一件完整或可复原者，但颇有特色。该遗址的时代，简报推断为东周末期或汉初阶段。

1192.重庆云阳李家坝东周墓地 1997 年发掘报告

作　者：四川大学历史文化学院考古学系、重庆市文化局、云阳县文物管理所　罗二虎等

出　处：《考古学报》2002 年第 1 期

李家坝遗址位于重庆市云阳县境内的长江北侧支流彭溪河（小江）东岸，行政区划属高阳镇青树村，1996 年以前隶属四川省。

重庆市云阳县李家坝遗址是长江三峡水库淹没区内的一处重要古文化遗址，于 1987 年四川省文物普查时发现。为配合长江三峡水库工程建设，1992 ~ 1993 年考古人员先后对该遗址进行了复查和试掘。1994 ~ 1995 年又对该遗址进行了两次试掘。1997 年 10 月至 1998 年 1 月，首次对该遗址进行了抢救性大规模发掘，田野工作历时三个半月。

简报分为：一、遗址概况，二、地层堆积，三、墓葬概况，四、墓葬举例，五、随葬遗物，六、分期与年代，七、结语，共七个部分。介绍了 1997 年该遗址 II 区东周墓地的发掘情况。有照片、手绘图。

据介绍，该遗址遗存可分三期，分别对应战国早期、战国中期和战国晚期前段。墓葬分为无葬具墓、单椁墓、单棺墓、单棺单椁墓等。这是一处战国时期三峡西部地区巴人很重要的中心聚落，反映出的文化基本是巴蜀文化。在东周时期，这一地区主要是属于巴国的统治区域，蜀国的势力从未达到过这里，因此这里的居民从总体上讲应当属于巴人。至于在墓地中有少量的墓葬表现出强烈的楚文化面貌，应当看作是当时的巴人受到了楚文化的强烈影响。有的墓有殉人现象。在巴蜀文化的墓葬中发现殉人尚属首次。这种殉人与目前我们所能见到其他文化中的殉人方式均有所不同，突出的特点是将殉人砍成数段后再放入墓内殉葬。这实际可能是先将殉人

杀死后作为人牲祭祀死者，然后再放入墓内殉葬，与《后汉书·南蛮西南夷列传》中记载的巴人用人祭祀祖先的习俗相符。

1193.重庆万州中坝子遗址第四次发掘简报

作　者：西北大学考古队　冉万里

出　处：《文博》2002年第3期

中坝子遗址位于重庆市万州区（原万县市）小周镇涂家村二组，地处长江北岸的一级台地。1997年、1999年、2000年进行了三次发掘。2000年10月～2001年1月，又进行了第四次发掘。

简报分为：一、地层堆积，二、商周时期遗存，三、结语，共三个部分。介绍了第四次发掘的情况，有拓片、手绘图。

据介绍，商周时期遗存中发现大量打制石器，其中包括加工石器的工具——石锤，说明中坝子遗址所出土的打、磨制石器特别是打制石器主要属于商周时期。在三峡地区其他地方类似发现也大量存在。由此可见，打制石器是中坝子遗址商周时期文化的一个重要组成部分。打制石器属于旧石器时代范畴，但三峡地区在商周时期仍然大量使用，这是一个值得深思的问题。中坝子遗址发现的三座墓葬的年代不早于战国中期，下限在战国晚期。东周时期墓葬的发现为三峡地区东周时期墓葬研究提供了新的实物资料。同时，M39所出土的铜矛，具有典型的巴式铜矛特征，不仅为这批墓葬的族属提供了重要证据，也为进一步研究巴人的分布区域提供了重要证据。

1194.重庆开县余家坝墓地2000年发掘简报

作　者：山东大学考古学系、重庆市文化局、开县文物管理所　栾丰实、陈淑卿

出　处：《华夏考古》2003年第4期

余家坝位于重庆市开县渠口镇云安村，西北距开县县城约14公里。余家坝由大体平行的两道南北向低矮土岗组成，现已全部开辟为梯田。墓地在余家坝的东北部，东临彭溪河。据船夫介绍，由于雨季洪水的冲刷，临彭溪河的一侧时常坍塌，曾发现过被河水冲出的铜器。1992年确定为一处战国墓地，1994年进行过小规模试掘，2000年冬进行了较大规模的发掘。

简报分为三个部分，介绍了2000年的发掘情况，有拓片、手绘图。

据介绍，重庆开县余家坝墓地系战国晚期巴人墓地。2000年发掘墓葬50余座，墓葬形制皆为竖穴土坑，葬具多一棺一椁，葬式皆为单人仰身直肢。男性墓中多随

葬成组兵器，其上多饰虎纹；女性墓中则多见玉玦串饰。此墓地的完整揭露和研究，对认识三峡地区巴族历史有重要意义。

1195.重庆市开县余家坝墓地 2002 年发掘简报

作　者：山东大学东考古研究中心、重庆市文化局、开县文物管理所　栾丰实、王　芬

出　处：《江汉考古》2004 年第 3 期

开县余家坝墓地是长江三峡地区一处极为重要的战国时期巴人墓地。余家坝遗址位于重庆市开县渠口镇云安村余家坝东北部，20 世纪 80 年代发现，1994 年、2000 年、2001 年均进行过调查、发掘。2002 年 10 ～ 11 月，又进行了第三次发掘，共发掘墓葬 12 座。它们在墓葬形制、棺椁制度和随葬品组合上与以往发掘墓葬存在共性，但也表现出了明显的自身特色。

简报分为：一、地层堆积，二、典型墓葬举例，三、结语，共三个部分。有手绘图。

2000 年的发掘出土各类遗物共 88 件（套），其中铜器 6 件、铁器 3 件、陶器 70 件、漆器 5 件、印章 2 件、串饰 2 套（石贝类）。简报重点介绍了其中的 M122、M126 等 5 座。墓葬均为长方形土坑竖穴葬，葬式有仰身、下肢伸直而上前肢交叉置于腹部的习俗。葬具多为一椁一棺。随葬品有陶器、铜器、漆器。

余家坝第三次发掘所表现出的地方特色，主要表现在以下三点：一是墓室面积相对较大，埋藏也较深。墓室长度超过 3 米的有 7 座。多数墓葬深埋 2 米以上。二是用青膏泥的现象明显减少。三是随葬品的数量增加，种类变成以陶器为主，位置也从棺内变为放在棺椁之间。简报认为，余家坝所葬应为同一族属的人，但在年代上应有早晚的不同。即前两年发掘的墓葬，时代以战国中晚期为主；而 2002 年发掘的这一部分墓葬，其时代相对要晚一些，应为战国晚期至西汉初年。

1196.重庆忠县石匣子和洞天堡战国墓地发掘简报

作　者：重庆师范大学历史与文博学院、北京大学考古文博学院　杨　华等

出　处：《考古》2009 年第 12 期

石匣子、洞天堡两处墓地位于重庆三峡库区忠县县城东北长江北岸的山前坡状台地上，距忠县旧县城约 2 公里，隶属于重庆市忠县郑公村 2、9、10 村（组）。为配合三峡大坝工程建设，自 1994 年以来，考古人员先后在这一地带进行了 10 余次考古发掘，发现了相当于新石器时代中期和晚期的哨棚嘴文化类型遗存，以及夏商

周及以后各个时期的文化遗存。同时，还陆续发掘了新石器时代至宋代墓葬约150座。2006年5～8月、2007年4～7月，考古人员再次对石匣子、洞天堡行了考古发掘。在石匣子墓地共清理墓葬7座，其中战国墓4座、西汉墓3座；在洞天堡墓地共清理墓葬13座，其中战国墓7座、西汉墓5座、新莽墓1座。

简报分为：一、地理环境及墓地概述，二、墓葬形制，三、出土遗物，四、结语，共四个部分。先行介绍两处墓地中11座战国墓葬的情况，有手绘图等。

2006年、2007年在石匣子和洞天堡两处墓地发掘的这批墓葬，其形制有长方形宽坑和长方形窄坑两种，以长方形宽坑为主。年代也相对集中，绝大多数是战国中期楚墓，这是目前在三峡西部地区（巴国腹地）考古发现的楚墓分布最多的一个地点。石匣子一带清理的楚墓，简报认为其年代是在公元前278年秦灭楚以前，由此可见这一地区在战国中期甚至战国早期已被楚国控制。当时楚国控制这一地区的目的可能是控制整个峡江地区，掠夺这一地区的盐业资源，同时防止巴、蜀、秦东下入侵楚国。石匣子一带楚墓的发现，为研究战国时期楚国势力向西扩张的历史提供了重要的实物资料。

1197.重庆忠县崖脚楚墓2000年发掘简报

作　者：北京大学考古文博学院三峡考古队、重庆市忠县文物保护管理所　蒋颖、李洪斌、钟　治

出　处：《四川文物》2009年第1期

2000年，考古人员在三峡库区重庆忠县崖脚墓地D区发掘出土了一批战国中、晚期楚文化墓葬。这是迄今为止在三峡地区发现的分布位置最偏西的楚墓。这批墓葬规模较大，文化因素较单纯，为研究战国中、晚期楚的疆域、楚巴之间的关系提供了难得的资料。

简报分为：一、前言，二、墓葬分述，三、结语，共三个部分。有手绘图。

据介绍，崖脚（半边街）墓地位于重庆市忠县忠州镇郑公村9～11组（现属忠州镇郑公社区）。DM25、MD40，因地下水位较高，木质棺椁保存较好，特别是DM25，棺椁都基本完整地保存下来，目前在峡江地区仅发现一例，是非常罕见的，为我们了解当时楚人的埋葬习俗提供了直接实物资料。另本次发掘公布材料的9座墓中，6座长方形墓有2座使用青膏泥，狭长方形墓中3座只有一座使用青膏泥。使用青（白）膏泥是楚墓中普遍的现象，在崖脚墓地却只占少数，其原因值得探讨。

1198.重庆涪陵槽沟洞战国巴人洞穴居址调查简报

作　者：重庆师范大学、重庆市文化遗产研究院、涪陵区博物馆　武仙竹、邹后曦、黄　海等

出　处：《江汉考古》2013 年第 3 期

槽沟洞位于重庆市涪陵区荔枝街道篙枝坝村 5 组，洞口面向南，洞穴西邻重庆工贸职业技术学院，东临酸竹槽（为一南北向小山谷）。洞穴北距涪陵市主城区（长江岸边）约 7 公里，洞穴附近有省级公路（5303）与主城相通。洞穴东距乌江约 2 公里，但与乌江之间有海拔较高的陡峭山峰阻隔（山峰海拔高度约 700 米），无道路相通。槽沟洞洞口宽约 8 米，高约 2.1 米。洞穴深度（平面长度）未探查至尽头，该次调查在洞穴（平面长度）约 30 米的范围内进行。

简报分为：一、地理位置与试掘简况，二、地层堆积，三、出土遗物，四、结语，共四个部分。配有照片和手绘图。

据介绍，遗物中发现有罐、釜、鍪、豆等陶器。器形特点与三峡地区战国时期巴文化器物特征一致，并且兼具有楚文化某些特点。出土动物骨骼种类较多，包括野猪、鹿、水鹿、水牛、猪獾、熊、虎、豹、鲤鱼、鳡鱼、青鱼、白头蝰蛇等，反映出巴人的生活环境，是狼虫虎豹等动物繁盛的自然环境。三峡地区巴人居址以前主要发现于临江阶地，槽沟洞遗址首次证明战国时期巴人也曾以洞穴为居所。遗址遗物反映出巴文化与楚文化相互融合以及三峡地区山地居民与滨江居民文化交流的现象。白头蛙蛇遗骸是巴文化遗址中第一次发现的蛇类骨骼，为研究巴人生存环境及其与蛇相关的文化信仰等找到了实物佐证。

四川省

成都市

1199.成都羊子山第 172 号墓发掘报告

作　者：四川省文物管理委员会
出　处：《考古学报》1956 年第 4 期

羊子山是成都北郊驷马桥附近的一个大土堆，距城约 4 公里。山高 10 米，直径约 160 米。1953 年，因取土烧砖瓦，此地发现了许多墓葬，从战国至唐宋墓都有，其中 172 号墓是战国墓中最大一座。

简报分为：一、墓葬形制，二、随葬品，三、结语，共三个部分。有照片、手绘图。

据介绍，羊子山是座筑成的土台，原来略成正方形。台的中心先用土砖（即未烧过的砖坯）砌成一个略成正方形的圈子，每边长 31.67 米，厚 6 米，方圈中央填土打夯。在这个小圈子外面 12 米的地方，又用土砖筑成一个方圈，内外两层方圈之间又用夯土填实。这一层方圈的厚度如何和这层方圈之外是否还有一层方圈，因土已被挖去，不能确定。不过据羊子山占地面积看来，外面很可能还有一层方圈。土台上从战国末年起直到现在，已成为丛葬的地方，可见荒废已久。其建筑时期自然要更早些。172 号墓为木椁墓，出土有陶器、铜器、漆器、玉器、车马器、石器等。铜器上有较简单的文字，与中原各地文字不同。从此墓的发掘看，战国时成都已有较高的文明，不仅受中原的影响，也有一定的地方色彩。

1200.成都青羊宫遗址试掘简报

作　者：四川省博物馆　沈仲常
出　处：《考古》1959 年第 8 期

遗址位于成都南郊南河（锦江）支流磨底河东岸，1954 年 10 月发现并进行了清理。1958 年 4 月，又进行了一次试掘。

简报分为：一、遗址位置及试掘经过，二、地层概况，三、文化遗物，四、结语，共四个部分。介绍了1958年的试掘情况，有照片、手绘图。

青羊宫遗址的主要遗存为陶器，此外还有卜骨2片、卜龟1片等，还有个别铜器、石器，应为春秋战国或更早的古代遗存。

1201.成都南郊出土的铜器

作　者：赖有德

出　处：《考古》1959年第8期

1957年4月15日，考古人员征集到铜器8件，经调查得知出土于成都南门外约2公里一处墓葬。考古人员前往清理，发现人骨架1具、陶器4件等。现确认出土的铜器9件，有铜戈3件、铜刀1件、铜斧2件等。简报配有照片。年代推断为战国。出土铜戈上有虎纹。巴人崇拜白虎，以虎为图腾，喜用虎纹。

1202.成都百花潭中学十号墓发掘记

作　者：四川省博物馆

出　处：《文物》1976年第3期

百花潭位于成都西南约1公里。1964年夏至1965年春，百花潭中学扩建时发现战国时期的土坑墓葬一座。考古人员进行了清理，编号10号墓。

简报分为：一、墓室，二、随葬品，三、小结，共三个部分。有手绘图等。

据介绍，该墓为狭长方形土坑竖穴，可能为船棺，棺壁有朱痕，应是棺的颜色。随葬品共48件，其中陶器1件，不能复原；铜器47件，其中有一铜壶，上有图像，值得注意。该墓的年代，简报推断为公元前4世纪末的战国时期。

1203.四川郫县发现战国船棺葬

作　者：郫县文化馆　梁文骏

出　处：《考古》1981年第6期

1976年12月，四川省郫县晨光公社向阳大队二队灌溉渠旁发现战国时期船棺葬，因经水冲刷，仅残存船棺底。出土文物有巴式剑（带花纹）1件、铜钱2件、残矛1件、铜戈1件与铜釜残片（有烟炱痕迹）。其中铜戈带有铭文，简报配以手绘图等予以介绍。

简报称，郫县在战国时期属古蜀国，古蜀国曾在此建都较久。这两件铜戈的发现，证实了古蜀国确有文字。古蜀国定都于郫，从望帝杜宇开始到丛帝鳖令（一作鳖灵）为帝所建立的开明王朝为十二世。如果按《路史余论》中的说法，则整个开明王朝在战国时期统治蜀国有“三百五十年”之久。蜀国在开明王朝统治时期的第一个帝鳖令，原先是楚国人。他在战国时期从楚国来到蜀国，是治水的能手。他溯江而上，到达蜀国的都城郫县，见了望帝，当了丞相。他开玉垒山，以治水的功劳，对川西农业的发展作出了重大的贡献，当上了蜀国的皇帝。这件铜戈上的字体，与长沙识字岭战国墓中的“长邦”铜戈的“长邦”二字，字体笔画很接近。这也反映出楚文化对蜀文化的发展有一定的影响。

1204.四川新都战国木椁墓

作　者：四川省博物馆、新都县文物管理所　李复华、匡远滢、陈德安
出　处：《文物》1981 年第 6 期

1980 年 3 月，新都县马家公社二大队第三生产队晒坝东北发现了一座木椁墓的北壁椁枋，随即由考古人员进行清理。清理工作从 3 月 14 日开始，至 5 月 3 日结束。简报分为三个部分予以介绍，有照片、拓片。

据介绍，这是一座有斜坡墓道的长方形土坑木椁墓，椁内出土器物有铜器、漆器、水晶珠、方形玉。从葬制上来分析，椁室内有八个边箱、一个棺室和一个腰坑。坑内又有近 200 件铜器，且组合情况为每种器物或五件或两件。这在四川省尚属首次发现。墓主人可能是古蜀国的蜀王。该墓年代可能是战国早、中之际，也可能是在秦灭巴蜀（公元前 329 年）以前。

简报称，新都马家公社发现清理的这座战国大型木椁墓，规模宏大，虽然被盗，但仍出土了大量随葬品。这些遗物为研究探讨古蜀历史及古蜀与有关文化的关系问题，提供了丰富的新资料。

1205.成都市出土的一批战国铜兵器

作　者：四川省文物管理委员会　匡远滢等
出　处：《文物》1982 年第 8 期

1981 年 10 月，成都市建一公司四队，在市区新西门外枣子巷四川省政协院内施工中，发现战国时期的铜兵器数十件，并将这批铜兵器送省文物管理委员会。考古人员到现场进行了查勘。这些兵器系出于一土坑墓内，由于墓被压在房基的基槽下，

又经两次挖基，致残过甚，这次没有发现兵器以外的其他随葬器物。简报配以照片予以介绍。

简报介绍，早在20世纪60年代建房时，此墓墓壁的上部就已被毁去。这次改建工程施工，因房基需再次深挖，于是才发现了墓底。墓底距现地表深1.4米。墓底除出土兵器的部位尚保存外，其余的已在施工中被挖去，故墓坑的形状已无法得知。在残存的墓底上，均铺撒一层朱砂，葬具即放置其上。葬具现已朽坏无存，仅头骨和上肢骨的残迹尚能拼识。从头骨朝南的位置来看，该墓的方向应为正北向。所出的铜兵器系放置在头骨右侧和上肢骨上部的朱砂层上，相互叠压，计有戈、矛、剑等。这座墓的年代应属于战国晚期。

1206.成都战国土坑墓发掘简报

作　者：四川省文物管理委员会　张才俊等
出　处：《文物》1982年第11期

1963年4月，成都无线电机械工业学校在开沟取土中挖出一座古墓葬，出土不少铜兵器。考古人员及时进行了清理。简报配以拓片、照片予以介绍。

据介绍，墓室已被开沟截去大半，从残存部分推知为一狭长方形圆角土坑墓。人骨架腐朽无存，葬式不明。殉葬品共30件，置于墓坑南端，因早已取出，其具体位置已不详。殉葬品有铜器、陶器。从墓坑的形制，兵器、工具的造型和纹饰以及陶尖底盏等情况分析，该墓应属于四川巴蜀文化中的蜀文化墓葬，时代相当于战国中期。

中华人民共和国成立后，这样成批的蜀式铜器出土在成都地区是继南郊武侯祠附近、西郊罗家碾后的第三次发现。这批器物的出土，为研究四川古代巴蜀文化的差异、巴蜀文化与中原文化的关系，提供了重要资料。

1207.成都西郊战国墓

作　者：四川省博物馆　陈显双
出　处：《考古》1983年第7期

1973年12月，成都市西郊的青羊宫侧修建医院大楼时，发现古墓一座。考古人员前往清理。

简报分为墓葬形制、随葬器物、结语，共三个部分予以介绍，有手绘图等。

据介绍，此墓在青羊宫遗址范围内，与百花潭战国墓群相距甚近。墓为长方形土坑竖穴，葬具、尸体已朽，仅留少许痕迹。出土有铜器、陶器等计33件，以铜器为主。该墓的年代，简报推断为战国中、晚期。此墓从墓葬形制、器物组合到器物形状都有浓厚的楚文化特色，是蜀、楚文化交流的又一例证，证实专家所言“蜀国后期的统治者不是蜀人，而是来自荆楚地区的开明氏，这就很自然地带来了楚人的文化”的结论可信。

1208.蒲江县战国土坑墓

作　者：四川省文物管理委员会、蒲江县文物管理所　陈显双等
出　处：《文物》1985年第5期

1981年秋季，四川省蒲江县东北公社一大队六队农民在房侧水田边挖沼气池时，发现土坑独木棺墓一座。考古人员去现场进行了调查。1982年9月，在与此墓相距约1米处探得与之并列的同类墓葬一座，并作了发掘。两墓编号分别为PDM1、PDM2。简报分为三个部分予以介绍，有手绘图、照片。

据介绍，这两座墓位于蒲江河东岸，成蒲公路东侧，与蒲江县城隔河相望，相距约0.5公里。墓坑上部遭到破坏，墓口距地表很浅。墓坑为狭长方形土坑竖穴，无墓道，壁直底平。这两座墓相互毗邻，排列有序，方向一致，墓葬结构相同，随葬器物的器形相似，表明两墓入葬时间相去不远，时代大体一致。两墓所出遗物的品种单调（陶器只有束颈、豆等几种），铜器很少，陶器较多，陶质极差，不出铁器和钱币。出土的陶器中，除豆和一件底部不明的罐外，都是圜底器。陶盖豆是四川省首次出现的器物。这两座墓的时代与新都战国木椁墓的时代相近，大约为战国中期。蒲江这两座墓不是巴人墓葬，而是蜀人或者鳖灵入蜀时带来的那批人的后裔的墓葬。

1209.四川大邑五龙战国巴蜀墓葬

作　者：四川省文管会、大邑县文化馆　赵殿增、胡　亮等
出　处：《文物》1985年第5期

五龙公社机砖厂位于大邑县城东南2公里。这里是一处高出周围农田1～2米的平坦台地。台地西南为汉代以前的古河道，台地上曾发现历代墓葬。1982年4月、8月和1983年1月，考古人员配合砖厂取土先后在这里清理了5座土坑墓，除M5为西汉残墓外，M1～M4均为典型的战国巴蜀墓葬，葬制、葬具及出土器物都颇具特色。

简报分为：一、墓葬形制，二、随葬器物，三、结语，共三个部分。有手绘图、

照片。

据介绍，墓葬分布在台地西侧从西北向东南一条斜线地带上，属于巴蜀文化的 4 座墓，可细分为船棺墓（M4）、狭长土坑墓（M3）和土坑木椁墓（M1、M2）三种类型。出土器物有铁削、石印章、砺石、金珠、玉璧、碳精正方体等。这 4 座墓为战国偏早的巴蜀墓葬。

简报称，大邑五龙 M4 内以大小不同的三具船棺合葬，这在四川省是第一次发现。1982 年底在蒲江又发掘了一坑二棺的船棺葬，为研究巴蜀墓合葬制度提供了新资料。

1210.成都市金牛区发现两座战国墓葬

作　者：成都市文物管理处　张肖马

出　处：《文物》1985 年第 5 期

1980 年 2 月中旬，四川成都市金牛区圣灯公社圣灯十队的农民发现一座战国墓葬（编号 80 圣 M1）。考古人员前往调查。3 月 29 日，在同一地点又发现战国墓葬一座，并进行了清理（编号 80 圣 M2）。两座墓葬均在一黄土台地上，M2 在 M1 的西南方，相距 32.5 米。

据介绍，M1 墓因被扰乱，故墓葬的形制、葬式及随葬器物的位置等情况不明。据残存情况分析，为狭长形土坑竖穴。在墓底南侧，发现有朱砂和戈、矛的木柲痕迹，收集随葬品 12 件。M2 亦属狭长形土坑竖穴墓，出土器物 11 件，多为生活实用器物，不见兵器和生产工具，也未出土钱币。这两座墓应是秦灭巴蜀（前 329 年）以后的战国晚期墓。

1211.四川彭县发现船棺葬

作　者：四川省文管会　赵殿增、胡昌钰

出　处：《文物》1985 年第 5 期

1980 年 12 月，四川彭县农民发现船棺一具。考古人员前往调查时，木棺所存器物已被取出。简报配以照片予以介绍。

据介绍，这具船棺埋在一个比周围平坝高出 1 米的土岗的南部。船棺用一段两端截齐的粗圆木从中剖开，取其一半制成。此墓早被扰乱，据当地人反映，前两年曾在船棺处取出过铜剑 2 把、铜钱 1 个、双耳铜罐（鍪）1 件，还有部分残陶片。这些器物都已散失。这次取出船棺时，又在舱内北部发现残存的铜器 11 件，有钺、戈、斤、镞、“桥形币”等。简报推断这是一座战国中期的墓葬。

简报称，这种船棺两端截齐，没有翘首，与巴县冬笋坝、昭化宝轮院、绵竹清道、郫县等处出土的翘角船棺不同，应是另一类型的船棺，可称之为“独木舟式船棺”或“独木棺”。这次发现增加了四川省船棺葬的一个新地点，为巴蜀船棺葬的研究补充了新资料。

1212.四川大邑县五龙乡土坑墓清理简报

作　者：四川省文管会、大邑县文化馆　黄家祥
出　处：《考古》1987 年第 7 期

1984 年 5 月至 6 月，大邑县五龙机砖厂工人在取土过程中，发现土坑墓一座（编号为 D.W.Z.M18）。考古人员清理了这座墓葬。在清理工作行将结束时，距离该墓约 20 米的地方，又发现了一座同类型的墓葬（编号为 D.W.Z.M19）并进行了清理。简报配以照片、拓片、手绘图予以介绍。

据介绍，墓葬位于县城南门外约 1.5 公里的五龙机砖厂征地取土范围内。M18 与 M19 均为长方形竖穴土坑墓，无葬具。人骨未见，葬式不明。出土有陶器、铁器、铜器、秦半两钱等。陶器 54 件，以残破的生活用具为主。铜器以兵器为主。简报推断这两座墓葬的时代相当于秦。这两座墓葬的发掘，为巴蜀文化的研究增添了新的考古资料。

1213.成都京川饭店战国墓

作　者：成都市博物馆考古队　张肖马、江章华等
出　处：《文物》1989 年第 2 期

京川饭店位于成都市西郊百花潭附近，西距百花潭中学 800 米左右。1986 年 1 月，饭店基建时发现一批战国青铜器。考古人员前往调查，得知青铜器出土处为一竖穴土坑墓，但墓被毁严重，大小、葬式及器物位置等情况均不明。随葬品中，陶器仅存陶轮 2 件，其余皆为青铜器，计 31 件，有兵器、生产工具和生活用具等。简报配以照片予以介绍。

青铜器有铜戈、铜矛、铜镜等。此墓的时代简报推断为战国晚期。此墓所出的兽纹铜镜纹饰奇特，在四川属首次发现。此镜可能是从外地传入的，来源地可能是战国时期的韩国。

值得注意的是，自 20 世纪 60 年代以来，先后在百花潭附近的百花潭中学、青羊宫侧发现战国墓葬。可以推测百花潭附近地区可能是战国时期的一个墓葬区。

1214.成都三洞桥青羊小区战国墓

作　者：成都市文物管理处　徐鹏章等

出　处：《文物》1989年第5期

1983年11月，成都西门外三洞桥青羊小区修建西干道拆迁居民住宅，发现多座古井及古墓葬。随后民工挖房基时，发现一批铜器，取出后大部分卖给了省文物商店。成都市文物管理处得知消息，到省文物商店收回了所出铜器，并派考古人员赶赴现场调查，从民工手里又收集到几件铜器。当时几座古井及古墓葬已被挖毁，考古人员对残存的4座残墓进行了清理，清理中又有一些文物出土。简报配以拓片、照片予以介绍。

据介绍，三洞桥青羊小区古墓群，在成都古城新老西门外之间三洞桥附近的平坝上，距三洞桥约500米，距王建墓仅200余米。清理的4座墓葬，1、2、3号墓彼此接近，4号墓相距甚远。从墓里清理出来的器物有陶器、铜器。有些铜器如鼎、罍、剑、勺、鼎盖等是从省文物商店收回和从农民手中收集的。据农民讲，都是出在1号墓和2号墓。三洞桥青羊小区古墓的年代应为战国时期。

1215.彭县致和乡出土战国青铜器

作　者：彭县文管所　廖光华

出　处：《四川文物》1989年第1期

1986年1月，彭县致和乡明台村八组农民在烧砖取土中，发现一座汉墓。该墓位于县城东南约10公里，墓深1.5米。木棺底残长2.4米，宽0.54米，厚0.12米，尸体已腐，随葬器物放置在棺底四周，出土有13件青铜器和半两钱币32枚。简报配以照片、手绘图予以介绍。

此墓遭到严重破坏，但从残存木棺可以看出是一座土坑木椁墓。青铜器有剑1件、钺2件、矛4件、弩机1件及带钩、銮铃、熏炉等。

1216.成都出土一批战国铜器

作　者：成都市博物馆

出　处：《文物》1990年第11期

1986年4月，四川成都市无线电机械工业学校在修建车间时，发现一批青铜器，随后通知了成都市博物馆。因现场已浇灌了混凝土，无法勘测。据当时在场考古人员回忆，除了发现几件铜器外，未见其他痕迹。简报配以拓片、照片予以介绍。

据介绍，铜器有鼎3件、釜1件、豆1件、尖底盒2件、錞于1件。时代应在战国中期后段。出土遗物中，部分具有鲜明的巴蜀文化特色，当为本地铸造。如“曲头斤”就很少见，似是一种挖掘工具。

1217.蒲江朝阳乡发现古代巴蜀船棺

作　者：龙　腾、李　平

出　处：《四川文物》1991年第3期

1990年4月19日，蒲江县朝阳乡发现一具古代巴蜀时期的船棺，出土一批文物。简报配以照片、手绘图予以介绍。

据介绍，船棺出土地点，在蒲江县城西南18公里的朝阳乡窑埂村大王井，农民挖塘底时挖出乌木。船棺距地表2米，已暴露部分长5米，宽1.2米，为一整段楠木挖去中间部分树心而成。船棺内径0.7米，底厚0.25米，通高0.55米。船棺的大头向东方。此船棺已被发现者毁坏，铜匙、铜钨、蒲席、粮食种子、陶器碎片、钱柄包裹铜皮遭弃掷，铜釜毁坏。抢救收集回铜钺、铜锯、铜釜碎片及铜虎头像1件及蒲席1方等。推断此船棺应为公元前7世纪至公元前3世纪古巴蜀开明王朝时遗存，大致相当于中原春秋、战国时期，从随葬品看，此墓主人应有相当地位。

1218.成都中医学院战国土坑墓

作　者：成都市博物馆考古队　张肖马、江章华等

出　处：《文物》1992年第1期

成都中医学院位于四川成都市十二桥西侧，与十二桥商代遗址隔街相望。1980年11月初，该院在修建大楼时发现几件青铜兵器，考古人员前去调查，得知这些兵器出自一战国墓葬。简报配以照片予以介绍。

据介绍，墓室为狭长形竖穴土坑，北端残损，存东、南、西三壁。从墓壁上残留的红色漆片来看，可能原有一髹漆木棺，已朽坏不存。不见人骨，葬式不明。随葬器物共20件，分置在墓坑的南北两端。南端放置陶尖底盏4件、釜1件，铜敦、鍪、锯、凿各1件，北端多放置青铜兵器和生产工具，计有戈、剑、钺、凿等。除两件戈的位置明确外，其余因被民工取出，位置不明。此墓年代在战国早、中期之际。

值得注意的是，Ⅱ式铜戈上的龙纹与广汉三星堆1号祭祀坑出土的爬龙柱形器上的口大张、露齿、有胡须的龙很接近，身上还有鳞甲。类似的龙纹还见于成都南郊

及西门交通巷、犍为县等地出土的铜戈上。从这里，我们也可看出一点蜀文化的源流关系。

1219.成都罗家碾发现两座蜀文化墓葬

作　者：罗开玉、周尔泰

出　处：《考古》1993 年第 2 期

1987 年 6 月 11 日下午，成都罗家碾省水电科研所基建工地出土铜剑、铜矛等 4 件文物。考古人员即赶赴现场，发现是两座蜀文化土坑墓在施工中被挖毁，几件铜器已被取出。两座土坑墓的一端已被毁，对余下部分进行了清理。简报配以照片予以介绍。

罗家碾位于成都西郊，其南约 400 米处的百花潭中学，其西的中医学院，其北的青羊小区、白果林小区、抚琴小区在基建施工中都曾发现大量古墓葬。此两墓相距 2.3 ~ 2.7 米，葬具无存，坑内有零星红漆皮分布，其范围呈长条形，或是葬具上刷漆的残留。骨骼大部已腐朽无存，从残留骨痕看，皆系单人葬，仰身直肢。铜器主要置于头部和脚部。M1 出土铜器 11 件，M2 出土铜器 4 件，均未见铭文。两墓皆为长条形土坑墓，是战国蜀文化墓葬的特征之一。从两墓坑内红漆皮分布范围看，估计两墓皆使用船棺。两座墓时代大体相当，皆为战国早期或战国早、中期之际。

考古人员在工地还采集到 5 件铜器，其中铜钺系晚期巴蜀文化的典型器物之一，时代约在战国中、晚期，当是出于一座被破坏了的晚期巴蜀文化墓葬。3 件铜簪和 1 件铜笄，据民工说是出于挖残的砖墓之中，大约是唐宋时代的。

1220.成都市金沙巷战国墓清理简报

作　者：成都市文物考古工作队　雷玉华等

出　处：《文物》1997 年第 3 期

1993 年 6 月，成都市金牛区城乡房地产开发公司在光荣小区金沙巷南侧建设住宅楼时发现一批战国兵器。考古人员发现这些兵器出自一座土坑墓。经勘查，在该楼基础内共发现战国土坑墓 4 座，其中一座破坏殆尽，另外 3 座大小形制相近（编号 93CGM1 ~ M3），均为狭长形土坑墓。三座墓均以木板为葬具。M1、M2 随葬器物以铜器为主，有少量陶器。M3 及另一座被毁墓葬只随葬数件陶器。

简报分为：一、墓葬形制及出土器物，二、结语，共两个部分。有照片。

M1 的年代简报推断为战国晚期偏早。M2 的年代为战国晚期。M3 出土器物少，推断为战国时期。

1221.成都西郊金鱼村发现的战国土坑墓

作　者：成都市文物考古工作队　刘雨茂、黄晓枫、谢　涛等
出　处：《文物》1997 年第 3 期

金鱼村位于成都市西郊抚琴居民住宅小区北部，东邻一环路。1992 年，在小区建设中发现一些古代墓葬，同年 10 ～ 12 月，考古人员进行了抢救性清理发掘，获取了大量的实物资料，其中墓葬材料最为丰富，时代有战国、西汉、三国、唐、五代、宋，形制为竖穴土坑墓和砖室墓两大类。

简报分为：一、墓葬的形制，二、随葬器物，三、结语，共三个部分。配以照片、拓片、手绘图，先行介绍了 4 座战国时期土坑墓的清理情况。

据介绍，4 座墓葬均为竖穴土坑墓，无墓道，墓坑口均遭到破坏，现存墓口略大于墓底，大部分墓葬无葬具。M14 为仰身直肢葬，M7 为屈肢葬，M1 和 M18 扰乱严重，葬式不明。出土遗物有陶器、青铜兵器等。M1 的年代为战国早、中期之际。M14 下限不会晚至秦、汉初，该墓使用了白膏泥、墓底铺木板，与当地传统葬法不一样，当是受其他地区影响。M7、M18 的年代，也大致定在战国晚期。

1222.成都市光荣小区土坑墓发掘简报

作　者：成都市文物考古工作队、成都市文物考古研究所
出　处：《文物》1998 年第 11 期

1990 年 3 月，成都市新型建筑材料公司在成都市西郊光荣小区建楼时，在二号楼基础内发现 4 座汉代砖室墓。考古队立即派人前往清理，在清理一、二号墓的过程中又在砖室墓下面发现一座土坑墓，编号为 92CGM5。该墓西邻金沙路，南距成灌公路约 550 米。

简报分为：一、墓葬形制，二、随葬器物，三、结语，共三个部分。有照片。

据介绍，M5 是一座长方形竖穴土坑墓，由于南端压在路基下，故未完全揭露，葬具一椁，椁无盖板，该墓曾经被盗。随葬器物 60 余件，除铜剑和矛各 1 件出土于椁室上部填土中，其余均出自椁室内，椁室内近底部的填土中还有大量的红、黑色漆皮。随葬器物有铜器、陶器、漆器、料珠等。铜器以兵器和生产工具为主，集中于椁室南端；漆器有棍、编织物、盒等；陶器有仓、瓮、罐等，出土于椁室北部。该墓的时代上限应当在秦灭巴蜀之后，其下限不晚于西汉初年。

简报称，光荣小区土坑墓不是典型的巴蜀文化墓葬，墓主可能是秦灭蜀后的将领。那些精美的兵器是作为战利品随葬的。

1223.成都西郊省水利设计院土坑墓清理简报

作　者：成都市文物考古工作队　朱章义

出　处：《考古与文物》2000年第4期

四川省水利设计院位于成都市西郊，东距一环路约230米，北距清江路约110米，属成都市战国墓葬分布区。1994年12月10日，该院在修建12号住宅时发现一批砖室墓，并在施工中挖出12件铜器。考古人员闻讯后即前往调查，确认上述铜器均出土于一座土坑墓中，随即进行了清理。该墓编号94CSM5。在清理M5的同时，又在该墓西北约25米处发现一座残土坑墓，编号94CSM9。清理工作于12月17日结束。

简报分为：一、墓葬形制，二、出土器物，三、结语，共三个部分。

据介绍，这两座墓葬都是长方形竖穴土坑墓，无墓道，开口均遭不同程度的破坏。M9开口不详，现存开口略大于墓底。这两座土坑墓，出土的陶器以夹砂褐陶为主，形制上以圜底、圈足和尖底器为主，平底器少。出土的戈、剑、鍪等铜器都是四川地区战国时期巴蜀墓的常见器物。

两座墓葬的年代，简报推断M9应在战国晚期，M5时代在战国中晚期。

1224.成都西郊石人小区战国土坑墓发掘简报

作　者：成都市文物考古研究所、成都市文物考古工作队　朱章义

出　处：《文物》2002年第4期

石人小区位于成都市西郊，东、北毗邻摸底河，南接青江路，是成都市战国墓比较集中的区域之一。1994年底，考古人员在此发现并清理了两座战国时期的土坑墓，编号为94CSM8、94CSM9。

简报分为：一、墓葬概况，二、随葬器物，三、结语，共三个部分。

这两座墓均为长方形竖穴土坑墓，坑壁较直，坑口在施工中已遭破坏。二墓并列，相距0.52～1.02米，显然关系较为密切。墓内填土密实，因黏性较强，未发现夯筑痕迹。M8呈不规则长方形，未发现尸骨。M9呈不规则长方形，填土是含青膏泥的灰黄色五花土，未发现尸骨。随葬品有铜器34件以及陶器、漆器等，推断这两座墓的时代为战国早期。

简报称，这两座墓是典型的蜀文化墓葬，但两墓都出土了楚文化的铜敦、铜镦。其中铜镦在蜀文化墓葬中很少，这些应引起我们注意。

1225.成都市蒲江县船棺墓发掘简报

作　者：成都市文物考古工作队、蒲江县文物管理所　蒋　成、陈云洪等
出　处：《文物》2002 年第 4 期

1998 年 9 月下旬，在成都市蒲江县鹤山镇飞龙村西侧的小河边，有一船棺墓被河水冲出，暴露在外。考古人员遂前往墓葬地点进行清理发掘，编号为 98CPFM1。

简报分为：一、墓葬形制，二、随葬器物，三、结语，共三个部分。有照片、手绘图。

据介绍，该墓为长方形土坑竖穴墓，坑口距地表深 0.55 米。整个船棺被厚约 10 厘米的白膏泥包裹，棺内有灰红色黏性淤土。葬具为船棺，系用一段圆木制成。其制作方法为先将其上半部截去，形成平顶，然后，把圆木正中一段挖空，并将其底部削平。棺的尾端底部向上斜削翘起，前端因已腐朽，情况不详。船棺盖板与棺身有合扣，棺盖已残，厚 7 厘米。棺体内侧较光滑，有刨光痕迹。棺身前端和中部的内侧各有二孔，未凿穿。棺室内放置尸体和随葬品。因尸体腐朽，葬式不明。随葬品有陶器、竹器、铜器、木梳、铜印等 51 件。年代上限为战国晚期，下限至秦。墓主人应是利用蜀人治蜀的一个小官吏。

1226.成都市商业街船棺、独木棺墓葬发掘简报

作　者：成都市文物考古研究所　蒋　成、颜劲松、陈云洪、刘雨茂等
出　处：《文物》2002 年第 11 期

2000 年 7 月至 2001 年 1 月，考古人员在成都市区商业街 58 号建筑工地抢救性发掘了一座战国早期大型船棺、独木棺墓葬，取得了重大收获。

简报分为：一、墓葬概况，二、出土葬具，三、随葬器物，四、结语，共四个部分。有彩照、手绘图。

据介绍，墓葬编号简称 M1，是一座大型的长方形竖穴土坑多棺合葬墓。该墓葬没有墓道，也没有封土，墓葬形制较为独特。整个墓葬可分为墓坑和地面建筑两部分。墓葬为东北—西南方向。墓坑长方形，约长 30.5 米，宽 20.3 米，现存船棺、独木棺等 17 具葬具。墓葬中出土了大量的重要文物，有陶器、铜器、漆器、竹木器等数以百计。墓葬规模宏大，结构极为讲究，在并列陈放众多船棺、独木棺葬具下铺垫横木的丧葬方式，在国内属首次发现。葬具数量之多、体量之大堪称全国之最。初步推测这是一处古蜀国开明王朝王族或蜀王本人的家族墓地。本次发现是继广汉三星堆之后，古蜀国考古的又一重大发现。

1227.四川彭州市龙泉村遗址战国遗存

作　者：成都文物考古研究所、彭州市博物馆　江章华、颜劲松、陈云洪等
出　处：《考古》2007年第4期

龙泉村遗址位于四川省彭州市太清乡龙泉村六组，在岷山支脉龙门山的东麓，东南为成都平原，西为高山，东南距成都市区约35公里。2000年7月，考古人员对遗址进行了第一次调查和试掘。2003年10～11月，再次对遗址进行了发掘，发现有新石器时代商周及战国等三个不同时期的文化遗存，但出土新石器时代和商周时期的遗物较少且碎。

简报分为：一、地层堆积，二、遗迹，三、出土遗物，四、结语，共四个部分。主要介绍战国时期文化遗存，有手绘图等。

龙泉村遗址出土遗物有平底罐、大口瓮、绳纹圜底釜、盆、三足釜形鼎、尖底盏、圈足豆、釜甑等陶器以及柳叶形铜剑，这些器物都具有较强的巴蜀文化特征。还出土了一枚半两铜钱，从其特征看，应属于战国晚期的秦半两钱。由此推断龙泉村战国遗址的时代应为战国晚期。

1228.成都下东大街遗址战国时期文化遗存清理简报

作　者：成都文物考古研究所　易　立
出　处：《四川文物》2010年第6期

下东大街遗址是成都市文物考古研究所近年重要的发掘工作和收获，时代自战国至明清，跨度大，内涵丰富。

简报分为：一、地层堆积情况，二、遗迹及出土遗物，三、结语，共三个部分。有手绘图。

下东大街位于成都市内环城区东部，西北—东南走向，西起纱帽街南口，东至老东门大桥，系成都老城区的主要干道之一。2009年3月，为配合成都恒锦公司的用地需要，考古人员对下东大街9号地块开展了考古勘探和发掘工作。此次勘探、发掘过程中，实际发掘面积共计约175平方米，清理揭露出包括房址、排水沟、墓葬、灰坑在内的十余处遗迹现象，并出土了数量众多、类型丰富的遗物，所属时代大体划分为战国、汉晋、唐宋、元明清四个不同时段。其中战国时期文化遗存出土大量陶器，其中尖底盏、绳纹圜底釜、圈足豆、平底钵、釜式三足鼎等具有强烈的巴蜀文化特征。

1229.成都新都秦墓发掘简报

作　者：成都市新都区文物管理所　王　波

出　处：《文物》2014 年第 10 期

2002 年 9 月，成都市新都区龙安镇清镇村村民在取土时，发现几件铜器，遂上报镇政府。考古人员赶往现场进行调查，确认这是一座土坑墓（编号 2002CXQM1），并进行了抢救性发掘。

简报分为：一、墓葬形制，二、随葬器物，三、结语，共三个部分。有照片、拓片、手绘图。

据介绍，该墓为长方形竖穴土坑墓，不见葬具。该墓未经盗扰，墓内共出土陶器、铜器、铁器等 40 余件，另有钱币 60 余枚。清镇村 M1 的年代应在秦代。

自贡市

攀枝花市

泸州市

德阳市

1230.四川绵竹县船棺墓

作　者：四川省博物馆　王有鹏

出　处：《文物》1987 年第 10 期

1976 年 2 月，绵竹县清道公社三大队一社员在其住房侧挖沼气池时，发现一座船棺墓（编号 M1）。当考古人员赶到现场时，船棺已取出，墓坑处已建成沼气池。考古人员只得将船棺和收集的 100 多件器物运回整理。简报分为两个部分予以介绍，有照片、手绘图。

据调查，船棺位于距地表深 1.8 米左右的砂卵石层中（此处农耕土厚约 0.3 米，下为 0.5 ～ 0.6 米厚的黄砂层，再下为砂卵石层）。船棺南北向，上面除铜戈、铜矛顺着船棺放置外，大批铜器和少量陶器放置较乱。铜器少数被损坏。陶器全部破碎散失，器形和数量不明，仅拾得十余片有细绳纹的褐色夹砂陶片。船棺形似独木舟，一端稍平齐，一端略尖。用一截楠木制成。将圆木劈去一半，底部稍加削平，两端由下向上斜削，凿去部分树心，遂成圆弧形棺室。棺长 5.3 米，宽 0.6 ～ 0.9 米，高 0.56 米。从棺的底部及其他部位留下的多处烧痕推断，是用烧凿结合的方法制作的。出土铜器 150 余件，包括炊食器、兵器、工具和杂器几类。该墓年代简报推断为战国中期偏晚。

此墓有几点值得注意：第一，此墓葬具船棺制作简单，粗糙而窄小。第二，出土器物中，兵器特别多，且大都是装有木柄的实用兵器，如戈、矛、钺、斧等。第三，许多容器和工具，都有不同程度的使用痕迹，炊器底部存有浓厚的烟炱痕迹。第四，无墓穴，仅将船棺放在沙石滩上，棺内放随葬器物，再用沙石土掩埋好。估计是因墓主人为蜀国军队中的将领，在战斗中突然死亡（很可能是战死），人们仓促将其埋葬而致。

1231.什邡发现新型船棺葬

作　者：什邡县文管所　郑绪滔

出　处：《四川文物》1991 年第 3 期

1991 年 12 月 3 日，在城西中心大街三段二环路左侧，县林产供销公司生活区基建工地上，发现了一座新型船棺。

这座船棺全长 7.2 米，宽 1.02 米。以前发掘的船棺，均无棺舱。此棺以 7.2 米长的巨木，将外形构成独木舟后，再将木心挖凿成长 5.1 米、宽 0.9 米、深 0.3 米的一个矩形船舱，葬品和尸体均置放矩形船舱中。棺舱底发现有陶器 3 件、铜器 9 件。时代为战国晚期。

1232.什邡新出土虎钮錞于

作　者：什邡市博物馆　杨　剑、李　灿

出　处：《四川文物》2010 年第 2 期

2009 年 10 月 5 日，在什邡市师古镇红豆村八组农户的农房建设挖天然气管道施工现场，当地农民挖掘出一件器形奇大的青铜器。考古人员确定此件青铜器为虎钮錞于，并对现场进行了勘察，排除了墓葬出土物的可能性，初步判定为窖藏物。简报配以照片予以介绍。

錞于，为我国古代铜制打击乐器。此次出土的錞于，简报认为是指挥军队进退的

军乐器，年代当为春秋、战国时期。

绵阳市

1233.四川绵阳出土战国铜兵器

作　者：何志国
出　处：《文物》1986 年第 3 期

新中国成立初期，四川省绵阳县涪江沿岸出土了几件巴蜀式铜兵器，现收藏于绵阳市文管所。简报配以拓片和照片予以介绍。

据介绍，这几件铜兵器为戈 1 件、剑 3 件、矛 1 件、钺 2 件，年代为战国时期。

1234.三台县郪江镇出土战国青铜剑

作　者：三台县文管所　左　启
出　处：《四川文物》1998 年第 1 期

1997 年 10 月，三台县郪江镇村民修路时挖出战国青铜剑 1 件及半两钱数枚。简报配以照片予以介绍。

据介绍，剑长 47 厘米，重 550 克，有残损，为典型的巴蜀剑。时代当与伴出的钱币同时，即战国时期。

广元市

1235.青川县出土秦更修田律木牍——四川青川县战国墓发掘简报

作　者：四川省博物馆、青川县文化馆　李昭和、莫洪贵、于采芑
出　处：《文物》1982 年第 1 期

青川县在川北白龙江下游，正处川、甘、陕三省交界处。1979 年 1 月，青川县城郊公社白井坝生产队农民在郝家坪修建房屋时，发现一座古墓。考古人员随即进行清理。之后，又在郝家坪双坟梁发现 100 座战国墓。自 1979 年 2 月至 1980 年 7 月，先后作了三次发掘，共清理 72 座墓葬（编号 M1 ~ M72）。

简报分为：一、地理概貌及墓群分布，二、墓葬形制，三、随葬器物，四、结论，共四个部分。有照片。

据介绍，青川战国墓群位于县城（乔庄）南约1公里的郝家坪，地处双坟梁的山腰，东距乔庄河约300米。青川墓群多数为土坑竖穴木椁墓，出土器物有铜器、漆器、陶器、玉石器饰件、棕套半两钱等。青川M50所出土简牍牍文似属追述记事性质，叙述了新令颁行的时间及过程。青川墓群的早期墓葬47座，陶器组合以鼎、豆、壶为代表；晚期墓葬24座，以鼎、盒、壶组合为代表。早期相当于战国中期，晚期相当于战国晚期。

简报称，青川墓群数量众多、墓葬集中的木椁墓，在四川地区是第一次发现。这为研究秦、楚、巴蜀三者之间的文化关系，及秦灭巴蜀进而统一全国所采取的政治措施诸方面，提供了珍贵的实物资料。M50出土的木牍，对于研究先秦田律、探索商鞅变法及先秦的土地制度都很有参考价值。

1236.四川青川出土九年吕不韦戟

作　者：尹显德

出　处：《考古》1991年第1期

1987年9月，四川青川县白河乡一村民挖地时，在距地表约20厘米处出土两件铜器。时值全县进行文物普查，发现乃是戟的一戈一刺。此戟现由县文化馆保存。简报配以照片等予以介绍。

据介绍，此戈是铭文较多的一件，简报录有全文。据铭文，知为吕不韦九年造，是已知吕不韦戈戟纪年中最晚的一件。上既有中央督造“吕不韦”名，又有地方督造“蜀东工”名，是比较特殊的一点。上还有“成都”名，是制造兵器的确切地点。此戟的出土地点，正处于先秦时的金牛道上。据对出土地的现场观察，不像是墓葬、遗址或窖藏，最大的可能是被兵士遗留在地上，几经沧桑，被流土所掩，2000年后的今天在无意中才使这件珍奇的遗物再现于世。

1237.四川青川县郝家坪战国墓群M50发掘简报

作　者：四川省文物考古研究院、青川县文物管理所

出　处：《四川文物》2014年第3期

1979年2月至1980年8月，考古人员对四川青川县郝家坪战国墓群前后进行了3次发掘。

简报分为：一、前言，二、墓葬形制，三、出土器物，四、结语，共四个部分。

有照片、手绘图。

据介绍，四川青川县郝家坪墓群共清理墓葬 72 座，其中 M50 出土了包括秦武王二年（前 309 年）“更修为田律”木牍等器物共 24 件。木牍的出土，对于研究先秦律法、田亩制度、商鞅变法诸问题十分重要。M50 的时代简报推断为战国晚期。

遂宁市

内江市

乐山市

1238.四川犍为县巴蜀土坑墓

作　者：四川省博物馆　王有鹏

出　处：《考古》1983 年第 9 期

1977 年 10 月至 11 月，在 4 月份调查的基础上，考古人员对犍为县金井公社万年大队二生产队和邻近的五联公社五一大队十一生产队两处巴蜀土坑墓群进行了试掘。两地相距约 1 公里，共清理发掘了两座墓葬。

简报分为：一、地理环境，二、墓葬形制，三、随葬品，共三个部分。有手绘图、照片。

据介绍，两处墓葬都是长方形土坑竖穴墓，未见葬具痕迹，也未见清楚的骨架，从少数残骨渣推断，应为单人直肢葬。两处墓区土层都较厚，墓底以下还有 2 ～ 3 米厚的积土，这在山丘地是少见的。两处墓区规模都不大，墓葬也不密集，未发现打破或叠压关系。两处墓区共出土遗物 130 余件。陶器特别多，占随葬品总数的四分之三以上。另有少数铜器、铁器以及其他质地的遗物。推断这是一批战国晚期的巴蜀墓群。

公元前 329 年，秦灭巴蜀。蜀王败死武阳（今四川彭山县）后，大批蜀人很可能顺着岷江南徙，在相当长的时期内，他们仍保持着强大的势力。尤其在川南山丘一带地区，他们仍保持着本民族的文化特征和习俗（当然也接受了不少外部文化之影响）。这批墓葬，很可能就是这些蜀人及其后代所遗留下来的。这一推断正确与否，有待今后更多的考古材料来验证。

1239.四川犍为县巴蜀墓发掘简报

作　者：四川省文物管理委员会　王有鹏
出　处：《考古与文物》1984 年第 3 期

1980 年 11 月，犍为县金井公社万年大队第二生产队在耕地时发现古墓葬一座。考古人员进行了发掘清理。简报配以手绘图、照片予以介绍。

据介绍，墓葬位于一个山前台地的中部。地势比较平坦，现为生产队的蔬菜地。这是两座长方形竖穴土坑墓，墓边不甚规整，长约 3 米，宽约 1.2 米，墓底距地表 0.8 米。墓口因耕作早已破坏，人骨已朽，葬式不明。出土铜器、陶器等 20 余件。此外还在当地村民家收集到铜器 9 件。推断此墓为战国中、晚期的巴蜀人墓。犍为县地处四川省南部，战国晚期秦并巴蜀以后蜀人被迫南迁到这一带，故这一巴蜀墓葬的发现，对于研究巴蜀文化的内涵和战国末期蜀人南迁等问题，有着重要意义。

1240.大渡河南岸发现蜀式青铜剑

作　者：四川大学历史系　宋治民
出　处：《考古与文物》1985 年第 6 期

1977 年 4 月，考古人员赴小凉山地区进行考古调查，在峨边县金口河区供销社收购的废铜中，发现了七柄青铜剑。据说铜剑出自共安公社小河子大队，遂前往小河子大队作现场勘查并访问发现铜剑的农民。据发现者郑文才说：1977 年 2 月在改土当中发现了这 7 柄剑，出在黑色土层中；出土时 7 柄剑排列整齐，剑锋方向一致，堆放在约 30 平方厘米范围以内，周围未发现其他遗物。估计这 7 柄剑可能为窖藏品。铜剑现存峨边县文化馆。简报配以手绘图予以介绍。

7 柄铜剑保存完好，最长的通长 32 厘米，最短的 28.4 厘米，狭而厚重，当为战国时蜀式剑。7 柄一组的剑，当为投掷杀敌兵器。此次发现，也表明战国时蜀人已越过大渡河南进至邛人活动地区。

1241.四川峨眉县出土一批战国青铜器

作　者：陈黎清
出　处：《考古》1986 年第 11 期

1963 年，峨眉县符溪乡柏香林农民平地时，于距地表 70 ～ 80 厘米处挖出了一批青铜器，重约 20 公斤。这批青铜器先储于乡仓库，后由峨眉县文管所（现峨眉山文管所）征购保存。1972年6月，四川省博物馆曾派人到此地正式发掘，共发掘土坑墓7座。墓内随葬器物有陶器、瓷器（已破碎）、石器、青铜器。由于墓葬早被扰乱，出土器物仅40件左右。自1963年至1981年，共收集柏香林青铜器200余件。简报配以照片予以介绍。

据介绍，此批青铜器有使用痕迹，年代为战国晚期，为研究四川古代巴蜀文化，提供了新的实物资料。

1242.四川犍为金井乡巴蜀土坑墓清理简报

作　者：四川省文物管理委员会　匡远滢等

出　处：《文物》1990年第5期

1984年4月，犍为县金井乡万年村村民建房取土时，在黎家山原生产队公房东侧房檐后挖出青铜器10余件。考古人员前往查看，并将这批文物收回。据1977年省博物馆考察，这里是一古墓群区。现场调查得知出土铜器的墓葬已大部被毁，但西侧（已拆公房的房基内）尚有墓两座，于是对这两座墓进行了清理。两墓编号为M5、M6。简报分为：墓室结构、出土遗物、结语，共三个部分并配以拓片、照片予以介绍。

据介绍，这两座墓开掘在黄褐色的熟土层内，墓底已挖至红褐色的生土中。墓的上部已毁，两墓相距不到1米，排列整齐，方向一致，均为长方形竖穴土坑墓，无墓道，墓内填五花土。墓内出土遗物计70余件，分陶器、铜器、玉器三类。此墓为战国晚期即秦灭巴蜀南迁后的蜀人墓。

简报称，M5的室底有腰坑，M6有二层台。这在当地的土坑墓中似不多见。这为研究战国时期巴蜀文化中的葬制、葬俗，又增添了新资料。

南充市

1243.仪陇发现巴式铜剑

作　者：王琳琅、李晓清

出　处：《四川文物》2007年第1期

四川仪陇新县城北4公里处的嘉陵江中上游航电枢纽工程工地附近，堆积着很多从嘉陵江底舀出来的沙石。2006年4月14日，这些沙石被运去填方时，该县新政镇东北一大队放牛的老人袁开金从中发现了一柄铜剑。这件文物被及时回收到文物管理所保藏。简报配以照片予以介绍。

据介绍，此剑和巴式柳叶形铜剑相似。无茎，叶长 30 厘米，通长 39.2 厘米，最宽处基部 4.5 厘米，重 500 克。在仪陇出土的这柄铜剑应属于巴式剑，距今至少有两千三四百年了。简报称，这是研究巴蜀文化的珍贵实物资料。

宜宾市

广安市

达州市

1244.四川宣汉罗家坝遗址 2003 年发掘简报

作　者：四川省文物考古研究所、达州地区文物管理所、宣汉县文物管理所　陈卫东、陈祖军等

出　处：《文物》2004 年第 9 期

罗家坝遗址位于宣汉县城北约 46 公里处，海拔约为 340 米。中河在遗址东南部汇于后河后蜿蜒南流。该遗址位于近于半岛的三江一级台地上，共三面被河环绕。罗家坝遗址包含罗家坝和张家坝，罗家坝山外坝和内坝。其中罗家坝外坝约东西长 1200 米，南北宽 300 米；张家坝约东西长 700 米，南北宽 200 米。遗址总面积约为 50 万平方米。1987 年调查时定名为“战国墓群”。1999 年 9 ~ 11 月考古人员对该遗址进行发掘，共发掘清理出墓葬 6 座、灰坑 19 座、房屋基址 1 座，出土器物 100 多件。2003 年 3 ~ 7 月，考古人员对罗家坝遗址进行了为期 4 个多月的考古发掘。

简报分为：一、地理位置和地层堆积，二、遗址，三、出土器物，四、结语，共四个部分。介绍了 2003 年的发掘情况，有彩照、拓片、手绘图。

据介绍，共清理墓葬 32 座、灰坑 31 座、祭祀坑（暂名）1 座，同时还清理出柱洞等房屋基址。出土各类器物近千件，主要为春秋战国时期的器物，有铜器、陶器、玉石骨器等。其中 M5、M25 两座墓葬，出土的铜器包括兵器、生产工具和生活用具等。部分器物上有“巴蜀图语”文。发掘进一步证明罗家坝遗址是一处保存较好的

典型巴蜀文化遗存，具有重要学术价值。

从文献来看，巴人起源于鄂西的清江流域，又沿着长江向上游发展，到达嘉陵江流域和汉中等地，形成了南北两大支。一支是以白虎为图腾的，主要活动在长江沿岸地区；另一支是以嘉陵江流域为中心，以射虎为业。渠江为嘉陵江支流，而中河和后河又是渠江的重要分支，故简报认为罗家坝遗址有可能是巴文化中躿族的活动区域。本次发掘出的大部分墓葬的墓主为男性，年龄一般为 20 ~ 35 岁。值得注意的是，有一些人骨上有明显的生前被铜兵器杀伤的现象。如 M5 人骨的左股骨内有 1 枚铜镞，盆骨上有 5 枚铜镞，有明显的被射杀的可能。在其他墓葬中也发现了类似的现象。故推测这里有相当一部分墓主是战死的巴人士兵。

简报指出，春秋战国时期的罗家坝遗址地处秦、楚、巴、蜀交界地带，其部分出土器物受秦、楚文化影响，但主要的还是巴蜀文化。对罗家坝遗址的进一步研究，可以更为准确地了解这一时期的历史面貌。

今有中国社会科学院考古研究所、四川省文物考古研究院、宣汉县文化广电新闻出版局《宣汉罗家坝遗址与巴文化研究》（科学出版社 2018 年版）一书，可参阅。

眉山市

1245.仁寿出土战国双耳铜钫

作　者：钟建明
出　处：《四川文物》2002 年第 3 期

1987 年 12 月，在仁寿县东方红乡红兵村动土兴建仁寿县丝绸厂时，发现一铜钫和其他铜器（已腐蚀难辨）。除铜钫盖顶在挖掘时误作硬石而挖出三小孔外，其余均完好。简报配以照片予以介绍。

据介绍，钫表已生绿色铜锈。该钫通高 35.5 厘米，重 6 公斤。直口，口上有盖，盖上四方有纽。肩部有铺首衔环一对，有纹饰。根据铜钫的形制和纹饰看，铜钫属战国时期文物。在仁寿发现战国时期重要铜器这还属首次，此钫经四川省文物专家鉴定为二级文物。

雅安市

1246.四川芦山县发现战国铜剑及印章

作　者：陆德良
出　处：《考古》1959 年第 8 期

1958 年 8 月，四川芦山县清仁乡仁家坝高级农业社在坝后黄木山上修筑水渠时，发现铜剑 2 柄，后又发现铜印 4 颗、铜泡 2 枚。简报配以照片予以介绍。

铜剑 2 件。一件柳叶形，扁茎，茎上有两孔，无格无镡。另一件系圆茎，有格，茎端有镡。

铜印 4 颗。有圆形和半圆形两种。圆形有钮，横穿。印的正面阴刻文字或符号。

铜泡 2 枚。圆形，正面边沿有一周孔钉纹。

这次出土的扁茎柳叶形铜剑及印上所刻符号，与重庆冬笋坝和昭化宝轮院船棺墓中出土的相同。

1247.四川雅江呷拉石棺葬清理简报

作　者：甘孜藏族自治州文化馆、雅江县文化馆　傅修林
出　处：《考古与文物》1983 年第 4 期

1981 年 11 月上旬，考古人员在呷拉公社进行石棺葬分布情况调查，发现本家地、朗德两地有部分墓葬暴露在地坎和地表上，遂于 11 月 20 日至 23 日，对已暴露的残墓进行了清理。

简报分为：一、墓葬形制，二、出土器物，三、结语，共三个部分。有手绘图。

据介绍，这批墓葬共 8 座，都是选用厚 3 ～ 4 厘米的方形板岩片砌成石棺，置于竖穴土坑内。出土器物 10 件，采集 1 件，共 11 件。其中陶器 7 件，装饰物 3 件，贝币 1 枚。简报推断这批墓葬为战国中晚期氐羌系统土著居民的墓葬。这批墓葬中没有发现大量殉葬器物，墓主大都属于部族中的一般成员。M4 出了贝币，说明当时此地与外界有着贸易关系。

1248.四川荥经县烈太战国土坑墓清理简报

作　者：李晓鸥、刘继铭

出　处：《考古》1984 年第 7 期

1981 年 7 月，荥经县烈太公社自强生产队农民在取土时，发现了巴蜀印章等文物。考古人员进行了调查清理，确定这批器物同出于一座土坑墓中。简报配以照片予以介绍。

该墓位于荥河北岸的太平坝，东面 1.5 公里的荥河对岸为严道古城遗址。由于取土的破坏，此墓只剩西南角长 70 厘米的墓边。经清理，墓内骨架已朽，葬具不明。出土器物以印章等青铜器为主，此墓出土的巴蜀印章与四川广元宝轮院及巴县冬笋坝船棺葬出土的形状和纹饰都一致，铜泡与茂汶战国时期石棺葬的同类器物相同；盝顶式小方印章和绳纹陶片与荥经曾家沟战国墓出土的相近。因此，简报初步判断这是一座战国时期的土坑墓。

简报称，这次发现的反映多种文化内涵的墓葬为研究古代这一地区不同文化的民族交流，进一步探讨当时各民族的关系，提供了可贵的资料。

1249.四川荥经曾家沟战国墓群第一、二次发掘

作　者：四川省文管会、雅安地区文化馆、荥经县文化馆　赵殿增、李显双、李晓欧

出　处：《考古》1984 年第 12 期

严道古城遗址位于四川荥经县城西 2.5 公里处，属鹿鹤公社古城大队，俗称“古城坪”。城址周围有很多古代墓葬群。1977 年以来考古人员在这里先后清理了古城坪秦汉木椁墓、水井坎沟及高梁湾东汉岩墓、烈太巴蜀石棺墓等。1981 年 9 ~ 10 月在古城东 500 米的曾家沟又发现了一处较大的古墓群，并于 1981 年 10 月和 1982 年 3 月配合砖厂取土进行了两次发掘，清理墓葬 6 座。

简报分为：一、墓葬结构，二、随葬器物，三、结论，共三个部分。有手绘图、照片。

据介绍，已清理的墓葬均为长方形竖穴土坑墓，没有墓道和封土。根据棺椁结构的不同，可划分为一棺一椁一头箱、一棺一椁、有椁无棺、有棺无椁四类。6 座墓共出土器物 50 多件，质地有漆木、竹、陶等。结合曾家沟古墓标本，经碳十四测定和出土器物综合分析，简报推断曾家沟墓群为战国早期的墓葬。

1250.荥经县曾家沟出土一批战国时期的重要文物

作　者：陈显双

出　处：《四川文物》1984年第1期

1983年6月下旬至7月上旬，考古人员与荥经县文化馆在荥经县古城四队砖厂工地清理了4座战国土坑竖穴木椁墓，出土了陶、铜、漆、木器等文物30多件，同时获得一些有关埋葬制度方面的新资料。简报配以照片予以介绍。

这批出土文物中，有11件精美漆器是四川省已发现的漆器中时代较早、保存最好的，是研究我国漆器发展史的重要实物史料。漆双耳长盒外底的铭文（“番阳晻”）字数虽少，但对研究蜀楚文化交流及严道古城的历史沿革提供了实物资料。另外还有纹饰简练、线条流畅的彩绘漆圆盒、耳杯，作冥器陪葬的木剑，表示死者姓氏的“唐沽”铜章等。

1251.四川荥经曾家沟21号墓清理简报

作　者：四川省文物管理委员会、荥经县文化馆　陈显双等

出　处：《文物》1989年第5期

曾家沟地处荥、经两河之间，位于严道镇西侧约2公里处。成西公路经其北侧而过。墓地坐落于中峻山（又名尖顶山）北麓的三级台地上，地势平坦开阔。墓地与严道古城遗址之间仅有一溪（打鼓溪）之隔，直线距离甚近，绕道而行也不足1公里。1981年以来，考古人员先后在此墓地清理了11座墓葬。按照严道古城遗址区域内墓葬统一编号的顺序，这11座墓的编号简称M11～M21。

简报分为：一、墓葬结构，二、殉葬遗物，三、结语，共三个部分。有照片、手绘图，仅简略介绍M21的清理情况。

此墓为长方形土坑竖穴木椁墓，没有墓道，坑口部分已被破坏，封土无存，出土遗物有陶器、漆木器、铜器和竹器残件等。其中木质漆剑是少见的仿兵器冥器，堪称佳品。该墓年代简报推断为战国中期前后。

简报认为，此墓具有浓厚的楚文化因素，同时也富有巴蜀文化特征，与严（庄）道古城遗址关系密切。据徐中舒先生《论巴蜀文化》一书推断，严（庄）道古城应是楚国派往蜀地的楚人居住地，曾家沟应是居于严（庄）道的楚人的公共墓地。

1252.四川芦山出土巴蜀符号印及战国秦汉私印

作　者：周日琏
出　处：《考古》1990 年第 1 期

1949 年以来，芦山出土了一批巴蜀符号印和战国秦汉印章（其中 5 枚汉代官印另文介绍）。简报配以照片、手绘图予以介绍。

这些印均为铜质，按其内容可分为巴蜀符号印、肖形印、私印（人名印）、吉语印及箴言印五类。其中巴蜀符号印计圆形印 4 枚、方形印 1 枚，均在芦山县出土。芦山县在春秋战国时为青衣羌国地，邻近蜀国。《华阳国志》载蜀王开明氏第三世“（保子）帝攻青衣，雄长獠僰”，其时约当春秋中期，青衣羌国已沦为蜀的势力范围。《太平寰宇记》载：“芦山城西十里，有蜀王开明城故址。”该址现为县级保护单位。芦山出土的这类巴蜀符号印章，与重庆冬笋坝和昭化宝轮院船棺墓出土的相同，是这些史实的明证。其他印章绝大多数集中来自清源乡大同村清源河湾的一个地方，联系附近出土的战国青铜兵器和巴蜀符号印章，说明其地可能原为战国、秦汉墓区或遗址，值得注意。

1253.芦山出土青铜鞘短剑

作　者：芦山县博物馆　钟　坚
出　处：《四川文物》1990 年第 1 期

1974 年秋，芦山县城北 3 公里青源乡大同村筑埝时，在距清源河西岸约 150 米处埝渠地段内，出土一批青铜兵器。计有：青铜鞘短剑二盒；三种不同形制的戈；矛、斧各一件；柳叶剑数柄，为常见之巴蜀式青铜短剑，刃部纹饰多为虎纹、手心纹、花蒂纹等。这批兵器现收藏于芦山县博物馆。简报配以照片予以介绍。

据介绍，兵器散乱出现于距地表 1.8 ~ 2 米深处之砂卵石层中。据当事人告知，出土现场尚有残断兵器及少数已腐朽的残人骨未予收集。当时对出土现场亦未作进一步的正规发掘清理。青铜鞘短剑为巴蜀特有兵器，可能为蜀王开明三世保子帝攻伐青衣羌人之战场遗物。其时代当在春秋战国之际。

1254.四川荥经南罗坝村战国墓

作　者：荥经严道古城遗址博物馆　李炳中、何　伟、袁新民等
出　处：《考古学报》1994 年第 3 期

1988 年 1 月，荥经县塔子山茶场在荥经县附城乡南罗坝村的基建工程中，发现

古文化遗物。该地为战国时代墓地，在约200平方米的范围内，考古人员发掘和清理出墓葬11座（88YLM1～M11）。

简报分为：一、墓葬形制，二、随葬器物，三、结语，共三个部分。有照片、手绘图。

据介绍，墓地位于经河与烟竹河交汇的二级台地上，北距经河800米，隔河与县城相望。发掘的11座墓，因基建工程均受到不同程度的破坏。墓口都已被毁，有少数墓的随葬器物已移位，M4～M6三座墓的坑壁全被破坏，M2、M3已被挖掉一端。11座墓均为长方竖穴土坑，基圹不很规整。基坑的大小，依随葬器物的多寡有所差别，一般墓底长3～41米，宽0.8～1.2米，墓底距地表深0.31～1.33米。除M11外均未见葬具。共出土随葬器物3330多件，以陶器为大宗。

这批墓葬出土具有早期风格特征的器物，但不出铁器和钱币，其时代下限不会晚至秦以后，时期上限不会超过战国。简报认为，时代定在战国中晚期为宜。墓主人应受多种文化影响，表明当年此地居民由多民族组成。荥经地处扼要，是古代旄牛道的起点，历来即为民族间贸易的集散地。所以，对这一地区出土文化遗物的深入研究，将对战国时期川西南地区各民族间的经济、文化、军事以及民族融合、边疆开发的研究都有重要的意义。

1255.芦山思延乡战国墓清理报告

作　者：芦山文管所　郭凤武

出　处：《四川文物》1994年第5期

1992年8月27日，思延乡有村民报告在铜头电站生活区车库工地的施工过程中，在其基槽中发现一批青铜器及陶器。铜器已被工人带回家中。考古人员前往持有出土器物的工人家中了解当时施工的具体情况，同时收回青铜品9件，包括青铜剑3件，铜戈2件，铜矛、铜斧、铜凿、箭镞各1件。并及时向地区及省文物部门作了汇报。8月29日，对该墓进行了科学清理。

简报分为：一、墓葬位置，二、地层情况，三、墓葬情况，四、随葬器物，五、时代认识及时代推测，共五个部分。有手绘图、照片。

据介绍，该墓位于宝兴河左侧的一级台地上，该台地为思延坝子的一部分，小地名“官田坝”，距河边约150米，西距城址头遗址（蜀王开明城遗址）1500米左右，南距铜头桥500米左右，北距土林岗约300米，台地高出河面20～30米，与铜头村新石器遗址隔河相望。通过建筑基槽及打探沟的试掘情况，发现墓葬层位清晰，填土迹象不明显，墓坑以上可能是因后期冲刷堆积而成。推断该墓时代为战国早期。

1256.四川石棉县永和乡战国土坑墓

作　者：四川省文管会、石棉县文管所　黄家祥、乃康生、代　强

出　处：《考古》1996 年第 11 期

墓葬所在的石棉县永和乡裕隆二组位于县城以东约 6 公里处。1993 年 2 月，村民在为乡办花炮厂修建消防蓄水池时，于距地表 1.5 米深处发现人骨，并伴出有青铜剑、镞和陶器等。考古人员进行了调查清理，共清理墓葬三座，同时根据当地村民所指挖出文物的具体位置，暂将消防水池中出土文物也归为一座墓葬内出土，统一编号为 93SYM1 ～ M4。

简报分为：一、地层与墓葬，二、出土遗物，三、结语，共三个部分。有手绘图等。

据介绍，出土有陶器、铜器、骨锥、料珠等。铜器以小型箭镞、泡饰、手镯的数量居多，剑、矛、钺、刀数量较少。该墓的年代，简报推断为战国中晚期。此次发掘为了解这一古代民族南来北往的交通走廊的历史风貌，提供了实物资料。

1257.四川宝兴出土巴蜀符号印等文物

作　者：宝兴县文物管理所　杨文成

出　处：《文物》1998 年第 10 期

1998 年 3 月，宝兴县文物管理所根据村民提供的线索，赴海拔约 1600 米的五龙乡厄尔山西北坡调查一处古墓葬遗址。该处有时代较早的土坑墓，也有汉代的砖室墓。考古人员清理了一座因当地村民修建猪圈而暴露的墓葬。墓葬为小型竖穴土坑墓，未见葬具，墓底尚存未朽尽的墓主残骸。由于破坏扰乱严重，墓葬规格和葬式不详。出土器物有巴蜀符号印及青铜器。简报配以拓片、手绘图予以介绍。

巴蜀符号印 2 枚。青铜铸制，保存完好，器表打磨锉痕清晰可见。其中一枚印面左右对称排列“王”字形纹、鱼形纹、心形纹、旋涡纹各两个，正上方一个“山”字形纹（或称月牙纹），印直径 2.3 厘米，厚 0.2 厘米。另一枚印面正中心有一小圆凹点，上方一倒置的“山”字形纹（或称月牙纹），下方一只竖耳扬尾作奔跑状的兽纹，兽腹下还突出有生殖器。

铜鍪 1 件。合范铸制。器体满布方圆不一的钉疤共 72 处，钉疤内外与器表打磨平整，应系铸制时嵌补。底部另有一处较大的圆疤钉，其内外皆凸出器表，当属使用中所补。

铜盆 1 件。器薄，出土时已残碎。铜剑 1 件。仅残存一段剑身，将残剑与馆藏同类型剑比较，此剑复原长度约 50 厘米。

巴蜀符号印在宝兴地区尚属首次出土，这种形似纽扣的巴蜀符号印在四川出土甚多。这两枚印属常见的巴蜀符号，但从已公布的巴蜀符号印资料中没有与这两印的符号组合形式完全相同的。根据这两枚巴蜀符号印及铜鍪、盆的形制和纹饰推测，其当属战国时期的遗物，其时代下限不会超过汉初。

1258.四川宝兴汉塔山战国土坑积石墓发掘报告

作　者：四川省文管会、雅安地区文管所、宝兴县文管所　杨文成、陈显双等
出　处：《考古学报》1999 年第 3 期

1990 年春，宝兴县城西北约 20 公里的陇东乡汉塔山发现一处战国土坑积石墓葬群。墓地位于汉塔山西北坡，距坡下约 200 米是一条从西南流向东北的赶羊沟，对岸新江村与之相望，墓地已遭受较严重的扰乱破坏。1991 年秋，考古人员对墓葬进行了抢救性发掘。

简报分为：一、墓地概况，二、墓葬形制，三、随葬器物，四、墓葬年代，五、结语，共五个部分。有照片、手绘图。

这批土坑积石墓的年代，简报推断为战国中期至晚期。这次发掘最让人感兴趣的是汉塔山墓地主人的族属，简报认为是游牧民族，理由有以下几点：

其一，汉塔山墓地具有游牧民族的基本特征。此墓地有统一的丧葬制度和习俗，有一定的规模和特征，反映了游牧民族使用公共墓地的特点。据墓地资料调查判断，其原有墓葬数当在百座以上，如此规模而时间跨度又较短，说明他们当属随处迁徙的游牧部落，符合游牧民族的生活规律。

其二，汉塔山墓地出土遗物反映了游牧民族的生活特点。出土陶器以冥器为主，实用器极少。因陶器非游牧生活的必需品，相反，笨重易碎的陶器乃是游牧生活的累赘。而出土铜容器全是实用器，这显然适宜于游牧生活。从出土兵器看，以剑矛刀镞最多，戈仅发现两件，其他兵器皆未发现。从出土大量带有象征性的废残兵器来看，也主要是剑和刀两种。这类兵器不仅是游牧民族必不可少的生产工具和生活用具，而且也是他们作为安全防护和争斗的一种武器。该墓地殉葬兽畜的习俗也较多，同时从出土纺轮、毛线和皮毛制品的特点看，也说明墓葬主人与畜牧生活的密切关系。

其三，汉塔山墓地应是属于古青衣羌，即石棺葬民族的遗存。汉塔山墓地与陇东石棺葬之间当有一定的渊源关系。青衣羌与巴蜀民族自古交往频繁，关系密切。汉塔山墓地两种文化共存的现象也符合这一历史发展的规律。

其四，用废残的兵器作殉葬品是汉塔山墓地普遍而特殊的现象。10 座墓中各出土一件废残兵器，其中属生产的废品即有 9 件，残件 1 件。如此简陋无用的实物作

殉葬品，与那些殉葬精美兵器和丰富实物的墓葬形成了鲜明的对比，反映了在这一部落群体中存在着等级制度和权力与财富的差别。另一方面，这些废品刀剑的由来也值得探讨。按常理说，生产出现的任何废残品包括半成品一般都是不可能作为产品从产地流通到他地的。简报认为，这批巴蜀兵器当属从巴蜀地直接引进输入而来，而属石棺葬文化的器物则是墓葬主人自己生产制造的产品。从两者的优劣程度来看，石棺葬主人们已初步掌握了冶炼铸造技术，然而比起巴蜀民族先进熟练的生产技术还显得较为落后。值得重视的是，就在赶羊沟这条深山沟里，即有丰富的铜、银、铅、锌等矿藏，从古至今开采不断。据调查，在这座山里还有多处古代冶炼遗址遗迹发现，这为分析汉塔山墓地大量出现废品兵器的来龙去脉提供了线索。同时，墓地废残青铜兵器的出土，对研究当地民族的采矿冶炼铸造技术的发展历史也有十分重要的价值。

1259.四川石棉永和墓地发掘简报

作　者：四川省文物考古研究院、雅安市文物管理所、石棉县文物管理所　陈卫东、周科华

出　处：《四川文物》2006 年第 3 期

永和墓地位于四川省雅安市石棉县东北部的永和乡裕隆村二组，地处大渡河南岸的一级台地上，为群山环绕。大渡河沿台地向东流去。2005 年，为配合水利建设，考古人员对墓地进行了发掘。

简报分为：一、墓葬形制，二、随葬品，三、结语，共三个部分。有照片、手绘图。

据介绍，共发现和清理了 14 座长方形竖穴土坑墓，出土各类随葬器物 270 余件，包括铜、陶、铁、银以及玉、石、骨器等。初步推断墓地年代为战国中晚期。此墓地材料对于研究大渡河、安宁河及金沙江流域与古代巴蜀文化和滇文化、夜郎文化之间的交流有重要作用。

1260.石棉县龙头石水库淹没区古遗址发掘简报

作　者：四川省文物考古研究院　万　娇、王丽君、郭　富

出　处：《四川文物》2011 年第 1 期

石棉县龙头石水库所处的石棉县海尔洼是大渡河上游为数不多的冲击扇形地带，调查发现有重要早期遗址数处。两处遗址 2005 年发现，2007 年进行了抢救性发掘。考古人员对海尔遗址、新民小学遗址进行了大面积揭露，发现房址、灰坑等重要遗

迹数十处。出土有战国中晚期及明清时期的陶、瓷、石、铜等文物。它的发现对全面了解大渡河中游的考古学文化面貌，特别是对研究藏彝走廊内民族的迁徙、融合、文化的交流提供了新的重要资料。

简报分为：一、海尔遗址，二、新民小学遗址，三、结语，共三个部分。有手绘图。

据介绍，两处遗址2005年发现，2007年进行了抢救性发掘。时代简报推断为战国中晚期。

巴中市

资阳市

阿坝州

1261.四川茂汶营盘山的石棺葬

作　者：茂汶羌族自治县文化馆　蒋宣忠

出　处：《考古》1981年第5期

茂汶羌族自治县营盘山位于岷江东岸、北距茂汶县城5公里的地方，高出岷江河床约100米。1979年2月初，在营盘山基建工程中发现石棺葬群，考古人员清理了已暴露的9座。此外，于1月中旬曾在这里清理了一座已暴露在水沟边的同类墓葬。前后两次共清理了10座墓，计出土遗物250件。简报配以手绘图等予以介绍。

简报初步认定这批墓葬的时代为战国中、晚期。墓主人应属居住于此的古氐、羌人。

1262.茂汶县石棺墓清理简报

作　者：高维刚

出　处：《四川文物》1986年第2期

茂汶县位于岷江上游，是秦汉时代石棺墓比较集中的一个地区。1978年至1980年，考古人员曾先后在茂汶城关及其附近的前锋乡营盘山、勒石村和南新乡别立村等地共发掘、清理石棺墓87座。1983年6月，又在离县城较远的三龙乡河心坝（寨名）清理了一座石棺墓，并在该乡黄草坪（寨名）收集到几件石棺墓出土器物。

简报分为：一、石棺墓，二、采集的出土器物，三、结语，共三个部分。有照片。

据介绍，河心坝石棺墓结构简单，随葬品极少，两个残破小陶罐可以看出均系手制，陶纺轮形制简单，素面无纹饰，未见铜器，故这座墓时代应较早，约为春秋战国之交至战国末以前。墓主人应为《史记》所载“冉駹人”。黄草坪采集到的器物，多与茂汶城关第二类墓葬出土器物相似，并出土铜器，故其时代当属战国末期至西汉前期。

1263.四川茂县牟托一号石棺墓及陪葬坑清理简报

作　者：茂县羌族博物馆、阿坝藏族羌族自治州文物管理所　蔡　清、徐学书等
出　处：《文物》1994 年第 3 期

1992 年 3 月，茂县南新乡牟托村一村民在村后山脊“豹圈梁子”开荒时发现南、北二器物坑，出土了青铜器及玉石器。考古人员于 3 月下旬前往现场调查、清理，并在上述器物坑的西侧又发现一坑，亦出土了青铜器及玉石器，还清理了一座石棺墓。

简报分为：一、1 号墓及器物坑形制，二、出土器物，三、结语，共三个部分。有彩照、手绘图。

据介绍，牟托村位于茂县南新乡，东北距县城 30 公里，西南距汶川县城 15 公里。在山脊中上部有一座用板岩人工垒砌的，直径 20 米、高 3.5 米的积石冢，俗称“豹圈梁子”。石棺墓及器物坑就在这里。西侧器物坑编为 1 号坑，北距积石冢 5 米；石棺墓编为 1 号墓，在 1 号坑南 0.5 米；北器物坑编为 2 号坑，西距一号坑 6.5 米；南器物坑编为 3 号坑，北距 2 号坑 4.5 米。1 号墓为长方形竖穴墓，墓口距墓底深 1.41 ～ 1.76 米。石棺以大石板砌于墓坑内而成。出土遗物有青铜器、玉器、玛瑙珠、绿松石珠等计 170 余件。简报推测 1 号墓及其 1、2 号坑的年代应为战国中晚期之际。

1264.马尔康孔龙村发现石棺葬墓群

作　者：阿坝州文管所　陈学志
出　处：《四川文物》1994 年第 1 期

1992 年 1 月，阿坝州马尔康县脚木足乡孔龙村村民彭茂林在培修果园围墙时发现石棺葬十余座。考古人员赶赴现场调查清理。

简报分为：一、墓葬形制，二、随葬器物，三、小结，共三个部分。有照片。

据介绍，孔龙石棺葬墓群位于孔龙村村寨后面靠山脚的缓坡地带。墓葬分布比较集中，方向一致，顺山势分三层排列，皆头向东，脚朝西。墓与墓紧密排放，间

距仅 10 ~ 30 厘米。墓葬结构简单，均在竖穴土坑内置 4 块石板镶成。尚存部分尸骨，应为屈肢葬。随葬品均为陶器，比较完整的有双耳罐 2 件、单耳罐 1 件、平底罐 1 件、长颈瓶 2 件。简报推断这处墓葬的年代上限为战国晚期，下限可至西汉初年。

1265.四川汶川县昭店村发现的石棺葬

作　者：中国社会科学院考古研究所、汶川县文化馆　叶茂林、罗进勇
出　处：《考古》1999 年第 7 期

1980 年 6 月，四川省汶川县绵虒镇玉龙乡昭店村农民在建房施工时，发现一座石棺葬。考古人员前往调查，发现墓葬已遭损毁。经实地勘查，了解到这是一处石棺葬分布区，并收集到 8 件随葬陶器。这座遭毁坏的石棺葬编号为昭 M1，简报配以手绘图予以介绍。

据介绍，从暴露和已毁的石棺葬看，昭店村的石棺葬大多数和岷江上游地区已发掘的石棺葬形制相同，都用不规则的石板或石条围成头端宽、脚端窄的长条形石棺。征集到的 8 件陶器均出自这座石棺墓，器物主要放置在头箱内，未见铜器。昭店这座石棺葬的年代，通过综合分析和比较，简报推断，这是目前已见诸报告的石棺葬中年代较早的一座，暂且把年代定为春秋早期。

甘孜州

1266.四川甘孜县吉里龙古墓葬

作　者：四川省文物管理委员会、甘孜藏族自治州文化馆　陈德安、扎西次仁、张康林
出　处：《考古》1986 年第 1 期

仁果乡吉里龙古墓葬位于甘孜藏族自治州甘孜县城南约 20 公里的雅砻江南岸山麓第二级台地上。川藏公路在台地北侧由东向西穿越第一台地而过。这里沿江两岸是甘孜县的主要农业区之一，也是川藏交通要道。1979 年仁果乡百姓在此地修建牲畜过冬的棚圈时，发现古墓葬，出土了一些陶器和铜器。1981 年，考古人员清理了一座残墓，采集了两件陶器和铜器，初步估计这里是一处古墓葬群。1983 年 8 月，对该墓群再次进行调查，试掘了六座墓葬，清理了两座残墓，出土了陶器、铜器、铁器、骨器和装饰品等百余件。

简报分为：一、墓葬概况，二、文化遗物，三、结语，共三个部分。有照片、手绘图。

据介绍，这一墓地，既有石棺墓，也有土坑墓和卵石镶砌墓边的墓葬。石棺墓主要分布在墓地北端，土坑墓主要分布在墓地南端。三种不同形制的墓葬，所出同类器物无甚差别，只是组合略有不同，年代简报推断为战国至秦，最晚不过汉初。

简报称，吉里龙古墓葬中用狗、牛头殉葬，这在四川墓中还是首次发现，特别是用经肢解后的马殉葬的风俗，又同于我国北方战国秦汉时代的少数民族墓葬。其墓主人族属尚待研究。

1267.四川炉霍卡莎湖石棺墓

作　者：四川省文物考古研究所、甘孜藏族自治州文化局　陈显双、札西次仁等

出　处：《考古学报》1991 年第 2 期

炉霍县地处四川西部边缘。卡莎湖属川西高原上的内陆湖泊，位于炉霍县城西北朱倭区充古乡侧，与县城相距约 60 公里。石棺墓地是 1984 年初在卡莎湖修建水力发电站时发现的。发掘工作从 1984 年 5 月初开始，至 7 月上旬结束。

简报分为：一、墓地情况，二、墓葬概述与典型墓例，三、葬式，四、随葬器物，五、年代，六、几点认识，共六个部分。有照片、手绘图。

此次共发掘 275 座墓，其中 128 座墓无随葬品，148 座墓有随葬品。这批墓的墓坑和葬具都很小，均无头、脚、边箱。石棺用料未经二次加工，粗糙但较牢固，具有早期石棺墓的特色。这批墓的时代，简报推断上起春秋下至战国中期前，最晚也不会晚于战国中期。这批墓的性质，简报认为是典型氏族公共墓地。当时的人们贫富悬殊不大，应属于原始氏族社会阶段。从随葬物品看，当地人应属草原游牧民族，属畜牧为主，兼有狩猎的经济类型。

1268.四川炉霍县斯木乡瓦尔壁 M1 发掘简报

作　者：四川省文物考古研究院、炉霍县文物管理所　陈卫东、许　俊

出　处：《四川文物》2014 年第 5 期

2012 年 4 月，考古人员对四川炉霍县斯木乡瓦尔壁 M1 进行抢救性发掘，M1 为竖穴墓道洞室墓，有大量殉牲。

简报分为：一、墓葬概述，二、出土器物，三、结语，共三个部分。有彩照、手绘图。

据介绍，M1 为竖穴墓道单洞空墓，出土器物 15 件，有铜器、骨器、陶器。殉牲共 7 头，有马、狗等。年代在春秋战国。

简报称，该墓的清理，为研究中国西南地区与北方游牧民族的关系提供了重要资料。

凉山州

1269.四川西昌市郊大石墓

作　者：凉山彝族自治州博物馆　刘世旭
出　处：《考古》1983 年第 6 期

1980 年，为配合基本建设，考古人员在西昌市郊先后清理了大石墓 5 座（编号 M1 ~ M5）。墓葬的分布情况为：M1 ~ M3 在西昌市北约 4 公里处的燕家山西侧松香厂附近，平均墓距 30 米左右；M4 在此山背后约 500 米处的关山西端顶部；M5 在西昌市西面约 7 公里处的袁家山上。简报配以手绘图予以介绍。

墓葬均呈长方形，无墓道，两侧壁和后壁竖置大石，墓门处用大石或块石封闭，底多用黄土筑平，部分嵌以块石，顶部横盖以巨石。墓葬都受到不同程度的扰乱或破坏，出土器物多残，无葬具，骨架也多不存。这次清理的 5 座墓，长度都在 5 米以下，M4 长仅 2.1 米，是目前发现的最小的一座大石墓。从出土器物来看，M4 仅有陶器，且系大型实用器，无纺轮、装饰品等，其风格与当地新石器晚期遗址出土者接近。其他墓遗物虽仍以陶器为主，但出现了仿铜器的陶觚。这种差异说明两者时代的早晚不同，简报推断 M4 应早于战国，其他各墓时代应在战国中期以前。

简报还附带介绍了在冕宁县三分屯调查的情况。

1270.四川越西县聊家山发现战国西汉铜铁器

作　者：毛瑞芬、邹　麟
出　处：《考古》1991 年第 5 期

1987 年 8 月，在文物普查中征集到一批出自越西城西北 2 公里、青龙村以西 500 米的聊家山的青铜器和残铁器，简报配以手绘图予以介绍。

这批文物计青铜剑（残）1 件、铜柄铁剑（残）1 件、铜鍪 2 件、大耳铜罐 1 件、鎏金铜圈 1 件、铜洗（残）1 件、铜泡 3 件、铁削 3 件。从造型和风格来看，铜鍪、洗等为四川战国晚期至西汉初期墓中常见随葬器物。由于凉山地区铁器的流行大致在西汉中期，因此推测这些器物可能是西汉时期的遗物。

1271.四川西昌发现战国“车大夫长画”铭文戈

作　者：张正宁

出　处：《考古与文物》1993年第5期

1990年5月，四川西昌市文管所从当地居民手中收缴到一组战国时中原地区流行的青铜兵器，其中有一件“车大夫长画”铭文戈。这是继山东潍坊市之后，迄今为止，国内所见第二件“车大夫长画”戈。经调查核实，此组兵器是一农民在安宁河边挖土时偶然发现的。有关情况尚在进一步调查核实中。现文物已由西昌市文管所收藏。简报配以手绘图予以介绍。

据介绍，同出兵器共三件，其中戈两件，矛一件。戈为三穿直内长胡式，矛为长骹宽叶圆本式，两件戈中一件有铭文，另一件无铭文。三件兵器均基本完好，锈色斑斓，尤以矛锈蚀严重。这几件兵器应非本地所产，但既别于巴、蜀，又别于滇池、洱海乃至贵州地区的同类器物，似乎无任何相似性。经考证简报认为是燕国兵器。“车大夫长画”戈等兵器极有可能是秦军在与燕国交战时所缴获之战利品，尔后通过“取笮及其江南地”、推行郡县、镇压反叛等一系列军事、政治行动中留在安宁河流域的。

1272.会理发现一柄青铜剑

作　者：唐　翔

出　处：《四川文物》1993年第4期

1993年3月，会理县文物管理所在金沙江东岸河口村二组一村民家中，征集到一柄青铜剑。此剑系该村民父亲1971年修围墙时挖出，保存至今。

经调查，铜剑出土地点位于河乡西面的白云山麓，其附近分布有较多的古代文化遗存，这一地区又是古代蜀滇往来的重要通道，汉代所置三绛县即在其左近。从剑的形制和纹饰特征看，具有较强的民族文化色彩。因此，该剑应是这两种文化在金沙江流域接触的缩影，剑的时代应在战国至西汉初。

1273.四川西昌市经久大洋堆遗址的发掘

作　者：西昌市文物管理所、四川省文物考古研究所、凉山彝族自治州博物馆　张正宁、姜先杰、刘　弘等

出　处：《考古》2004年第10期

大洋堆遗址是1990年西昌市文物管理所进行文物普查时发现的一处保存较好的

古代文化遗址。该遗址位于安宁河谷中段东岸的一级台地上，西距安宁河约2000米，东距西昌至盐源公路350米，东北距经久乡政府1800米，行政区划属于西昌市经久乡合营村六组。遗址略高于四周地面，南北长180米，东西宽45米，面积8100平方米。遗址南北两端各有一个大土堆，两土堆间距约80米，北面土堆较大，南面土堆略小，两土堆之间为平坦的耕地。1993年12月，当地村民改造农田，在大洋堆大量取土，将遗址北部破坏约600平方米。1994年10月，考古人员进行了抢救性发掘。

简报分为：一、地层堆积与分期，二、文化堆积，三、结语，共三个部分。有手绘图等。

大洋堆遗址文化遗存可分三期。早期包括竖穴土坑墓9座，时代约为西周早期；中期包括与祭祀有关的24座器物坑和19座黄土坑，时代约为春秋时期；晚期由2座大石墓和2座灰坑组成，其中2座大石墓是大石墓的初始类型，时代约为春秋末至战国初。此次发掘，为研究古羌人南迁及“邛都夷”的文化面貌提供了有力的证据。

1274.四川会理县粪箕湾墓群发掘简报

作　者：会理县文物管理所、凉山彝族自治州博物馆、四川省文物考古研究所
出　处：《考古》2004年第10期

粪箕湾墓群位于四川凉山彝族自治州会理县黎溪镇盆地内，墓群于1987年文物普查时发现，总面积约14200平方米，分布在水坪梁子和小团山上。水坪梁子墓地面积约11200平方米，小团山墓地面积约3000平方米，发现有土坑墓和石棺墓约数百座。水坪梁子墓地东南部分现已开垦为耕地，耕地外的山坡上，墓口多已露于地表；山丘下部的墓葬，因水土流失，有的已露出墓坑和随葬器物。已开垦为耕地的地方，墓葬即开口于耕土层下。而小团山墓地的墓葬保存相对较好。20世纪80年代末期，为配合会理县实施的农业综合开发“坡改梯”工程，考古人员于1989年5月对水坪梁子南坡墓葬进行了第一次抢救性发掘，清理土坑墓41座，编号简称为M12～M41。1990年4月，第二次对该墓北坡上部墓葬进行了发掘，清理土坑墓42座，编号简称为M42～M83。1991年4～5月，第三次对该墓地北坡下部墓葬进行了发掘，清理土坑墓49座，编号简称为M84～M132。1992年11月又进行了第四次发掘。

简报分为：一、墓葬分布及墓葬形制，二、随葬器物，三、结语，共三个部分。有手绘图。

1989～1992年，考古人员对粪箕湾墓群150座墓葬进行了调查。墓葬分布密集，为长方形竖穴土坑墓，墓坑狭长。随葬器物以陶器为主，另有铜器、石器、玉器等共计229件。陶器多具自身特点，其葬俗也不同于周边地区，表现出一种新的文化

面貌。据随葬器物形制，简报推断墓葬时代应为战国时期。

1275.四川西昌洼垴、德昌阿荣大石墓

作　者：四川省文物考古研究院、凉山州博物馆、西昌市文物管理所　金国林、周科华、刘　弘等

出　处：《文物》2006 年第 2 期

西昌洼垴、德昌阿荣大石墓群位于四川省凉山州安宁河的东岸，1987 年文物普查时发现。2004 年 7 月至 8 月初，配合西攀高速公路的建设，考古人员对西昌市黄水乡洼垴村石墓群中的 M1、M2 进行了抢救性发掘。2004 年 9 月至 12 月中旬，考古人员又对德昌阿荣大石墓群的 4 座大石墓进行了抢救性发掘。两次共发掘 6 座大石墓，其中又以西昌洼垴 M1(2004XWM1) 和德昌阿荣 M3(2004DAM3) 保存最为完整。简报分为：一、墓葬形制，二、出土器物，三、结语，共三个部分。配以照片、手绘图，先行介绍这两座大石墓的发掘情况。

洼垴 M1 的年代为西汉中期以后，最晚可能到东汉初年。阿荣 M3 的年代上限为战国早中期。大石墓的特征是在墓葬四壁竖立巨大的石块，墓顶也盖以巨石。这种墓葬的规模较大，总长度多在 8 米以上。墓内的随葬器物不多，且以陶器为主。另有绿松石珠、铁刀各 1 件。关于大石墓的族属，简报认为就是文献中记载的“邛都”。

《史记 · 西南夷列传》记载：“自滇以北，君长以什数，邛都最大。”现在的凉山彝族自治州就处在当时的“滇以北”地区，其地理区域与大石墓分布区相合。司马迁撰写《史记》之时，邛都人俨然已是四川西南地区的一个颇具影响力的群体，其兴起之时理应早于这个时期。至于其衰亡时间，在文献上也有记载。《后汉书 · 南蛮西南夷列传》载，新莽更始二年（公元 24 年），邛人长贵“自立为邛谷王”。东汉建武十九年（公元 43 年），“武威将军刘尚击益州夷”，长贵反，刘尚“遂掩长贵诛之，徙其家属于成都”。“邛都夷”从此一蹶不振。大石墓恰好在东汉初以后渐趋消失，两者在时间上相符。因此，大石墓可能与邛人有关。

1276.凉山州德昌县王家田遗址发掘简报

作　者：四川省文物考古研究院、凉山彝族自治州博物馆　辛中华

出　处：《四川文物》2006 年第 1 期

王家田遗址是安宁河流域与大石墓群同时期的一处遗址，此次发掘清理灰坑 3 个，出土物有陶器和石器。陶器包括大双耳深腹罐、双耳罐敞口罐等。石器有石刀、石核、

细石片等。出土的遗迹和遗物对于单纯的大石墓发掘所获得的材料是极其重要的补充，也为全面地揭示大石墓所在文化的面貌提供了更为丰富的资料。

简报分为：一、地层堆积，二、遗迹，三、遗物，四、结语，共四个部分。有手绘图。

王家田遗址出土的以夹砂带耳罐为典型器类的陶器和部分石器如砺石等的特征与邻近的米易湾丘大石墓的同类出土物基本一致，应该属于这种以大石墓为代表的文化。整体上王家田遗址的陶器要较米易大石墓的更为粗糙和原始，此外还首次出土了细石器，其时代应该要早于米易大石墓。米易大石墓的年代大致在战国晚期，因此推断王家田遗址的时代应在战国中晚期，属于目前已发现大石墓所代表文化的偏早阶段。

1277.凉山州西昌市麻柳村灰坑清理简报

作　者：四川省文物考古研究院、凉山彝族自治州博物馆、西昌市文物管理所　胡昌钰

出　处：《四川文物》2006 年第 1 期

西昌市樟木乡麻柳村发现一个埋藏丰富陶器的坑，内出土有陶杯、壶、豆罐等类型器物若干。这些器物与安宁河流域春秋战国时期大石墓出土器物类似，应为“邛都夷”在战国初期的遗存。简报配以手绘图予以介绍。

2003 年 11 月 22 日上午，凉山彝族自治州博物馆与西昌市文物管理所接凉山州文化局电话：劳改队在樟木乡麻柳村种植石榴树时发现一个坑，坑中陶片较多。现管教干部已将出土陶片带到了州文化局。考古人员立即赶赴现场，发现陶片出于一个灰坑，灰坑大部已被扰乱。从出土的陶器看，多与安宁河流域春秋晚期至战国初期大石墓出土陶器类同。学术界普遍认为春秋晚期至西汉末的大石墓应为《史记 · 西南夷列传》所载邛都夷的文化遗存。故简报推断该灰坑应为邛都夷在战国初期的文化遗存。

1278.四川会理县雷家山一号墓的发掘

作　者：成都市文物考古研究所、凉山州博物馆、会理县文物管理所　周志清、唐　翔、唐　亮、索德浩等

出　处：《考古》2010 年第 4 期

会理县地处四川省凉山彝族自治州南部，北距西昌市 185 公里，南距攀枝花市 120 公里。这里是古代“南方丝绸之路”入滇的要津，地理位置非常重要。雷家山墓

地位于会理县南阁乡南阁村五组的雷家山坡上。该墓地是2005年12月由会理县文物管理所调查时发现的，现被许多民房占压，遭到了严重破坏。2006年11月，考古人员对雷家山墓地进行了详细的考古调查。调查中发现，该墓地基本上已遭彻底破坏，仅在几处民居的围墙陡坎断面上发现零星残留的陶器，墓坑已全然不存。在一处陡坎上发现了一座残墓（一号墓），遂对其进行了抢救性清理。

简报分为：一、墓葬形制，二、随葬器物，三、结语，共三个部分。介绍了该墓的发掘情况，有彩照、手绘图。

据介绍，雷家山一号墓为长方形竖穴土坑墓，墓室遭到严重破坏，出土了大量陶器、石器等随葬品。许多器物形制特殊，装饰风格独特，具有明显的地域特色。墓葬时代约为春秋时期。墓葬独特的葬俗和丰富的随葬品，为了解城河上游地区青铜时代的丧葬习俗提供了重要资料，其丰富的文化内涵也展现出该区域青铜文化面貌的多元性。

贵州省

贵阳市

六盘水市

遵义市

1279.贵州务川大坪出土的青铜器

作　者：贵州省博物馆　王海平等
出　处：《文物》1989 年第 11 期

1983 年 6 月，务川县大坪乡团堡村农民在责任田取土时，发现 1 件青铜提梁壶。同年 11 月，在同一地点又发现青铜釜、鍪、蒜头壶各 1 件。1984 年 4 月，皂角树村农民在与团堡村相邻的山上发现青铜鼎、扁壶各 1 件。考古人员对现场进行了清理，证明前一地点的铜器出自墓葬，后一地点由于环境被破坏，已无法辨明出土情况。简报配以照片予以介绍。

简报称，团堡、皂角树距务川县城约 16 公里，出土铜器的地点均为乌江支流洪渡河北岸的二级台地，前者高出河面约 100 米，后者高出河面约 90 米。团堡青铜器出自一座长方形土坑竖穴墓。出土器物有：铜铺首提梁壶、铜蒜头壶、铜釜、铜鍪、铜扁壶、铜鼎各一件；陶器 2 件。大坪出土的青铜器，是秦墓和秦文化中常见的器物，怀疑是秦始皇统一中国后迁入黔中地区之人留下的遗物。

安顺市

铜仁市

毕节市

1280.贵州威宁县红营盘东周墓地

作　者：贵州省文物考古研究所、四川大学历史文化学院考古系、威宁县文物管理所　刘秀丹、张合荣、罗二虎等

出　处：《考古》2007年第2期

红营盘墓地位于贵州威宁县中水盆地南端前河与中河之间的一条小土梁上，行政区划属中水镇中河管理片区新街村。1978年、1979年，考古人员曾对位于其附近的梨园墓地进行过两次考古发掘，并在独立树（红营盘墓地旁）清理墓葬6座，出土铜剑3件、铜饰2件、玉手镯1件和残陶器等。发掘者根据当时清理情况推测这里是一处偶尔遗弃尸首的荒原。2004年10月至2005年1月，根据该地出土青铜器的线索，考古人员对该墓地进行了详细钻探。

简报分为：一、地层堆积，二、墓葬形制，三、出土遗物，四、结语，共四个部分。有手绘图等。

此次共清理墓葬26座，均为小型墓。墓葬形制为长方形竖穴土坑。葬式为仰身直肢，人骨保存较差。随葬品较少，部分墓葬无随葬品，种类包括陶器、铜兵器、玉石器等。该墓地的年代简报推断为春秋晚期至战国早中期。

黔西南州

黔东南州

黔南州

云南省

昆明市

1281.云南晋宁石寨山第三次发掘简记

作　者：马德娴
出　处：《考古》1959 年第 3 期

1958 年冬，考古人员在晋宁石寨山展开发掘，共发掘 12 座土坑墓，出土陶片 1000 余片、陶纺轮 5 件、石器 5 件。简报配以手绘图予以介绍。

12 座墓计出遗物 200 余件，有铜器、漆器、串珠、鎏金耳环、陶罐等。除了受楚文化影响外，少数民族的特点还很突出，如石耳环是以兜肚形的石髓 7 片连续套成，一片比一片小，挂在耳朵上，有 6 ～ 10 厘米长。在墓室中随葬有 1 只鸡和 1 个狗头，也可能是葬俗的一种。四壁和填土都是红烧土，这种做法在云南是第一次发现，在全国也是少见的。这些可能都是当时少数民族所特有的葬俗。

1282.昆明大团山滇文化墓葬

作　者：云南省博物馆文物工作队　阚　勇、王　涵
出　处：《考古》1983 年第 9 期

大团山位于昆明西郊 4 公里的黑林铺东面，系一高约 30 米的砂质小山。1975 年春，昆明大团山挖砂场出土了数件青铜器。5 月，考古人员前往调查，共清理古墓 6 座。简报配以照片、手绘图予以介绍。

6 墓均为长方形竖穴土坑墓。M2、M3、M4 三墓随葬品已无存，M1、M5、M6 三墓共出土 12 件器物，其中铜器 10 件、陶器 2 件。大团山古墓当属滇文化的早期类型。

简报认为，此地墓葬其时代可能早至春秋晚期或战国初期。墓主人似属当时社会上的中下层人物。

1283.昆明上马村五台山古墓清理简报

作　者：云南省文物工作队　王大道、马荫何
出　处：《考古》1984 年第 3 期

1977 年 12 月，云南省建机修厂在昆明市上马村五台山修建宿舍，挖地基时发现古墓葬。考古人员前往清理，从 12 月 21 日开始，至 29 日结束。简报分三个部分予以介绍，有手绘图、照片。

上马村五台山位于昆明市北郊约 3 公里，在昆明至柯渡公路边。该山系昆明盆地边缘的小丘，东低西高。墓地在山腰缓坡上，墓群从上至下作带状分布，面积约数千平方米。此次仅清理了房基占用的 180 余平方米。所有墓均未发现葬具痕迹，人骨架也多腐朽无存。仅一号墓尚残存墓主牙齿及肢骨少许，其足端又另有头骨三个和一些散乱的骨骼，据此墓主骨架痕迹判断，应为仰身直肢葬。13 座墓出土随葬品 103 件（细小的绿松石珠不计在内），其中铜器 42 件，陶器 47 件，玉、石、玛瑙器 14 件。另外，还收集到铜器 15 件。这 13 座墓的时代应与呈贡龙街石碑村第一期墓相当，大约是春秋晚期至战国中期的遗存。上马村古墓葬是滇文化中较早的墓群。

1284.呈贡天子庙滇墓

作　者：昆明市文物管理委员会　胡绍锦等
出　处：《考古学报》1985 年第 4 期

天子庙位于云南省呈贡县龙街区小古城乡境内，北距昆明市 15 公里，南至呈贡县城 3 公里，西临滇池 2 公里。庙内有清光绪十一年立的《重修景帝宫功德碑》，现在的天子庙仅剩下两殿，一厢房，一堵围墙。庙被农民改作翻砂厂，围墙内成了养猪场。多年来，当地百姓不断在庙址内挖土平场，致使许多古墓圹口暴露，有的遭到不同程度破坏，有的被铲平，随葬品被任意损毁，私自盗卖。1975 年 2 月，根据一废品收购站提供的线索，考古人员在天子庙范围内初步调查到一批古墓，发掘古滇墓 9 座。1979 年 10 月，小古城村农民又在围墙内修建猪厩，考古人员闻讯后赶去，在猪场进行了抢救性发掘。发掘从 1979 年 12 月 4 日开始，至次年 1 月 22 日止，历时近 50 天，共发掘滇墓 44 座，全部属长方形竖穴土坑墓。其中，以 41 号墓规模最大，出土器物比较丰富，其他都是中、小型墓，出土器物不多。简报分为：一、41 号墓，二、其他墓葬，三、结语，共三个部分。重点介绍 41 号墓，有照片、手绘图。

41 号墓是一大型长方形竖穴土坑墓，位于墓群中部，墓主葬式不明，有一儿童殉葬，有铜器等大批精美随葬品，年代约为战国中期偏晚。其他 43 座墓均为中小型

长方形竖穴土坑墓，出土随葬品195件，以陶器为主，年代为战国晚期至西汉早期。墓主人为当地土著滇人。

天子庙41号墓是云南发现的一座规模最大、保存完好、遗物丰富的滇墓。这座墓的墓口面积相当于同一墓地中、小墓的4～10倍，随葬品占全部墓葬出土量的60%以上。看来远在战国中期，古“滇族”内部已经有着明显的阶级分化。41号墓的墓主人生前无疑是滇池地区很大的奴隶主。墓内随葬大量的兵器，还表明这个墓主人生前掌握着相当大的军事统率权。33号墓的贮贝器上，镌刻一列7人士兵图像，这应是古“滇族”内已有建制军队存在的证据。

简报认为，在这个古滇国中，农业是比较受重视的，41号墓随葬有大型青铜农具就是证据。《史记·西南夷列传》记载，当时的滇族“耕田有邑聚”，表明农业在这里的经济生活中有着重要的意义。除了农业，古“滇族”中产生了许多能工巧匠，能够从事冶铸、制陶、琢磨、纺织、髹漆、编竹、皮革、酿酒等项生产。当时的冶铸业主要是青铜器制作，人们已经掌握了合范铸造工艺，制作箭、鼓等器物。运用焊铆技术，学会用失蜡法制作诸如剽牛场面一类铜饰品。由41号墓出土的宽边圆环形镯和大批青铜兵器的情况看，工匠们已经掌握了某些合金的比例，用在铜液中加锡、银或铬、镍的办法，使得生产的铜器适宜需要，至今光洁如新，不易氧化。但是，有的器件（如釜）显然杂质过多，有的铸造简陋、粗糙。许多青铜器表面至今保存着丝、麻织品遗痕，看来都是就地取材纺织成的，不会是远道传入。

1285.云南晋宁县小平山遗址试掘简报

作　者：云南省文物考古研究所、晋宁县文物管理所　徐文德、蒋志龙等

出　处：《考古》2009年第8期

小平山遗址位于云南晋宁上蒜乡牛恋村，东距昆玉老公路约300米，北距石寨山墓地约300米，西距滇池约1000米。从牛恋村至河泊所、石寨山等村的乡间公路从小平山西侧穿过。小平山遗址于1955～1956年在环滇池沿岸的考古调查中被发现。1982年考古人员对该遗址进行了进一步的核实，确认是一处新石器时代贝丘遗址。2005年10～11月，对小平山遗址进行了试掘。共发现灰坑11个、用火遗迹12处、沟4条以及柱洞遗迹，其中可辨为房屋遗迹的有2座；出土了大量陶片及少量石器、铜器和铁器。

简报分为：一、地层堆积，二、遗迹，三、遗物，四、结语，共四个部分。有手绘图等。

据介绍，小平山遗址的时代早期约在战国中期以前，晚期约在战国中、晚期。发现的房址、陶器等对滇文化研究均有重要意义。

曲靖市

玉溪市

1286.云南元江县洼垤打篙陡青铜时代墓地

作　者：云南省文物考古研究所
出　处：《文物》1992 年第 7 期

1984 年，元江县开展文物普查，在洼垤乡洼垤村收集到打篙陡（彝语音译）出土的青铜器。经调查，1959 年该地就曾发现过青铜器，历年大雨之后亦常有青铜器出土。1988 年考古人员前往调查。1989 年 9 月，发掘青铜时代墓葬 3 座，确定该地为一有发掘价值的墓地。1989 年 12 月至 1990 年 1 月，考古人员对打篙陡墓地进行正式发掘，共发掘青铜时代竖穴土坑墓 73 座（包括 1989 年发掘的 3 座）。另有现代土坑墓和砖拱顶竖穴土坑墓各 1 座。

简报分为：一、地理环境和地层，二、墓葬形制，三、随葬器物，四、结语，共四个部分。配以手绘图等，先行介绍青铜时代墓葬。

73 座中有随葬品的墓为 45 座，出土石、青铜器、陶器等遗物 155 件。简报推断该处为一古代濮族的部落公共墓地。年代应为春秋晚期至战国晚期。

保山市

1287.近年来云南昌宁出土的青铜器

作　者：云南省博物馆、吕宁县文化馆　黄德荣、张绍全
出　处：《考古》1990 年第 3 期

最近几年云南省昌宁县出土了一批造型奇特、铸工精致的青铜器，其中几件在云南省为首次发现。简报配以照片予以介绍。

1987 年 4 月达丙区达丙乡营盘社农民在种地时发现两件弯刀，出土点在距县城东南 1.5 公里左右的小山上。1986 年 9 月达丙区右文乡中三甲农民开茶地时发现二

件铜盒，三件铜钺。1972 年在达丙区八甲大山水冲坑发现 2 件铜钺。1986 年 7 月在八甲大山以北约 2 公里处的龙潭山长洼子水沟头发现一件铜钺。据形制、纹饰等因素，简报推断这几件铜钺和铜盒的年代大约为西汉。弯刀和上述器物比较，年代要早一些，约为春秋战国时期。参照出土情况和周围地理环境，推测这批青铜器不是出自墓葬，而是属窖藏性质。

1288.云南龙陵县发现青铜钺

作　者：王绵麟
出　处：《考古》1992 年第 3 期

1987 年 7 月以来，考古人员在对怒江中游西岸地区的考古调查中，先后收集到两件青铜钺。这两件铜钺是龙陵木城乡农民在该乡的路头田和小田梁子距地表 0.4 ~ 1 米深处发现的。简报配以照片予以介绍。

Ⅰ式铜钺：路头田出土，弧肩半圆形刃，銎腰两侧凸有一乳钉，素面，銎呈椭圆形。

Ⅱ式铜钺：小田梁子出土，平肩扇形刃，刃两端微翘起，肩沿突起一道弧棱，椭圆形銎。钺正面处有一“个”纹饰。

上述两件青铜钺和澜沧江中游地区云县忙怀类型的有肩石斧以及怒江中游西岸地区船口坝新石器遗址、大花石新石器文化遗址的打制有肩石斧极为相似。很明显，这两式铜钺都是从有肩石斧的基础上发展起来的，并有着浓郁的地方特点和民族风格。根据已有的考古成果来看，这两式铜钺类型与云南永胜金官龙潭的心形斧、短銎半圆形刃铜斧，广东德庆落雁山、广宁铜鼓岗Ⅱ式钺等战国墓随葬品都十分类似。由此，简报推断木城乡出土的青铜钺年代为春秋战国时期。

1289.云南腾冲出土春秋战国时期青铜器

作　者：腾冲县文物管理所　李　正
出　处：《文物》1995 年第 7 期

1989 年 1 月，腾冲县曲石乡江南村张家寨农民在麻栗山建房挖削山坡时，出土青铜案、盒各 1 件。县文管所于 1990 年 5 月征集并收藏。简报配以照片予以介绍。

据介绍，铜案由案面、支架组成。案面两端宽，中间窄且微凸，呈弧形。铜盒为马鞍形和梯形扁盒，出土后盒体被毁，盒盖保存完好。铜器出土地点位于腾冲县城东北方，距县城约 40 公里。经勘查，应是一座墓葬，墓已被破坏。根据铜案、盒的形制、纹饰，简报推断其为春秋战国时期的遗物。

简报称，出土铜案、盒的墓葬，可能是“乘象国滇越”的墓葬，铜案、盒及铜鼓，可能是滇越青铜时代文化遗物。

1290.云南昌宁坟岭岗青铜时代墓地

作　者：云南省文物考古研究所　王大道等
出　处：《文物》2005 年第 8 期

1976 年昌宁县大田坝村村民放牧时于白沙坡发现青铜器。1984 年考古人员对该地及其附近进行调查，又在坟岭岗发现青铜时代遗物。1994 年 4 月考古人员再次对白沙坡一带进行调查、勘探，在白沙坡、小兰家洼子、小米地、乌梢邬采集到双肩石斧、石网坠、陶纺轮等新石器时代晚期遗物，在毕家大田发现古代炼铁炉，并于坟岭岗发现、清理了 4 座墓葬，确定此地为一处青铜时代墓地。1994 年 5 月，考古人员对坟岭岗墓地进行正式发掘，发掘面积 850 平方米，清理墓葬 50 座（包括同年 4 月调查时清理的 4 座）。

简报分为：一、地理环境和地层，二、墓葬形制，三、随葬器物，四、结语，共四个部分。先行介绍墓地的发掘情况，有照片、手绘图。

坟岭岗青铜时代墓地位于云南省昌宁县城西北 50 余公里处山系间的一个小盆地上。这些墓葬均为长方形竖穴土坑墓，未见葬具痕迹。出土器物有铜器、铁器、陶器和石器等 279 件，采集品 3 件。其中以兵器、装饰品为主，而铁器仅 3 件。墓葬的年代在战国至西汉初期，应属怒江、澜沧江、金沙江上游青铜文化类型。墓主应为《史记 · 西南夷列传》中所记巂、昆明族人。

昭通市

1291.云南省昭通市水富县张滩土坑墓地试掘简报

作　者：云南省昭通市文物管理所、云南省水富县文化馆　丁长芬
出　处：《四川文物》2010 年第 3 期

1989 年 4 月，水富县张滩坝农民陆续从地里挖出青铜剑、半两钱等文物。考古人员于 4 月 25 日至 5 月 13 日组织人员对水富张滩墓地进行试掘。试掘土坑墓 6 座，墓葬内的随葬品显示出浓厚的巴文化因素。

简报分为：一、探方墓葬情况，二、随葬品，三、结语，共三个部分。有手绘图等。

简报称，这次试掘面积较小，但出土物证实了巴文化已深入今云南水富境内，为研究巴文化及巴人南迁提供了重要的考古材料。

丽江市

1292.云南永胜县发现两面铜鼓

作　者：张顺彩

出　处：《考古》1990 年第 2 期

1986 年 4 月 30 日，永胜县金官区军河乡六村农民唐虎尧，在村北山麓开挖承包地时，在距地面 40 ~ 60 厘米处，分别掘出铜鼓两面，陶坛二件，青铜杯一件。此外还有陶罐十多件，以及一些铜饰物。考古人员闻讯去调查时，只见铜鼓和铜杯，其他已被发现者挖碎。简报配以照片予以介绍。

据介绍，两面铜鼓制作工艺均粗糙。两鼓的造型及纹饰，均与楚雄万家坝型相似。据学者研究，万家坝型铜鼓的流行年代约为春秋至战国初期（参见《楚雄万家坝大墓群发掘报告》，《考古学报》1983 年 3 期）。故军河乡出土的两面铜鼓应属于春秋至战国初期之遗物。

普洱市

1293.云南思茅地区新石器时代遗址调查

作　者：黄桂枢

出　处：《考古》1993 年第 9 期

云南省思茅地区考古人员于 1983 年 5 月至 8 月，在澜沧、西盟、孟连、墨江、普洱、思茅、江城、景谷八县进行了文物普查。1984 年 8 月至 9 月，又在镇沅、景东二县进行了普查，此后各县又陆续作了补查。全区经过普查，发现新石器时代遗址 4 处、新石器采集地点 74 处，采集各类石器遗物 397 件、夹砂陶片 21 件，填补了云南思茅地区新石器时代文化的一大空白。

简报分为：一、自然地理环境，二、遗址概述，三、几点认识，共三个部分。先行介绍了思茅地区普查发现的新石器时代遗址和采集地点。有照片，后附表格列举71处遗址主要信息。

思茅地区10个县，自1983年文物普查以来至1989年底，先后发现各类型石斧374件、石锄1件、石刀13件、石矛1件、石镞1件、石环3件、砍砸器2件、刮削器2件、夹砂陶片21件。此外，1963年1月，在孟连县考察清理老鹰山新石器时代岩穴遗址1处，遗址文化层内出土石斧2件、石网坠35件、陶质残纺轮1件、弹丸5件以及残坏的罐、钵、碗、盘、夹砂陶片多件。夹砂陶片只在4处遗址中发现，而在74处新石器采集地点中，均未发现陶片。思茅地区新石器时代遗址参考时代上限当在公元前12世纪左右。景谷边疆以南至澜沧、思茅、江城一带的新石器与双江忙糯新石器相同，其参考时代下限当在公元前4世纪至公元前2世纪的战国时期。但就社会经济形成而言，尚属原始社会晚期。其文化为百濮、百越和氐、羌先民的交融。

临沧市

文山州

红河州

1294.云南蒙自县鸣鹫出土一面铜鼓

作　者：尹天钰

出　处：《文物》1992年第5期

1989年6月，蒙自县鸣鹫中学在平整球场时挖出一面铜鼓，简报配以照片、手绘图予以介绍。

据介绍，该中学所在的鸣鹫村位于县城东37公里处。这里分布着大量古墓葬，村民在鸣鹫中学一带曾挖掘出青铜器如铜戈、铜矛、铜斧等。铜鼓位于地表下约1米处，周围没有发现其他遗物，不清楚是出自墓葬还是窖藏。简报认为铜鼓应为春秋中期以前的文物。

今有李伟卿先生《铜鼓及其纹饰》（云南科技出版社2000年版），可参阅。

1295.云南个旧石榴坝青铜时代墓葬

作　者：云南省博物馆文物工作队、个旧市群众艺术馆　黄德荣、戴宗品
出　处：《考古》1992 年第 2 期

1987 年 7 月云南岂麻厂在个旧倘甸区石榴坝建厂施工中发现青铜器。考古人员调查落实，确认此处为一青铜时代墓地，对该墓地进行了抢救性清理，发掘时间为 1987 年 7 月 31 日至 8 月 8 日。

简报分为：一、随葬器物，二、结语，共两个部分。有手绘图、照片。

石榴坝墓地位于个旧市倘甸区石榴坝村西北方向约 2 公里处，东面约 200 米是个旧至建水的公路，墓地北高南低，呈缓坡状。它的北面是老云山山脉。在清理的大约 1000 平方米的范围内，共发现 24 座墓葬。墓葬分布不密集，全部是小型竖穴土坑墓，尸骨已腐朽无存。

据介绍，除 M17、M18 为空墓外，其他 22 座墓都有葬品。各墓随葬品有两种情况。一种是以随葬青铜器和陶器为主。如 M12 随葬青铜戈、凿、锛、刀等共 17 件，陶器 7 件，此外还有石器等；M10 随葬青铜戈、凿、锛等共 4 件，陶盘 1 件，玉器 6 件，石器 1 件。另一种是以随葬陶器为主。如 M3，随葬陶罐 7 件，无青铜器。半数以上的墓仅随葬一两件陶器，或再增加一两件青铜器。青铜器常置于足部附近，陶器一般置于墓坑两侧。简报推断墓葬下限应早于战国末，上限至战国初期或更早。

从 24 座墓的随葬品、墓坑形制看，其主人属平民阶层。个旧石榴坝墓的主人是濮族。

1296.云南个旧市麻玉田青铜时代墓葬的发掘

作　者：云南省文物考古研究所、红河州文物管理所、个旧市文物管理所　肖明华、万　杨等
出　处：《考古》2013 年第 3 期

麻玉田村位于云南省个旧市保和乡西南、元阳至河口公路以北。元江流至此村后向东流，形成了一个弯。麻玉田墓葬就位于元江北岸边的坡地和小山丘上，与麻玉田村隔公路相望。为配合元江马堵山的水电站修建工程，2006 年 6 月，考古人员对电站水库区进行了考古调查和勘探，发现了麻玉田古墓葬和遗址。2010 年初，对遗址和墓葬区进行了抢救性发掘。

简报分为：一、遗迹及出土遗物，二、结语，共两个部分。有彩照和手绘图。

据介绍，共发掘战国时期墓葬 16 座，均为长方形土坑竖穴墓，仰身直肢葬，随

葬品有青铜器和陶器。这是首次在元江流域发现的战国时期青铜文化遗存，其文化内涵不同于云南省其他区域的青铜时代考古发现，是元江中下游新的青铜文化类型。

西双版纳州

楚雄州

1297.云南省楚雄县万家坝古墓群发掘简报

作　者：云南省博物馆文物工作队、四川大学历史系考古专业七四级学员
出　处：《文物》1978 年第 10 期

楚雄万家坝古墓群是县良种场在农田基本建设中发现的。1975 年 5 月，云南省博物馆清理了大墓一座。1975 年 10 月至 1976 年 1 月，省文化局举办了云南省第二期考古学习班，又进行了发掘。简报配以手绘图，介绍了这次发掘的情况。

据介绍，古墓群位于楚雄县城东南约 3.5 公里，在龙川江支流清龙河西岸的二级台地上，东距清龙河 1 公里，高出河面 30 米。此次发掘面积 3300 平方米，发现墓葬 79 座。墓葬有大小两种，其中大墓 13 座（M1、M16、M18、M21、M23、M25、M32、M35、M57、M65、M75、M76、M77），小墓 66 座。两类墓葬在分布上也有差别，大墓集中于发掘区的中部，小墓多集中于北部，且有相互叠压打破现象。在 79 座墓葬中，54 座出随葬品，共计 1078 件，可分为兵器、生产工具、生活用具、乐器、装饰品五类。以青铜器占绝大多数，共 898 件，占随葬品的 84%。其余有少量的玉、石、玛瑙、琥珀、绿松石等装饰品。竹木器多已腐朽，仅有残木器 2 件。在某些墓葬的随葬物周围，可以观察到一些编织篾纹的痕迹。这些墓可分为早、晚两期：早期墓 11 座，时代为春秋中晚期；其他墓为晚期，时代为战国前期。简报指出，万家坝墓葬尽管带有强烈的地方色彩，但仍可看出与中国中原古代文化的密切联系。

1298.云南牟定出土一套铜编钟

作　者：云南省博物馆　杨　玠
出　处：《文物》1982 年第 5 期

1978 年 11 月，在牟定县新甸公社福土龙村后山坡上，距地面 3 米处发现铜编钟

六件及铜鼓一件。铜编钟现藏牟定县文化馆。简报配以照片和手绘图予以介绍。

铜编钟六件，基本完好。横断面作椭圆形，唇口平，顶上有半环形纽。编钟均为两道合范铸成。编钟纹饰，较大的两件相同，两面均为蟠蛇纹，其余几件均为一面蟠蛇纹，另一面为回旋纹。

铜鼓一件，出土时已损坏，只收集到一些残片，从鼓的耳钮看，为双耳绳钮。无纹饰。

简报推断，这套编钟可能是战国时期的遗物。这套编钟是目前云南出土的三套编钟中最大的一套。这套编钟上出现的乳头纹饰，与中原地区的编钟不同，在云南是第一次发现。

大理州

1299.云南弥渡县苴力公社出土两具早期铜鼓

作　者：大理白族自治州文化馆　田怀清

出　处：《考古》1981 年第 4 期

1978 ~ 1979 年，弥渡县先后出土两面铜鼓，简报配以照片、手绘图予以介绍。

据介绍，1 号鼓 1978 年 9 月出土于弥渡县城南 15 公里三岔路村后山，重 9 公斤。2 号鼓 1979 年 8 月出土于弥渡县青石湾村后小山中，重 18.5 公斤。两鼓造型古朴，简报推断为战国时遗物。

1300.云南祥云检村石椁墓

作　者：大理州文物管理所、祥云县文化馆　李朝真

出　处：《文物》1983 年第 5 期

1976 年 12 月，祥云县禾甸公社检村大队在修田取土时，掘出铜矛、铜钺、鸡形铜杖头等大小文物 50 余件。考古人员先后三次进行了实地调查，并于 1977 年上半年发掘了三座古墓。简报分为三个部分予以介绍，有照片。

据介绍，禾甸公社检村大队南距祥云县城 25 公里，坐落在禾甸坝子东北角的一个面积约 2 平方公里的小山丘上。山丘高出四周平坝 20 余米。墓地位于山丘南部边沿。此次发掘的三座墓葬（M1、M2、M3）均由较规整的自然石板拼砌而成，分为单室石椁墓（M2、M3）和多室双层石椁墓（M1）两种类型。随葬品除一些已残破

严重的陶器外，主要是从农民手中追回的青铜器49件。其中铜矛、心叶形铜锄、条形平刃铜锄、铜钺、鸡形杖头铜饰、铜刀、铜豆、铜尊，均与云南晋宁石寨山、祥云大波那所出相似，可证明其应属一个文化系统。简报推断其年代上限为战国中期，下限可至西汉早期。

简报称，此次发掘的三座石椁墓，葬式有仰身直肢葬，有侧身屈肢葬，有双人侧身屈肢分头葬。出土器物如五角、八角形星状饰片，“夫”字形饰品等均属云南省首次发现。这对研究云南地方民族古代史，无疑是一份重要的资料。

另据《文物》1986年第7期，1997年6月，为配合农田水利建设，考古人员在祥云县大波那村也曾清理了一座战国时期的木椁墓。此墓位于大波那村东约2公里外、象山的缓坡台地上，西邻黑龙山。

据介绍，此墓葬为长方形竖穴土坑木椁墓。墓口距地表1.55米。木椁用略加砍削的方木叠筑而成。构筑方法为：在一个略大于木椁的竖穴土坑底部横置两根枕木，枕木之上平铺三块长3.92米，宽分别为0.3米、0.22米、0.36米，厚0.16米的枋木。枋木两端开槽，卡住枕木，构成椁底。在椁底两侧各用两块枋木垒砌椁壁，南侧两块长3.93米，宽分别为0.42米、0.34米；北侧两块长3.79米，宽分别为0.4米、0.36米。椁壁两端开宽8厘米、深4厘米的榫槽，分别用长0.67米，宽分别为0.28米、0.27米、0.2米的三块方木卡在榫槽内，构成前后挡板。椁盖系用三块长3.88米、3.66米、3.68米，宽分别为0.34米、0.36米、0.18米，厚0.16米的方木平铺。在木椁与坑壁之间夯填大量青灰色膏泥，并于椁外5～8厘米处用小木桩密集排列加固。

在椁盖上方50厘米处，有两根直径10厘米呈十字形交叉的圆木，似为下葬时吊放木椁所用。由于时间久远，椁内已被淤泥充塞。骨架腐蚀严重，只保留少量的头骨、肢骨碎片。死者年龄与葬式已无法辨认，从随葬器物多为兵器和生产工具来看，似为成年男性。在脚端椁外青灰色膏泥中，残存不少散碎头骨、肢骨和少量破碎陶片。墓内出土锄、剑、矛、豆等铜器37件和锡器、陶器。

此墓的年代，简报推断为战国末至西汉早期。

此墓保存较好，未有扰乱现象，墓中出土器物也较为完整，为研究云南古代历史又增添了一批实物资料。此墓规模较一般墓葬大得多。出土的大量铜器中，兵器和生产工具占很大比例。铜剑、矛、镈、钺均属实用器，当是墓主人生前使用物；生产工具则是象征性的，属于明器。墓主人当有一定身份。

1301.云南剑川鳌凤山墓地发掘简报

作　者：云南省博物馆文物工作队　阚　勇等

出　处：《文物》1986 年第 7 期

1977 年 8 月，剑川县沙溪区沙溪街村民在鳌凤山山顶开山取石，发现有古物，考古人员前往调查，1980 年 10 月至 11 月发掘。

简报分为：一、墓葬形制；二、随葬器物；三、结语；共三个部分，有照片、手绘图。

据介绍，共清理土坑墓 217 座、瓮棺葬和火葬墓 125 座，出土随葬器物 572 件，年代从春秋中期到战国晚期不等，随葬器物以铜器、陶器为主，铜器中又以兵器为主。随葬猪下颌骨，这一习俗，在甘肃青海地区的齐家文化中也能找到，简报怀疑此处遗址与氐羌族南迁似有一定关系。

1302.云南弥渡苴力战国石墓

作　者：云南省博物馆文物工作队　张新宁等

出　处：《文物》1986 年第 7 期

苴力在弥渡县城南 19 公里处。1979 年夏，当地百姓在昆雌江两岸山麓发现被雨水冲刷出的古代石墓墓口。1980 年 1 月中旬，考古人员清理发掘了墓葬 10 座。简报分为三个部分予以介绍，有照片、手绘图。

据介绍，这次清理的 10 座墓葬，包括东岸青石湾 1 座（编号青 M1），石洞山 8 座（石 M1 ~ M8），西岸新民村 1 座（新 M1）。其中石洞山墓地清理的 8 座保存较好。清理所见墓葬均用大石块构筑，平面呈长方形，无墓门墓道。墓壁石块已露出地面，顶部遭破坏。在距青 M1 东南角 1 米处还发现用石块垒砌的曲尺形遗址。墓室构筑方法，为先挖一长方形坑，坑底四周挖 18 ~ 25 厘米深的基槽，紧靠四壁砌入略呈片状的大石块，石块下部插入槽内，空隙用大小适当的小石块填塞。墓底用小石块铺砌（唯石 M5 用碎陶片）。墓壁所用石块最大的长 2 米，高 2.2 米，厚 0.6 米，重约 7 吨。墓内人骨架仅存头骨和肢骨。头骨主要放置在靠山一端，堆放紧凑，相互间无淤土相隔，且以 5 为基数堆放，5、10、15 个不等，肢骨杂乱无章地堆在临江一端。看来，各墓的人骨应为一次放入，然后用土填实。简报推测是人死了以后，先简单地掩埋或保存在一定的地方，待软组织腐烂，并凑足 5 的某一倍数时，再收殓主要骨骼，葬入已建造好的石墓内。个别墓内情况特殊，如石 M2 一端置 15 个头骨，中部还放一个。随葬品有陶器、绿松石珠等。该遗址石墓的构建方法及埋葬习俗。与云南祥云检村遗址发现相似，属同一文化。该遗址的年代，简报推断为战国早、中期。

1303.云南南涧县浪沧乡三岔河村出土一件古代铜鼓

作　者：大理州博物馆　田怀清

出　处：《文物》2004 年第 10 期

1990 年 8 月，南涧县浪沧乡三岔村村民在村后山坡的泥潭边发现了一件古代铜鼓，出土时，鼓面朝下，铜鼓出土地点距南涧县城西约 55 公里，现藏大理州博物馆。简报配以照片予以介绍。

简报介绍说：该铜鼓的形制特点是鼓胸大于鼓面，鼓腰上部小，往下逐渐扩展呈梯形，足部短而足径宽。鼓面无芒，鼓身的胸、足部无纹饰，仅腰部使用单线纵分为空格，具有早期铜鼓的特点，制作工艺粗糙而古朴。年代简报推断为战国时期。

1304.云南永平县出土青铜器

作　者：大理白族自治州博物馆　田怀清、谢道辛等

出　处：《考古》2006 年第 1 期

1997 年 3 月 20 日，永平县杉阳乡仁德村农民耕地时发现一批青铜器。考古人员对实地进行了考察，经发掘断定出土铜器处为一窖藏，出土有钺、锄、斧、臂甲等 24 件铜器。简报配有照片、手绘图。

永平澜沧江东岸山坡出土的青铜器时代大致为战国至西汉早期。永平县杉阳一带开发较早，西汉时属益州郡地。西汉武帝在嶲唐（今保山一带）、不韦（施甸一带）设县管辖，境内主要居住着哀牢人、濮人、昆明人等，其中博南、哀牢二县主要聚居着哀牢人。永平县境内古代主要居住着哀牢夷。因此简报推测永平县澜沧江东岸发现的这批青铜器可能是哀牢人的文化遗存。

1305.云南祥云红土坡 14 号墓清理简报

作　者：大理白族自治州博物馆　李雁芬

出　处：《文物》2011 年第 1 期

祥云县位于云南省大理白族自治州东部。1987 ～ 1988 年，考古人员在祥云红土坡对战国至西汉时期的 79 座墓葬进行了抢救性发掘。

简报分为：一、随葬器物，二、结语，共两个部分。配以彩照，先行介绍其中的 M14。

据介绍，该墓为石棺墓。出土 501 件器物，除 1 件陶罐外，其余均为铜器。

铜器种类包括生产工具、生活用具、兵器、礼器、装饰品、动物模型、乐器等。此墓出土有197件铜杖首，种类较多，造型丰富，有鸟杖首、鹭鸶杖首、鸳鸯杖首、鱼鹰杖首、鸡杖首等。这些铜杖首既是明器，又是象征权威的礼器。可见墓主人生前应有一定社会地位。简报推断M14的年代上限为战国时期，下限至西汉早期。

德宏州

怒江州

迪庆州

1306.云南德钦县石底古墓

作　者：云南省博物馆文物工作队　王　涵

出　处：《考古》1983年第3期

1977年8月，德钦县燕门公社石底大队在象头山平整土地时，出土了一批青铜器。简报配以照片、手绘图予以介绍。

考古人员共清理了竖穴土坑墓两座（M1、M2）。M1未见葬具、人骨。随葬品有陶器3件。M2未见葬具，葬式为侧身屈肢葬，随葬品有陶器6件。另还收集到铜剑、铜刀等15件文物。简报推断此处遗址的年代为战国至西汉早期。

西藏自治区

拉萨市

昌都地区

山南地区

日喀则地区

那曲地区

阿里地区

林芝地区

陕西省

1307.陕西省兴平县念流寨和临潼县武家屯出土古代金饼

作　者：朱捷元、黑　光

出　处：《文物》1964 年第 7 期

陕西省博物馆最近征集到兴平县念流寨和临潼县武家屯出土的古代金饼，考古人员进行了实地调查研究。简报配以拓片、照片予以介绍。

1929 年兴平县念流寨里村农民段志亮在该村西门外土壕掘土时，发现 7 个金饼，为一堆泥土所包裹。其中 6 个当时已向银行兑换，仅保留一个，于 1963 年 7 月由陕西省博物馆征集入藏。

1963 年 1 月 15 日，临潼县武家屯管庄东村农民李海峰、韩忠敏在管庄东村东南 100 米左右的地方掘土时，于 1 米深处发现铜釜一个，内装金饼 8 枚。铜釜口用残瓦片堵塞。铜釜和堵塞釜口的残瓦片，经研究判断，简报认为是战国晚期的秦国器物。

兴平念流寨出土的金饼，在形制、质地、重量及书体上都与武家屯出土的金饼相同，结合文献考查和实地调查情况，简报推断属于同时期的遗物，即战国晚期。

简报称，对金饼化验分析的结果显示，其含金率达 99%。金饼上的字纹，刻画细致，是铸成后才刻上的。

1308.陕西发现的秦农具

作　者：陕西省考古研究所　呼林贵

出　处：《农业考古》1987 年第 2 期

秦人最早虽然是以善于畜牧而著称的民族，并且在夏、商、周三代都曾以善事畜牧取悦于诸王朝，得以封爵赐地。然而，后来它们向先进的周人学习耕作技术，很快成为一个善于经营农业生产的民族。考古发掘工作中获得了相当一批秦农业生产工具，这无疑为考察秦农业生产经济发展水平，提供了很有价值的实物资料。

简报分为：一、考古发现的秦农具资料，二、秦农具资料反映的问题，共两个部分。有照片。

1949年以来在今甘肃、陕西两省发现秦农具的地方有：甘肃灵台景家庄东周墓，陕西凤翔南指挥一号大墓，凤翔雍城遗址，高庄、八旗屯墓葬，西安半坡战国墓，大荔朝邑战国墓，临潼秦始皇陵附近的遗址及陪葬坑。另外西安市郊区、凤翔县、蓝田县均出土过战国时农具，藏于陕西省博物馆、凤翔县文化馆、蓝田县博物馆。现在已发现的农具质料可分青铜器、铁器和石器。农具种类有铜镬、铜锸、铜锛。铁器有铁锄、铁锸、铁铧、铁镰、铁铲、铁斧等；石器有石杵等。青铜农具全部用范浇铸，铁制农具分铸制和锻制两种。由这些农具种类可以看出，它们基本上可以满足农业生产过程中破土深耕、中耕锄草、间苗松土、收割加工等工序的需要。

简报称，由于早期秦人的原始文化还未能发现或确认，目前可明确肯定的秦文化遗物始自西周中晚期以后。因而，现在所见的秦农具最早的是春秋中期前后，最晚的可至秦代。

1309.秦直道调查记

作　者：孙相武

出　处：《文博》1988年第4期

1984年5月，孙相武先生和中央美术学院靳之林教授对部分秦直道进行了徒步考察。1986年10月戴晓、白新民和孙相武先生组成宜君秦直道考察队继续考察，12月底结束。调查从咸阳市北出发至内蒙古包头市西，在考察中发现了5座行宫、9个兵站遗址和许多“五里一墩”的烽火台。简报分为“关中段”“子午岭”“鄂尔多斯草原”三个部分，介绍了发现的遗物、遗迹。配以照片、拓片、手绘图。

考察队沿着直道所经之地进行考察的结果，与《史记》记载直道走向相符。从驰道发端地秦都咸阳至直道终点内蒙古包头九原郡，共2100里（约合今800公里），其道有五分之一在关中地区，有五分之二在子午岭支脉上，有五分之二在鄂尔多斯草原上。

1310.陕西澄城县、黄龙县交界处战国魏长城

作　者：齐鸿浩、袁继民

出　处：《考古》1991年第3期

在黄龙县与澄城县交界线上有一条长城遗迹，虽有学者多次考察，但均未弄清其具体走向和建筑方法。考古人员于1988年10月30日，对这段长城遗迹作了一次贯通性的徒步考察，又于1989年4月23日再次进行了贯通性的徒步复查，基本上

弄清了这段长城的走向和建筑方法及防御设施等问题。简报配以照片、手绘图予以介绍。

据介绍，这段长城西起澄城县与黄龙县交界处的孙堡村北约1公里渭清公路108公里处的东侧山顶部，起点处有一呈不规则方形城堡遗址，东西宽400米，南北长200米，城墙高1.5～3.5米，城墙下部为堑山，上部为夯筑。城内地表散见有新石器时代至商周时期遗物，当地老百姓称其为“淤泥城”。这段长城东可达韩城县境内的黄河西岸边，南可到华阴县朝元洞。从其走向及长城沿线修建的防御设施来看，应为战国时期的魏国西长城。在长城沿线发现的城堡，烽火台均在南侧，而护城壕在城北侧。

西安市

1311.西安半坡的战国墓葬

作　者：中国科学院考古研究所　金学山
出　处：《考古学报》1957年第3期

1954年10月至1957年3月，考古人员为配合当地建设，在西安半坡清理和发掘了240余座古墓。

简报分为：一、墓地概况，二、墓葬形制，三、随葬器物，四、结语，共四个部分。配以照片，先行介绍其中112座战国墓。后附有登记表。

据介绍，发掘地点在西安半坡仰韶遗址半坡村与堡子村之间。墓葬分布很密集。这112座战国墓，有竖穴墓11座、洞室墓101座。竖穴墓无墓道，只有墓室。洞室墓是在竖穴的一端或侧壁另掏一个洞室，用以放置棺材和随葬品，出土遗物有陶器、铜器、石器、料珠等。年代简报推断为春秋末至战国晚期。当时这里是秦国的芷阳县。

1312.秦始皇陵调查简报

作　者：陕西省文物管理委员会　王玉清、雒忠如
出　处：《考古》1962年第8期

秦始皇陵位于现在陕西临潼县城东5公里，南面距骊山约1公里。1961年公布为全国重点文物保护单位。1962年，考古人员前往调查，并进行了钻探。

简报分为：一、调查和钻探发现的遗迹，二、遗物，共两个部分。有手绘图、照片。

据介绍，这次探出内城周长2.525公里，外城周长6.294公里。陵园形状为南北长方形，并探出4个门址（外墙一、内墙三）的位置。这都与文献记载相符。在各门址和两处房子的遗迹内，都发现有瓦片、红烧土和灰烬等堆积，应是火焚遗迹。大小石水道等为青石建成，石材当来自渭北诸山。出土的秦代建材、瓦俑、铭文砖等都很重要。

1313.西安市西郊高窑村出土秦高奴铜石权

作　者：陕西省博物馆
出　处：《文物》1964年第9期

1964年3月，西安市西郊三桥镇南高窑村农民在该村北发现秦代铜权一枚，随即送交陕西省博物馆保存。

高窑村位于秦阿房宫遗址的北部，东临滈河，北距三桥镇1公里多，南距阿房宫村1公里左右。铜权出土地点在该村北约100米，距地面约1米深的田地里。同坑出土的还有大量的筒瓦、云纹瓦当，五角空心砖、陶釜、陶盆等残片，并有兽骨和烧土，其中残陶釜上有印文"濒"字。这批文物简报配以照片予以介绍。

权重30.75千克。前后两面均有铭文，共分三段。此权是陕西省出土秦权中体积最大、文字最多的一个。一面的文字是阳文铸造的，共16字；另一面阴刻秦始皇二十六年（前221年）的诏文。在始皇诏文的后面又刻二世元年（前209年）诏文。简报认为，铸文的"三年"，当为铸造此权的年代。

1314.秦始皇陵附近出土秦陶俑和石柱础

作　者：陕西省临潼县文化馆　赵康民、丁耀祖
出　处：《文物》1964年第9期

1964年4月，在秦始皇陵附近又发现秦代陶俑一件，是农民在焦家村西南约150米处整理棉花地时发现的。俑头距地面约1米深，为一女俑，坐像，着交襟长衣，脑后有圆形发髻，空腹，头、手和身躯是分开做的。保存较完整，头发衣纹清楚可见。

晏家寨村晏世贤家里保存有秦石柱础两个，据说是1920年左右在晏家寨村东北约100米处挖土时挖出的(晏家寨村在陵北,陵园外城内)。两个柱础都是红沙石所作,方形,大小一样。有一个柱础的一侧倒刻有铭文"右卯"二字，在方框内刻有"廿六"两字。

以上这些文物现保存在临潼县文化馆内。简报配有照片、拓片。

1315.西安汉城发现一枚金“郢爰”

作　者：陕西省博物馆　刘向群
出　处：《文物》1965 年第 1 期

1964 年 7 月 3 日，有一农民送交陕西省博物馆楚国金币一枚。据说是 1964 年 5 月间在西安北郊六村堡西南约 500 米处锄地时发现的。简报配以照片予以介绍。

金币扁平斜方块形，重 19.6 克。据陕西省人民银行检验，含金成分为 98.5%，币边上有明显的被切凿的痕迹，系使用时切开的一小块。币面有类似图章的印记，因而也叫“印子金”。印文横书，阴文“郢爰”两字。

“郢”为地名，是楚国的首都，在今湖北江陵县。考列王二十二年（前 241 年）东迁寿春，即今安徽寿县，仍称“郢”。“爰”为重量名称。

战国时代的货币上多铸有城市的名称，因为当时货币的发行不是集中办理，而是以城市为单位，但流通的范围则不限于一城一国。此“郢爰”在陕西出土，还是一个新的发现，为研究陕西在战国秦时与楚国的商业贸易关系提供了一点实物资料。

1316.临潼县附近出土秦代铜器

作　者：陕西省临潼县文化馆　丁耀祖
出　处：《文物》1965 年第 7 期

1960 年临潼县曾先后出土铜器三件，已交临潼县文化馆保存。简报配以照片予以介绍。

铜鼎一件，有铭文；铜钟 1 件，有铭文；铜饰 1 件。这三件器物，从字体和花纹上看，均应为秦代遗物。铜鼎、铜钟可能是随葬用的；铜饰可能是建筑上用的。这些文物，对研究秦代历史和秦的文字演变，都有一定的参考价值。

1317.陕西临潼发现秦墓

作　者：临潼县文化馆　赵康民、丁耀祖
出　处：《考古》1965 年第 5 期

1964 年 7 月，在临潼县城北发现竖穴墓一座。考古人员立即进行了清理。简报配以照片、拓片予以介绍。

据介绍，该墓葬因已经破坏，墓顶结构及深度不详。墓壁用单砖砌筑，墓底用砖横平铺一层。墓中仅存骨屑数块，随葬品有陶釜两件，残、整各一。砖上发现有

铭文“登宫水”“大水”“白章”等十一种。砖的大小、质量、纹饰和秦始皇陵附近出土的秦砖完全一样，有的铭文像“登宫水”等，在秦始皇陵附近出土的秦砖上也有。因此这可能是一座秦代或稍晚的墓葬。这个墓葬很小，出土的随葬器物不多，但却有着多种铭文砖，简报推测这些铭文可能不是为了标明制砖的窑场，也许是当时监工人或匠工的名字。

1318.秦始皇陵附近新发现的文物

作　者：陕西省临潼县文化馆

出　处：《文物》1973 年第 5 期

继 1964 年焦家村南出土秦陶俑之后，焦家生产队农民于 1970 年冬在村北 100 米处，又发现了一个陶俑。陶俑头、手已丢失。合模，空腹，头、手、身分开制作。此陶俑对于研究我国秦代服饰和雕塑艺术具有一定的价值。

1972 年春季，岳家沟生产队在陵园内城西门外平整土地时，发现两种瓦当。一种为夔凤纹瓦当。这种特大瓦当见到的不多，可能是用于檩头的装饰。一种是几何纹瓦当，仅发现一件，残半，已复原，为研究秦代建筑艺术提供了新的实物资料。

1970 年冬，毛家生产队农民在陵园内城北门外 200 米处平整土地时，在距地表深约 1.5 米处，发现秦代大铁铧一件，出土时铁铧内装有秦半两数十枚。又在铁铧出土不远的地方，发现石杵一件和铁柄铜镞 5 枚。石杵为圆锥形，一端有 3.5 厘米的圆形装柄铆窝。铜镞作三棱形，铁柄，已残。以上这些发现，为研究当时社会的生产、生活，提供了实物资料。

1319.秦始皇陵新出土的瓦当

作　者：陕西省临潼县文化馆

出　处：《文物》1974 年第 12 期

1973 年 3 月，考古人员在秦始皇陵内城西墙外的一座房子遗址里清理了一批瓦当。瓦当皆为圆形，泥质灰陶，体重，质细，火候高，色泽一致，与秦始皇陵历年来出土的砖瓦的质量是一样的，应为秦代遗物。简报配以照片予以介绍。

据介绍，瓦当的制法是：先做成一端封口的筒状瓦坯，再于封口一端的平面上模印出花纹，再行切割。由瓦背切割痕迹看，它的切割过程是：先用厚 0.8 厘米的扁平无刃刀将筒状瓦坯切割至瓦当处，再以细绳顺瓦当背面将其中的一半割下来即成。

这批瓦当，为我们研究秦代的建筑艺术提供了新的实物材料。

1320.陕西户县宋村春秋秦墓发掘简报

作　者：陕西省文管会秦墓发掘组　吴镇烽、尚志儒
出　处：《文物》1975 年第 10 期

宋村坐落在陕西省户县东南 15 公里的秦岭脚下，北距沣西西周遗址 15 公里。这里是一个面积很大的仰韶文化、客省庄第二期文化（陕西龙山文化）和东周文化相叠压的遗址，范围包括宋村公社的宋村、大良、黄堆等村。

简报分为：一、墓葬形制，二、人殉情况，三、随葬器物，四、附葬坑，五、主要收获，共五个部分。配有照片、手绘图，先行介绍了宋村三号墓及附葬坑的发掘情况。

据介绍，三号墓由墓坑、椁室、木棺组成。葬具已朽，葬式不明，有殉人 4 人。随葬器物 152 件。附葬坑内有马 12 匹、殉人 1 人、狗 1 只及兵器、车马器等。年代简报推断为春秋早期。

1321.临潼县秦俑坑试掘第一号简报

作　者：始皇陵秦俑坑考古发掘队
出　处：《文物》1975 年第 11 期

1974 年 3 月，临潼县晏寨公社西杨生产队农民在村南约 160 米处打机井时，发现一秦代陶俑坑。一年来，通过钻探，发现秦俑坑的规模宏大，东西长约 210 米（门道的长度不在内），南北宽约 60 米，深 4.5 ~ 6.5 米，总面积约 12600 平方米。已发现形体高大的陶质武士俑约 500 件，拖有战车的大型陶马 24 件，铜兵器及金、铜、石等饰品 7000 余件，还有大量的建筑遗迹。推知整个秦俑坑内埋藏的是一排列有序的大型军事长方阵，这一军阵的兵马俑有 6000 余件。

简报分为：一、建筑遗址，二、出土文物，三、对试掘方内出土遗迹遗物的分析，共三个部分。有照片、手绘图。

简报认为陶俑、陶马在秦始皇死前已制作。秦俑坑系经火焚。出土有 7 件青铜剑等兵器，制作精良。

1322.陕西长安县小苏村出土的铜建筑构件

作　者：朱捷元、黑　光
出　处：《考古》1975 年第 2 期

1974 年 1 月，在长安县纪阳公社小苏村附近发现一批铜建筑构件。原物是在该村

东南100米处的黄土坑内出土，距地面深为1.6米。和铜构件同出的还有秦代绳纹瓦残片等。小苏村在西安三桥镇的西南3公里，东南距阿房宫遗址中心的阿房宫村有1.5公里左右。小苏村南1公里为大古城村，在大古城村及其东面毗邻的姬家庄、赵家堡的夯土层逶迤不断，形成一个面积达26万平方米的方形台地。以此判断，这批铜建筑构件的出土地点是在秦阿房宫遗址的范围内。简报配以拓片、照片、手绘图予以介绍。

出土的铜建筑构件共6件，有方形圆孔铜建筑构件1件、方形浅圆窝铜建筑构件2件、圆筒形铜建筑构件3件。方形圆孔铜构件似作柱础用的，其固定的柱很可能不是木质的。文献记载秦宫殿已有铜柱，则它很可能是铜柱的柱础，应起加固铜柱的作用。方形浅圆窝铜建筑构件，就其形制看来，很似门砧。无疑是作为套门转柱用的户枢。圆筒形铜建筑构件，很可能是用来结合、固定木质建筑材料的。这些构件，既显示了宫室的宏伟、壮观，又起着保护木质构件的作用。与咸阳渭城遗址出土的铜零件、临潼出土的铜门楣类的建筑构件，结合起来考察，可以说明在秦代宫殿建筑上已广泛采用铜质构件，同时也可以证明我国建筑上金属构件与木质构件的结合使用，已有悠久的历史。

1323.秦始皇陵东侧第二号兵马俑坑钻探试掘简报

作　者：始皇陵秦俑坑考古发掘队　王玉清等

出　处：《文物》1978年第5期

1976年5月，在秦始皇陵第一号兵马俑坑的东端北侧，又发现了第二号兵马俑坑。两坑相距约20米。从1976年5月下旬至1977年8月底进行钻探和局部试掘，发现第二号兵马俑坑总面积约6000平方米，已清理出木质战车11辆、高大的陶质车士28件、将军俑1件、拉车的陶马67匹、骑兵俑32件、鞍马29匹、步兵俑163件，其他各类文物包括金属兵器等共1929件。从钻探和试掘获得的材料分析，如果将来全面发掘，估计将会出现木质战车约89辆、高大的陶质车士261件、拉车的陶马356匹、骑兵俑116件、鞍马116匹、步兵俑562件和大量金属兵器等。这是一座面朝东的以战车、骑兵和步兵混合编组的大型军阵。在建筑形制，兵种，军队阵容，武士俑的神态、姿势等方面都较第一号兵马俑坑复杂得多，为研究公元前2世纪秦代的历史特别是军事制度和文化艺术等将提供极为珍贵的实物资料。

简报分为：一、建筑形制和遗迹，二、出土文物，三、几点收获，共三个部分。有照片、手绘图。

秦始皇陵第二号兵马俑坑平面略呈曲尺形，东西两边各有三个斜坡门道，北边一个斜坡门道。俑坑东西最长处为96米，加上两边门道长约124米；南北最宽处为84米，加上北门道宽约98米；深约5米；总面积约6000平方米。二号俑坑的建筑结构比较复杂，根据其平面布局并参照兵马俑的排列情况，大体可分为四个单元。第一单元为步兵俑，其他三个单元均有战车。说明车兵为秦军主要作战力量。发现有射远、格斗、卫体等不同用途兵器。和一号坑一样，二号坑也遭受火焚和人为破坏。

简报指出，二号坑内比一号坑内的军阵特殊，兵种多，形象也多样。比如双手拄剑的将军俑，手牵鞍马的骑兵俑，双臂前举乘驾战车的御手俑，双足站成“丁”字形状、头向左倾的步兵俑和双手作握弓状的蹲跪式步兵俑都可作为代表。他们虽然面容、姿态、服装不同，但都表现出坚强勇敢的共性。从外形上看，几乎完全不像泥水混合煅烧的陶塑，简直就是有血有肉的活人活马。这是我国古代劳动人民的智慧结晶，是我国古代雕塑艺术的典范，是秦代雕塑艺术的宝库。

1324.西安市郊发现秦国杜虎符

作　者：黑　光

出　处：《文物》1979 年第 9 期

陕西省博物馆最近收集到一件少见的战国时期秦铜虎符。此符是西安郊区山门口公社北沉村农民在 1973 年平整土地时发现的。虎符身长 9.5 厘米，高 4.4 厘米，厚 0.7 厘米。虎作走形，昂首，尾端卷曲。背面有槽，颈上有一小孔。身上有小篆文字九行，共四十字：“兵甲之符，右在君，左在杜，凡兴士被甲，用兵五十人以上，必会君符，乃敢行之，燔㸂之事，虽毋会符，行殹。”

杜是个地名，在周代是杜伯国，到秦武公时，成为秦的杜县。秦二世胡亥听信赵高之言曾将“六公子戮死于杜”。现在这个地方还有杜城村，距发现杜兵符的北沉村约有 2 公里，距西安约有 4 公里，地处丈八沟公社与山门口公社之间。在原战国秦杜县之地发现这件遗物，是和历史记载的有关情况相吻合的。兵符“右在君，左在杜”，意思是说右半符存君王之手，左半符在杜地的军事长官手中。凡要调动军队 50 人以上，杜地的左符就要与君王的右符会合，才能行军令。但遇有紧急情况，可以举火，不必会合君王的右符。这就说明杜地在当时是一个军事上很重要的地点，调 50 人就要有君王的命令。

1325.秦始皇陵东侧第三号兵马俑坑清理简报

作　者：秦俑坑考古队

出　处：《文物》1979 年第 12 期

在秦始皇陵东侧继第一、二号兵马俑坑之后，于 1976 年 6 月通过钻探又发现了第三号兵马俑坑。它位于第一号兵马俑坑的西端北侧，两坑相距25米，东距第二号兵马俑坑约120米。1977年7月至12月，考古人员对第三号兵马俑坑进行了发掘。

简报分为：一、建筑形制和遗迹，二、出土文物，三、对第三号兵马俑坑性质的初步分析，共三个部分。有手绘图等。

据介绍，第三号兵马俑坑面积较小，平面呈“凹”字形，约520平方米，仅为第一号兵马俑坑的1/27，第二号兵马俑坑的1/22。此坑未经火焚，系自然塌陷。但塌陷前曾遭人为严重破坏，陶俑、陶马残破较甚，兵器发现较少。第三号坑的地位甚为重要，它与一、二号坑是一个有机的整体，似为统帅三军的指挥部。从一、二、三号兵马俑坑排列的位置看，一号俑坑居于右边，它是以步兵为主的长方形军阵；二号俑坑居于一号兵马俑坑之左侧，是以战车和骑兵为主的矩形军阵；三号坑位于一号坑军阵之尾的左侧，二号俑坑军阵之后；另外在二、三号坑之间还有一个未建成的废弃坑，面积约4600平方米，仅有土圹，未发现木构建筑遗迹及砖铺地，也未见陶俑、陶马等文物，这有可能是建设中的一个军阵，因陈胜、吴广领导的农民起义爆发，而未能建成。一、二号兵马俑坑有武士俑七千余件，战车百余乘，战骑百余匹。统帅如此庞大军阵的人物，似应为国尉或将军级的军官，但是三号坑内却没有发现将军俑。这个问题尚待进一步研究。

简报称，在三号坑之西约150米处，又发现一秦代大型墓葬，墓室平面近300平方米。此墓是否和三个兵马俑坑同为一组？墓主人是否即三号坑内的指挥者？尚待考古发掘证实。

简报还附有表格，登记了陶俑身上的文字。

1326.秦始皇陵北二、三、四号建筑遗迹

作　者：临潼县博物馆　赵康民

出　处：《考古》1979年第12期

1977年3月，考古人员配合农田基本建设，在秦始皇陵北清理了三处建筑遗存。简报配以照片、拓片、手绘图予以介绍。

据介绍，遗迹有房子建筑遗迹三处，分别编为秦始皇陵北二号、三号、四号建筑遗迹。出土有石材182块、瓦当9件、鸱尾2件、筒瓦1件、铁构件3件、铺首环3件、陶井圈5件及铁工具、陶器等。瓦上有陶文，都为管理烧制砖瓦属官、监工人、工人的姓或名等。简报指出，秦始皇陵为南北长方形，此组建筑遗址南距封土150米左右，位置适中。故这组建筑可能是寝殿建筑，至少应是寝殿建筑的一个附属建筑群。

1327.临潼上焦村秦墓清理简报

作　者：秦俑考古队
出　处：《考古与文物》1980 年第 2 期

1976 年 10 月秦俑坑亦工亦农考古训练班在秦始皇陵东侧上焦村西实习时，探出墓葬 17 座。这些墓葬东西向，南北单行排列，间距 2 ～ 15 米，东距秦始皇陵陪葬的小型马厩坑 5 ～ 10 米，西距始皇陵园东外城墙 350 米许。同年 10 月底至 1977 年 1 月，对其中 8 座墓进行了清理。

简报分为：一、墓葬形制和葬具，二、葬式，三、随葬器物，四、时代和墓主人的身份，共四个部分。有照片、手绘图。

发掘的 8 座墓葬均为带斜坡墓道的“甲”字形墓，葬具均为长方形盒状椁棺，存有 5 男 2 女共 7 具骨骼，除 M17 的墓主人为 20 岁左右的青年女子外，其余年龄在 30 岁左右。葬式不明，似为肢解或射杀。随葬器物有金、银、铜、铁、陶玉、蚌、贝、骨、漆器及丝绸残迹等类，约 200 件。简报怀疑是秦始皇陵的陪葬墓。

1328.秦始皇陵东侧马厩坑钻探清理简报

作　者：秦俑坑考古队
出　处：《考古与文物》1980 年第 4 期

秦始皇陵东侧的上焦村一带，历年来不断发现跽坐俑坑。其分布范围，南起杜家，中经上焦村，北至西孙村，南北长达 1500 余米。1976 年 10 月至 1977 年 1 月，秦俑坑亦工亦农考古训练班在上焦村西的马坟子和马家疙瘩一带进行钻探，初步探出马厩坑及跽坐俑坑 80 座，加上 1976 年 2 月清理的 4 座及以往发现的 9 座，共计 93 座。这些坑位南北向分作三行，排列密集有序。考古人员清理了其中的马坑 28 座、跽坐俑坑 3 座、俑马同坑者 6 座。简报分为：一、形制，二、葬具和葬式，三、出土器物，四、结语，共四个部分。有拓片、手绘图。

据介绍，马坑均为长方形竖穴土圹，马有的系活葬，有的是死葬。每个马坑有骨骼一具，头向西，头前放置陶盆、陶罐、陶灯等器物。俑坑每坑内出土跽坐俑一件，面东向，俑前发现有陶罐、灯及铁锸和铁镰等物。俑马同坑的出土器物，基本是上述两型的混合。以上共出土器物 124 件。简报认为此次发掘的应是秦始皇陵的陪葬坑。

上焦村陪葬的马厩坑，虽然是以俑代替了活人，但是大量青壮年时期的战马惨遭杀殉，确实是对生产力的严重破坏。马坑内一般是陶盘、盆、罐、灯及铁斧；俑坑内一致是陶壶、钵、灯或铁锸、斧；俑马同坑基本是上述二坑混合。这种随葬品的组合，自成一格，随葬品有的系明器，有的是实用的铁生产工具，这对于我们研究秦代的葬仪和物质文化提供了新的实物例证。

1329.临潼郑庄秦石料加工场遗址调查简报

作　者：秦俑坑考古队

出　处：《考古与文物》1981 年第 1 期

郑庄位于临潼县东北 4.5 公里，地属晏寨公社。1973 年冬，村民在庄南取土时，挖出铁锤数个。近年来，考古人员在此陆续进行调查和局部处理，应是一处较大规模的石料加工场遗址。

简报分为：一、遗址范围和主要遗迹，二、出土遗物，三、两点认识，共三个部分。有拓片、手绘图。

据介绍，遗址东与始皇陵垣西外城墙北端相接，西至砖房村以东，东西长达 1500 余米，南至郑庄村以南 500 米，总面积 75 万平方米。耕土之下即文化层。遗址范围内现存和清理出的主要遗迹，可分为西、中、南、东四区。清理和搜集的出土遗物，按质地分铁、铜、陶、石等四类，约 200 件。西区南北并排的建筑，似属生活管理区；南区东西一字排列的三处建筑及东与始皇陵西外城墙相接处，似属石料场的监护看守所在；中区为石料堆放和粗坯制作区；东区是成品生产场地。该石料场遗址应是修筑秦始皇陵的临时建筑设置。应指出的是东区生产场地内除散见的几处炊用火坑或灰坑外，未见地面建筑；同时这里又出土不少铁钳、桎等刑具，应是当年刑徒从事石料加工之处。

1330.秦俑坑出土的铜铍

作　者：始皇陵秦俑坑考古发掘队　刘占成

出　处：《文物》1982 年第 3 期

在秦始皇陵侧第一号兵马俑坑的发掘工作中，于 1979 年 6 月 26 日出土了一件类似短剑的青铜兵器。之后在 1980 年和 1981 年又相继发掘出土同类兵器十余件。

简报分为：铜铍的铸作年代；铜铍的铸作工艺及其合金成分；铜铍在实战中的应用；早期的“铍”及秦式铍的特点，共四个部分。有照片。

据介绍，在秦俑坑中出土的铜铍，铍身共六个面，没有中脊。柄呈筹划形，近身处略宽，格为菱形，铸身两侧中面刻有秦小篆铭文。一侧为八字，另一侧两字，还包括铍柄上的刻字。根据铜铍铭记，简报推断其铸作年代只能是秦始皇在位的第十七年，铜铍柄上錾刻当属编号。

简报称，秦国青铜兵器的质量在战国时期是名列前茅的。以剑为例，较之其他六国的铜剑，秦剑的显著特点是铜的成分减少，而锡的成分增加，这种合金成分上的变化既降低了冶炼时金属的熔点，又增强了兵器的硬度。据测定，长剑硬度是HRb106度，约相当于中碳钢调质后的硬度。推测铜铍的硬度应和长剑近似。这是与当时铸造工艺水平的提高和军事实战的需要相适应的。十七年“铜铍”属长兵器，主要用于较远距离的刺杀，在实践中与戈、矛、戟等长兵器同类。

简报称，“铍”起源于春秋之前，但历来未曾发现鲁国、吴国的长铍实物。秦式铜铍在秦俑坑出土数件，形制完全一律，如出一手，且均有“寺工”铭刻，应是一种一兵可两用的带长柄之剑形兵器，其身有锷而无脊，似具有地方特色。铜铍柄形制独特，是典型的秦器。

1331.秦始皇陵西侧赵背户村秦刑徒墓

作　者：始皇陵秦俑坑考古发掘队

出　处：《文物》1982年第3期

秦始皇陵西侧赵背户村农民在1979年12月平整土地时发现秦刑徒墓地。考古人员随即进行了勘查、清理，至1980年6月结束。

简报分为：一、墓区位置与墓葬形制，二、葬式，三、出土器物，四、出土的陶文，五、几点认识，共五个部分。有照片和拓片。

赵背户村位于骊山北麓的扇形平塬上，东距始皇陵封土1.5公里，西距临潼县城2公里。现探测清理的墓地位于原来整个墓葬区的东北隅，初步探出墓葬114座，已清理42座。其中除汉唐以来的墓葬10座外，都是秦代刑徒墓。墓葬形制均为竖穴土坑，侧身屈肢葬68具，俯身屈肢葬10具，仰身屈肢葬15具，仰身直葬4具。出土器物共202件，其中有铁器、陶器、骨器等。出土的陶文分印记、瓦志刻两种，计27件，其中印记8件，瓦志刻文18件。简报录有印记部分内容和瓦志刻文全部内容。出土的18件瓦文，其中2件上刻有二人的籍贯姓名，共为19人的墓志文，合计112字，基本是阴刻小篆。瓦文中计有地名14个，其中县名10个、里名4个。这批瓦文说明，秦始皇修陵的劳动力多是从全国各地诏调而来。简报推断这一墓地的上限年代应在秦始皇二十六年（前221年）统一六国时，下限年代为二世二年（前208年）。

简报称，从清理的100具骨骼的年龄、性别及相关史料记载推断，此批墓主人的身份基本是秦代的徒刑。这批墓葬的葬式，除个别几具为仰身直肢葬，其余均为屈肢葬，且蜷曲特甚，与关中地区，尤其是凤翔历年来发掘的春秋战国时期秦国屈肢葬的蜷曲情况基本相合。这说明屈肢葬式在秦国，从春秋到秦统一后，一直流行。始皇陵刑徒墓葬的发现，证实了文献记载的用数十万刑徒修建秦始皇陵这一历史事实。秦代严酷的刑法和繁重的徭役也由此可见。

1332.秦始皇陵园陪葬坑钻探清理简报

作　者：秦俑坑考古队

出　处：《考古与文物》1982 年第 1 期

1977 年 7 月至 1978 年 3 月，秦俑考古队在秦始皇陵园勘查钻探时，于城垣西门以南内外城间发现一组陪葬坑，计 31 座。1978 年 7 月至 9 月对其中 4 座坑进行了试掘。简报分为三个部分予以介绍，有手绘图、拓片。

这组陪葬坑位于秦始皇陵园内城西门以南约 130 米处，东距西内城墙 20 米，西距外城墙 150 米。其分布范围南北长 80 米，东西宽 25 米，面积约 2000 平方米。根据初步探查试掘情况，这组陪葬坑东边和西边的两行，似均为跽坐俑坑，中间一行为盛有兽骨的瓦棺葬坑。俑坑内出土的跽坐俑，器物组合以及器物上的戳记，略与陵东侧上焦村马厩的跽坐俑坑同，三棱铜镞与陵东侧第一、二、三号兵马俑坑出土的Ⅰ式镞一致。按这组陪葬坑分布的位置推断，简报认为其抑或象征秦始皇生前宫内豢养珍兽的情况。

1333.秦始皇陵二号铜车马清理简报

作　者：秦俑考古队

出　处：《文物》1983 年第 7 期

1980 年冬，秦俑考古队在秦始皇陵封土西侧，发掘出土了两乘大型彩绘铜车马。每乘车驾有四马，车上各有一御官俑，大小约为真车、真马、真人的二分之一。车马的系驾鞁挽具齐全，装饰华丽。这是继秦始皇陵兵马俑坑之后，我国秦代考古上的又一重大发现。目前仅对后车一乘（二号铜车马 L · 2）作了清理修复工作。

简报分为：一、铜车马出土情况，二、出土文物，三、结语，共三个部分。

据介绍，铜车马坑位于秦始皇陵封土西侧 20 米处，是一个大陪葬坑的组成部分。现已清理的仅是这个铜车马坑的一个过洞。二号铜车马计有四马、一御官俑和一辆完整的车舆，通长 328.4 厘米，高 104.2 厘米。

这套铜车马，从出土位置和形制结构来看，显然是秦始皇陵墓的随葬品。秦陵的修建，从秦王政即位（前247年）就开始了，但大规模的修筑工程是在统一六国后的十年（前221至前210年）间进行的。铜车马的制作年代，理应属于此一时期。

简报称：我国过去发现的古代单辕车，大都是木制的，出土时都已朽毁，仅余残迹和铜质构件，因而研究单辕车的形制结构和马的系驾方法，一直存在一定的困难。这次出土的铜车马和铜御官俑，依比例虽然只相当于真车、真马和真人的一半大小，但由于铜车马处处仿照真车马制作，细微末节亦酷似真车马，同时结构完整、鞁挽具齐全，这就为研究秦始皇时期的宫廷舆服制度和单辕车的系驾方法提供了较为确切的实物例证。

1334.秦始皇陵园附近发现一具瓮棺葬

作　者：占　民

出　处：《考古与文物》1983年第3期

1982年3月22日，临潼县西杨公社上陈生产队平整土地时发现瓮棺葬1具。简报配以照片予以介绍。

葬坑距秦始皇陵园外城南城墙约20米。坑形不明。陶瓮完整，细泥陶，青灰色，火候高，泥条盘筑法制成。瓮里盛有小孩骨骼1具，已成碎片。其中头骨14片，股骨残断两节，肱骨残断1节，趾骨1段。简报推断死者为一至两岁幼童。此墓年代，应为秦或西汉初期。

1335.陕西临潼鱼池遗址调查简报

作　者：始皇陵秦俑坑考古发掘队

出　处：《考古与文物》1983年第4期

鱼池遗址位于鱼池村西北，在临潼县东7.5公里处，村西南与始皇陵封土相距2.5公里许。1975年6月，考古人员对秦始皇陵园周围进行地面调查时发现这处遗址。

简报分为：一、遗址范围，二、主要遗址，三、出土文物，四、结语，共四个部分。有照片、手绘图。

据介绍，遗址位于渭南台地的零塬。地跨鱼池堡、鱼池村、吴东和吴中四个自然村，东西长达2000余米。南抵鱼池村北崖、北至吴东村以北，宽近500米。总面积约百万平方米。遗址内主要遗迹有夯土墙垣、房基和灰坑等。出土铜器544件、半两钱538件及铁器、陶器、石器等。这些遗迹遗物有战国秦的，也有的有秦始皇时期的时代特征。《三辅黄图》记载的秦宫有：步高宫在新丰县，亦名市丘城，步寿宫在新丰县步高宫西。

而鱼池遗址的位置、文物、内涵与步寿宫址颇合，简报认为步寿宫到秦始皇时期可能因年久失修，秦始皇建陵时即利用原宫遗址，并扩建修葺，作了建陵时的官邸建筑。

1336.秦汉栎阳城遗址的勘探和试掘

作　者：中国社会科学院考古研究所栎阳发掘队　刘庆柱　李毓芳等

出　处：《考古学报》1985 年第 3 期

栎阳故城是秦汉时代的重要城市。公元前 384 年，秦献公当政。献公二年，从雍都迁都栎阳。公元前 383 年～公元前 350 年，献公和孝公曾在栎阳经营 34 年，开始了秦国的社会变革，夺取了河西之地。自秦徙都咸阳至秦亡 150 多年间，栎阳作为秦都咸阳的主要门户，既是交通要冲、军事重镇，又是商贾云集的经济中心。汉王二年，刘邦率军进占关中，又以栎阳为都城。汉军整顿队伍，向东挺进，完成了统一全国大业，而后“高祖七年，长乐宫成，自栎阳徙长安”（《史记》）。汉高祖由栎阳徙都长安后，汉太上皇留居栎阳。高帝十年“太上皇崩，葬其北原”（《汉书》）。东汉建武二年，封景丹为栎阳侯，废栎阳县入万年县。秦汉栎阳故城逐渐废弃。鉴于秦汉栎阳城的历史地位，在陕西省文管会 1964 年 6 月对栎阳城址的初步勘探基础上，考古人员于 1980 年 4 月至 1981 年 12 月，对秦汉栎阳城遗址进行了四个季度的勘探和试掘。

简报分为：一、城址，二、墓区，三、结语，共三个部分。有照片、手绘图。

据介绍，通过勘探和试掘，了解到城址的分布范围，发现南墙和西墙，南、西二城墙和 3 处门址，秦汉道路 13 条，秦汉建筑遗址，一般居址和手工作坊遗址 15 处。东、北二墙未探出。发掘了南门遗址。对城墙、道路和部分遗址进行了重点试掘，基本弄清了故城西北、东南和东北墓区的分布范围和时代。还勘探了西北墓区的汉太上皇陵和昭灵皇后墓，在东南墓区发掘了由战国晚期至东汉的部分秦汉墓葬。城东南为战国至东汉的平民墓葬区，城东北为秦汉大型墓葬区，城西北有汉太上皇陵和昭灵皇后墓。此次发掘证实文献所载栎阳城始建于秦献公二年（前 383 年），东汉以后废弃的说法成立。栎阳城的鼎盛时期，应在战国晚期到西汉前期。

1337.临潼县陈家沟遗址调查简报

作　者：秦俑考古队

出　处：《考古与文物》1985 年第 1 期

陈家沟位于临潼县城东，五里沟小河下游东岸的台地上。1980 年冬季，县砖瓦厂为制坯在村南取土过程中，发现了大量的绳纹瓦片和灰烬等遗迹遗物。考古人员前往调查钻探，并搜集到一批文物。

简报分为：一、遗址范围和主要遗迹，二、遗物，三、陶文，四、结语，共四个部分。有拓片、手绘图。

据介绍，遗址在村南200米处的土壕内。初步钻探遗址范围为东西120米，南北150米许，面积达18000平方米，主要遗迹计有灰坑11处、砂坑1处、墓葬12座及陶窑等。出土有陶器、铁器等，有的陶器上有印记和刻字。根据调查探测和搜集的出土文物，简报初步判断这里当属修建秦始皇陵园的窑场之一。

1338.始皇陵东侧又发现马厩坑

作　者：程学华

出　处：《考古与文物》1985年第2期

秦始皇陵东侧的马厩陪葬坑，位于上焦村西一带。1976年下半年，考古人员曾对此进行过比较系统的调查、钻探和试掘，初步发现跽坐俑坑、俑马坑和马坑93座。1979年后，上焦村农民在取土过程中又陆续发现4座坑位。截至目前，已发现马厩陪葬坑97座。简报配以照片、手绘图予以介绍。

据介绍，此次发现的坑位有俑马坑和马坑各2座，除一座俑马坑外，其他三坑均破坏。一座马坑在村北约800米的偏西处，处于整个马厩坑的最北边。另外三坑较为集中地分布在村西的土壕内，应属南北向三行中东边的一排。这四座坑均是东西向。清理的一座俑马坑为长方形竖穴土圹，马系青年马，无挣扎痕迹。同时出土的有陶俑、铁器共12件。陶俑应系彩俑，可惜颜色多已剥蚀。

1339.秦始皇陵园发现一枚铜权

作　者：占　民

出　处：《考古与文物》1985年第4期

1980年10月，临潼县晏寨公社社办厂在始皇陵封土两侧（内外城之间）取土时，发现铜权一枚。简报配以照片予以介绍。

据介绍，铜权出土于建筑基址的屋面上，略有变形，空心，重256克。棱间一面铸阳文，文字残缺较甚，但“元年”“皇帝为之”等字句仍能辨认，当为二世诏。一面刻阴文，“二十六年皇帝尽并兼”等字清晰可辨，无疑为二十六年诏。上面刻一“右”字，似为编号。据所铸阳文推断，铜权的铸造年代当为二世元年（前209年），这一发现为秦权的研究增添了新资料。

1340.秦代陶窑遗址调查清理简报

作　者：秦俑考古队

出　处：《考古与文物》1985 年第 5 期

1973 年以来，考古人员在秦始皇陵陵园周围进行调查钻探，曾在赵背户村、上焦村、西黄村、陈沟村、下和村以及鱼池村陆续发现和清理了一些秦代陶窑遗址。

简报分为：一、分布情况，二、窑的形制，三、出土器物，四、结语，共四个部分。有手绘图。

据介绍，目前发现的窑址，多分布于陵园建筑或陪葬坑附近，计有 73 赵 Y14、79 上 Y13、80 上 Y5、Y6，80 西 Y2，81 陈 Y1，82 下 Y1 七座。当地人传说，赵背户村在清理的这几座窑址以北直到郑庄南北长达 2 公里、东西宽 1 公里的范围内，早年有许多窑址出土，平整土地时已被挖掉。清理的七座陶窑，其形制均由前室（包括斜坡道、燃料堆放地）和后室（包括火门、火膛、窑床、烟囱等）组成。从清理各窑火膛内所出的灰烬、炉渣或炭化条遗存，估计当时所用燃料，可能不是一般质软的柴草，而应是劈柴或树枝类。

根据各窑的形制结构以及出土文物，初步估计其应为修建秦始皇陵园时烧制砖、瓦、水道及生活器皿的陶窑。窑址多分布于建筑物或陪葬坑的附近，反映当时对窑场的选择考虑了就地取土方便，减少运程等因素。

1341.长安县东马坊的先秦建筑遗址

作　者：西安市文物局　魏效祖

出　处：《考古与文物》1986 年第 4 期

东马坊地处长安县东北角沣河西岸，东距沣河 1 公里余，北距渭河 6.5 公里，渡渭至咸阳 7.5 公里。先秦建筑遗址位于该村西北角。1957 年在沣西一带考古调查时，曾将该遗址误认为汉代遗存。1982 年 6 月间，对该遗址重新作了一次调查。

简报分为：一、建筑遗迹，二、遗物，三、结语，共三个部分。有拓片、手绘图。

据介绍，现存高台东西 50 米、南北 32 米、高 7.6 米。上有明显系烧毁的房子遗迹。这个遗址的建筑布局，是错落有致的夯土高台建筑。采用的建筑方法，是在夯土台的上面和周围挖出房屋空间，再于空间中设立梁架结构，所以房屋的两边或三边墙壁的全部或部分都是原有的夯土台。这些情况与咸阳宫建筑属同一类型，是盛行于战国时期的宫室建筑形式。在遗址堆积的和台下散布的遗物之中，有大量的烧土、瓦片，也有少量的瓦当、方砖、空心砖、陶水道管等。简报认为此处遗址应为战国晚期秦国建筑，是被项羽焚毁的。

1342.秦东陵第一号陵园勘查记

作　者：陕西省考古研究所、临潼县文管会　程学华、林　泊
出　处：《考古与文物》1987年第4期

1986年春，临潼县文管会在文物普查中，根据临潼县韩峪乡油王村村民王学良提供的线索，对暴露在该乡范家村北的夯土遗迹进行了调查钻探，发现这是一处大型帝王陵园。考古人员对该地区进行了全面勘探。从目前所发现的遗迹、遗物，结合文献记载判断，确认这是战国时期的秦国东陵。

简报分为：一、陵园的位置及布局，二、出土文物，三、结语，共三个部分。先行介绍了一号陵园的勘查情况，有拓片、手绘图。

第一号陵园位于临潼县骊山西麓的坂原上，西距秦芷阳城遗址约1.5公里。前濒灞河，后依骊山。陵园依山坡而建，其范围南至小峪沟，北到武家坡村南的无名沟，西界洞北村西的小峪河，东达范家庄的人工壕沟。平面呈长方形，东西长4000米，南北宽1800米，面积72万平方米。发现地面建筑基址四处及被当地人称为"王路"的一段，长315米、宽1.5米，鹅卵石铺成。钻探时发现地下有两座"亚"字形大墓。考古与文献，均可证明这里是秦东陵。据《史记·秦本纪》记载，战国晚期秦国建都咸阳，昭襄王、宣太后、悼太子、庄襄王和帝太后（秦始皇之母）等均埋藏在芷阳。此墓可能是秦昭襄王或庄襄王的陵园。

1343.陕西长安张堡秦钱窖藏

作　者：陕西省博物馆、上海博物馆　陈尊祥、钱　屿
出　处：《考古与文物》1987年第5期

1962年冬，陕西省长安县韦曲乡首帕张堡农民在村西高地掘土，先后发现窖藏古钱五釜、罐。其中四器被砸碎，余一釜贮古钱售于陕西省博物馆。1983年，西安市雁塔区山门口乡曹家堡砖厂发现战国车马坑，出土一批兵器、马饰，陕西省博物馆征集到两件兵器。这两个出土地点仅距百米，时代相近。

简报分为：一、张堡窖藏器物形制，二、曹家堡战国车马坑出土兵器形制，三、结语，共三个部分。有照片、"秦半两形制钱文演变序列表"等。

据介绍，釜藏古钱1000枚，完整者976枚，重4251克。其中以秦半两为主。车马坑兵器为青铜戈、矛各1件。这批遗物的年代，简报推断为战国晚期。

1344.秦东陵勘查记

作　者：张海云、骆希哲
出　处：《文博》1987 年第 3 期

《史记》记载秦宣太后、悼太子、昭襄王、庄襄王皆葬芷阳，故宣太后、昭襄王等四人葬芷阳的陵地，应为秦东陵。之所以称“东陵”，盖指陵园在秦都咸阳以东。如此，则雍地陵园应称“秦西陵”。芷阳周围秦代瓦片遍地都是，分布很广，秦东陵位于何处呢？1986 年初，考古人员对芷阳一带作了一次全面的复查，初步搞清了秦东陵的位置及其相关的一些问题。简报配以手绘图等介绍了勘查的情况。

秦东陵位于临潼县韩峪乡芷阳遗址之东、骊山西麓海拔 540 ～ 700 米的山坡地带，南起井深沟、冢底村，北到枣园村、武家堡一带，南北长约 4 公里，地势东高西低，整个陵区有东西向的大小沟壑 6 条。陵区东距秦始皇陵约 10 公里，北距西临公路斜口站约 3 公里，西北距邵平店约 5 公里，西距灞河约 7 公里，西南约 1 公里处传为秦始皇焚书坑儒处，俗称“坑儒谷”。在秦东陵园内，至少有三座秦先王陵园存在，这与史书记载大体相符。

简报称，秦东陵的发现与进一步的探测和考察，将为研究战国秦王陵墓制度提供新资料，对于探讨当时的政治、军事等各方面无疑是非常重要的。在整个秦史研究中，它与凤翔秦先公陵园有着同等重要的历史价值。

1345.秦俑一号坑第二次发掘简讯

作　者：秦始皇陵考古队
出　处：《文博》1987 年第 1 期

秦俑一号坑第二次发掘工作于 1986 年 4 月 5 日正式开始，发掘面积 2000 平方米。截至目前细部清理工作即将结束，随后将转入室内修复。简报介绍了相关情况。

据介绍，此次出土的全部是陶质甲俑。有的头挽发髻，身穿战袍，外披铠甲，手执弓弩，似为弓箭手；有的头挽发辫，穿袍披甲，背负铜镞，手执长矛，似为长矛手；有的头戴长冠，穿袍着甲，双手执辔，似为御手俑；与御手俑并立于战车之后的有车士俑；还有一车之长的指挥俑……陶俑位置清楚，排列有序。总数 1000 余件。加上先前出土的 1000 多件陶俑，总数可达 2000 多件，相当于整个俑坑的三分之一。这次出土的陶俑颜色大部分已经剥落，只有少数陶俑的局部还保留着鲜艳的彩绘。这次清理的十余乘战车大部分保存良好，有的车旁还出土完整的鼓和钟。钟、鼓多出土于战车的右边。有的鼓上还保留着漆皮和彩绘纹饰，可以看清鼓的形制和尺寸大小。另外在车上还发现青铜兵器和其他铜构件。加上先前的8乘战车，发现的战车已接近20乘。

此次还出土了大量的青铜兵器。有完整的长戟，有青铜矛头，有青铜剑，有一束一束完整的箭头，还有一张张完整的弓弩。尤其令人注目的是发现了一种过去坑内未曾发现过的弓弩。另外，发现一枚东周方孔圆形货币，还清理了一座明代的夫妇合葬墓。墓内发现正方形墓志砖块，朱书“崇祯九年”等字样，这是一号坑目前唯一发现的一座有明确年代的明墓，为研究秦俑坑后期破坏问题提供了新材料。

1346.秦俑博物馆西侧发现小型砖棺墓

作　者：秦始皇陵考古队　刘占成
出　处：《文博》1987年第1期

1986年4月29日，秦俑博物馆西南新住宅区施工推土时，发现一个小型砖棺墓，考古人员进行了清理。简报配以拓片、手绘图予以介绍。

据介绍，小墓距现地表2.5米。砖棺东宽西窄，棺底仅存零碎小骨，无任何随葬品。砖系秦砖。墓不大，估计为未成年人墓。

简报称，秦墓以砖砌棺墓还很少发现，秦俑馆附近发现的这个小型砖棺墓，为我们了解秦的历史提供了新的资料。

1347.秦始皇陵西侧“丽山饲宫”建筑遗址清理简报

作　者：秦始皇陵考古队
出　处：《文博》1987年第6期

这次发掘的“丽山饲宫”建筑遗址，位于秦始皇陵西侧内外城墙之间，东南距陵冢约126.4米，北距晏寨办事处机架厂前临公路约73.3米。遗址原范围较大。1981年9月有人在这里又大量取土，历时2月余，因为制止不住，省文物局立即组织人力随工清理。简报配以手绘图、拓片介绍了清理情况。

这处遗址从已出土的遗迹看，其建筑布局比较分散，位置又在内城之外，因而不会是为墓主灵魂供奉饮食以及作日常起居之用的陵寝主体建筑区，也就是说它不是正寝的地方，而是正寝边侧的附属建筑区。遗址内出土的“丽山饲宫”陶文已经说明掌管供奉陵寝饮食的“食官”即园吏的寺舍，原来就设在这里，关于“丽山饲宫”，文献中未见记载，因此，可以补史书之不足。在这个范围内出土的陶、瓷器残片上，刻有“□□六厨”“丽邑二升半八厨”陶文，证明这些残片正是陵寝内供厨中当时所用的器物残片。“厨”是制作和供应膳食之处，“六”“八”为顺次的编号，“六厨”“八厨”则反映了厨的数量之多和膳食供应的规模之大。出土的鸭蛋壶、大陶缸、陶盆、陶罐等器，也都是厨房的用具。从发掘情况看，应是秦之后不久被焚烧而废弃的。

1348.陕西兰田泄湖战国墓发掘简报

作　者：中国社会科学院考古研究所陕西六队　吴耀利

出　处：《考古》1988 年第 12 期

泄湖遗址位于西安市蓝田县泄湖镇东北黄土断崖上。遗址东南距蓝田县城 10 公里，西北至西安市约 30 公里，西离灞河约 1 公里。地处西安经蓝田通往商洛地区的公路旁，交通十分方便。该遗址面积大堆积厚，是一处从新石器时代到战国时期的多层次堆积的遗址。该遗址 1957 年调查发现，1986 年春季进行了复查。同年秋季和次年春季进行了试掘，在遗址上部地层中发现十余座战国时期的中小型陶器墓。

简报分为：一、墓葬形制，二、出土器物，三、结语，共三个部分。有手绘图、照片。

四座保存较好的墓葬包括土坑墓 2 座，洞室墓、瓮棺葬各 1 座。出土遗物有陶器、铜镜、漆器、石圭、玛瑙柱、绿松石珠等。其中铜镜 1 件、漆器 1 件及陶器上的戳印较为重要。时代简报推断为战国中晚期。

1349.秦始皇陵园鱼池遗址发现“丽山莤府”陶盘

作　者：程学华

出　处：《考古与文物》1988 年第 4 期

1986 年 5 月，临潼秦始皇陵园鱼池遗址范围内的吴中村东土壕一处宫殿遗址发现一件泥质黑色陶盘。陶盘色泽黑亮细腻，出土时已经破碎，盘底面阴刻小篆三行八字：“一斗二升，丽山莤府”。简报配以手绘图予以介绍。

据介绍，“一斗二升”指盘本身容量，“丽山”当为秦始皇陵丽山园省称。从文献来看，“莤”应是指酿酒时取酒去滓而言，“府”是官署无疑。由此可见，战国时秦制酒官署的“莤府”，秦始皇帝时还一直沿用，丽山园也有自己的制酒官署——丽山莤府。

1350.陕西临潼刘庄战国墓地调查清理简报

作　者：陕西省考古所秦陵工作站、临潼县文管会

出　处：《考古与文物》1989年第5期

墓地于1987年村民取土时发现，共清理墓葬5座，应为战国晚期墓葬。出土陶器、砖等654件。大批砖上有铭文。

1351.陕西户县南关春秋秦墓清理记

作　者：曹发展

出　处：《文博》1989年第2期

陕西省户县城关公社南关大队位于一处面积很大的仰韶文化和西周、东周文化相叠压的遗址上。该遗址南顶涝河、北至县城，长约1500米；东界南关中学，西临涝水，宽约1000米。范围包括南关大队的姬家堡、崔家堡等村。1957年该遗址以"崔家堡周代遗址"命名，同年5月31日被省政府公布为陕西省第二批重点文物保护单位。周代墓葬多分布在城南1.5公里处的涝河岸边。1974年冬，南关村民取土时发现春秋早期秦墓一座，编号为74HNM1（简称74M1）。当时县文化馆从百姓手中收回出土铜器计有五鼎、四簋、二壶、一盘、一匜及车马器等。1982年11月，南关一队农民淘沙子时，又发现一座春秋早期七鼎秦墓，编号为82HNM1（简称82M1）。当时百姓已经把七鼎、六簋、二壶、一盘、一匜等主要铜器从墓内挖出带回，考古人员收集了流散文物，并对墓室剩余文物作了清理，计出土各类文物306件。

简报分为：一、墓葬形制，二、随葬器物，三、结语，共三个部分。有手绘图等。

据介绍，74M1位于油漆厂院内的断崖上。据当时挖墓的人说，是个南北向土坑竖穴墓，头向南，随葬品集中放在北端，墓底距地表约2.5米。其他情况已记不清。这座墓的情况是在发掘清理82M1时，走访当时知情人追记的。82M1位于74M1的南侧50米处，其结构主要由墓坑、椁室和木棺三部分组成。南北向。墓坑为长方形竖穴，北端已被破坏，一椁一棺已朽。无腰坑，未见殉葬奴隶和狗。墓主人的骨架已经腐朽，葬式不明。简报推断此两墓为春秋早期墓。74M1墓主人应为卿大夫级，82M1墓主人应为诸侯级。

简报指出，户县南关的两座春秋墓，具体说应是秦之属国——鄠国的墓地。七鼎墓82M1就是鄠国侯之墓，五鼎墓74M1就是鄠国卿大夫之墓。鄠国作为一个小方国，一直没有形成自己独立的文化体系。从地域和文化概念上分，这两座墓仍属秦文化范畴，故仍以春秋秦墓定名。

1352.秦俑坑出土的半两钱

作　者：刘占成
出　处：《文博》1989 年第 3 期

秦始皇兵马俑坑，以出土众多的兵俑、陶马和大量的青铜兵器而著称，特别是带有铭文的秦始皇时代兵器，为断定俑坑的时代性质，提供了可靠的资料。而坑内出土的秦代半两钱，因数量较少，似未引起人们足够的重视。简报配以拓片予以介绍。

据介绍，在一号坑第一次发掘中，出土半两钱四枚，可分为大半两、小半两两类。秦俑坑出土的半两钱，应为秦始皇时代所铸，是当时统一货币的标准钱，也是推定俑坑性质为秦始皇时代的实证之一。

1353.秦东陵第二号陵园调查钻探简报

作　者：陕西省考古研究所、临潼县文物管理委员会　程学华、林　泊
出　处：《考古与文物》1990 年第 4 期

秦东陵第一号陵园的发现定名，引起了有关方面的重视。为进一步了解情况，1986 年 9 月后，陕西省考古研究所与临潼县又联合组成勘察工作队，有目的有计划地开展对整个东陵区的范围、规模及各陵园的建置布局的调查钻探工作。截至目前已相继查得了第二、第三号陵园。

简报分为：一、位置及范围，二、陵园建制布局及概况，三、出土器物，四、陶文，五、结语，共五个部分。介绍第二号陵园的调查钻探情况，有手绘图、拓片。

第二号陵园位于第一号陵园东北方向 1.5 公里处，即临潼县韩峪乡范家村北、骊山西麓坂原之上。陵园地形为自东向西的斜坡。陵园范围东自北沟村，西到枣园村，南至三塚村北无名沟，北达武家沟，东西长 500 米，南北宽 300 米，总面积 15 万平方米。

根据以上调查钻探所获有关陵园的建置布局，陪葬坑、墓及地面建筑等资料情况，简报初步判断，这仍为秦东陵的陵园之一。按发现顺序，暂编为第二号陵园，但是二号陵园的时代特点，似应较一号陵园早。

简报指出，陵园的防御设施结构与一号陵园全同，看来东陵区的陵园防设构筑，确是利用地形，又模仿了凤翔秦公陵隍壕园建置，而形成了自己的特定风格。另外，从该陵园残留的封土，结合当地称“三冢坡”的情况，估计原来必然是有高大的封土构筑，这为认识陵墓起封土的时间，又提供了新的依据。

1354.秦始皇陵一号铜车马清理简报

作　者：陕西省秦俑考古队　程学华等
出　处：《文物》1991年第1期

1980年冬，秦俑考古队在陕西临潼秦始皇陵封土西侧发掘出土了两乘大型彩绘铜车马。这是继秦始皇陵兵马俑坑之后，我国秦代考古的又一重要收获。

简报分为：一、车的结构，二、铜马、铜御官俑，三、兵器，四、车马鞍具上的文字，五、结语，共五个部分。有彩照。

据介绍，这两乘铜车马是在一个大型陪葬坑的一个过洞内发现的。西向，一前一后排列。前边的一乘编为一号，后边的一乘编为二号。其中二号铜车马已于1983年秋修复后正式展出，并发表了简报，编写了专辑。一号铜车马于1988年4月底修复结束，同年5月1日在秦始皇兵马俑博物馆与二号铜车马一起展出。一号铜车马通长225厘米，从车舆后缘至车伞后缘水平距离32厘米，高152厘米，双轮单辕。辕的前端接衡，衡上置双轭。驾四马，两骖两服。车舆平面为横长方形，宽74厘米，进深48.5厘米。舆的前、左、右三面立栏板，前栏板顶端有轼，后面辟车门。舆内立十字形伞座。座上插一长柄铜伞，铜御官俑站立在车舆内，伞盖正好笼罩了整个车舆和御官俑。舆内装备了铜弩、铜镞、铜盾，另有带盖铜方壶和四折铜页等伴出。

简报称，将一号铜车马和以前报道的二号铜车马比较，一号车马比二号车马要短。两乘车前均套驾4马，鞍具和系驾方法略同，彩绘色彩基调均偏冷色，即以乳白色为地，其上用红、紫、蓝、绿、黑、黄诸色涂绘成多种卷云纹与几何形图案，显得庄重肃穆，富丽典雅，更是自成一格。不过车舆的形制结构及武器配备形式大相异趣，简报认为一号车马是二号车马的从属车。

1355.临潼骊山北麓发现秦人砖椁墓

作　者：林　泊
出　处：《文博》1991年第6期

1989年5月，考古人员在巡察文物保护情况时，发现城关镇宴寨办事处辖区内的柿园砖厂在取土中发现了一座砖室墓。根据出土器物，判定其为一座秦人早期墓葬。简报配以照片予以介绍。

该墓位于临潼县城关镇宴寨办事处苗家坡村南坡头上的柿园砖厂内，东南距秦始皇帝陵冢2.5公里，距秦始皇帝陵园外城西北角约1公里。仅发现完整秦砖283块，未见其他随葬品。简报推断其为秦统一前的秦人墓葬。

1356.临潼县城东侧第一号秦墓清理简报

作　者：临潼县博物馆、临潼县文管会　李美侠
出　处：《考古与文物》1993 年第 1 期

1990 年 4 月 3 日，临潼县东街朱旭武老人，在给自己砌筑寿墓挖大圹时，发现小型砖砌竖穴墓一座。他立即移了坟坑，并向博物馆作了报告。考古人员对残墓作了清理。1 月 4 日中午朱旭武老人又来馆报告，在新挖土坑中又发现了几座砖砌墓。共计清理小型砖砌竖穴墓四座，编为 M1、M2、M3 和 M4。简报分为“墓的结构及葬式”“出土文物”，共两个部分予以介绍，有拓片、手绘图。

四座均为长方形砖砌竖穴墓。出土文物主要为墓砖 167 块，有的上有铭文。葬式为屈肢葬。简报认为这是修建秦始皇陵的劳役人员中较有身份的人的墓。

1357.秦东陵第四号陵园调查钻探简报

作　者：陕西省考古研究所秦陵工作站　程学华
出　处：《考古与文物》1993 年第 3 期

1988 年 9 月，进行文物普查时，在已发现的秦东陵一号陵园的西南方向，又发现了一段残长约 25 米的回填花土断面。同年 10 月以后，经过进一步的调查钻探工作，证实这又是一处主墓为“亚”字形结构的较大陵园。按照已发现的秦东陵第一、二、三号陵园的顺序，暂编为秦东陵第四号陵园。

简报分为：一、陵区的位置与规模，二、陵园的建置布局，三、陪葬墓，四、出土文物，五、结语，共五个部分。有手绘图。

据介绍，第四号陵园位于临潼县斜口镇韩峪乡西南的马斜村，属骊山西麓坂垣地带。整个陵区居处山前一冲积扇面上，南北以自然沟壑界分，总面积达 80 万平方米。陵区范围内，已初步探查明确的计有：以“亚”字形墓为主的陵园一处，陵园外的南侧有“甲”字形陪葬墓两座，小型陪葬墓群一处。“亚”字形大墓已无封土，地表建筑已被破坏无遗。墓室经钻探知近于正方形，东西长 56.5 米，南北宽 55 米，有四条墓道及耳室等，似未被盗过。两座陪葬墓均为“甲”字形墓。小型墓群一处，已被严重破坏。收集到的遗物有陶器数件。

简报称，该陵园主人是何人尚不清楚，从时代看，应晚于已发现的一、二、三号陵。

今有王学理先生《秦始皇陵研究》（上海人民出版社 1994 年版），可参阅。

1358.西安南郊山门口战国秦墓清理简报

作　者：王久刚
出　处：《考古与文物》1994 年第 1 期

1988 年秋，西安市南郊北山门口村电子城 205 工地在基建中探出大批战国秦墓，市文物管理处配合基建清理了 11 座。

简报分为：一、墓葬形制，二、葬式与葬具，三、随葬器物，四、结语，共四个部分。有手绘图、照片。

据介绍，11 座墓均为横式墓，洞室挖在长方形竖穴土坑的一侧，平面呈长方形或梯形，拱形顶。除 M6 为仰身直肢，其余 6 座均为屈肢葬，随葬物较少。简报推断这批墓葬的年代应属战国晚期。

简报称，在封门处挖封门沟槽，凤翔高庄战国墓曾出现过，这批墓葬封门沟槽出现在横式墓中，为研究战国晚期横式墓的形制增加了新的资料。个别墓主口含石子或石壁断节及两手握石子或石壁断节的习俗，是研究战国晚期葬俗的重要资料。

1359.秦芷阳制陶作坊遗址清理简报

作　者：陕西省考古研究所秦陵考古队、临潼县文物工作队　程学华、丁保乾
出　处：《考古与文物》1995 年第 5 期

1992 年 4 月至 12 月，为配合工程建设，考古人员清理了秦芷阳地区制陶作坊遗址一处。主要遗存包括有：陶窑 3 组 8 座，陶泥贮藏坊 2 座，砂坑 2 个及制坯房与水井各 1 处。同时出土了一批重要文物。

简报分为：一、地理位置，二、主要遗迹，三、出土文物，四、几点认识，共四个部分。有手绘图、照片、拓片。

遗址位于临潼县韩峪乡油王村西，21 试验训练基地的西院。出土文物计有铜、铁、陶、石等不同质地的各类文物共 143 件。按照陶窑形制结构和出土遗物特点，简报推断遗址时代应为秦昭襄王至秦统一前（前 306 ～前 221 年）这一时期。

据当地人反映，现遗址的北边一带及其以南 1.5 公里许的红庆堡附近，也还发现有与此相同的窑址，说明此制陶作坊区域应较现清理的范围更为广阔，其地理位置都在秦芷阳遗址的西南。简报推断，这里很有可能为秦时芷阳邑的地方官营制陶作坊区域。

1360.临潼新丰镇刘寨村秦遗址出土陶文

作　者：陈晓捷

出　处：《考古与文物》1996 年第 4 期

刘寨村遗址位于刘寨村南台地上，北临西潼公路，南距秦始皇陵 3.5 公里。秦陵东路自南而北从中穿过。地面上零星散布有砖瓦和陶片残片。1995 年夏修建西潼高速公路，考古人员在工地采集到一批带有陶文戳记的瓦片和陶片。按其性质可分三类。第一类为中央官署制陶作坊类，此类陶文共五种。第二类为官营徭役性质陶作坊类，比例最大。第三类为市亭类陶文。

简报分为：一、陶文的发现，二、问题讨论，共两个部分。有拓片。

据介绍，从这批陶文中所见到的中央官署机构有"都水""大匠""都船""寺工"以及"北司"。这五者中都水为内史属官，都船属中尉，北司和寺工属少府，大匠属于将作大匠。内史掌治京师，又有修建皇帝山陵之职。秦代中央统辖烧造砖瓦的官署以前认为属于少府的有左司空、右司空、寺水、北司、宫水；属于将作大匠的有大匠、大水，属于中尉的有都船。这次新出土的有寺工和都水。寺工职责为制造兵器、车马器、日用器及烧造砖瓦。都水兼管烧造砖瓦和修治皇帝陵园。这些内容增加了我们对秦代中央官署职责的认识。由出土陶文还可以看出，修建秦始皇陵工程的陶工主要来源于今陕西境内，其余各地所占比例则较小。从陶文中还可看出秦代制作筒瓦的流程、秦代置县的补充（当阳县、绛县）等。因此这批陶文的史料价值是很高的。

1361.陕西临潼零口战国墓葬发掘简报

作　者：陕西省考古研究所　阎敏民、周春茂

出　处：《考古与文物》1998 年第 3 期

零口遗址，位于临潼县零口镇零口村东北部，西南距西安市 49 公里，东北距渭南市 14 公里。该遗址 1956 年由黄河水库考古队调查发现，1963 年公布为县级文物保护单位，1967 年农民平整土地时，遭到严重破坏。主要是新石器时代的文化堆积，也有战国及汉代墓葬分布其间。1995 年进行了发掘，发现有新石器时代、战国及汉代遗存。

简报分为：一、墓葬结构，二、随葬品，三、结语，共三个部分，先行介绍战国墓葬，有照片、手绘图。

据介绍，战国墓 10 座。葬具为木棺，葬式均采用下肢蜷屈的屈肢葬式。结合上

体安放的姿态，可分为仰身屈肢葬、侧身屈肢葬和俯身屈肢葬三种葬式。以仰身屈肢为主，占到50%，后一种仅占10%。仅发掘出7件随葬品，有陶器4件及铜器、铁器、骨器各1件。这批墓的时代为战国中期、战国中晚期。

简报称，此次发掘的战国秦墓，均属小型墓葬，半数未见随葬品，即便有，也仅一两件生活用品。尤其是M15随葬的陶盆，尚有修补痕迹，可见墓主人生前生活俭朴，身份地位不高。死者的死亡年龄均在14～30岁，属青年男女，且以男性较多，究竟是何缘由所致，有待进一步考证。屈肢葬尤其屈肢特甚的屈肢葬，80%的头向都朝西北，其意义何在，尚无定论。单就屈肢葬来讲，这种葬式早在新石器时代的大溪文化和马家窑文化中已被采用，殷周时期少见，东周以后又陡然风靡一时，西汉时几乎绝迹。其中奥秘如何，源流怎样，秦人是东来还是西来，这些问题尚待进一步探讨。

1362.秦阿房宫遗址考古调查报告

作　者：西安市文物局文物处、西安市文物保护考古所　杜　征

出　处：《文博》1998年第1期

阿房宫是秦王朝的宫殿建筑群，乃中国历史上规模最宏大的建筑之一。始建于公元前4世纪中叶的秦惠文王时期（前356～前311年）。秦始皇兼并六国以后，由于都城咸阳宫人数增多，先王之宫廷狭小，遂于始皇三十五年（前212年）在渭河以南上林苑原基础上大兴土木，广征声色，营建离宫别馆，是谓“阿房”。秦朝末年，项羽入关，移恨于物，纵火焚烧了尚在建设中的阿房宫。西汉王朝建立以后，焚毁的阿房宫仍在汉上林苑的范围之内，并不断得到改造扩建。唐宋以后，“阿城”及宫殿分布区逐步夷为农田，开始形成村落。因阿房宫毁于大火，史籍记录简约，而且自秦末以来基本没有进行过科学探测，因此，上述记载真实与否几成千古之谜，千百年来广为人们所臆测。

1994年初，陕西省高等级公路管理局未征得文物管理部门的同意，擅自在阿房宫前殿夯土台基南侧取土筑路，导致大面积（约2000立方米）夯土台基遭到破坏。市文物局在保护区约10平方公里的范围内进行了文物普探和现状调查，并在此基础上，拟定了《秦阿房宫遗址保护规划》。考古调查于1994年11月1日至12月25日进行，历时53天。

简报分为：一、遗址概况及历史沿革，二、考古调查的原因、目的和时间，三、遗址的地理位置及其周边的环境，四、调查方法，五、考古调查结果及主要收获，六、结束语，共六个部分。有手绘图、拓片，附有“秦阿房宫遗址考古钻探资料表”。

据介绍，秦阿房宫遗址（编号94QE）共分七大区、78个分探区。经过55天的艰苦工作，总钻探面积3824437平方米，总孔数58163个，共探出夯址18处，其中

较完整的13处，实测夯址1处，总面积610407平方米。此外还探出原始路土两处，面积39400平方米；五处大面积黄沙沉积区，总面积约271400平方米。

上述重要收获不仅明确了遗址的布局和具体范围，而且修正了有关文献资料中的不确记载，为制定有效的遗址保护措施和今后考古发掘工作提供了科学资料，而新发现的遗址分布地点，意味着保护范围将向西延伸。

1363.甲胄藏千年　一出天地惊——秦始皇陵园发现大型铠甲坑

作　者：《文博》编辑部

出　处：《文博》1999年第5期

1998年，当地农民无意中发现了一处规模宏大、内涵丰富的秦始皇陵陪葬坑。简报配以照片予以介绍，有照片。

据介绍，此陪葬坑位于秦始皇陵封土东南150米处，面积达13000多平方米。出土了大量石质铠甲和石质兜鍪。目前共清理出石质铠甲80多领、兜鍪近30顶。这些铠甲和兜鍪，均是用质地均匀致密、颜色青灰的石灰岩石片和扁铜条连缀而成，考古人员称其为“铜缕石甲、石胄”。已清理出土的铠甲可分为三类：粗大型甲片的甲衣，中型甲片的甲衣和小型甲片的鱼鳞甲。这一发现填补了古代历史文献记载的空白。石质铠甲高超、精细的加工技术，增加了人们对秦代科技水平的认识，对研究秦朝政治、经济、军事、科技都具有十分重要的科学价值。该陪葬坑的分布位置和极其丰富的陪葬品，为研究帝王陵寝制度提供了全新的资料。同刊同期有张占民先生《秦陵铠甲坑发现记》一文，可参阅。

1364.秦陵出土异形陶俑和罕见铜鼎

作　者：《文博》编辑部

出　处：《文博》1999年第5期

1999年5月，考古人员在秦陵铠甲坑南40米处，又发现一处陪葬坑。简报配以照片予以介绍。

据介绍，在陪葬坑中部过洞内出土了一件重达212公斤的铜鼎，无铭文，简报推断为战国中期或稍早时期遗物。还出土了十余件雕塑精致、风格独特的秦代陶俑。这些陶俑与真人一般大小，均赤裸上身和下肢，仅在腰部系有短裙。已出土的陶俑或高大健硕，或纤细瘦小，形体大小各不相同，动作造型也迥然相异。如三号陶俑两足呈“丁”字形站立，扭胯鼓腹，右手上举，左手置于左腹部；五号陶俑身体直立，两手平握一管状物，形体高大，推测此俑复原高度在 2 米左右。这些陶俑的外表还饰有白色、红色彩绘，裙上饰有菱形、星状等彩绘图案。

1365.秦陵铜车马坑出土两件青铜剑

作　者：阎红霞
出　处：《文博》1999 年第 6 期

1978 年，在秦陵封土两侧铜车马坑中出土两件青铜剑。简报配以手绘图予以介绍。

据介绍，两剑形制相同，一长一短。长的通长 56.2 厘米，短的 24.9 厘米。据发掘者讲，两剑是出土的一组木车马上的御手佩剑。现藏秦陵博物馆。

1366.西安临潼新丰南杜秦遗址陶文

作　者：陕西省考古研究所　王望生
出　处：《考古与文物》2000 年第 1 期

新丰南杜遗址位于秦始皇陵之北约 3 公里，新丰镇南刘家寨东面，西潼公路与阎良公路交叉的地方。

据介绍，1994 年夏西安泰普克食品有限公司搞基建时，考古人员就进行了考古钻探。随后进行了随工清理，在发掘范围以外的东面发现了秦代陶文。施工单位当晚用掘土机挖了一条长约 100 米、宽 1 米、深 3 米的水管道沟。考古人员对其东西两壁面进行了地层分析，并安排人力在沟道的两岸上方虚土顶层采集了大批秦陶文。随后在遗址堆积层较厚的地方先后布探方 3 个。地层可分三层：第一层为耕土层；第二层土质不纯，夹有零星红烧土及板瓦等残片；第三层土色黑褐，应为秦代文化层，这批陶文就出土于该层。

陶文按性质可分三类。第一类为中央官署制陶作坊类，此类陶文共 12 种。第二类为官营徭役性制陶作坊类，此类陶文可分 35 种。第三类为市亭类陶文共 2 种。总计为 3 类 49 种。

简报分为：一、陶文的出土，二、几点认识，共两个部分。有拓片。

从这批陶文中所见到的中央官署机构有“大匠”“都船”“居室”“北司”“右歇”。大匠属于将作大匠，北司、右司空均属少府。将作大匠掌治居室，中尉、少府又主管烧造砖瓦。由此可见，此遗址和秦始皇陵有着密不可分的关系。从出土的陶文内容看，秦始皇陵周围及其设施内的陶工来源有两个途径：一是中央官署派遣工匠，占较小比例；二是从全国各地征发服徭役的陶工，占大部分。

1367.秦始皇陵园 K9901 试掘简报

作　者：始皇陵考古队　段清波、郭宝发、张颖岚、马明志、张卫星
出　处：《考古》2001 年第 1 期

秦始皇陵园 K9901 陪葬坑位于陕西省西安市临潼区秦陵办事处下陈村北，秦始皇陵园内、外城之间的东南部。1999 年 3 月中旬，考古人员在对 K9801 陪葬坑进行复探工作时，在其南部的一处现代取土壕内发现了红烧土堆积遗迹，随即对这一区域进行了普探。经钻探确认其为一处陪葬坑遗址，编号为秦始皇陵园 K9901 陪葬坑。

钻探表明，K9901 是一座平面略呈“凸”字形、内设三条过道、总面积近 700 平方米的地下坑道式土木结构陪葬坑。为了对 K9901 的性质、内涵以及建筑结构等一系列问题作进一步深入了解，考古人员对该遗址进行了试掘，试掘工作从 1999 年 5 月 8 日开始，至 6 月 15 日结束。

简报分为：一、地理位置与发掘经过，二、地层概况，三、建筑结构遗迹，四、出土遗物，五、结语，共五个部分。有手绘图。

据介绍，在此次发掘中没有出土有纪年的遗物。但是 K9901 是附属于秦始皇陵园的陪葬坑，其建筑结构、方式与秦兵马俑基本相同，简报推测，K9901 陪葬坑与秦始皇兵马俑坑的修建时间大致相同，即在秦始皇统一前后修建陵园工程时。在陪葬坑内没有发现明显的淤积土层，故 K9901 是在其建成后不久就被焚毁的。

简报称，秦代百戏俑的首次出土面世，揭示出了秦代陶俑的新类别，形象地展现了秦代斑斓多彩的杂技世界，将活泼清新的宫廷娱乐文化展示在人们的面前。随着 K9901 陪葬坑的全面发掘，必将会提供全新的视角，使人们更加深入地认识和了解秦代宫廷娱乐文化。

1368.西安相家巷遗址秦封泥的发掘

作　者：中国社会科学院考古研究所汉长安城工作队　李毓芳、张建锋、刘振东等
出　处：《考古学报》2001 年第 4 期

西安相家巷遗址位于西安市未央区六村堡乡相家巷村南的东西向公路以南 500 米处，东邻一条南北向的干渠，南靠一条东西向的土路。该遗址地处汉长安城桂宫遗址东北角外侧。1996 年，相家巷村村民在此地挖积肥坑时，发现了大量封泥。此后遗址遭多次盗掘，破坏严重。考古人员于 2000 年夏季对此进行了勘察和发掘。勘察发掘时间自 2000 年 4 月 27 日始至 5 月 18 日结束。

简报分为：一、地层堆积，二、晚期遗存，三、早期遗存，四、封泥，五、结语，共五个部分。有照片、手绘图等。

据介绍，晚期建筑遗迹包括晚期夯土台基及其东面的三个窖穴。夯土台基和三个窖穴出土的建筑材料以砖、瓦、瓦当为主。简报推断该遗址晚期建筑遗存的时代为秦至西汉初期。早期遗迹包括遗址夯土台基等，简报认为早期建筑遗址的时代应为战国晚期或秦代。

此处发掘的一大收获，是出土了上百种战国晚期或秦代封泥共几百枚。从内容看，它们分属于战国晚期或秦代的中央官署和地方官署，这为我们研究秦代政治、经济、文化、历史、地理提供了极其重要的资料。

1369.秦始皇陵园 K9801 陪葬坑第一次试掘简报

作　者：始皇陵考古队　段清波、马明志、郭宝发、张颖岚、张卫星

出　处：《考古与文物》2001 年第 1 期

该陪葬坑位于秦始皇陵现封土东南 200 米处。1998 年 8 月～ 12 月试掘。知其有 4 个斜坡道，面积达 13000 多平方米，是迄今为止秦始皇陵园城垣内发现的面积最大的陪葬坑，几乎与兵马俑一号坑一样大。简报分四个部分，配以手绘图、照片加以介绍。

据介绍，主要发现有石甲胄、青铜构件等，似乎是一座武器库性质的陪葬坑。简报还指出，仅从此坑看，最后废弃是因军队（如项羽军队）放火焚烧还是别的什么原因，尚难有定论。

1370.秦始皇陵园 K0006 陪葬坑第一次发掘简报

作　者：秦始皇陵考古队

出　处：《文物》2002 年第 3 期

秦始皇陵园 K0006 陪葬坑位于秦始皇陵封土的西南角，西安市临潼区秦陵村岳家沟组东侧台地上。陪葬坑北距秦始皇陵现封土约 50 米，南距内城南垣 120 米，西距内城西垣 58 米。钻探表明，K0006 陪葬坑平面略呈“中”字形，坑体为东西向，由斜坡道和前、后室三部分组成，是一座总面积 410 平方米的地下坑道式土木结构的陪葬坑。针对勘探中发现的遗迹现象，秦始皇陵考古队从秦始皇陵园陵寝制度研究的需要出发，对其进行了全面发掘。发掘工作自 2000 年 7 月至 12 月，完成了预期的发掘、保护工作。目前该陪葬坑的发掘工作尚未最后完成。

简报分为：一、地理位置与发掘经过，二、发掘目的与程序设计，三、地层，四、建筑结构，五、陶俑，六、车迹和马骨，七、研究与讨论，共七个部分。配以彩照、

手绘图，先行介绍了第一次发掘的阶段性成果。

据介绍，K0006陪葬坑前室葬陶俑，后室葬马，前室西段与斜坡道入口处发现木车遗迹。陶俑共12件，均为立俑，高185～193厘米，均头戴长版冠，其中袖手俑8件、御手俑4件。8件袖手俑的腰间挂有书刀和砥石囊，其身份为秦官署中的文官。而文官性质的陶俑为秦始皇陵园考古工作中首次发现。K0006陪葬坑应是秦王朝中央政府中一个官府机构在地下的模拟影像，其性质可能为主管监狱与司法的廷尉。

秦始皇陵园的陪葬坑底部都曾发现淤泥层，坑内的埋藏物也有较明显的人为破坏迹象。考古资料表明，这些陪葬坑被焚毁于陪葬坑建成一段时间之后，焚毁前还经过大规模的人为破坏。此次在K0006内发现有11层淤泥，说明陪葬坑建成之后过了较长时期才坍塌。前室的11号陶俑俑头被扔弃在马骨区的中部，其距离非水流力量所能致。其余的陶俑均伏倒在地，或仰卧在地，个别陶俑身上有人为砸痕，表明该陪葬坑曾经过人为地大规模破坏。《史记·高祖本纪》载："项羽烧秦宫室，掘始皇冢，私收其财物。"结合K0006考古发掘收获，简报认为，目前秦始皇陵园已发现的179座陪葬坑以及地面建筑，在秦末战争中大都曾遭受全面破坏，焚毁原因当系人为破坏。

1371.陕西骊山小型秦墓祭位坑的勘查

作　者：陕西临潼县文物管理委员会　林　泊

出　处：《考古》2002年第1期

据目前掌握的资料，骊山一带秦人墓葬群计有10余处，每一处都有数十座墓。除秦始皇帝陵园的一些小型墓群外，比较大的有四处。通过钻探调查武家坡墓群和电热元件厂墓群，发现墓外没有小土坑；而在调查刘庄墓群和柿园砖厂墓群时，则发现每一座墓的左侧都有一个小坑。刘庄8座小墓和柿园砖厂3座小墓的情况简报配以手绘图予以介绍。

骊山一带发现的秦人小型墓葬左侧的小坑，应为祭位坑，是祭神和祭祖之处；这些小坑不仅为祭墓之处，也应为墓祭之处。简报推断我国早在秦始皇之前，最迟在战国中晚期，就有祭墓和墓祭同时存在。

1372.西安秦始皇陵园的考古新发现

作　者：陕西省考古研究所、秦始皇兵马俑博物馆　段清波

出　处：《考古》2002年第7期

秦始皇陵考古队重新组建以来，对陵园进行了持续的考古勘探，1998～2001年间的勘探面积共约60万平方米，发现陪葬坑17座、陵园门址6处、阻排水渠1组

及其他建筑遗址等，还对重点区域进行了小范围的试掘。试掘陪葬坑的面积约460平方米，建筑遗址约120平方米。石甲胄、百戏俑、铜鼎、文官俑、铜鹤等珍贵文物的相继出土，以及三出阙、内城廊房等建筑遗迹的发现，再次引起学术界对秦始皇陵考古的极大关注。

简报分为：一、勘探情况和建筑遗迹的发掘，二、陪葬坑的发现，三、基本认识，共三个部分。有照片。

通过近几年来对秦始皇陵园的考古勘探、发掘和研究，简报认为：秦始皇陵园可能尚未最后完工，封土一般是秦汉陵园建设中的最后一项工程，在这里可能因秦末农民战争的影响而停顿下来；仿真求实大概是秦始皇陵园建设中遵循的一个原则，理想中的都城形制在这里得到了再现；陵园的建设可能经历了秦帝国统一前后两个阶段，陵园外的陵寝设施可能是统一后才开始实施的，包括兵马俑陪葬坑和马厩坑等；秦始皇陵园的陵寝制度和陪葬品在一定程度上体现了秦帝国辉煌时期的社会观念、帝国形态、科技文化等方面的基本情况。

1373.秦始皇陵园内城南墙试掘简报

作　者：陕西省考古研究所、秦始皇兵马俑博物馆

出　处：《考古与文物》2002年第2期

雄才大略的千古一帝秦始皇，历经38年漫长的建设周期，模拟都邑形制和规模，创建了一座规模空前、形制独特的夯筑双重城垣的皇家陵园。20世纪六七十年代，考古学者在对秦始皇陵园调查、勘探时，就发现宽8米的陵园夯土城垣，昔日地面上绵延巍峨、雄伟壮观的内外城垣，早已随着辉煌秦国历史的谢幕，在岁月流逝中回归于大地的怀抱。

据介绍，1999年的考古勘探中在内城南墙的南北两侧发现连续的廊房建筑和石散水遗迹。此为中国古代陵园制度的首次所见。为了准确地掌握陵园内城垣的建筑结构及规模，2000年5月下旬，考古人员在内城南墙西南角和内城南门东西两侧三处地点布方试掘，由东向西编号为NN00T1、NN00T2、NN00T3。

简报分为：一、位置，二、地层堆积，三、各探方发掘状况，四、遗物，五、廊房建筑材料上的陶文，六、内城南墙的建筑结构，七、廊房建筑结构复原蠡测，八、结语，共八个部分。有手绘图。

据介绍，内城南垣的宽度，1999年勘探时，受附属建筑的影响判定为4米，2000年的发掘确认其宽度为3.5米，而并非以前资料表明的8米。在城垣两侧修建廊房之类附属建筑的现象在中国古代陵寝制度中属首次发现。廊房屋面所用的板瓦

规格巨大，长者达94厘米，短者为59厘米，为复原屋面建筑提供了宽广的思维空间。另带脊筒瓦脊有当筒瓦集中出于秦始皇陵园，使用时代可能仅限于秦代。出土的板瓦、筒瓦、脊瓦等屋面建筑材料，均为黄土细泥制作，内含少量沙粒。简报据此推测，陶窑应就在秦陵附近。秦始皇帝陵修建于战国晚期到秦亡，廊房作为陵园城墙的附属建筑，其上大量的云纹瓦当，恰好反映了当时秦国瓦当纹饰的主流和艺术风格。

1374.秦始皇陵园2000年度勘探简报

作　者：陕西省考古研究所、秦始皇兵马俑博物馆

出　处：《考古与文物》2002年第2期

秦始皇陵园2000年度的勘探区域主要集中在陵园内城以内的陵南地区，勘探面积约20万平方米。随着工作的进展，考古人员对内外城之间西部的部分区域、外城南门、内外城西门、外城北门、“五岭”遗址、“霸王沟”等地点作了较为详尽的勘探工作，取得了丰硕的收获。

简报分为：一、环境考古资料与陵园研究的互动关系，二、2000年考古勘探收获，共两个部分。有手绘图。

2000年度考古勘探的主要成果有：发现性质及内涵各异的陪葬坑7座；发现位于秦始皇陵东、西、南三侧规模惊人的深层地下阻、排水系统；查探清楚外城南门的位置及规模，确认了内外城西门遗址的位置及形状；在内外城西门之间发现一组独立存在、相互对应的三出阙；对所谓的陵园外城“北门遗址”进行了探查和讨论；对陵园外、骊山脚下“五岭”遗址进行了全面的考古调查；确认了位于陵园南侧和西侧的“霸王沟”即岳家庙的形成原因及时代。

1375.西安北郊明珠花园秦墓发掘简报

作　者：陕西省考古研究所　宋远茹

出　处：《考古与文物》2002年第6期

明珠花园隶属荣华房地产开发公司，一期工程占地73亩，位于陕西省西安市北郊尤家庄村北100米处。它东邻迎宾大道，南边与西安市未央区张家堡街道办事处及西安市第66中学相接，地处北郊龙首塬北坡。1999年12月至2001年1月，考古人员对明珠花园一期工程的15座楼基的古墓葬全部进行了清理发掘，共清理战国至两汉的墓葬321座。2000年12月至2001年1月，对其中的13号楼基的古墓葬进行了发掘，共清理古墓葬60座，除一座M36为东汉墓外，其余59座均为秦墓。13号

楼为高层建筑，地基下挖 5.7 米，发掘工作即在下挖 5.7 米的基槽内进行。基槽东西长 43 米，南北宽 36 米，面积 1548 平方米。59 座秦墓集聚分布其中，方向东西、南北均有，其中还有一部分墓葬葬式比较特殊，这在北郊历年的发掘中尚属首次。

简报分为：一、墓葬形制，二、葬式和葬具，三、墓地内的三组打破关系，四、随葬器物，五、结语，共五个部分。有手绘图、照片、拓片。

据介绍，此墓地的 59 座秦墓，除 19 座为乱葬墓外，其余 40 座均为正常埋葬。墓葬形制为竖穴土坑、竖穴土坑带二层台、偏洞室和直线式洞室墓。59 座秦墓，均发现有人骨架。葬式可分为三大类，分别为乱葬、屈肢葬和直肢葬。随葬器物较少，只有 12 座出土有随葬器物，仅占所有墓葬的五分之一，而且数量很少，最多的 4 件，最少的只有 1 件；其余 47 座无任何随葬品。共出土随葬品 21 件。此墓地的时代上限应不早于战国中期，墓葬为秦墓无疑。简报认为，此墓地为秦人贫民墓地，墓主处于社会的最底层。关于乱葬墓的墓主，很可能是因劳累过度而死的赀人；或是瘟疫在青少年中流行，大人们无法也不想很好地埋葬他们，所以就仓促将他们草草一埋了事。

简报称，明珠花园秦墓的发掘为研究关中秦墓提供了非常重要的资料，尤其对研究西安地区秦墓的分期、墓葬结构、随葬器物的特点及秦人起初在西安地区的活动都有着十分重要的意义。

1376.西安北郊战国铸铜工匠墓发掘简报

作　者：陕西省考古研究所　岳连建等

出　处：《文物》2003 年第 9 期

1999 年 12 月，在配合位于西安北郊北康村西安乐百氏食品有限公司基本建设过程中，考古人员发掘了一座战国晚期墓（编号 99SXLM34），出土铸铜陶模具、陶器、铜器、铁器、漆器、石器等一批具有较高历史价值及艺术价值的器物。其中铸造鄂尔多斯式青铜饰牌及其他器物构件的 25 件陶模具的出土，是本次发掘的重要收获。

简报分为：一、墓葬形制与葬式葬具，二、随葬器物，三、结语，共三个部分。有照片、拓片、手绘图。

据介绍，此墓为一座带壁龛的竖穴墓道土洞墓，葬具为木质单棺，已朽。内葬一人，右侧身屈肢葬，头向西，骨架已朽，成年男性，年龄不详。此墓随葬器物非常丰富，计有陶模具、陶器、铜器、铁器、石器、漆器等，其中人物纹饰牌模的图案不见于著录，双羊纹、双马纹和鹰虎搏斗纹饰牌模的图案也与以前发现的同类题材铜饰牌不同，对研究鄂尔多斯式青铜饰牌图案的题材、风格以及时代特征等具有较为重要的参考价值。年代简报推断为战国晚期。墓主人的族属应为汉族。另外，该墓随葬器物较为丰富，除一般的生活用具外，还有大量的铸铜陶模具、工具及印章，说明该墓主人应是一位有一定身份的铸铜工匠。

1377.陕西高陵县益尔公司秦墓发掘简报

作　者：陕西省考古研究所　焦南峰、马永嬴、杨武站
出　处：《考古与文物》2003 年第 6 期

2002 年 1 月，在配合高陵县益尔公司基建考古工作中，考古人员钻探出一处新石器时代遗址及 66 座古墓葬。3 月至 11 月，考古人员对新石器时代遗址和古墓葬进行了抢救性发掘，发掘总面积为 1000 平方米。发掘出新石器时代房址 5 处、陶窑 5 座及数量众多的灰坑等，清理战国至清代古墓葬 66 座，出土了一批珍贵的陶、铜、石质文物。66 座古墓葬中有秦墓 51 座，汉、唐、明、清墓 15 座。

简报分为：一、地理位置，二、地层堆积，三、墓葬形制，四、随葬器物，五、结语，共五个部分。介绍这批墓葬中的秦墓资料，有手绘图。新石器时代遗址及其他时代墓葬资料，另行整理公布。

益尔公司秦墓存在打破关系的仅有两组（M35 ~ M12，M40 ~ M24），此外未发现纪年性的材料。根据墓葬形制、随葬器物特征及组合，结合周围地区秦墓资料，简报将 51 座秦墓分为三期。

第一期墓葬共 15 座。其中竖穴墓 13 座，A 型墓数量最多，B 型墓数量较少，直线洞室墓在此期已经出现，仅有 2 座。简报推断，第一期的时代为战国早期。M28、M62 的时代甚至可早到春秋晚期。

第二期墓葬共 19 座。其中竖穴墓 17 座，A 型墓的数量大为减少，B 型墓的数量占主导地位，直线洞室墓的数量和一期相同，仍为 2 座。简报推断其时代处于战国中期。

第三期墓葬共 17 座。其中竖穴墓 16 座，A 型墓的数量仅剩 2 座，B 型墓的主导地位未改变，墓壁竖直和向下内收的墓葬各占一半，直线洞室墓的数量无增长，为 1 座。简报推断其时代为战国晚期前段。该墓地为一处平民墓地。M38 用折断的剑和戈陪葬，墓主可能是行伍出身。

1378.西安北郊尤家庄二十号战国墓发掘简报

作　者：西安市文物保护考古所　程林泉、张翔宇等
出　处：《文物》2004 年第 1 期

1996 年 8 月，在西安市北郊尤家庄村东配合西安电信局第二长途通信大楼的基建

工程中，考古人员发掘清理战国秦汉墓葬200余座，其中二十号战国墓（M20）保存完好。简报分为：一、墓葬形制，二、随葬器物，三、结语，共三个部分。有照片、手绘图。

据介绍，M20为竖穴土圹木椁墓，葬具为一棺一椁。随葬器物以铜器和漆器为主，另有少量玉、石器，共计39件。铜带钩和银带钩饰浮雕式兽面、猛禽等，制作精美，具有北方民族风格。铜灯的柄部有刻铭，为三晋之器。墓葬的年代简报推断为战国晚期。

1379.西安市阿房宫遗址的考古新发现

作　者：中国社会科学院考古研究所、西安市文物保护考古所、阿房宫考古工作队　李毓芳、孙福喜、王自力、张建锋等

出　处：《考古》2004年第4期

阿房宫遗址位于今陕西省西安市以西13公里处的古浥河西岸、渭河以南，与秦都咸阳城隔河相望。遗址主要分布于龙首原向西南延伸的台地上。1961年阿房宫遗址被国务院公布为国家第一批重点文物保护单位。

据《史记·秦始皇本纪》记载，阿房宫始建于秦始皇三十五年（前212年）。但阿房宫范围到底有多大、布局结构如何，其前殿又是一座怎样的建筑，这些都需要考古资料来说明。秦阿房宫遗址为秦都咸阳上林苑遗址故地，汉代为汉上林苑的一部分。据文献记载，直到唐高祖时还曾在"阿房宫城"驻军。因此秦阿房宫遗址所在地的遗存和堆积都不是单一的秦代文化遗存。考古人员首先在阿房宫遗址的核心建筑——前殿遗址进行了考古工作。自2002年10月至2003年12月，在前殿遗址密集勘探面积达20多万平方米，试掘及发掘面积达1000平方米。此外，在前殿遗址未密集勘探的部分均进行了摸底式的勘探，基本搞清了阿房宫前殿遗址的范围和局部布局及结构。

简报分为：一、遗址概况，二、前殿遗址，三、其他遗迹，共三个部分。有彩照。

简报介绍说，阿房宫前殿遗址的考古勘探和发掘中有两点值得注意：其一，汉代堆积层内出土了不少秦代瓦片、筒瓦片，但是目前还未发现秦代宫殿建筑中最常见的也是必不可少的建筑材料——瓦当及其残块；其二，考古勘探和发掘中未发现阿房宫前殿被大火焚烧的痕迹。

1380.秦始皇陵园K9801T2G2甲4整理简报

作　者：陕西省考古研究所、秦始皇兵马俑博物馆

出　处：《考古与文物》2004年第2期

简报分为：一、提取前的思路，二、现场清理与提取，三、甲片的分类，四、

甲片内涵要素分析，五、甲片布孔规律和铜丝穿连方式，六、甲片的叠压与编缀，七、甲4制作问题浅析，八、甲4与甲1的比较，九、结语，共九个部分。介绍了对秦始皇陵园内编号为K9801T2G2甲4的大型石质铠甲的现场清理、提取修复和初步研究情况，有手绘图。

据介绍，现已修复好2领石铠甲（甲1、甲4）。甲1由小型甲片组成，甲4由大型甲片组成。甲1甲片计612片，甲4甲片仅332片。甲1重仅18公斤，甲4重达23.18公斤。甲1制作精细，甲4制作粗糙。从防护效果看，甲1要好于甲4。故简报认为甲1应供级别较高的人使用。

简报称，青石铠甲的发现不仅在秦陵是第一次发现，更重要的是在中国考古发现中也是首屈一指。此次发现和修复，丰富了秦代铠甲的资料，对研究秦铠甲和兵器乃至于军事史研究均有重要的意义。

1381.秦始皇陵园K0007陪葬坑发掘简报

作　者：陕西省考古研究所、秦始皇兵马俑博物馆　段清波、孙伟刚、蒋文孝、尚爱红等

出　处：《文物》2005年第6期

K0007陪葬坑位于秦始皇陵园外城垣东北角之外900余米处，行政区域隶属西安市临潼区秦陵街道办事处孙马村陈王西组，西距1996年发现的动物陪葬坑约500米。该陪葬坑地处骊山北麓与新丰塬交接处的低洼地带，一条东西向的古河道从陪葬坑的北侧穿过，河道现已干涸，为农耕地。2000年6月，当地村民挖墓时发现了原大陶俑碎片及其他文物，考古人员经勘探发现此处为一座陪葬坑，因其是2000年度在秦始皇陵区考古勘探中发现的第7座陪葬坑，故编号为XLQK0007（简称K0007）。2001年8月8日至2003年3月20日，考古人员对该陪葬坑进行了抢救性发掘。

简报分为：一、地理位置与发掘经过，二、形制与分区，三、地层堆积，四、建筑结构，五、内涵，六、小结，共六个部分。有彩照、手绘图。

据介绍，陪葬坑平面呈“F”形，总面积约978平方米，主体坑面积约298平方米。考古人员将其划分为三个区。在陪葬坑的Ⅰ～Ⅲ区出土了双层棚木、厢板、立柱、垫木及大量的榫卯结构遗迹，并出土了铜水禽、原大陶俑和银、铜、骨质小件器物等。简报认为此陪葬坑展示的似乎是一处水禽与人类和谐相处的场景。出土了46只水禽有天鹅、鹤、鸿雁等。俑的年龄似乎也偏大一些，用手中的小件乐器奏出音乐，训导水禽。该陪葬坑有受到严重破坏和被火焚烧的痕迹。简报认为，K0007陪葬坑被焚毁，当与兵马俑陪葬坑、动物陪葬坑、石质铠甲坑、百戏陶俑坑等秦始皇

陵区众多被焚毁的陪葬坑一样，是人为破坏所致。这样大规模的破坏活动可能是项羽及其部下所为。K0007陪葬坑的发掘为研究复原秦始皇陵园陪葬坑的建筑结构等提供了丰富的实物资料，同时也更加丰富了我们对秦始皇陵园外藏系统及陵寝制度的认识。

1382.阿房宫前殿遗址的考古勘探与发掘

作　者：中国社会科学院考古研究所、西安市文物保护考古所、阿房宫考古工作队　李毓芳、孙福喜、王自力、张建锋等

出　处：《考古学报》2005年第2期

秦阿房宫遗址位于西安市以西13公里处的古沣河以西、渭河以南，与秦都咸阳城隔河相对。1961年，阿房宫遗址被国务院公布为国家第一批重点文物保护单位。秦阿房宫遗址为秦都咸阳的上林苑遗址故地，继而这里又成为汉代上林苑遗址的一部分。考古人员首先针对阿房宫的核心建筑前殿展开考古工作。

简报分为：一、阿房宫前殿遗址现状，二、阿房宫前殿遗址的考古勘探、试掘和局部发掘，三、结语，共三个部分。有彩照、手绘图。

据介绍，阿房宫前殿遗址夯土台基在地表以上现存部分东西长1119米，南北宽400米，高7～9米，当地人俗称之为"郿邬岭"。夯土台基东部被现代村庄（赵家堡、聚驾庄）覆盖，西部被现代村庄（大古城、小古城）压在下面；夯土台基东部（赵家堡西部）立一尊巨大的传说为北周时期的无头石佛像，该石像身着袈裟，右掌贴胸，作"无畏印"，厚重的衣褶垂于足面。夯土台基现存顶部的西部、东部、北部全部被果树、现代墓葬破坏。夯土台基北部边缘和南部边缘布满现代墓葬，墓碑林立，最大的墓葬占地120多平方米，且左右两旁石狮站立，乌龟驮石碑高达5米多。据不完全统计，在夯土台基上面的现代墓葬有1300余座；夯土台基西部还存一个大垃圾坑，占地约2400平方米。夯土台基西南部被工业垃圾堆满。前殿遗址夯土台基中南部有一取土壕，位于台基西南角以东670米，台基南边沿以北55米，其范围东西宽30～77米、南北长约110米，面积约5300平方米。土壕底部为夯土台基。该土壕为1949年前后百姓垫圈、制土坯等取土用。通过勘探了解到，土壕南浅北深，台基夯土距现地表0.4～2.5米。该土壕于20世纪60年代前后逐渐被填平。据《史记》载，阿房宫前殿建筑在秦上林苑中，其规模宏大，气势磅礴，"东西五百步，南北五十丈，上可以坐万人，下可以建五丈旗"，这里司马迁描述的只是阿房宫前殿的核心宫殿建筑之规模，而前殿宫殿建筑的夯土台基之规模就更大了。根据考古调查，自渭河以南，秦岭以北，只有现存的前殿夯土台基最大。在现存之阿房宫前殿遗址的东北约1公里处有一宋代以后出现的村庄，称为"阿

房村”，而该称谓的由来，应该得于现存的秦阿房宫前殿遗址。

简报指出，此次发掘得出了两个重大结论：

其一，通过密集勘探，未发现一处在当时被大火焚烧过的痕迹。这一重大考古发现与《史记》记载亦相一致。传说认为阿房宫被项羽放火焚烧，但这种说法未见于《史记》的记载。与此相反，《史记》中却有项羽火烧秦都咸阳宫殿建筑的明确记载：“项籍为从长，杀子婴及秦诸公子宗族。遂屠咸阳，烧其宫室，虏其子女，收其珍宝货财，诸侯共分之。”又据《史记》记载：“烧秦宫室，火三月不灭。”这里，司马迁也只字未提项羽火烧秦阿房宫。考古工作者在秦都咸阳第一、第二和第三号宫殿建筑考古发掘中发现了宫殿建筑遗址被大火焚烧的痕迹，这一现象与文献的记载是吻合的。由此看来，项羽当时烧的只是秦都咸阳宫或其他秦宫室，而未烧阿房宫。考古资料表明，阿房宫前殿遗址没有遭到大火焚烧。

其二，阿房宫前殿终未建成。这也是符合文献记载的。

1383.西安市上林苑遗址一号、二号建筑发掘简报

作　者：中国社会科学院考古研究所、西安市文物保护考古所阿房宫考古工作队

出　处：《考古》2006 年第 2 期

对阿房宫前殿遗址的考古勘探和发掘基本结束后，阿房宫考古工作队在周边继续开展工作，以寻找和确定阿房宫的范围和边界，希望彻底搞清楚该遗址的时代和性质。在此过程中，于 2004 年 11 月和 2005 年 3 ~ 4 月，在阿房宫前殿遗址的西面和西南面，勘探并试掘了两座较大型的建筑遗址。它们的位置处在战国时期秦上林苑遗址的范围内，暂可编号为上林苑一号、二号建筑遗址（2004XSI、2004XSII）。其中，一号建筑遗址位于阿房宫前殿遗址西面 1150 米处；二号建筑遗址位于阿房宫前殿遗址西南 1200 米处，在一号建筑遗址的正南 500 米。

简报分为：一、地层堆积和遗迹，二、出土遗物，三、结语，共三个部分。有照片、手绘图等。

据介绍，在一号建筑遗址中发现了夯土台基、廊道、散水和曲尺形石渠等遗迹。二号建筑遗址的下部为两层夯土台基，之上有建筑物残迹，推测原为高台多层建筑。这两处建筑遗址应位于战国时期的秦上林苑中，修建时间为战国时期，早于阿房宫，与阿房宫的修建没有关系。

今有中国社会科学院考古研究所等单位编《阿房宫考古发现与研究》（文物出版社 2014 年版）一书，可参阅。

1384.西北农林科大战国秦墓发掘简报

作　者：陕西省考古研究所　孙铁山、杜应文、张海云
出　处：《考古与文物》2006年第5期

2004年6月在位于陕西省武功县的西北农林科技大学南校区学生食堂建筑工地钻探出一批古代墓葬。墓葬以战国秦墓为主，有少量汉唐墓葬。此次共发掘战国秦墓66座，汉唐墓5座。

简报分为：一、墓葬形制，二、遗物，三、其他，四、结语，共四个部分。有手绘图等。

此次发掘的66座战国秦墓均属小型墓，出土器物很少，但墓葬形制较为丰富，按其形制可分洞室墓和竖穴墓两大类。洞室墓54座，又可分“甲”字型、偏洞室、直筒式、双室墓四式。66座墓共出土文物71件，35座墓无随葬品，有随葬品的不少仅有铜或铁质带钩一件。文物集中在少数几个墓中，有铜器、陶器、骨器等。简报认为此处是战国中晚期一处秦人平民墓地。

这批秦墓虽数量不是很多，但具有典型秦人墓的墓葬形制、棺椁形制特点以及秦人陶器墓、铜器墓的特征，是研究战国秦人墓葬不可多得的宝贵资料。

1385.西安市上林苑遗址三号建筑及五号建筑排水管道遗迹的发掘

作　者：中国社会科学院考古研究所、西安市文物保护考古所阿房宫考古队
出　处：《考古》2007年第3期

近年来，阿房宫考古队在阿房宫前殿遗址的周边开展了一系列考古工作。为确定阿房宫的西界，曾于2004年和2005年对战国时期秦上林苑的一号、二号建筑遗址进行了勘探和试掘。此后，为确定阿房宫遗址的北界，在2005年冬季和2006年春季，又对阿房宫前殿遗址北面和东北面的两处建筑遗址进行了勘探和试掘。它们的位置同样处在上林苑遗址范围内，可分别编号为上林苑三号、五号建筑遗址。其中，三号建筑遗址位于西安市未央区后围寨村北，在阿房宫前殿遗址北面3800米处；五号建筑遗址位于阿房宫前殿遗址东北角外侧500米处，向东与上林苑四号建筑遗址连为一体。

简报分为：一、三号建筑遗址，二、出土遗物，三、结语，共三个部分。有彩照、拓片、手绘图。

据介绍，三号建筑遗址为高台建筑，由下部夯土台基和上部三层建筑组成，发现了残存的廊房、廊道等遗迹。五号建筑遗址的两组排水管道保存较好。这两处遗址应是在战国时期秦上林苑中的建筑，三号建筑遗址或毁于大火，简报推测毁弃年

代应在西汉末年。两遗址均与阿房宫的修建没有关系。

简报称，通过发掘发现排水管道还在往发掘区的东、南、北三个方向延伸，这个排水管遗迹，只是战国时期秦上林苑中整个排水系统的一部分，此次发掘对未来揭开上林苑全貌，是有帮助的。

1386.西安市上林苑遗址六号建筑的勘探和试掘

作　者：中国社会科学院考古研究所、西安市文物保护考古所阿房宫考古队
出　处：《考古》2007 年第 11 期

上林苑遗址六号建筑位于阿房宫前殿遗址东北 2000 米处，在今武警工程学院内，据传说这里是“阿房宫磁石门”遗址。考古人员于 2007 年 3 月对该建筑遗址进行了密集勘探和试掘。

简报分为：一、地层堆积，二、建筑遗迹，三、出土遗物，四、结语，共四个部分。有手绘图。

通过对该建筑遗址的勘探和试掘，可了解到该遗址是一处南北长、东西窄的高台宫殿建筑遗址，分为下部夯土台基和上部宫殿建筑两部分。夯层一般厚 5 ~ 8 米，下部夯土台基形状不规则，现存部分南北最长 57.5 米，东西最宽 48.3 米，自现在地表向下，夯土厚 3.7 米。上部宫殿建筑因建筑物已完全被破坏，仅残存基址，现存部分南北最长 45 米，东西最宽 26.6 米，高出地表 1.5 ~ 2.4 米。在 20 世纪 70 年代初，基址顶部要比现在高出约 1.5 米。从建筑物倒塌堆积中出土了大量建筑材料，包括板瓦、筒瓦及少量瓦当。

简报称，该遗址的修建时代应为战国时期一直沿用至西汉前期，比秦统一后秦始皇所修建的阿房宫要早，故其不属于阿房宫的建筑。

从该建筑遗址的建筑结构来看，它应为战国时期秦国上林苑中的一座高台宫殿建筑，而不是一座门址，没有发现门道遗迹和相关设施。

1387.上林苑四号建筑遗址的勘探和发掘

作　者：中国社会科学院考古研究所、西安市文物保护考古所阿房宫考古队　李毓芳、孙福喜、王自力、张建锋等
出　处：《考古学报》2007 年第 3 期

上林苑四号建筑遗址位于陕西省西安市未央区三桥镇阿房宫村南、赵家堡村东北，西距阿房宫前殿遗址 500 米，地面之上现存高大土台。20 世纪 40 年代曾在这里

挖过战壕；50～70年代，当地农民在遗址区内取土并进行修筑梯田、大规模平整土地等农田基本建设。考古人员于2005年4月至2006年12月，对该遗址进行了勘探和发掘。简报分为：一、四号建筑遗址土台的勘探与发掘，二、四号建筑遗址土台北部的勘探与发掘，三、土台基址东部建筑遗址的勘探与发掘，四、土台基址西部与南部、东南部的勘探，五、结语，共五个部分。有照片、手绘图。

简报认为，四号建筑遗址应为战国中晚期的建筑遗存，该建筑及其排水管道应一直使用到汉代。四号建筑遗址应属宫殿区的所谓“高台建设”，属于战国秦上林苑的一座重要遗址。

1388.陕西长安神禾塬战国秦陵园遗址田野考古新收获

作　者：陕西省考古研究院　张天恩、丁　岩

出　处：《考古与文物》2008年第5期

历经4年的发掘，2008年6月底，考古人员完成了位于长安区神禾塬上西安财经学院新校区内的战国秦陵园遗址的田野考古工作。简报配以照片予以介绍。

据介绍，该墓为“亚”字形大墓，有4条斜坡墓道，东西总长135米，南北宽约110米，似有棺椁三重。发掘结果表明，大墓、从葬坑均经早年盗掘并焚毁。即使如此，仍出土各类珍贵文物近千件，包括金器、银器、青铜器、铁器、玉器、石器、陶器、珍珠、玻璃料器以及麻织品、漆器等。其中以玉器、金银器数量居多，工艺精湛，纹饰华美，规格极高。大墓墓主人应生活在战国晚期至秦亡约50年间，应是秦国王公级别人物，有可能是秦始皇的祖母夏太后的陵墓。

1389.秦始皇帝陵园北门勘探简报

作　者：秦始皇帝陵博物院、秦始皇兵马俑博物馆　张卫星、陈治国、王　煊等

出　处：《文物》2010年第6期

2009年下半年，考古人员对秦始皇帝陵园北部遗迹进行了考古调查，取得了重要收获。

简报分为：一、外城北门，二、内城东区北门，三、内城西区北门，四、认识与收获，共四个部分。有手绘图等。

据介绍，外城北门位于外城北墙居中部位，东西长103.6米，南北宽16.4米，门址两端与北墙墙垣连接。外城北门现位于秦始皇帝陵博物院院内。学术界对秦始

皇陵园的外城北门是否存在有着不同的认识。多数学者认为陵园设有北门，其位置在陵园外城北墙的居中部位。许多论文、报告所用的陵园平面图还标注了北门的位置，但是其来源均无考古勘探依据，以致前期从事该项工作的学者认为，在所谓的“外城北门”处，没有与其他门址相似的夯土基础和归属于北门遗址的建筑遗迹，因此推断，如果有北门的话，也不会在此处。通过此次勘探可以认识到，外城北门的主体确实没有与其他外城城门类似的建筑基础加宽的部分，但是，其内、外侧均有突出的夯土台体，且东西、内外对称分布。此建筑应该是门址与两端墙垣的分隔标志，属于陵园门观系统的一部分。此外，外城北门西端外突台体建筑的底部高于墙垣，并且建筑在秦代土路上。这说明，在修筑台体之前，该处曾经长时间作为通道使用。此现象应该与陵园的建筑施工有关。

前期的考古工作者认为，内城有东、西两座北门，但是其具体位置与形制一直没有公开发表。此次勘探表明，内城东区北门的位置与外城北门、封土中心基本处于南北一线。这与前期报道的其他城门有所不同。此外，门址的中部发现有南北向的通道，但是在结构上与其他门址中的类似通道也不尽相同。由于后期的破坏，该门仅存建筑基础部分，基础以上的主体部分结构与形状不得而知。西区北门也是工作的重点。但是，在西段墙垣没有发现明显加宽的区段，并且还稍有收窄，所以，该区的北门在平面上完全不同于其他门址。发现的两处断开部分由于被大量的后期冲积物所填充，所以无法明确门址的原始形状与结构，但是可以初步认定其位置所在。由于后期山洪的冲击，已被破坏。

1390.2009 年度秦始皇帝陵园考古勘探简报

作　者：陕西省考古研究院　张仲立、孙伟刚

出　处：《考古与文物》2010 年第 5 期

2009 年，考古人员对陵园进行了较大规模的考古勘探，勘探区域主要集中在陵园外城南墙以北、南内外城垣之间、北内外城垣之间及西内外城垣之间等。通过勘探，发现了与陵园有关的地下陪葬坑 2 座；发现了秦始皇帝陵园外城垣北门遗址；探明了陵园内城北墙上的 2 座门址的形制及结构。

简报分为：一、南内外城垣之间区域，二、K0902 陪葬坑，三、外城垣北门遗址，四、陵园内城垣北墙两座门址，五、内城垣北墙以北区域，六、小结，共六个部分。有手绘图。

通过 2009 年度外城垣南墙以北 200 米区域的勘探，探明了这一范围内地下文化遗存的分布；两座陪葬坑的发现丰富了秦陵陵园制度研究的资料。内城垣北墙外建筑遗址的发现，为研究秦始皇帝陵寝制度提供了重要线索。外城垣北门门址的发现，结束了多

年来关于秦始皇帝陵陵园是否存在外城北门的争论。陵园内城垣北墙上两座门址的结构也不甚相同，其结构与陵园内城垣另外东、西、南三面三座门址不同，尤其是北墙西侧门址中间为夯土台，夯土台基两侧为宽约3米的小过道。这种结构门址的发现使我们了解了秦始皇帝陵园内城城门的多样性，对深入研究秦陵陵园布局具有重要意义。

1391.2010年度秦始皇帝陵园礼制建筑遗址考古勘探简报

作　者：陕西省考古研究院　张仲立等

出　处：《考古与文物》2011年第2期

为进一步探索秦始皇帝陵园的陵寝布局及结构，2010年度，考古人员在此前工作的基础上继续对陵园进行了考古勘探，工作集中在历年未进行考古工作的内城以内西北部区域。通过勘探，基本探明了此区域内地下遗存的分布情况及内涵，发现了秦始皇帝陵园内面积达15万平方米的大型礼制建筑遗址。

简报分为：一、位置，二、地层堆积，三、形制与结构，四、灰坑遗址，五、窑址，六、小结，共六个部分。有手绘图。

据介绍，建筑遗址位于秦始皇帝陵园内城西北部，东侧以内城东北小城的西墙为界，距内城东北小城西墙6米；南界到陵墓封土北侧的寝殿建筑遗址；西侧以内城西墙为界，距内城西墙6米；北侧以内城北墙为界，距内城北墙18米。20世纪70年代以后，曾在秦始皇帝陵封土北侧、本次勘探的建筑遗址正南侧多次发掘了寝殿建筑遗址，正好与这次勘探发现的建筑遗址连为一体，共同组成十进式的建筑结构。北侧为九个用南北向通道连接起来的东西对称的建筑遗存，最南侧为主体建筑、侧殿及廊道式建筑等组成的建筑，结构复杂，规模宏大，其用途尚待进一步研究。

1392.陕西蓝田华胥老家湾“秦昭襄王墓”调查

作　者：陕西省考古研究院　丁　岩、张仲立

出　处：《考古与文物》2011年第3期

2010年1月22日，为配合高速公路建设，考古人员对位于蓝田县华胥镇老家湾村的“秦昭襄王墓”遗址进行了勘查。

据介绍，华胥镇处于蓝田县西北部，与西安灞桥区、临潼区以及渭南地区为邻，在秦汉时代当属于芷阳区域。老家湾村西南距蓝田县城约15公里，处于灞河右岸的华胥镇以北约5公里处的坡塬、丘陵地带，西北距离秦芷阳陵园约5公里。县志所记的“秦昭襄王墓冢”为一形状略呈长椭圆形的山包。该山包阳坡面修建梯田，种

植小麦，阴坡面较陡，种药植树。山包北侧大约百米处即是老冢湾村。经钻探，此山包似不是古墓冢。故而《蓝田县志》《中国文物地图集·陕西分册》中所记“老冢湾秦昭襄王墓”应是错误的。

1393.秦兵马俑一号坑后五方遗物清理简报

作　者：秦始皇兵马俑博物馆　邵文斌、刘占成、蒋文孝
出　处：《华夏考古》2012 年第 1 期

为了保护一号坑内的金属遗物，考古人员对秦兵马俑一号坑内东北部后五方暴露的遗物进行了清理与提取。

简报分为：一、前言，二、出土遗物，三、发现及其意义，共三个部分。有手绘图。

据介绍，2004 ~ 2005 年共清理出兵器、车马器和杂器三大类共 173 件（组），兵器有镞、弩机、镦、矛、戈、剑等，车马器包括弩辄、甬钟、鼓环、带扣、络饰管、节约、环、方策、衔、盖弓帽、带柄铜环、铜、车饰件等，杂器包括铁斧、铁钉、铁锄、骨管等种类，其中兵器和大部分车马器为青铜铸造，杂器以铁质为主。

简报指出，这些遗物为我们了解秦代兵器制作及对秦俑、秦文化的研究，均有重大价值。

铜川市

1394.陕西铜川发现战国铜器

作　者：卢建国
出　处：《文物》1985 年第 5 期

1979 年初，陕西省马栏农场在旬邑县转角平整土地时，发现两座毗连的石室墓。出土的随葬器物，简报配照片、手绘图择要介绍。

据介绍，出土铜器的双头兽纹、勾连云纹、绹纹等均为战国期间独具时代风格的铜器纹饰。铜鼎、钟、蒜头壶的造型与咸阳塔儿坡出土的战国时期同类器物基本相同。素面铜镜也是比较典型的战国时期器物。铜器铭直接錾刻始于春秋战国之际，铭文书体为小篆。银钗制作精致，是战国时期北方金银器少有的发现。

简报称，从上述情况分析，这批器物年代约属战国晚期。从铜簋刻铭中有“高奴”地名推测，这批器物当为战国秦国遗物。

1395.陕西铜川枣庙秦墓发掘简报

作　者：陕西省考古研究所　杜葆仁、呼林贵
出　处：《考古与文物》1986 年第 2 期

枣庙，位于铜川市东北，距市区约 10 公里，与宜君县接界。其地沟壑纵横，地形比较破碎。武家河从东往西流过。枣庙村在武家河西岸，是一处既向阳又比较开阔的坡地，秦墓就分布在这一片坡地上。1984 年，铜川市铝厂在枣庙村坡地上建设新的厂房，取土中使埋藏地下的墓葬被揭露出来，考古人员随工清理。发掘工作自 7 月初开始，至 8 月底完成，共清理发掘了 25 座墓葬，获得了一批比较重要的秦墓资料。

简报分为：一、墓葬形制，二、随葬器物，三、结语，共三个部分。有照片、手绘图。

据介绍，25 座墓全部分布在枣庙村南的坡地上。M1 ~ M20 和 M22 共 21 座墓连在一起，分布密集，多数棺椁具备。其中一棺一椁者 14 座，二棺一椁者 3 座，有棺无椁者 2 座，无棺椁葬具者 1 座，其余不清楚。尸骨能辨认的均为屈肢葬。这一批墓葬都有随葬品，少的 1 件，多的 15 件。按质地可分为铜、陶、泥、石、蚌等。若按用途分，有生活器皿、装饰品及明器。这批墓葬可分四期，自春秋中期、战国早期、战国中期不等，仅 M25 一座可能晚至西汉。这批墓葬的墓室全为长方形竖穴土圹，没有腰坑，但有熟土二层台，这是有别于他处秦墓的。随葬品中无铜礼器，但有相当真人十分之一大的彩塑泥人俑，值得注意。

宝鸡市

1396.陕西凤翔南古城村遗址试掘记

作　者：陕西省考古所凤翔发掘队　赵学谦、吴梓林
出　处：《考古》1962 年第 9 期

1961 年，考古人员在凤翔县南古城进行了试掘。简报分为：一、地层堆积，二、出土遗物，三、小结，共三个部分。有拓片、手绘图。

据介绍，南古城村位于凤翔县城南 3 公里，南距雍水 1 公里。从暴露的遗物来看，有绳纹及布纹瓦片、陶罐、陶鬲、陶范、铜渣、铁渣和骨料等。村北约 100 米处发现有东西向的夯土墙一段。在夯土墙的外面有宽约 10 米，长约 100 米，深约 3 米的一道土壕。出土遗物大部分为建筑上使用的砖、瓦，一部分为陶器，有石范、陶范、骨料、磨石和铜渣等小件。雍为春秋时秦的活动中心，但秦国国君所居雍城位于何

地一直不清楚。今之南古城遗址南距雍水约1公里，北距县城约3公里，与唐代所记里数是相吻合的。又以南古城遗址有秦汉时期的遗物、夯土墙建筑遗迹来分析，秦德公所居雍城“大郑宫”的遗址，有可能就在南古城或其附近。

1397.秦都雍城遗址勘查

作　者：陕西省社会科学院考古研究所凤翔队　徐锡台、孙德润
出　处：《考古》1963年第8期

为了了解秦初期文化，根据文献所指的秦都雍城位置，从1959年起，考古人员即在凤翔进行勘查。1962年5月3日，考古人员再到实地进行详细勘查，见到凤翔城关以南有一片秦汉遗址。简报配以手绘图等予以介绍。

据介绍，在遗址的西北两面约15公里处，皆有高山围绕，雍水由遗址的西北向南流，遗址的东边为纸坊河，由北向南流入雍水。纸坊河东与雍水西和南两面皆为高原。根据文献及遗址中出土的遗物来看，这里可能是自秦初至汉曾设置都邑的地方，并遗有不少春秋、战国、秦汉时代的遗迹与遗物。根据勘查的结果，在凤翔县城关南、雍河北、纸坊河西、河北屯东，有一整片秦汉遗址，范围东西长4.5公里，南北长亦有4.5公里左右。北部主要为东周遗址，南部主要为秦汉遗址。在县城关南、南古城与马家庄之北、孟家堡与瓦窑头之西、河北屯之东，包括豆腐村、翟家寺、三良冢、义坞堡与邓家堡在内，遗址范围东西长4.5公里，南北宽2公里，文化层深2米左右，出现春秋和战国的鬲、豆、盂、罐、瓮、瓦等遗物。另外还出现排水的水管。从南古城和马家庄以北出现的“年宫”与“棫阳宫”瓦当来看，秦统一以前雍城可能就在这一带。

简报指出，由南古城、马家庄、河北里与王家河等地出现秦汉夯土城墙与建筑上用的大量汉砖、汉瓦与瓦当（少数为秦瓦）等遗物推测，这个地方可能为秦汉官署遗址。

1398.陕西宝鸡福临堡东周墓葬发掘记

作　者：中国科学院考古研究所宝鸡发掘队　赵学谦、刘随盛
出　处：《考古》1963年第10期

福临堡是宝鸡市西面的一个小村镇，距市区5公里。它南濒渭河，北枕长坡塬（当地人称长寿山）。村南距渭河0.5公里，往西过罗家塬即为宝鸡峡，峡以上为高山纵谷。渭河蜿蜒曲折，水流激湍，峡以下渐趋宽阔，两岸多平地。发掘地点即在该堡的东北角。

发掘工作自 1959 年 12 月 12 日开始，至 1960 年 1 月 20 日结束。

简报分为：一、墓葬形制，二、随葬器物，三、结语，共三个部分。有手绘图。

据介绍，这里共探测出 12 座墓，其中除墓 2 系一车马坑、墓 12 未发掘外，共计发掘了 10 座墓葬。发掘的 10 座墓葬都是长方形竖穴墓。能辨明葬式的都是屈肢葬。有随葬品的有 7 座墓。年代简报推断为东周早期。

简报称，宝鸡在西周时为西虢封地，虢国故城在今之宝鸡市虢镇一带。平王东迁洛邑，虢国亦随之东迁陕县。沣歧以西之地尽为秦国所据有。从秦国活动的地望来看，早先是在渭水上游的甘肃天水一带，西周中叶以后，始由西东渐，至汧渭之间，秦襄公曾替周孝王养马于汧渭之会，即在今宝鸡、郿县一带地方，至秦文公始于宝鸡东面的斗鸡台一带筑陈仓城。故这批墓葬很可能是春秋时秦国的墓葬。

1399.陕西宝鸡阳平镇秦家沟村秦墓发掘记

作　者：陕西省文物管理委员会　屈鸿钧

出　处：《考古》1965 年第 7 期

1963 年 10 月 3 日，在宝鸡县东阳平镇秦家沟发现了几座古墓葬，考古人员到现场进行调查，并于 10 月 8 日开始，进行清理工作，至 1964 年 1 月 16 日结束。秦家沟村东南距阳平镇约 2.5 公里。这次共清理了 5 座墓葬，两座（墓 1、2）在村西北部，三座（墓 3 ～ 5）在村东北部，两地相距约 1500 米。

简报分为：一、墓葬形制，二、葬具与葬式，三、随葬器物，四、结语，共四个部分。有照片。

据介绍，5 座墓葬均为长方形竖穴，各墓都有枋木构成的棚木和椁室，有方形木棺。填土均系夯筑。墓 1、2 曾遭受过雨水冲刷的自然破坏，墓 3 ～ 5 均因前人制砖取土亦有所破坏。出土有铜器、石器、陶器等，1、2 号墓有殉狗。葬式为仰身屈肢，墓 4 为侧身屈肢，其他两墓葬式不明，头皆向西。简报推断阳平镇秦家沟发掘的五座墓葬的年代，应该是属于东周时的，其中墓 1、2 可能稍早，约当春秋时期。

1400.凤翔先秦宫殿试掘及其铜质建筑构件

作　者：凤翔县文化馆、陕西省文管会

出　处：《考古》1976 年第 2 期

1973 年 5 月，石家营公社豆腐村大队姚家岗生产队农民在村东南挖土时发现一窖铜质建筑构件，计 16 件；同年 8 月，又发现一窖，计 21 件，北距第一窖约 10 米。

考古人员于同年12月28日至翌年1月16日，对该遗址进行了调查和试掘，1974年1月10日又获一窖铜质建筑构件，计27件，并发现先秦宫殿的部分遗迹。简报配以手绘图、照片予以介绍。

简报介绍说，凤翔本是秦都雍城故址。秦德公元年（前677年）徙居雍城，至献公十二年（前373年）迁居栎阳间，这里一直是先秦的政治、经济、文化的中心。这批铜质建筑构件及遗迹的发现，为研究秦国历史以及中国古代建筑史等方面，提供了重要的资料。时代简报推断为春秋时期。类似的铜构件以往也出土过，但没有这次数量多、种类全。大量的铜构件不仅表明春秋时代的秦国在青铜铸造方面的发展和建筑艺术上的进步，而且也反映其宫殿规模的宏大。秦穆公时，由余观赏了宫殿之后，曾说："使鬼为之，则劳神矣；使人为之，亦苦民矣！"（《史记·秦本纪》），可见当时的宫殿是相当壮观的。同刊同期有杨鸿勋先生《凤翔出土春秋秦宫铜构——金釭》一文，可参阅。

1401.陕西凤翔春秋秦国凌阴遗址发掘简报

作　者：陕西省雍城考古队　韩　伟、董明檀
出　处：《文物》1978年第3期

1973～1974年，凤翔姚家岗出土了三批春秋时秦国的铜质建筑构件，考古人员即在该地进行了普探，在姚家岗高地的西部，距虢凤公路148米处，发现了一处建筑遗迹。1976～1977年，考古人员进行了两次发掘，初步判断该建筑遗迹为春秋时秦国的凌阴遗址。简报配以照片、手绘图予以介绍。

据介绍，该遗址平面近似方形，四周为回廊，有通道通往一窖穴。简报判断这种在宫殿附近的大型窖穴，应为宫廷内的储藏设备。窖穴未作防潮处理，似不像储粮处，可能是春秋时秦国宫殿附近的一处冰窖。

1402.陕西宝鸡县太公庙村发现秦公钟、秦公镈

作　者：宝鸡市博物馆、宝鸡县文化馆　卢连成、杨满仓
出　处：《文物》1978年第11期

1978年1月下旬，宝鸡县杨家沟公社太公庙大队农民在村中取土时，于一个窖穴内发现了八件铜器，计有钟5件，锦3件，均保存完好。窖穴距地表深3米。5件铜钟在窖内呈一字形排列，3件铜镈围绕铜钟作半圆状，坑内尚有炭灰及少量兽骨。在太公庙村进行调查时，还发现附近断崖上暴露有不少灰坑和烧土层，地表上散布

有春秋时期的陶片，应是一个春秋时期的遗址所在。简报配以照片予以介绍。

据介绍，5 件铜钟的形制是一致的，唯大小有所差别。5 件铜钟均有铭文，按其连读关系，可分为两组。其中甲、乙两钟铭文合成一篇文章，应为一组；丙、丁、戊三钟铭文连读，应另为一组。全篇铭文共 135 字，其中重文四，合文一。简报录有铭文全文。

1403.陕西宝鸡市茹家庄东周墓葬

作　者：宝鸡市博物馆、宝鸡市渭滨区文化馆　王光永

出　处：《考古》1979 年第 5 期

宝鸡市渭滨区茹家庄生产队 1967 年 3 月在修水库时，发现一些文物，考古人员前去清理。在距地表 6 米多深处分布有几十座墓葬。生产队农民挖了 3 座，考古人员随工清理了 4 座。简报配以照片、手绘图予以介绍。

据介绍，清理的 7 座墓中，1 座是瓮棺葬，6 座是长方形土坑竖穴墓，口大底小。墓穴长为 1.7 ~ 2.4 米，宽为 0.77 ~ 1.7 米。4 座墓有椁室，两座墓无。棺椁均木制，已腐朽。4 座为仰身屈肢，3 座情况不明。7 座墓都有随葬品，少的 1 件，多的 28 件。以陶器为主，计 52 件，大多为制作极粗糙的明器，还有石器，铜器仅 2 件。简报推断这批墓葬为春秋战国之交的秦国墓葬。

1404.宝鸡市渭滨区姜城堡东周墓葬

作　者：王光永

出　处：《考古》1979 年第 6 期

1967 年 12 月，宝鸡市渭滨区清姜修缮队在姜城堡挖地基时，发现一座古墓，墓内文物没遭到任何破坏。除人骨碎块外，出土文物全部送交博物馆。简报配以手绘图予以介绍。

这个墓出土铜器、石器、骨器等 77 件。铜器有铜鼎、铜簋、铜方壶、铜盉、铜戈、铜矛及车马器等，未见铭文。简报推断此墓为东周早期墓葬。

1405.宝鸡县西高泉村春秋秦墓发掘记

作　者：宝鸡市博物馆、宝县图博馆　卢连成、杨满仓等

出　处：《文物》1980 年第 9 期

宝鸡县杨家沟公社西高泉村，南距太公庙村春秋遗址 1 公里，背临凤翔塬，在

渭河以北第二阶台地上。这一带是春秋时期墓葬较为密集的地区。1978年初，当地农民曾发现一座小墓（编号By×M1），出土22件铜器。随后，考古人员又在小墓附近土场上清理了两座残墓（编号By×M2，By×M3），出土30余件陶器。这批文物与同年春天在太公庙村出土的3件秦公镈和5件秦公钟，同属于春秋早期的遗物。西高泉村三座墓葬东西排列，各间距2米左右，均为长方形土圹竖穴墓，墓壁基本垂直，圹内填土夯实，十分坚硬。简报配以拓片、照片予以介绍。

据介绍，M1因农民发现后已破坏，葬式不明。据称骨架屈肢，铜器放在头前。也曾出土陶器，已毁坏。M2棺具已被破坏，葬式不明，随葬品陶器放棺外头向处。M3葬具为一棺一椁。3座墓所出随葬品铜器22件、车马器5件、陶器共33件。M2、M3两墓所出陶器，均系明器。简报推断3座墓葬时代大体属于春秋前期。

简报称，在宝鸡县杨家沟公社清理的3座秦墓表明，春秋早期，秦人盛行屈肢葬。所出陶器烧制考究，反映了秦人都雍以前的物质文化生活和习俗。

1406.凤翔县高庄战国秦墓发掘简报

作　者：雍城考古工作队　尚志儒等

出　处：《文物》1980年第9期

1979年10月中旬，南指挥公社高庄大队第五生产队农民在该村野狐沟取土时，发现了两座战国时期的秦墓（编号为79凤高M1和M2），考古人员随即进行了清理发掘，获得了较为重要的资料。

简报分为：一、墓葬形制，二、随葬器，三、结语，共三个部分。有拓片、照片。

据介绍，两墓保存完好，形制相同，东西向，由竖穴墓道与土洞墓室组成。两座墓各有木棺一具，骨架已朽。两墓共出陶器12件、铜器7件、石器2件。简报推断高庄两座战国墓应是战国晚期早段的秦国墓葬。高庄出土的中山王譽铸造的铜鼎，当为公元前309年或公元前308年的作品。中山国的器物怎么会出现在秦国墓葬中呢？简报认为，公元前296年赵灭中山国，此鼎应落入赵人之手；公元前222年赵为秦所灭，此鼎又成了秦人的战利品并作为随葬品埋入地下。

1407.陕西宝鸡凤阁岭公社出土一批秦代文物

作　者：王红武、吴大焱

出　处：《文物》1980年第9期

1978年2月，宝鸡县凤阁岭公社建河大队社员平整土地时发现两座洞穴墓。简报配以照片予以介绍。

据介绍，甲墓出土有铜戈（有铭文）、铜弩机、铁剑、铜蒜头壶各 1 件；乙墓出土有陶罐和小铜勺 1 件、铜铃 3 件、残铜蒜头壶 1 件及残铜罐口 1 件。

简报称，墓葬已遭破坏，未能了解原来葬式，但这批文物，特别是有铭文的铜戈和铜弩机，对于研究秦代文化是珍贵的资料。

1408.陕西凤翔高王寺战国铜器窖藏

作　者：韩　伟、曹明檀

出　处：《文物》1981 年第 1 期

1977 年 9 月陕西凤翔纸坊公社高王寺大队发现一处窖藏，距地面 2 米左右，窖内有 12 件铜器。经勘查得知，窖藏地点在秦都雍城范围内的马家庄宫殿区附近。该地有灰坑多处，地面散布春秋战国秦的绳纹瓦。简报配以照片予以介绍。

据介绍，出土的铜器有鼎 3 件，盖豆 1 件，镶嵌射宴壶 2 件，敦 2 件，盘、匜、提梁盉、甗各 1 件。简报推断这批铜器的年代为战国中期以前，此时秦都雍城未有重大的社会变动，窖藏原因尚待考证。

简报称，无土鼎在凤翔出土，应是春秋晚期秦楚吴三国错综复杂的关系见证。铜壶上之建筑图样，提供了早期斗拱的重要资料。

1409.陕西凤翔高庄秦墓地发掘简报

作　者：雍城考古队　吴镇烽、尚志强

出　处：《考古与文物》1981 年第 1 期

高庄秦墓地，位于春秋战国秦的国都——雍城的南郊，北距今凤翔县城约 5 公里。泱泱东去的雍水河流经墓地的北侧。它的西面是东社、八旗屯等村庄，均分布着密集的春秋战国时期的小型墓葬。八旗屯之南，即南指挥村，是规模宏大的秦公陵园区。八旗屯墓地的发掘工作是 1976 年进行的，所获资料已作报道；高庄墓地的发掘工作是 1980 年夏、秋两季进行的，共发掘墓葬 46 座。

简报分为：一、墓葬结构，二、随葬器物，三、结语，共三个部分。有手绘图。

据介绍，墓葬分为竖穴和洞室两大类。发掘的 46 座墓，出土各类器物 1100 余件。若按质料分，有陶器、铜器、铁器、金器、玉器、石器、料器等；若按用途分，有实用器和明器两种。高庄五期墓葬的时代大体是：第一期为春秋晚期；第二期为战国早期；第三期为战国中期；第四期为战国晚期；第五期为秦代（即秦统一时期），

其上限或可早到秦昭襄王时期。

简报指出，高庄墓地的发掘，不仅为研究秦墓制度提供了实物资料，而且展现出秦文化丰富多彩的面貌，对探讨先秦及秦代的政治、经济、文化具有重要的意义。出土器物中的巴蜀式剑、中原风格的舟等标本的发现，也使我们对秦文化与周文化、巴蜀文化、西戎文化的交流和影响有了新的认识。

1410.凤翔马家庄春秋秦一号建筑遗址第一次发掘简报

作　者：陕西省雍城考古队

出　处：《考古与文物》1982 年第 5 期

马家庄春秋秦宫殿遗址中的一号建筑基址，位于凤翔县纸坊公社马家庄北 500 米许之台地上。考古人员从 1981 年 3 月至 11 月，已完成对一号建筑中的朝寝建筑及“亭台”建筑遗址的发掘工作。

发掘情况简报分为：一、地层情况，二、建筑的布局，三、建筑技术，四、祭祀坑（附表），五、出土遗物，六、几点看法，共六个部分。有手绘图。

据介绍，马家庄一号建筑，上承殷周时代“凹”字形平面、前朝后寝等形制之传统，下启秦汉时代前朝中心设双楹之结构的先河，在建筑史上居于重要地位。它弥补了周原凤雏、召陈建筑到秦咸阳一号宫殿中间之缺环，为我国古代宗庙、宫殿建筑发展系列的完整化增添了重要的一个章节。简报推断其建筑时代早于战国早期，属于春秋中晚期，建筑性质应从宗庙角度考虑。

简报称，这次仅发掘了这组完整建筑的后半部。这组建筑全部揭露后，肯定会为秦代春秋时期宫室形制之研究提供重要的资料。

1411.凤翔秦公陵园钻探与试掘简报

作　者：陕西省雍城考古队　韩　伟

出　处：《文物》1983 年第 7 期

从 1977 的 1 月至 1980 年 5 月，考古人员对秦都雍城秦陵区进行了钻探，发现了 13 座陵园、共 32 座大型墓葬，还发现并试掘了 2 座陵园的隍壕设施。

简报分为：一、秦公陵园的钻探，二、凤南 X 号秦公陵园隍壕设施的钻探，三、凤南 Ⅲ 号秦公陵园的钻探与试掘，四、秦公陵园外隍的钻探，五、几点看法，共五个部分。有手绘图等。

据介绍，秦公陵园似与商代陵园有明显的继承关系（周陵尚未发现，无从讨论）。

如殷大墓以“亚”字、“中”字、“甲”字形区分等级。秦虽无“亚”字形墓，但“中”字与“甲”字形墓却多见。“中”字形墓为东周时代诸侯王国中最高等级的墓。殷大墓周围有许多小坑埋鸟兽、铜器，也有专埋马匹的大坑。秦公大墓的右前方均有“目”字或“凸”字形墓坑，性质可能与之相近。圆坑在殷陵与秦陵中也都有发现。另外，秦陵墓上发现的建筑遗迹，可能与妇好墓的“享堂”相类。这些都反映秦人陵园的内、中、外隍设施，与东方诸国如中山国王陵内构筑内、中、外垣的作用一样。这种制度对三晋地区有一定影响，如山西侯马乔村的围沟墓，即可能是秦代陵墓制向东传的反映。春秋战国时代的秦公陵园呈南北长、东西短的长方形，具有重隍防护设施，墓葬在陵园的南半部，东边为大型殉葬坑，这些特点后来又都为秦始皇陵园所继承。只是始皇陵将重隍变为重垣。始皇陵的规模大，对后世陵园制度有一定影响，但它是在秦公陵园制度上发展起来的。秦公陵园的发现，对进一步研究始皇陵制度、秦汉帝王陵墓制度，具有重要的意义。

1412.宝鸡李家崖秦国墓葬清理简报

作　者：何欣云
出　处：《文博》1984 年第 4 期

李家崖位于宝鸡市区东部、陇海铁路北侧，东距斗鸡台车站约 2 公里。此地位于渭河北岸坡地。1954 ~ 1955 年，为配合基本建设，考古人员随工清理了该处荣军学校工地墓葬区。简报配以手绘图予以介绍。

据介绍，墓地北高南低，共分布小型墓葬 67 座，计战国时期秦墓 41 座、汉代墓葬 23 座、不明时代者 3 座，另有灰坑 2 个。其中 36 座秦人墓葬资料较完整。这些秦人墓葬，从形制上可分为竖穴墓 5 座、洞室墓 31 座。36 座墓葬中，21 座为屈肢葬，1 座直肢葬，其他 14 座因扰乱或骨架腐朽不清楚。21 座较完整的屈肢葬中，葬式有轻屈式、蹲坐式、长跪式等几种，不见屈肢特甚的情况。宝鸡李家崖秦国墓葬，从结构上看，洞室墓与竖穴墓交错，器物大部分为实用器，正是战国晚期秦墓的特征。这片墓葬为研究秦国墓葬分期提供了资料。

1413.凤翔马家庄一号建筑群遗址发掘简报

作　者：陕西省雍城考古队　韩　伟、尚志儒、马振智、赵丛苍、焦南峰等
出　处：《文物》1985 年第 2 期

凤翔县纸坊公社马家庄大队，地处秦故都雍城的中部偏南。一号建筑群遗址

位于马家庄第九生产队村北约0.5公里的台地上，由于大量取土，遗址遭到破坏。1981年3月至1984年初，考古人员在这里发掘清理，先后发现建筑群遗址两处及祭祀坑、窖穴等遗迹，出土板瓦、筒瓦等建筑材料和金、铜、陶、玉、牙、石器一批。

简报分为：一、地层堆积，二、建筑布局，三、建筑技术，四、祭祀坑，五、出土遗物，六、结语，共六个部分。有手绘图、照片。

简报认为，马家庄一号建筑群为宗庙性质的建筑是毫无疑问的。1981年在发掘“朝寝建筑”时，发现在该遗址被废弃以后，秦人曾多次以人牲祭祀。简报推断它的废弃时间应在春秋晚期，其建筑年代应在春秋中期。马家庄宗庙遗址的发掘，为研究先秦有关文献的真伪提供了重要的依据，对探讨秦国建筑史、先秦宫室宗庙制度以及秦人早期都城的布局等方面，都有着极为重要的意义。

1414.秦都雍城钻探试掘简报

作　者：陕西省雍城考古队　韩　伟、焦南峰、马振智

出　处：《考古与文物》1985年第2期

秦都雍城位于今凤翔县城之南，雍水河之北。从德公元年（前677年）至献公二年（前383年）的294年间，这里一直是秦国政治、经济、军事的中心。经过20位国君的经营，秦国一跃成为春秋五霸之一，为后来秦始皇统一全国奠定了牢固的基础。作为国都，雍城建立了大批壮丽的宫殿，成为当时全国发达的大都市之一。从20世纪50年代后期开始，考古人员在此地进行了大量调查和发掘工作，初步搞清了雍城的位置、布局，城内的三大宫殿区，城南郊的墓葬区和规模宏大的秦公陵园，为研究秦国早期历史提供了大批珍贵资料。

简报分为：一、城垣，二、三大宫殿区及城郊宫殿，三、墓葬，四、结语，共四个部分。有手绘图等。

据介绍，勘探发现有残存的城垣遗迹，整个城址平面呈不规则的方形。东西长3300米（以南垣计算），南北长3200米（以西垣计算），面积约1056万平方米。现已大致搞清了雍城城内三大宫殿区的分布情况，即姚家岗一带的春秋秦宫殿遗址，可能就是《史记 · 秦本纪》中所说的“雍太寝”，马家庄一带的春秋中晚期建筑可能就是“雍高寝”，而铁沟、高王寺一带众多的建筑遗址则应是战国时期的“雍受寝”。另外，1982年在对雍城及其附近的秦汉遗址进行调查时，还发现雍水河之南、千河之东也有宫殿分布。1977年至1980年5月，对位于南指挥公社的秦公陵园进行了钻探，发现了13座陵园，共33座大墓，还发现并试掘了2座陵园的隍壕设施。每座陵园由不同数目的大墓组成。大墓有平面作“中”字、“甲”字、“凸”字、“目”

字形及圆坑五种类型。有的已进行了发掘。

简报指出，雍城众多的宫殿、精美的铜质建筑构件、规模宏大的秦公陵园，反映了秦统治阶级生活的奢侈，也表明了当时秦国建筑技术的进步和社会经济的繁荣发达。特别值得注意的是，马家庄三号建筑遗址规模之大、保存之完整，是岐山凤雏遗址和马家庄一号遗址等先秦建筑所不能比拟的。它的发现，对研究先秦宫寝宗庙制度具有重要意义。另外，关东诸国都城大多拥有各种手工业作坊，雍城仅在八旗屯等地曾发现零星的制陶作坊，但已被农民建房取土而破坏，城内尚未发现。

简报指出，史书中关于雍城筑城时间的记载很少，仅在《史记 · 秦始皇本纪》后附《秦记》中有悼公十五年（前476年）“城雍”的说法。这次雍城勘查仅限于钻探，未进行试掘，故雍城城垣的确切时代尚待以后的工作来证实。

1415.记凤翔出土的春秋秦国玉器

作　者：赵丛苍

出　处：《文物》1986 年第 9 期

20 世纪 70 年代以来，在陕西凤翔县城之南的秦雍城遗址内及其附近，连续出土了几宗秦国玉器，比较重要。简报配以照片予以介绍。

重要出土地点及出土玉器有：

一、1972 年，南指挥公社河南屯大队六队农民在村东土场平整土地时，于距地表约 4 米深的断崖处，出土玉璧 2 件。

二、1974 年，南指挥公社八旗屯大队七队农民在村南取土时，挖出数件玉器，征集到 4 件，计觿 1、璜 3。

三、1975 年 1 月，纸坊公社瓦窝头大队二队村西南约 200 米，距地表 1.2 米深处，出土 1 件玉琮。琮内圆外方，两端圆口伸出方柱形身外。玉色青绿，有黄白色条纹，玉质晶润。此琮制作考究，磨制极精，光亮而呈半透明状。

四、1975 年 3 月，纸纺公社瓦窑头大队二队村东约 20 米距地表 1.5 米深处，出土觿、璧、琮、璜等玉器 14 件。

以上瓦窑头二队村东和村西南的两宗玉器，出土地点在雍城内偏北部，附近有大量的细绳纹瓦片及半瓦当等物，可知这里当年为一处面积较大的建筑遗址。这些玉器当与祭祀有关。

五，1974 年石家营公社豆腐村大队姚家岗村南出土 2 件玉玦。1973 ～ 1974 年出土的三批春秋秦国青铜建筑构件和 1976 ～ 1977 年发掘的春秋秦国宫殿、凌阴遗址就在玉玦出土地点一带。故这两件玉玦可能为遗址祭祀用品。

上述凤翔出土的五宗玉器共 23 件。均属春秋时期秦国玉器。

1416.陕西凤翔发现春秋战国的青铜器窖藏

作　者：赵丛苍
出　处：《考古》1986 年第 4 期

在陕西省凤翔县境内的故雍城近郊及县境内出土了一批春秋战国时期秦国青铜生产工具，对于研究秦国生产力发展情况及其相关问题，有一定价值。简报配以照片予以介绍。

据介绍，较重要的发现有 1973 年 3 月，城关镇北街大队六队农民在该队田间打井时，于距地表约 4 米深处挖出一堆青铜器，可能为一窖藏。除出各类生产工具计 10 件外，还有兵器、马饰等 28 件。简报推断这些墓葬及遗址出土物时代应在春秋晚期至战国早期，窖藏所出各类铜器时代亦应属这一时期。

除此外，还有零星出土和征集的青铜器，大多出自故雍城近郊，时代不出春秋、战国时期，其用途主要为手工业生产工具、农业生产工具。这些青铜器为研究秦国生产力水平、寻找秦国雍城手工业作坊故址，提供了宝贵的信息。

1417.陕西凤翔西村战国秦墓发掘简报

作　者：雍城考古队　李自智、尚志儒
出　处：《考古与文物》1986 年第 1 期

西村战国秦墓地位于凤翔县南指挥乡西村西约 300 米处，北距县城 6 公里。墓地的南边紧临 23 号秦公大墓。经钻探，在南北约 160 米、东西约 104 米的范围内，分布有战国秦墓 44 座，车马坑 4 座。1979 年和 1980 年的两次发掘，计清理墓葬 42 座，车马坑 2 座。

简报分为：一、墓葬形制，二、随葬品，三、车马坑，四、结语，共四个部分。有拓片、手绘图。

据介绍，发掘的 42 座墓中，洞室墓仅 1 座，余皆为长方形竖穴墓。葬具为木质棺椁，已朽。42 座墓中有 35 座是东西向的，其余 7 座为南北向。墓主人的头向，向西者 30 座，向北者 6 座，向南者 1 座，不明者 5 座。墓主人的葬式，有 8 座因盗扰或骨殖朽毁不能识别，其余全是屈肢葬。依其下肢蜷屈情形和上体躺卧姿势，可分为仰身屈肢与侧身屈肢。M163 曾被盗，发现有殉人 4 具，当为事先处死后下葬。42 座墓出土各类随葬品 188 件，以陶器为大宗（124 件），铜、铁、玉、石等均为小件

饰物和生产工具。发掘的两座车马坑均被盗过，车马坑内均埋 1 车、2 马、1 殉人。埋葬顺序为人——车——马。连同埋葬的还有车马饰、兵器、工具及其他器物，其中兵器和工具皆成套。工具包括铜手钳、斧、锛、凿等，当是以备随时修车之用。兵器有铜镞、骨镞、矢箙、弓和戈等。其中铜手钳极为罕见。可参见李自智先生《记陕西凤翔出土的战国铜钳》(《考古与文物》1986 年第 3 期) 一文。

简报称，西村战国秦墓可分三期：一期为战国早期；二期为战国中期；三期为战国晚期。其中车马坑属战国早期，填补了秦国车马坑发掘的缺环。

1418.陕西陇县边家庄一号春秋秦墓

作　者：尹盛平、张天恩

出　处：《考古与文物》1986 年第 6 期

陇县东南乡边家庄村，西北距县城 4 公里，坐落在千河西南岸台地的北坡下。村后仰韶遗址和春秋遗址中间，是一处范围较大的春秋墓葬区，多年来常有春秋车马器、兵器等文物出土。1979 年春季，村民在村后春秋墓区取土时发现了一批青铜器，送交县文化馆。考古人员赶到现场调查，发现青铜器出自一座墓内，随即进行了清理。墓葬编号为 79LBM1。

此墓因取土破坏严重，仅残存一角。从残存迹象看，系一土坑竖穴墓，方向不清，可以看出有一棺一椁，墓内尚残留椁板残片，在棺内还有人肢骨一段，残存的椁室一角内还有不少石贝及两块河卵石，计出青铜礼器、兵器、车马杂器及石器达 100 多件。简报推断此墓为春秋早期偏晚的秦国墓葬。墓主人应是秦国大夫级的贵族。这座墓葬的发掘，为周代用鼎制度、秦人早期文化面貌等方面的研究，提供了实物资料。

1419.秦城址考古述略

作　者：杜葆仁、禚振西

出　处：《文博》1986 年第 1 期

秦城址考古发掘是 1949 年后开始的，在陕西境内围绕着雍城、栎阳、咸阳、秦始皇陵展开了大规模的钻探和发掘工作，取得了很大的成绩。

简报分为：一、秦城址的考古发现，二、文献记载中的秦城市，三、秦城市的历史地位，共三个部分。

雍城遗址位于今陕西凤翔县南，为春秋时秦国都城。自德公元年（前 677 年）徙居雍城，至献公二年（前 383 年）迁居栎阳为止，经历了 19 个王公，历时近 300 年，这里一直是秦国活动的中心。经过长期的调查、钻探、发掘，现已基本弄清了秦都雍城的范围。雍城平面大致呈方形，东西长约5300米，南北宽约3200米，总面积为1056万多平方米。城墙墙基最宽达15米，最窄处有7.5米，夯层厚25～30厘米，城外有宽20多米的护城壕遗迹，在西城墙北部还发现了一座城门遗迹。秦城市的规划，既有供皇帝和各级官吏之用的宫城和小城，又有供市民活动的大城，有广场，有街市，有作坊，有美化环境和丰富生活的苑、囿、园、池，种植林木花草，饲养珍禽奇兽。它反映了秦国在城市规划设计上的合理性，简报认为这都是值得研究的。秦时除都城、郡城和县城以外，还些其他类型的城，比如《平凉府古迹考》中提到的"赤城"。这座赤城是专为秦始皇狩猎驻跸建造的。再如《元和郡县志》上说："饶安县本汉千童县，即秦千童城，始皇遣徐福将童男女千人入海求蓬莱，置此城以居之，故名。"如果材料无误，千童城这座城市便是徐福渡海的基地。还有一些纯粹是用于军事的城，只能叫"城"，而不能称之为"城市"。

1420.陕西凤翔八旗屯西沟道秦墓发掘简报

作　者：陕西省雍城考古队　尚志儒、赵丛苍

出　处：《文博》1986年第3期

凤翔县八旗屯村位于雍水南岸，北距今凤翔县城约5公里，东与东社、高庄等村毗连。这一带水深土厚，是秦都雍城南郊墓地内小型秦墓最为密集的地区之一。自1976年以来，考古人员在这里连续进行了较大规模的发掘工作，并发表了有关资料。1983年，又一次在这一地区的八旗屯村东南之西沟道（即1976年发掘的C区）进行了发掘。这次发掘的主要任务是清理抢救已经暴露并不断遭到破坏的墓葬。发掘工作从当年9月初开始，次年1月中旬结束，历时5个多月，共清理春秋至秦代墓葬26座、春秋时代车马坑1座、西汉墓1座。

简报分为：一、墓葬举例，二、随葬品的类别或型式，三、结语，共三个部分。介绍春秋和秦代墓，有手绘图。

据介绍，这批墓的形制就其基本结构而论，有竖穴土坑墓和洞室墓两大类。26座墓中，除10座外，其余16座随葬品均完整，虽然数目种类不尽相同，但各自的组合关系还是明显的。26座墓及车马坑出土陶、铜、铁、玉、石、骨、煤精等各类器物共351件。陶器有5种组合。根据对墓葬形制及随葬品基本组合类型的分析，将这26座墓分为五期。大体是：第一期为春秋晚期；第二期为战国早期；第三期为战国中期；第四期为战国晚期；第五期为秦代（即秦统一时期），其上限或早到秦昭襄王末年。

简报称，这批墓葬是秦都雍城附近继八旗屯、高庄、西村等地小型秦墓发掘之后的又一次颇具规模的发掘，所获资料较为完整，时代前后衔接，不少器物与已知的典型器之间存在着明显的衍变关系，为进一步深入研究秦国小型墓的分期提供了新资料。

1421.凤翔秦公陵园第二次钻探简报

作　者：陕西省雍城考古队　韩　伟、焦南峰、田亚岐、王保平等
出　处：《文物》1987 年第 5 期

自 1985 年 10 月至 1986 年 2 月，考古人员再次对秦都雍城秦陵区进行了钻探与试掘。两次共探出大墓 43 座，探明了 10 座陵园有规整的隍壕。其中 3 座陵园的隍壕已发现线索，尚未全部摸清。但可以肯定每座陵园均有壕沟作为防御设施。第二次工作的主要收获，除对第一次简报中已公布的各类大墓进行复核外，又新探出了“中”字形大墓 4 座，“甲”字形、“刀”形和“凸”字形墓各 1 座，“目”字形墓 5 座，共计 12 座墓葬（M32 ~ M43）；此外还探明了 8 座陵园的隍壕设施。

简报分为：一、Ⅰ号陵园，二、Ⅱ号陵园，三、Ⅳ号陵园，四、Ⅵ号陵园，五、Ⅶ、Ⅻ、XⅢ号陵园，六、Ⅸ号陵园，七、Ⅺ号陵园，八、结语，共八个部分。配以照片、手绘图予以介绍。

据介绍，秦陵组合颇为复杂，有以双马蹄型内隍围绕一座主墓再以一道中隍环围主墓与车马坑者，有仅以中隍环围住主墓与车马坑者，还有所谓“陵中套陵”者，与中原各国以一位国君墓为中心营造陵园有所不同。陵园中许多小墓与大墓是何关系，也值得研究。此次钻探证实原来的一些想法不对。如Ⅰ号陵园不是最大的，最大的是Ⅱ号陵园。Ⅻ号陵园 M37 墓上建筑的发现，也是一大收获，但规模不大。

经过量算，已探明的 13 座陵园占地面积共为 200 万平方米；已发现的外隍以内的陵区范围有 21 平方公里；陵区内的外隍、中隍、内隍总长度达 35 公里；构筑各类墓葬及隍壕土方达 110 万立方米。这些数字表明了春秋战国时期秦国劳役之重，也反映了秦公陵园区的恢宏规模。

简报称，由秦德公迁雍到献公迁栎阳之间近 300 年中，在雍城享国的君主共计 19 位。现已发现属诸侯王级的“中”字形大墓 18 座。德公继承其兄武公享国。《史记 · 秦本纪》载：“武公卒葬雍平阳。初以人从死，从死者六十六人。”表明有殉人，也说明武公之时，秦人从父系氏族社会彻底过渡到奴隶社会了，此后又在雍城将奴隶制推向高峰。秦陵区内无数珍贵文物及遗迹，在秦史研究上具有极高的价值。

1422.凤翔南指挥两座小型秦墓的清理

作　者：田亚岐、王保平
出　处：《考古与文物》1987 年第 6 期

1986 年元月间，凤翔县南指挥村村民在挖土时，发现两座小型秦墓。考古人员

前往清理。简报配以手绘图予以介绍。

这两座小墓位于秦公二号陵园的北侧，北距目前正在发掘中的一号陵园一号大墓约300米。两座小墓南北相距约11米，分别编号为M1和M2。两座小墓均为长方形竖穴土圹，葬具为一棺一椁，葬式不明。两墓出土随葬器物24件，其中M1出土9件，M2出土15件。主要是陶器，计18件，上有陶文。其次是石器。漆器只有1件。这两座小型秦墓的相对年代应为春秋晚期到战国早期之间。

简报称，这两座小型秦墓是继西村战国秦墓之后，又一次在秦公陵园范围内发现的秦人小型墓葬，这将对研究秦公陵园的埋葬制度增添新的资料。关于小型墓葬的墓主身份，有待于今后深入的探讨。

1423.凤翔博物馆藏春秋早期大玉璧

作　者：赵丛苍

出　处：《文博》1987年第5期

凤翔县1972年出土一面玉璧。简报配以拓片、照片予以介绍。

据介绍，璧作圆形，中心圆孔，直径29.7厘米，孔径5.94厘米，厚0.9厘米。玉呈墨绿色，明亮光洁，晶润欲滴。两面布施繁缛细密、图案相同的纹饰，自孔至缘，以五周内填短直斜线的双道弦纹带相隔为四组（周）主体花纹，主纹图案为大小相间、互相蟠纠联作的勾连纹。花纹阴刻，线条流畅、准确、完美生动。依其特征，时代当属春秋早期。简报认为这件大玉璧，是诸侯献与天子的贡品。

1424.陕西陇县边家庄五号春秋墓发掘简报

作　者：陕西省考古研究所宝鸡工作站、宝鸡市考古工作队　刘军社等

出　处：《文物》1988年第11期

边家庄村位于陇县县城东南4公里处、千河西南岸台地上。村西北有一条小河自南向北流入千河，村西是一处范围较大的春秋墓葬区，常有青铜礼器、兵器、车马器等出土。1986年11月，村民取土时发现一墓葬，考古人员进行了清理发掘。

简报分为：一、墓葬形制，二、随葬品，三、结语，共三个部分。有照片、拓片、手绘图。

据介绍，此墓编号为M5，长方形土圹竖穴，墓室分为上下两室。上室为椁室，下室为棺室，葬具为一棺一椁，均已朽。从附着于二层台四壁的板灰、漆皮痕迹判断，棺为一彩绘的朱漆木棺。骨架保存基本完好，仰身直肢，头向北。除佩带的串饰随

墓主葬于棺室，其余随葬品均置于椁室。青铜礼器放在北端，陶磬形饰、陶珠、石贝、铜鱼等多成堆分布于椁室四周，木车在椁室中部略偏北。该墓年代简报推断为春秋早期，墓主人应为士大夫级贵族。

简报指出，边家庄五号墓的墓室为上、下室。上室置椁，放置青铜礼器、木车等随葬品，下室置棺，安葬墓主人。这种葬俗在竖穴墓中还是少见的，而将车与墓主人同置于一墓室的葬俗，更为罕见。此墓出土的木车衡木两端各有一木俑，表明木车是以人为动力的。以人为动力的车古代谓“辇”，故边家庄春秋五号墓出土的木车，应定名为“辇”。

在此墓附近，有一座春秋故城遗址，尚存夯土及城地遗迹，并发现春秋早期的陶片。这一故城遗址已列为县级文物保护单位。简报认为此处应为秦襄公徙汧所都之地。

1425.宝鸡县甘峪发现一座春秋早期墓葬

作　者：高次若、王桂枝

出　处：《文博》1988 年第 4 期

1979 年 10 月下旬，宝鸡县甘峪公社甘峪大队第二生产队队长温西存和村民李长发在饲养室后面的断崖上取土时，发现了一座古代墓葬。墓葬形制与葬式不明。据反映，器物出自墓主人头骨旁边。简报配以照片予以介绍。

据介绍，计陶罐 1 件、铜釜 1 件、铜戈 1 件、铜削 1 件、马衔 4 件、铜环 4 件、车马饰 2 件、金丝 2 根，共 16 件。其中铜釜被认为是匈奴用具。金丝重 48 克，含金率 95% 以上。该墓的时代，简报推断为春秋早期。

1426.陕西陇县边家庄出土春秋铜器

作　者：肖　琦

出　处：《文博》1989 年第 3 期

1982 年 12 月，陇县东南乡边家庄村四组村民在盖房时发现一座墓葬。考古人员闻讯前去清理时，墓已遭破坏，只收到部分文物。简报配以拓片等予以介绍。

这批文物计有铜铃 5 件、马衔 2 件、马镳 2 件、车軎 4 件、铜镞 2 件、铜戈 1 件、铜管 2 件、铜饰 1 件及三角形构架 2 件、石贝 546 枚等。该墓可能被盗过，属春秋早期偏晚的秦墓。

简报称，此墓出土的石贝功用是以货币为主，但也不排除装饰品的可能性。从现有资料看，边家庄许多墓葬都有石贝出土，数量也较多，这种现象在全国也是少见的。

1427.凤翔邓家崖秦墓发掘简报

作　者：陕西省考古研究所雍城工作站
出　处：《考古与文物》1991 年第 2 期

1988 年，凤翔邓家崖当地村民烧砖取土时发现古墓。考古人员进行了抢救性发掘，共有古墓 7 座，共出土陶器 37 件、铜器 24 件、石器 49 件，应为秦都雍城南郊一处大型秦国国人墓地。墓主人身份等级应较低。时代简报推断为战国早、中期。

1428.凤县双石铺发现一座秦墓

作　者：刘宝爱、胡智仁
出　处：《文博》1991 年第 6 期

1984 年 12 月，凤县双石铺二中在建校舍时发现一座墓葬。考古人员前去清理。简报配以照片予以介绍。

据介绍，墓葬为长方形土坑竖穴墓，距地表约 3 米，墓穴长 1.7 米，宽 0.9 米。棺木已朽，形制不明，棺底有约 0.2 厘米厚的一层朱砂。葬式是仰身屈肢，左手放在腹部，右手放在体侧，下肢上屈到胸前，股骨和胫骨并在一起，脚跟接近臀部。随葬器物有陶盆、陶罐、陶釜和青铜带钩四件，均放置在头部。这座墓从墓葬的形制、葬式及出土的器物来看，均与历年来宝鸡地区发掘的秦人小墓大体相同。简报推断为战国时期的秦墓。

1429.宝鸡市益门村二号春秋墓发掘简报

作　者：宝鸡市考古工作队　田仁孝等
出　处：《文物》1993 年第 10 期

益门村位于宝鸡市南郊，距市中心 7.5 公里，是古代中原通往四川及西南地区的地点，村名即源于此。1992 年 5 月，益门村电讯器材设备厂在村北距公路 20 米处基建，地处茹家庄遗址保护区南端。为配合建设工程，考古人员对施工区进行考古钻探，发现古代墓葬两座。其中二号墓出土了大批金器、玉器、铁器、铜器等珍贵文物。

简报分为：一、墓葬位置和形制，二、随葬品，三、结语，共三个部分。配以彩照、手绘图，先行介绍了二号墓的基本情况和出土文物。

据介绍，墓葬为一长方形土圹竖穴墓，一棺一椁。出土金器、铁器、玉器、料器等共200余件（组），其中铁器多达20余件，金、玉器也堪称精品。简报推断该墓为春秋晚期的偏早阶段秦国墓葬。

1430.宝鸡市益门村秦墓发掘纪要

作　者：宝鸡市考古工作队　田仁孝
出　处：《考古与文物》1993年第3期

益门村南依重峦叠峰的秦岭，北距宝鸡市7.5公里。该村属渭滨区益门乡管辖，秦墓位于村中部。1992年5月村电讯器材设备厂进行基建，考古人员配合施工进行了详细的考古钻探，发现了古代墓葬和灰坑等遗迹，随即进行了发掘清理。在二号墓内，发现了金器、玉器、铁器、料器（原始玻璃）等一大批珍贵文物。经对墓葬形制和出土文物的分析研究，初步推断为春秋晚期的秦国墓葬。简报配以照片、拓片、手绘图予以介绍。

据介绍，该墓为一长方形的竖穴土圹墓，距地表1.3米，葬具为一棺一椁，已朽，人骨未见。随葬品以金器、玉器为最多，还有铁器、铜器和原始玻璃（料器）等，共计200余件（组）。金器包括纯金器和金与铁、铜、料等合成器。纯金器有带钩、方泡、圆泡、络饰、串珠；合成器有金柄铁剑、金环首铁刀、金方首铁刀、金环首料背铁刃刀、金环首铜刀等，共计104件（组）。

简报称，益门村二号墓的发掘，是秦国考古的又一重大发现。所出的金器，制作工艺极高。金柄铁剑的柄部、金带钩、金泡等的纹饰，精美绝伦，既是难得的珍贵文物，又是稀世的工艺杰作。银带钩的钩首为一带翼的奇兽形象，形制独特，亦为一不可多得的艺术珍品。这些文物不仅为研究秦国历史文化的发展提供了极其珍贵的实物资料，同时对研究我国古代的冶金发展史以及金器工艺制造史，也有极其重要的意义。

1431.陕西眉县白家遗址发掘简报

作　者：陕西省考古研究所　杨亚长、闫毓民
出　处：《考古与文物》1996年第6期

白家村位于眉县县城东约15公里处的渭河北岸，西距常兴镇2.5公里，北距陇海铁路1公里，西、南距渭河各1公里。遗址的大部分被压于现代村落之下，只有东北部分尚为农田。据踏察，该遗址南北长约1000米，东西宽约200米，总面积约20万平方米。

1993 年 8、9 月，为了配合西宝一级公路的建设施工，考古人员对该遗址进行了抢救性发掘。发掘点选在白家村北西邻断崖的公路路基范围内，发掘面积为 250 平方米。

经过发掘获知，该遗址的地层堆积可分为三层：第一层为现代耕作层。第二层为褐黑色土，层内含有仰韶文化陶片等遗物，并有东周至秦代的鬲（足）、盆、豆、罐等陶器残片，还发现有汉代的云纹瓦当以及碎砖、瓦块、陶片等物。另外，在发掘区外的施工取土现场同一地层中还采集到秦代有“郃亭”戳记的陶片 8 件。第三层为灰土层，内杂有较多的红烧土块和木炭渣。在该层内发现有仰韶文化时期的少量房子和窖穴（灰坑），同时出土了数量较多的陶器、石器等遗物。

简报分为：一、仰韶文化遗存，二、秦代“郃亭”陶文，三、结语，共三个部分。有手绘图、拓片。

发掘证明，仰韶文化遗存是该遗址的主要内容。而所出土的葫芦形瓶口等器物似乎具有半坡类型晚期特征，双唇口瓶及陶瓮等则具有庙底沟类型特征，喇叭口瓶及变体鱼纹盆等则具有半坡晚期类型特征，说明该遗址的仰韶文化遗存并不单纯，其应包括几个不同的类型。另秦代“郃亭”陶文的发现，对于推论秦代郃县位置、范围以及与郃亭的关系等问题提供了有益的参考资料。

1432.陕西扶风县飞凤山秦墓发掘简报

作　者：宝鸡市考古队、扶风县博物馆　刘明科

出　处：《考古与文物》1997 年第 5 期

飞凤山位于扶风县城南约 300 米处城关镇千佛寺村。该村规划平整庄基地时，挖出一鼎一簋，于是向县博物馆作了报告。5 月 1 日，考古人员赶到现场，发现有 5 座墓墓口已经暴露，打碎的陶器残片随处可见。考古人员对该墓地进行抢救性清理，清理出西周初期墓葬 5 座、马坑 1 个、秦人墓葬 5 座。

简报分为：一、墓葬位置与分布，二、墓葬形制及葬式，三、随葬器物，四、结语，共四个部分。配以照片、手绘图，先行介绍其中已发掘清理出的 5 座秦人墓葬。

据介绍，这批秦人墓均未遭盗扰，组合完整。墓葬均为竖穴土圹，有活土二层台。墓圹长 2.42 ~ 2.9 米，宽 1.5 ~ 1.8 米，深 5.2 ~ 5.6 米。二层台长度差别不大。葬具皆一棺一椁，带头箱，棺椁板皆腐朽成灰。头箱内置随葬器物。葬式皆为侧身或仰身屈肢。除 M9 骨架仅留骨迹外，其余骨架保存完好。M3 有一件石圭置死者胸部，M9 有一件石玦置死者左侧。另有陶器、铜器等。

简报指出，扶风是周人的发祥地，周平王东迁后，虽一度被戎狄占领，但到公

元前748年，很快被秦文公收复，因此这里不仅是秦人早期活动的地区之一，而且处于秦人将政治中心从关中西部转移至栎阳和咸阳的重要通道上。以往这里发现较多的是周人文化遗存，这次在这里发掘的秦墓，无疑具有重要意义。这批秦墓的时代，据简报推测为春秋战国之交至战国中期。

1433.陕西陇县霸关口遗址试掘简报

作　者：陕西省考古研究所宝中铁路考古队　田亚岐、杨亚长
出　处：《考古与文物》1998年第1期

霸关口村位于陇县县城西北约4.5公里处，村西北为温水乡政府所在地，相距不足0.5公里。据踏察，该遗址范围南北长约150米，东西宽约100米，总面积约1.5万平方米。由于该遗址北部为当地村民的取土场，故长期受到蚕食破坏。考古人员对该遗址进行了试掘。

简报分为：一、文化堆积层，二、仰韶文化晚期遗存，三、东周文化遗存，四、小结，共四个部分。有手绘图。

据介绍，所发现的仰韶文化晚期遗迹只有8个灰坑。其中长方形竖穴灰坑4个，圆形竖穴灰坑3个，不规则形灰坑1个。出土遗物有石器、骨器、蚌器和陶器四类。东周文化遗迹主要为灰坑。出土有陶器、骨器、石器。年代简报推断为战国早期。霸关口遗址与店子墓地毗邻，相距约1.5公里，因此有理由认为这处居址与墓地有着较密切的联系。

1434.陕西周原新出土的青铜器

作　者：周原博物馆　罗西章
出　处：《考古》1999年第4期

近年来周原不断有新的青铜器出土。简报分为：一、齐家91M1出土青铜器，二、齐家91M2出土青铜器，三、庄白96M1出土青铜器，四、召陈98五号窖藏出土青铜器，共四个部分。介绍了其中的一部分，有拓片。

齐家91M1该墓位于齐家东壕偏东北处。1991年，当地农民在取土时发现该墓，不久即遭盗掘。后来，周原博物馆对残墓进行了清理，出土2件青铜器，有铭文。简报推断其年代定在恭王时期较为适宜。

齐家91M2墓位于齐家91M1西南方向25米处的土壕底部。墓被盗掘后又清理出青铜器2件。M2的埋藏时间当略早于M1，可能在穆王和恭王之际。

庄白96M1是一座早年被盗扰破坏的西周残墓。1996年冬，周原扶风地区庄白村农民在村西北土壕取土时，从墓中发现1件青铜簋。此器从造型和纹饰推断为西周早期之物。

召陈98五号窖藏出土的青铜器，是1998年7月17日召陈村村民平整土地时，用推土机推出的，为西周青铜甬钟1件。简报认为当是在周室东迁或战乱时贵族逃跑前埋入的。推断其铸造的时代在幽王之时。楚国甬钟出土于周原，为研究楚文化、中国音乐史以及周王室和诸侯国的关系提供了重要的实物资料。

1435.眉县出土“瓦当王”

作　者：刘怀君、贾麦明

出　处：《文博》2000年第2期

前不久，陕西省眉县第五村乡第五村附近出土一巨型瓦当，当径78.3厘米，高53厘米，轮宽1.9厘米。上饰变形龙凤纹，为秦代遗物。简报配以照片予以介绍。

据介绍，第五村南靠秦岭，北临渭水，位于眉县县城西5公里处。据调查，简报认为第五村一带可能是秦汉成山宫遗址，原出土绳纹板瓦、筒瓦、云纹瓦当、条砖等物。此次发现于该遗址的巨型瓦当之大，超过今存世所有瓦当，堪称“瓦当王”。

1436.陕西宝鸡县南阳村春秋秦墓的清理

作　者：宝鸡市考古工作队、宝鸡县博物馆　刘明科、辛怡华、胥孝平

出　处：《考古》2001年第7期

1998年4月，南阳村农民在村取土场取土时挖出一座古墓，考古人员前往调查，判定被毁坏的墓葬是一座周代墓葬。后来在取土场南断崖上也发现有一座古墓。考古人员对此地进行抢救性清理发掘。钻探中在附近又发现了两座周代秦墓，由此推断此地当为秦国早期的一处墓地。由于取土场以外的其他部分为村庄，唯东北隅与二阶台地相连，墓地范围不明。发掘清理工作自4月25日开始，5月10日结束，共发掘清理墓葬4座。

简报分为：一、墓葬形制，二、随葬器物，三、结语，共三个部分。有手绘图、照片。

据介绍，这批墓葬风格比较接近。从随葬器物看，M1、M3年代可能稍早，但彼此不会相距太远，时代大体在春秋早期。简报认为，南阳春秋墓随葬器物及组合特点显现出秦人的风格，但墓葬形制及葬式等又与大部分春秋秦墓有着显著的不同。

简报指出，南阳村春秋秦墓的发现，不但为研究和寻找秦早期都邑和茔区提供了重要线索，而且为进一步研究周秦文化的关系提供了实物资料。

1437.陕西宝鸡晁峪东周秦墓发掘简报

作　者：陕西省考古研究所　田亚岐、肖健一、董卫剑
出　处：《考古与文物》2001 年第 4 期

宝鸡县西部的秦岭山系，山川蜿蜒纵横。东距宝鸡市约 38 公里处的晁峪村背靠大山，晁峪河（古作山河）经过村西由南向北注入渭河，宝天简易公路从村中心穿过，新修建的 310 国道则从村东穿越。在两条公路线之间的村东，即为晁峪墓地所在地。这里原为一处东高西低的坡地，后经整治梯田变为三级台地。1999 年 2 ～ 8 月，为配合 310 国道建设工程，考古人员对晁峪墓地进行了大规模考古勘探和局部发掘。经勘探，该墓地南北长 650.6 米，东西宽 200 米，总面积达 13 万平方米。墓地中部以北为先周和西周墓葬分布区，南部则为东周秦墓分布区。在墓地中部偏南处，尚有属于新石器时代的晁峪遗址。此次考古发掘的主要对象是位于墓地最南端的 6 座墓葬。

简报分为：一、墓葬形制，二、随葬器物，三、墓葬简述，四、结语，共四个部分。

据介绍，6 座秦墓在形制上有竖穴土坑墓和洞室墓之分，葬具均为木质结构的棺、椁。棺与椁的使用形式可以分为一椁一棺、一椁和一棺三种。晁峪墓地已发掘出的 6 座秦墓中，共出土各类随葬器物 31 件，按其质地可分为陶器、铜器、石器、骨器、玉器等类，其中最多的为陶器。这 6 座东周秦墓的分期，简报按照类型学的原理，并参照相邻地区同类墓葬的分期标准推断：M2 的时代应定为春秋早期；M4 的时代应定为战国早期；M5 与之比较，亦应归入此期；M1 和 M3 缺乏分期的充分依据；M6 出土的陶甗，下半部釜形，过去发掘的诸多秦墓内没有见到，其形态与甘青地区发现的圜底炊器有相似的风格。

1438.陕西陇县韦家庄秦墓发掘简报

作　者：宝鸡市考古队　陇县博物馆　刘明科、肖　琦
出　处：《考古与文物》2001 年第 4 期

陇县地处关中西部陇山大板东侧的千河上游，是秦人受封享国进入陕西后的第一个大本营。史料记载秦“西垂宫”和立国后的第一个都邑“千”应在陇县境内。韦家庄又处在县西陇山大坂脚下，是秦人从西垂故地出发，经清水、张家川翻越陇山固关隘口进入秦地的必经之路，今日之陇张公路从村子中间穿过。韦家庄墓地紧靠村北取土场，村民在取土时常常挖出古墓葬及陪葬器物，经现场调查，判定这是一处秦墓地，相当一部分压在村子下面，其延续时间从春秋一直到战国。1978 年发现的西周铜器就出土于墓地东北方约 200 米的麦田里，考古人员根据村子取土的进展情况，遂于 1997 年 4 月对已暴露的墓葬进行了抢救发掘，共发掘 8 座墓葬。

简报分为：一、墓葬形制及葬式，二、随葬器物，三、几点认识，共三个部分。有手绘图、照片。

据介绍，韦家庄秦墓分竖穴和偏洞式两大类，其共同特点是：葬式全是屈肢，且屈肢较甚，骨骼基本保存完好；随葬器物以陶器为主，同时还出土少量小件铜器、石器、骨器、铁器等。简报将这批墓葬大体分为四期：一期有M17、M20，时代约在春秋晚期；二期有M16，时代相当春秋、战国之交；三期有M13、M15，时代约相当战国早期偏晚；四期有M14、M18，时代约相当战国中期。M17出土的Ⅰ式壶形略同宝鸡福临堡M6所出同类器。

简报称，陇县是秦受国建邑进而收复“岐以西之地”并逐步向东扩展，直到统一六国、建立大秦帝国的第一站，在秦人的发展历史上有着举足轻重的地位。韦家庄秦墓的发掘，无疑给这个地区秦人历史的研究增加了新的实物资料。

1439.陕西眉县成山宫遗址试掘简报

作　者：宝鸡市考古工作队、眉县文化馆　王力军、刘怀君

出　处：《文博》2001年第6期

1981年，第二次全国文物普查时，于眉县县城西南7.5公里的第五村乡，发现了较大规模的秦汉遗址。此后不断有秦汉时期的砖瓦建筑材料出土。1983年，眉县文化馆的刘怀君先生于该遗址发现了书有“成山”字样的瓦当，引起学术界瞩目，开始不断有人前往探寻。1990年，西北大学的赵丛苍先生与刘怀君先生一道对该遗址进行了田野调查，获得了不少资料。2000年3月9～28日，考古人员对该遗址进行了调查与试掘，获得一批珍贵资料。

简报分为：一、成山宫遗址的发现、环境与地形地貌；三、遗迹与遗物，共三个部分。有拓片。

据介绍，遗址中心区域面积30万平方米以上。遗迹有渗井、夯土台基等。遗物以瓦当、板瓦、筒瓦为主，不见生活类器皿。简报认为，该遗址的始建年代应在战国，兴盛于秦代，而西汉时期加以修葺延用。

1440.扶风刘家发现战国双洞室墓

作　者：周原博物馆　魏兴兴、李亚龙

出　处：《文博》2003年第2期

2001年春季，考古人员在周原遗址保护区内巡查时，于法门镇庄白村刘家组土壕的断崖上发现1座墓葬，于2001年5月19日至22日对该墓（编号2001刘家

M1）进行了抢救性清理。

简报分为：一、位置及层位关系，二、墓葬形制，三、随葬器物，四、结语，共四个部分。有手绘图。

据介绍，该墓由墓道、双洞室组成。随葬品有陶器、铜器、漆器共9件。漆器已朽。简报认为此墓为战国晚期的秦人墓。

1441.凤翔出土春秋时期文物

作　者：陕西省凤翔县博物馆　景宏伟
出　处：《文博》2003年第4期

凤翔地处陕西关中平原西部，秦国自德公元年（前667年）至献公二年（前383年），在此建都，史称“雍”。秦人在雍城的290余年间，创造了丰富的物质和精神文化，确立了雍城的政治、经济、文化、军事的中心地位，所以雍城在先秦史研究和先秦考古中有非常重要的作用。多年来，经过考古工作者的艰辛努力，雍城考古捷报频传，马家庄宗庙遗址和秦公一号大墓的发掘令世人瞩目，生产取土过程中也常有零星文物出土。简报配以手绘图予以介绍，以起到拾遗补漏的作用。

一是1990年5月，宝鸡县第三村村民刘忠忠，在凤翔县马家庄村砖厂取土时，发现8件文物，计铜器1件、陶器6件、石器1件。

二是1999年9月，郭店镇三岔村砖厂取土时发现文物，在公安机关的协助下，将文物收回博物馆。有铜器、陶器。

三是2001年5月，虢王镇铁炉村一村民在村东取土时挖出几件文物，经过县博物馆和公安文物特派室同志说服教育，村民将8件文物收藏至博物馆。计有铜器6件、石器2件。

以上三组文物，分别出自三座墓葬，墓葬形制等情况已无法确知，简报推断，马家庄的时代为春秋晚期偏早，铁炉村的时代为春秋中期，三岔村的时代为春秋晚期。

1442.陕西凤翔县上郭店村出土的春秋时期文物

作　者：凤翔县博物馆　景宏伟
出　处：《考古与文物》2005年第1期

2001年8月1日，有人向凤翔县博物馆举报郭店镇上郭店村砖厂挖出重要文物。闻讯后县博物馆与公安文物特派室立即行动，追回部分文物。这批珍贵文物现收藏于县博物馆。8月25日，在同一地点又发现了一座已被部分破坏的残墓，考古人员对其进行了抢救性清理。

简报分为：一、墓葬基本情况，二、出土器物，三、结语，共三个部分。有手绘图、照片。

据介绍，文物出土地点北距1996年钻探发现的十四号秦公陵园约2公里，距离2002年钻探出的一处秦人墓地仅500米。此处地势平坦开阔。据当时取土的民工说，出土文物的地方有灰，与其他地方不一样。根据出土器物和现场了解到的情况判断，此组器物可能是一座墓葬出土，编号为SGM1，共收缴文物10件。将抢救清理的墓葬编号为SGM2。

SGM1形制等情况不可确知。SGM2距SGM1西北约4米，为东西向竖穴土圹墓。两墓出土器物小巧精美，内涵丰富。小金盆在以往发掘的秦墓中尚未见到，而且这种金制容器在春秋战国时期也不多见，只有湖北随州曾侯乙墓出有金盏、金杯，其形制与秦墓所出陶盆几无二致。金带钩、金首铜刀、环首铜刀在以往发掘的秦墓中有类似器物出土，所以，它们应该与秦文化有密切的关系。简报推断上郭店两墓时代比较接近，属春秋晚期。

1443.陕西宝鸡市陈仓区南阳村春秋秦墓清理简报

作　者：宝鸡市陈仓区博物馆　董卫剑

出　处：《考古与文物》2005年第4期

南阳村位于宝鸡市陈仓区东、渭河北岸的二阶台地上，西距陈仓区虢镇7公里，东距阳平镇1.5公里，南靠陇海铁路，北依凤翔塬。

2004年4月26日，南阳村农民在村北取土时发现一座古墓，显露3件青铜鼎。经博物馆人员现场调查，为南阳村墓地春秋秦墓的又一新发现。

简报分为：一、墓葬情况，二、随葬器物，三、结语，共三个部分。有手绘图、拓片。

据介绍，该墓为东西向长方形竖穴土坑墓，一椁一棺，出土青铜列鼎3件，时代为春秋早期。

简报称，南阳春秋秦墓的新发现进一步说明，南阳墓地是一处级别较高的贵族墓地。南阳墓地、西高泉墓地、洪塬墓地、秦家沟墓在今阳平镇一带构成了一个很大的春秋早期秦人墓葬区，加上太公庙秦武公重器秦公镈、秦公钟的出土和宁王遗址“郁夷”文字瓦当的出土，为寻找秦人平阳都邑及其陵区提供了非常重要的实物资料。

1444.秦雍城豆腐村制陶作坊遗址发掘简报

作　者：陕西省考古研究院、宝鸡市考古研究所、凤翔县博物馆　田亚岐、景宏伟、王　颢、张晓磊、陈　钢

出　处：《考古与文物》2011 年第 4 期

秦雍城遗址位于陕西省凤翔县县城以南，距西安市 170 公里。从春秋中期（公元前 677 年）到战国中期（公元前 383 年）长达 294 年间，这里是秦国都城。遗址由秦国都城的城址、秦公陵园、国人墓葬区等组成。豆腐村制陶遗址位于雍城西北，2005 ～ 2006 进行了发掘。

简报分为：一、布方与地层堆积情况，二、遗迹，三、遗物，四、结语，共四个部分。有照片、手绘图。

据介绍，遗迹包括灰坑 133 个及灰沟、陶窑、水井、墓葬，其中墓葬皆为晚期墓葬。共出土遗物 2665 件，种类有瓦当、板瓦、筒瓦、陶砖、建筑装饰、陶水管、制陶与烧陶工具、捏塑陶俑、陶如意、陶饼、陶灯、骨器、石器、铜镨、铁器、瓷器、铜钱等。7 座晚代墓葬出土有陶罐、陶盆、陶仓、陶灶、陶盒、陶瓶、铜钱、铜饰和瓷器等。简报判断豆腐村遗址系战国中期至战国晚期早段为秦雍城大型建筑生产陶质建材的作坊。这也是目前在秦雍城城址范围内发现最早且规模最大的建材作坊遗址。

1445.陕西凤翔孙家南头春秋秦墓发掘简报

作　者：陕西省考古研究院、宝鸡市考古工作队、凤翔县博物馆　田亚岐、王　颢、刘　爽、景宏伟、刘阳阳、孙宗贤等

出　处：《考古与文物》2013 年第 4 期

2003 年 10 月至次年 9 月间，考古人员在凤翔县长青镇孙家南头村西一带，对陕西东岭 ISP 重点工程建设项目占地约 70 万平方米范围内的古墓葬和古遗址进行了抢救性考古发掘。此次共清理周、秦及汉代以后各时期墓葬和车马坑 191 座，其中先周与西周墓葬 35 座、春秋秦墓和车马坑 95 座、宋元时期墓葬 9 座、未发掘的近代墓葬 52 座，另外还发掘出西汉时期大型汧河码头仓储建筑遗址。现对发掘的春秋秦墓简报如下。

第一部分为墓地概况。孙家南头村位于凤翔县城西南约 15 公里处、汧河东岸的一级台地上，该区域系河川地带，地势平坦，土地肥沃。在墓地东约 300 米的高台上就是著名的省级重点文物保护单位“蕲年宫”秦汉建筑遗址所在。

本次发掘的所有秦墓形制均为长方形竖穴土圹墓。小型墓葬数量居多，葬具多为一棺一椁、单棺或无葬具，墓主多为屈肢葬，只随葬陶器小件。中型墓葬数量较少，

葬具为一棺一椁或重棺椁结构，有的墓设龛，龛内殉人，殉人均为屈肢葬，而墓主人却为直肢葬。墓室头箱内放置葬器物，有数量较多的成套铜礼器，亦有陶器和其他小件，在墓的东南侧有车马坑或马坑陪葬。

第二部分为地层堆积，在此不赘。

第三部分墓葬形制及随葬器物，根据墓葬形制规模以及随葬器物组合关系等综合因素，可将这批墓葬分为 A、B、C、D 四种类型。

第四部分陪葬车马坑、马坑。在整个墓地内发掘清理陪葬车马坑 3 座、马坑 1 座。三辆车前部分别有 2 匹、4 匹、4 匹马骨架。马头、车辕向东。车辆、马骨布局整齐。三辆车均已腐朽，迹象保存状况较好，均为木制单辕双轮结构，由辕、衡、轮、轴、舆等组成。每辆车舆下方各有一座殉葬坑，坑内各殉葬一人。

第五部分发掘之收获及意义。这次发掘的 91 座秦墓，在墓葬形制、器物组合和器形上，既有明显的差异，又有一定的相似性，尤其是一些典型器物之间具有演变迹象。简报认为孙家南头墓地秦墓的上限年代为春秋早期晚段到春秋中期，其下限年代当在春秋末期，说明该墓地曾有过一定时期的延续。

简报指出，在随葬器物的组合及搭配关系上与其他地区发掘的大多数秦墓比较后发现缺乏一定的规律性，如有的墓葬中同出几件某类陶礼器或日用陶，却不出通常组合中出现的其他类别器物，表现出这里具有的区域性墓葬特征。

另外，屈肢葬式虽然在我国黄河上游地区史前文化墓葬中就有发现，但它作为一种突出和较为普遍性的葬仪则见于春秋战国时期的关中秦墓。就孙家南头墓地的秦墓来说，所有不出铜器的墓葬和出铜器墓葬中的殉人大多是屈肢葬式，个别还是蜷屈特甚的屈肢葬，而铜器墓葬的主人却是直肢葬。这处墓地秦墓中不同葬式的规律性发现，无疑为相关的研究增添了新的参考资料。

简报指出，孙家南头墓地是继陇县边家庄、店子墓地之后在汧河流域又一次较大规模的考古发现。它为进一步研究周秦文化的关系，尤其是早期秦文化的布局、区域特征、分期、葬式和秦都邑的迁徙路径等方面提供了重要的实物资料。

1446.凤翔六道村战国秦墓发掘简报

作　者：陕西省考古研究院、宝鸡市考古研究所　田亚岐、耿庆刚、张　程、刘　爽、卢烈炎、王欣亚等

出　处：《文博》2013 年第 2 期

六道村秦墓地位于凤翔县城东南的六道村、纸坊河东岸，东距纸郭乡级公路约 500 米，北距纸坊街约 2 公里。简报分三个部分加以介绍，有手绘图。

第一部分“墓葬形制”介绍说，23座墓葬，从形制上可分为竖穴土圹墓和洞室墓两大类，方向多为东西向，仅三座（M7、M8、M14）为南北向。竖穴土圹墓1座（M26），葬具为一木棺，东西向置于墓底中部，已朽，仅余朽木灰迹，长1.4米，宽0.62米，高不详。人骨架一具，保存状况较好，男性，葬式为仰身屈肢葬，头向西，面向上，上体仰卧，下肢的股骨和胫骨正面折屈，并置于腹上部，脚跟紧贴臀部。未发现随葬品。洞室墓22座。除2座葬式不详外，余皆为屈肢葬。该批墓葬共出土器物22件，按材质可分为铜器、铁器、骨器三类。

六道村战国秦墓地的23座墓葬时代应为战国中期晚段到战国晚期。从六道村墓地看，其属性单一，应为某一个族属的聚族而葬。

简报指出，六道村墓地对研究秦雍城国人聚落及其葬俗、葬制有重要意义。它不仅丰富了秦雍城城郊埋葬的墓葬资料，也为研究关中地区洞室墓的布局与沿革提供了重要的参考。

1447.凤翔翟家寺两座小型秦墓的清理

作　者：陕西省考古研究院、宝鸡市考古研究所、宝鸡先秦陵园博物馆　田亚岐、刘　爽、张　程、耿庆刚等

出　处：《文博》2013年第3期

2011年6～7月，为配合凤翔县过境公路工程建设，考古人员在宝鸡市凤翔县霍家寺村抢救性发掘清理古墓葬10座，其中2座为东周秦墓（M24和M32）。简报分三个部分介绍了相关情况，有手绘图。

据介绍，这两座墓均为竖穴土坑墓。葬具为一棺一椁。两墓共出土随葬器物37件，包括陶、铜、玉、石四类。简报初步认为这两座秦墓的相对年代应为战国中期。

简报指出，凤翔是秦国都城雍城的所在地，从秦德公元年到献公二年（公元前677～公元前383年）即春秋中期到战国中期，这里一直是秦国的政治、经济、文化中心。秦悼公在位时（公元前490～公元前477年）正式修筑了雍城城墙。这两座墓葬处在城内，是城中有葬人的习俗还是城市逐渐扩大造成的？待考。

1448.陕西凤翔路家村墓葬发掘简报

作　者：陕西省考古研究院、宝鸡市考古研究所、凤翔县博物馆　田亚岐、刘　爽、张　程等

出　处：《文博》2013年第4期

路家村位于凤翔县西南，南邻六家村，北邻索落树村，东邻城关镇。2012

年 9 月，为配合宝麟铁路建设，考古人员在路家村抢救性发掘 8 座古墓葬。

简报分为：一、战国秦墓，二、汉墓，三、晚期墓葬，四个部分。介绍了相关情况。有手绘图。

据介绍，路家村发掘的 5 座战国墓葬时代应为战国晚期后段。M6 为砖室墓，其时代应为东汉时期。M7、M8 初步判断为明代墓葬。

随葬品中，值得注意的是战国墓中出土的陶器上戳印的“亭”字，这应为秦代市、亭制陶作坊的戳记，和民营以及中央官署制造的陶器产品上的戳记不同。民营制造的陶器上的戳记，是在人名之前冠以里居名；而市亭作坊产品的戳记没有里居名；中央官署制造的产品，是在人名之前冠以中央官署名，或仅具中央官署名，不见地名。中央主管制陶官署的戳记，都见于砖瓦上，不见于日用陶器上；而市、亭和民间私营制陶作坊的戳记，大量见于日用陶器上，很少见于砖瓦上。这说明市、亭制陶作坊面向社会运转。

1449.陕西凤翔雷家台墓地发掘简报

作　者：陕西省考古研究院、宝鸡市考古研究所、宝鸡先秦陵园博物馆　田亚岐、耿庆刚、张　程、刘　爽、翁丽娜等

出　处：《文博》2013 年第 5 期

雷家台秦墓地位于凤翔县城南，北邻南关村，南邻豆腐村小庄，西距雍城城墙约 500 米。2011 年 4 月，因穿越秦雍城城址区的凤翔过境公路建设施工，考古人员对分布于公路建设区域内的 5 座墓葬进行了考古发掘。

第一部分“墓葬形制”称，此次发掘的 5 座墓葬均为长方形竖穴土圹墓，形制规模较小。葬具除 M1 为两椁一棺外，均为一棺一椁。葬式除 M5 不详外，皆为屈肢葬。第二部分“随葬器物”，介绍共出土器物 22 件，器类有陶、铜、铁、玉石四类。

简报称，这 5 座墓时间上应属于战国时期，墓主应为有一定身份的国人，抑或为新兴的地主阶层代表。

简报指出，雷家台秦墓地，是在秦都雍城西部发现的一处新的秦雍城国人埋葬区。这一发现，丰富了春秋战国时期秦墓的内涵，为今后关于秦墓葬制度的研究，又补充了新的材料。

咸阳市

1450.秦都咸阳故城遗址的调查和试掘

作　者：陕西省社会科学院考古研究所渭水队　吴梓林、郭长江

出　处：《考古》1962 年第 6 期

过去，在咸阳市以东长陵车站一带，时常发现有秦汉时期的夯土墙、水道等遗迹和陶器、瓦片、井圈、水管、制陶工具等遗物。1959 年秋、1960 年春和 1961 年，考古人员先后到咸阳市东北约 10 公里的长陵车站附近的长兴村、滩毛村、店上村，北边塬边的刘家沟、姬家道、赛家沟、牛羊村和聂家沟一带，进行了调查和试掘，共发现灰坑 100 多处、水井 70 多个、陶窑 1 座、夯土墙 2 处、水道 11 处和建筑基址 12 处。其中，渭河北岸断岩上暴露出来的遗迹、遗物最多，灰坑有 80 多个，水井 20 多个。考古人员先后沿渭河岸边文化层堆积较好的地方试掘了百余平方米的面积，同时清理了水井 4 个、水道 4 处和陶窑 1 座。

简报分为：一、遗迹，二、遗物，三、结语，共三个部分。有手绘图、照片、拓片。

据介绍，在调查和试掘中所获得的遗物以陶器为最多，大部分都印有陶文。还有砖、瓦和瓦当、铜器、铁器等。简报推断，窖穴内的主要遗存应属战国时期，而水井、陶窑的出土物与窖穴所出一致，水道陶管的质、色、纹饰又与井圈极为相似，故皆应属战国时遗存。

1451.陕西兴平县出土的古代嵌金铜犀尊

作　者：陕西省考古研究所

出　处：《文物》1965 年第 7 期

1963 年 1 月 11 日，陕西省兴平县豆马村农民在取土时，发现一件铜犀尊和其他文物多件。豆马村位于兴平县东 10 公里，西距汉武帝茂陵 2 公里，西北距霍去病墓 1.5 公里。据发现人讲：犀尊等文物是在豆马村村北断崖取土时挖出来的，距地面深 1 米左右，发现时，犀尊是放在一个口向上的灰色大陶瓮中。根据初步调查和了解，这是一个秦汉遗址。这批遗物都是装在大瓮内，然后挖了一个大坑埋藏的。

简报分为：一、发现经过，二、铜犀尊的形状特征，三、与铜犀尊伴出的其他遗物，四、小结，共四个部分。有彩照、手绘图。

据介绍，这件嵌金铜犀尊，重 13.3 公斤，高 34.4 厘米，长 57.8 厘米，口短径 10 厘米。犀有双角，一前一后，鼻角长而额角短，观其形象应属非洲犀一类。伴出有铜器 18 件、铁器 2 件、陶器、石器、贝壳 4 件。简报认为此尊为战国末期秦文化遗物，似因故仓促埋入地下。

1452.秦都咸阳故城遗址发现的窑址和铜器

作　者：陕西省博物馆勘查小组、陕西省文管会勘查小组
出　处：《文物》1974 年第 1 期

继 1959 年秋、1960 年春和 1961 年对秦都咸阳故城遗址的调查和试掘工作以后，考古人员又曾于 1962 年至 1963 年对该遗址继续进行勘查和试掘。这次工作集中在滩毛村南的渭河北岸，共发现陶窑 3 座、窑穴 5 个，还有大量的陶器及制陶工具。此外，在长陵车站南沙坑边还清理了一批铜器。简报配以手绘图予以介绍。

据介绍，陶窑应为秦时遗存。铜器中有秦器、殷周时器。简报认为，从出土铜器的种类之广、数量之多、制作之精美看，可能非民间所有，应属秦国国都的铸造工场。

1453.陕西咸阳塔儿坡出土的铜器

作　者：咸阳市博物馆
出　处：《文物》1975 年第 6 期

1966 年 4 月，咸阳市砖瓦厂工人在塔儿坡塬边取土时，发现一长约 3 米、宽约 2 米的墓葬。考古人员赴现场调查了解，当时墓葬已基本挖完，没有发现其他遗迹，只清理出 20 多件铜器。此外还有漆器、豆金铜器等。简报配以照片、拓片予以介绍。

据介绍，出土铜器中有战国时秦的量器。此外，出土铜器中有些器形为过去所未见或少见，因而对于有关器形的演变研究有一定参考价值。铭刻文字对于六国和秦文字的研究也是有意义的。由于此墓未经正式发掘，出土铜器也非一时一国所造，情况比较复杂，有关铭文、年代和国别等问题，都还需要进一步研究解决。

1454.秦都咸阳第一号宫殿建筑遗址简报

作　者：秦都咸阳考古工作站　刘庆柱、陈国英
出　处：《文物》1976 年第 11 期

咸阳是秦国商鞅变法后在秦孝公十二年（前 350 年）建为秦都的。秦咸阳宫位

于今咸阳市以东，汉长安城遗址以北的地区。建筑在秦末毁于火，但地面建筑遗址尚存。简报分为三个部分介绍了发掘过程，有照片、手绘图。

据介绍，一号宫殿位于咸阳宫内，规模宏大，应为咸阳宫内主要宫殿之一，有秦一代，尤其是秦始皇统一中国前后进行过多次修缮。遗址出土的砖瓦等建筑材料，各种金属器件、壁画、丝绸、陶文等大量遗物说明了秦代绘画艺术、工艺美术、文字改革和纺织技术、陶瓷工艺、金属冶铸、机械制造的装配与组合、加工、打磨与抛光等方面，都有着辉煌成就。其中陶文200多个，述及陶业性质、陶工名、地名等，对研究战国文字也很有帮助。

今有中华书局1990年版《古陶文汇编》，可参考。

1455.秦都咸阳第三号宫殿建筑遗址发掘简报

作　者：咸阳市文管会、咸阳市博物馆、咸阳地区文管会　李毓芳、孙德润、毛富玉、刘庆柱

出　处：《考古与文物》1980年第2期

1979年3月至9月，考古人员在1974 ~ 1975年秦都咸阳第一号宫殿建筑遗址发掘基础上，又对第三号宫殿建筑遗址进行了局部发掘，发掘面积为624平方米。

简报分为：一、建筑遗迹，二、壁画，三、文化遗物，四、结语，共四个部分。有拓片、照片、手绘图。

据介绍，三号遗址位于咸阳市窑店公社牛羊村北塬上，在一号遗址西南，二者相距约百米。根据钻探，三号遗址东北角与一号遗址西南角有建筑遗址相连。壁画内容有车马图、仪仗图、人物图等。遗物有砖、瓦等建材及铁环、铁斧等。建材上有陶工名姓等陶文61个。遗址似为一廊连二殿，廊南可能为过殿，登过殿宇画廊，进正殿南门上正殿。正殿北有门，门外有踏步，下踏步殿外有回廊，沿回廊折向正殿东北，又有一踏步，从此可以西进另一殿室。因此可以看出，这并非生活起居之处，应为宫廷活动之场所，似也毁于秦末大火。

简报称，第三号宫殿建筑遗址难得的是在廊东、西壁第一次发现了保存较完整的长卷轴式秦代建筑壁画。从美术史角度来说，它填补了秦代绘画这一空白。据文献记载，春秋战国时期在重要建筑物中已有壁画出现，秦汉时代在宫室建筑上已广为普及。但除在秦都咸阳第一号宫殿建筑遗址出土过一些壁画残块外，其他地方还从未发现过。第三号宫殿建筑遗址出土的壁画，填补了建筑史上的这一空白，为研究秦代文化，提供了极其宝贵的文物资料。

1456.陕西武功县出土楚毁诸器

作　者：卢连成、罗英杰
出　处：《考古》1981 年第 2 期

漆水与渭水交汇在今武功县杨陵公社一带，这里就是古史传说中的邰地。西汉时属右扶风斄县。这一带曾出土过有“邰”“邰亭”字样的汉代文物。至今当地仍流传有许多有关姜嫄、后稷植耕于邰地的传说。今天，溯漆水河北上，途经杨陵公社、武功公社、游凤公社、苏坊公社，在漆水河两岸的河谷台地上密布着许许多多的原始社会和西周居址。西周瓦片、陶片俯身可拾。此窖穴位于任北村。简报配以拓片、手绘图予以介绍。

据介绍，窖穴底距地面近 3 米，共发现铜毁 10 件，有的有铭文。简报推断为西周中、晚期遗物。

1457.武功县出土平安君鼎

作　者：罗　昊
出　处：《考古与文物》1981 年第 1 期

1979 年 6 月，陕西省武功县游凤公社张窑大队浮沱村村民在村旁取土，发现竖穴古墓一座，出土一件“平安君”鼎和一件铜勺，后上缴县文化馆收藏。平安君鼎是在秦故地出土的第一件有铭文的卫国青铜器，是研究战国时期列国职官、量衡制度的重要资料。简报配以照片予以介绍。

据介绍，两件铜器上均有铭文，简报录有全文。“平安君”当是平安君夫人的食官，说明战国时期诸侯国有采邑的君侯之妻亦可设立食官。此鼎应是卫国器物，是秦国在统一战争中获得的战利品。

1458.咸阳塔儿坡出土秦代铜錞于

作　者：王丕忠
出　处：《考古与文物》1981 年第 4 期

咸阳市东郊塔儿坡塬边，多次发现战国时期和秦代的文物。从此地出土的瓦当、铜建筑构件和塬边残存的夯土看，这里为战国、秦代建筑遗址。1966 年 4 月在此遗址内出土铜器 20 多件，除“安邑下官重（锺）”铜钟属魏国外，其余均属秦国的器物。1978 年 11 月，咸阳市砖瓦厂取土时，又在此处发现铜錞于 1 件。简报配以照片予以介绍。

据介绍，铜錞于重约19公斤，通体饰变形夔龙纹，通高69.6厘米。从摩擦痕迹看，使用的时间较长。这件錞于体形高大，造型奇特美观，图案精致，为陕西近年出土文物中罕见的珍品，经李学勤先生鉴定为秦国器物。

简报称，錞于是一种军内乐器，也称为“錞”。文献记载中，錞于常和鼓配合，所谓“击鼓进军，鸣金收兵”，用于战争中的指挥。已发现的錞于，多出土于四川和湖北部分地区。这些地区战国时期属楚地。现存錞于形如筒状，上部比下部稍大，顶上有钮。钮多作虎形，故常有虎钮錞于之说。咸阳塔儿坡出土的錞于，却是上部稍小于下部，为束腰形，钮作飞龙形。这种形状的錞于，还是第一次出土。此錞于被埋于塔儿坡秦建筑遗址西南角一米深的扰土中。从出土情况看，恐是项羽入关，应急随地掩埋。它为研究錞于的形制以及秦地与楚地錞于的区别，提供了实物资料。

1459.陕西淳化出土战国秦铜簋

作　者：姚生民

出　处：《考古与文物》1982年第1期

1981年元月，淳化县城关公社城关大队东关生产队农民打桩基时发现一座古墓，出土铜簋、陶盆和陶壶各一件。考古人员前往现场查看，仅见断崖暴露墓穴残痕，扰土中杂夹灰屑、棺木朽痕和深灰色陶片。简报配以照片、拓片予以介绍。

简报介绍说，三器分别为陶壶、陶盆、铜簋。根据器物特征和纹饰，简报推断三器的时代应为战国晚期秦器，其下限或可到秦统一。

1460.咸阳市黄家沟战国墓发掘简报

作　者：秦都咸阳考古队　孙德润

出　处：《考古与文物》1982年第6期

黄家沟墓葬区，位于咸阳市东北15公里，东起窑店公社毛王村，西至石桥公社摆旗寨。1975年初平整土地，动土一般深2～3.5米，许多墓葬暴露出来。考古人员随工清理了32座，1975年秋和1977年春又清理了50座。除M17和M38为唐墓外，其余均为战国墓。

简报分为：一、墓葬结构，二、随葬器物，共两个部分。有拓片。

简报介绍说，黄家沟墓葬区，位于秦都咸阳的西北，多中、小型墓，为当时一般官吏和平民的葬区。墓葬多数为竖穴墓，竖穴墓的随葬品一般较洞室墓多。除M43出土铜礼器外，不见仿铜器的陶鼎、豆、盒，而在小型洞室墓内出现。竖穴墓中屈肢葬占 63%，为主要的葬式，弯曲的程度又大。洞室墓以仰身直肢葬为主，屈肢葬仅占 39%，曲度小，有的几乎接近直肢葬。在战国末到秦统一的四座墓葬中，仅 M21 一座为屈肢葬，其他皆为仰身直肢葬，不同于朝邑与半坡等地的战国墓。

1461.陕西长武上孟村秦国墓葬发掘简报

作　者：陕西省考古研究所　贠安志
出　处：《考古与文物》1984 年第 3 期

长武县为古代西周豳国之地。史书记载公刘“居豳”即今之长武、彬县、旬邑一带。秦代在长武置鹑觚县。上孟村秦国墓地，位于该县冉店公社上孟村东南面的台地上，西距县城约 12 公里，面积约 30 万平方米。1959 ～ 1960 年曾发掘了 2 座车马坑，资料未发。1978 年至 1979 年，发掘了上孟村秦国墓葬 28 座，车马坑一座。

简报分为：一、墓葬形制，二、随葬器物，三、结语，共三个部分。有照片、手绘图。

据介绍，上孟村遗址南部为墓葬区，北部是居住区。这次发掘的 28 座墓葬，都是中、小型，墓葬的方向主要朝向西北，只有 6 座朝向东北。其中屈肢葬 26 座，直肢葬 2 座。直肢葬都是仰身，下肢伸直，上肢交置在腹上。有 15 座墓无随葬品，仅 13 座有随葬品。出土铜器、陶器等随葬品 200 余件，还发现有两条狗随葬。简报认为此墓地应属于春秋晚期到战国早期的秦国墓地，说明春秋时期的秦国势力也发展到了较远的长武一带。

1462.咸阳长陵车站一带考古调查

作　者：咸阳秦都考古工作队　陈国英
出　处：《考古与文物》1985 年第 3 期

长陵车站位于咸阳市以东 10 公里，地处秦咸阳故都西隅，是秦都的一处主要手工业作坊区。1959 到 1963 年，考古人员曾在此作过多次调查和试掘。此后，这里的考古工作因“文化大革命”而中断。近十多年来，当地百姓在这一带挖土取沙，使部分遗址遭到破坏。1981 年 3 月至 1952 年底，考古人员在北塬发掘秦宫遗址的同时，多次去长陵车站一带调查，并随工清理了部分文化遗存。

简报分为“文化遗迹”“文物遗物”“结语”，共三个部分。有照片、手绘图。

据介绍，共发现水井 81 口（J1 ～ J81），除 J8 为汉代水井外，其余均为秦井。秦井可归纳为陶圈井、瓦井和上瓦下陶圈井三类。出土有陶片（有的上有陶文）、铜矛、陶量器等。长陵车站一带的手工业作坊遗址，其时代由战国中期至秦亡。

1463.淳化县出土春秋时期文物

作　者：何汉南、姚生民

出　处：《文博》1985 年第 3 期

1982 年 8 月，陕西省淳化县夕阳公社秋社村村民在挖窑洞时发现一批铜、陶器。考古人员前往调查，确定为一座古墓。墓已被破坏。据发现人讲，十多年前，此地曾挖出过铜鼎、铜戈、人骨、马骨等。

据介绍，这批文物计铜镜 1 件、铜壶 1 件。简报认为是西周、春秋之交的器物，年代上限为西周末或春秋初，下限不能晚于春秋中期。

1464.秦都咸阳古窑址调查与试掘简报

作　者：秦都咸阳考古工作站　赵　荣、吕卓民

出　处：《考古与文物》1986 年第 3 期

1980 年 9 月到 1983 年初，考古人员在发掘秦代宫殿遗址的同时，还对附近的古窑址进行了调查，共发现古代陶窑遗址 90 座，其中秦窑 14 座、汉窑 75 座、1 座时代不明。考古人员清理了保存较好的 5 座秦窑（Y11、Y25、Y28、Y29、Y67）。

简报分为：一、古窑址概况，二、陶窑结构，三、遗物，四、结语，共四个部分。有拓片、手绘图。

据介绍，古窑址位于今咸阳市东 13 公里的窑店乡，其东界跨入红旗乡境内即古秦都南部，主要分布在西起窑店乡黄家沟、东至红旗乡柏家嘴的原头坡岸，东西长达 8 公里。窑群规模大，数十座连成一片，集中地分布在胡家沟、聂家沟、刘家沟、陈家沟、前排村、红旗村、柏家嘴等几处。窑址保存好的不多。从遗物看，秦窑几乎全是生产建筑材料，产品有板瓦、筒瓦、铺地砖、水管道、陶井圈等，供给秦代宫廷建筑的用途很明显。如在胡家沟古窑址出土的带“周”“甲”“天”等字的陶片，在咸阳一号、三号宫殿建筑遗址中都有发现。汉窑除生产建筑材料外，日用品也占很大比重。砖瓦等建筑材料，为官府工程所用。生活用品中的盆、罐等品宫廷官府所需者亦当为数不少。

简报称，秦汉陶窑的燃料皆为木材与草类植物，广泛取木材为燃料，说明当时这里木材来源比较丰富。史念海先生在《河山集 · 古代关中》一文中，引证了丰富的材料，论证了先秦时代的关中有着丰富的森林、草原植被资源。这一因素对于研究古代的地理环境有着极其重要的意义，对于具体研究当时的烧窑技术、产品火候等技术问题都有重要意义。

1465.秦咸阳宫第二号建筑遗址发掘简报

作　者：秦都咸阳考古工作站　陈国英
出　处：《考古与文物》1986 年第 4 期

继 1974、1979 年发掘秦咸阳宫第一号和第三号建筑遗址之后，考古人员于 1980 年 10 月至 1982 年 9 月，又在第一号与第三号建筑遗址的西北，发掘出另一组建筑遗存——第二号殿址，发掘面积为 7004.5 平方米。

简报分为：一、殿址规模及现存情况，二、文化层堆积，三、建筑遗迹，四、出土遗物，五、结语，共五个部分。有照片、拓片。

据介绍，二号遗址与一号、三号遗址一样，仍然是一座以夯台为基的大型台榭建筑，且较第一号和第三号遗址更为庞大。基址西宽东窄，东西长 127 米，南北宽 32.8 ~ 45.5 米。东西两端仍继续向外延伸，其东南又与第一号、第三号两座遗址的回廊贯通。该建筑已在秦亡时焚毁，遗存的高台废墟，也已在 20 世纪 50 年代农田基建中被夷为平地。发掘前，这里已是一片耕作良田。原建筑保存至今的，仅有台面的若干柱洞、地面、排水池残迹以及依台壁修筑的一周回廊和廊下地下室。二号建筑被焚毁之后，西汉前期曾在此作过短暂的活动，在文化堆积层中遗存有西汉时期为数不多的板瓦、筒瓦、陶罐和五铢钱币等物，但未见到这一时期的建筑遗存。此后，这里就成为汉代及其以后的墓葬茔地。

据介绍，出土遗物以建筑材料之砖瓦和瓦当为大宗，其次是生活用具和生产工具。作为宫廷装饰的壁画出土较少，且都剥落致残。能识别者有形态逼真、栩栩如生的马和凤羽等，有迎风飘忽的枝叶，有丰茂的扶桑和蔓草，还有用直线或弧线构成的规律性强、富于变化、具有民族特色的各种几何形装饰图案。壁画颜色以黑色为主，朱红、赭石、土黄、石青、石绿为次。简报认为，二号建筑或为秦咸阳宫中处理政务的一处主要场所。

1466.咸阳任家嘴殉人秦墓清理简报

作　者：咸阳市博物馆　孙德润、蔡玉章
出　处：《考古与文物》1986 年第 6 期

1984 年 3 月，秦都区武装部组织民兵在任家嘴打靶，发现一古墓，并挖出铜器 11 件。考古人员于 3 月 28 日至 4 月 5 日进行了清理。古墓位于咸阳市区以东 5 公里、传说的“白起茔”以南 0.25 里，在咸铜铁路南侧土墩形台地的南断崖上。

简报分为：一、墓葬形制，二、随葬品，三、结论，共三个部分。有手绘图、照片。

据介绍，墓葬已遭施工破坏，葬具为一椁一棺，有殉人2具。出土随葬品40余件，以铜器为主，其他有陶、石器等。原有衣物随葬，已朽成灰。从随葬铜礼器多达11件的情况推测，墓主最低属士一级。墓中有两具殉人，一具显反抗状，另一具为一小孩，与牛骨并排放在一起，皆染成红色，不同于一般的殉葬人。这表明秦国在战国早期殉人仍相当流行。

1467.陕西发现秦代郑国渠拦河坝和水库遗址

作　者：新华社陕西分社　王兆麟

出　处：《农业考古》1987年第2期

1986年陕西省考古工作者在秦代经济考古方面取得了重大收获，在西安西北60多公里的泾阳县秦郑国渠渠首处，找到了我国迄今已发现的古代规模最大的拦河坝和我国最早的水库遗址。简报配以照片予以介绍。

郑国渠是我国古代规模最大的灌溉渠道之一，它沿关中北山沟通泾河和洛河，东西长150多公里。以土方量计算，它与阿房宫、秦始皇陵并列为秦始皇兴建的关中三大工程。它始建于秦始皇即位的当年（前246年），由郑国主持施工。韩国桓惠王派郑国来秦修渠的目的是用这个浩大的工程“疲秦”，可是有远见的秦始皇将计就计，终于用十年时间修成，大大改变了秦国的农业生产面貌，“于是关中为沃野，无凶年”，给秦统一中国奠定了强大的经济基础。

1468.陕西发现一件两诏秦椭量

作　者：陈孟东

出　处：《文博》1987年第2期

1982年9月，礼泉县药王洞乡南晏村农民在村南盖房打土坯时，挖出一件两诏秦椭量，后在倒卖过程中，被华县公安局于1986年6月查获。现这一珍贵文物已由有关部门收藏。简报配以照片、拓片予以介绍。

据目睹出土的农民讲，两诏秦椭量原放置在一个小陶罐内，铜质，呈黑绿色。器上有两面内容相同的秦始皇诏及秦二世诏。简报录有铭文全文。此器有长期使用的痕迹，实测容水量980毫升，近于1000毫升，正合秦制半斗，与器上铭文所记相符。在秦量器中，铜质半斗量亦为首见。

简报指出，此容器具有重要的历史和科学价值，是研究我国古代度量衡制度的珍品。经国家文物鉴定委员会鉴定，定名为“两诏秦椭量”，属国家一级甲等文物。

1469.乾县发现两处秦代大型建筑遗址

作　者：《文博》编辑部
出　处：《文博》1988年第3期

前不久，咸阳市文物普查队在乾县南孔头村和乾陵西北瓦子岗分别发现了两处大型建筑遗址。初步认为此应是秦甘泉宫和梁山宫遗址。

据介绍，南孔头村的遗址南部原应有相对的两组建筑，北部是一大型高台式宫殿建筑遗址，东西长100米，南北宽80米，两侧现存约9米的残土基。遗址内发现了螭龙纹空心砖、铺地砖、大批砖瓦残块和10多个陶井圈。可能是秦梁山宫遗址的瓦子岗上，东有一高大夯土台基，高约5米，东西长37.4米，南北宽25米，其夯土厚度和夯土与秦咸阳宫一致。此外，当地农民又陆续发现了直径15米的环形建筑遗址和卵石坑、散水石、砖瓦等遗物。乾县南孔头村和瓦子岗建筑遗址的发现，将为研究秦咸阳宫、阿房宫的整体布局，进一步探讨秦文化的丰富内涵提供重要的资料。

1470.陕西永寿县出土春秋中滋鼎

作　者：永寿县文化馆　李景林
出　处：《考古与文物》1990年第4期

1983年8月，永寿县渠子乡永寿坊村农民在距长孙无忌墓100多米处修地种麦时，挖出一件带流铜鼎，后送交县文化馆收藏。简报配以照片予以介绍。

据介绍，鼎通高17.5厘米，腹深9厘米，重2.7公斤。鼎内光滑，有使用过的痕迹。后足内有铸补痕。内壁有铭文，计13字，中有一“滋”字，西周金文未见。简报认为是作器人的人名，故此器称为“滋鼎”。

1471.咸阳任家嘴春秋墓清理简报

作　者：咸阳市文物考古研究所　孙德润
出　处：《考古与文物》1993年第3期

1990年冬，长庆油田在咸阳市的渭城区任家嘴建助剂厂，发现大量古墓葬。考古人员进行随工清理，共清理古墓葬285座，其中春秋时期的墓葬24座、战国至秦代墓葬219座、汉代墓42座。墓葬的数量之多，出土物之丰富，墓地延续时间之长，墓与墓间打破关系之多，为咸阳市首次发现。

简报分为：一、墓葬结构，二、随葬器物，三、结语，共三个部分。配以照片，先行介绍春秋时期24座墓葬。

据介绍，24座墓葬分布于任家嘴墓葬区的中心地带。其中M35、M37、M42、M40、M43五座为一组，呈南北两排东西向布局；M82、M83、M88三座呈“品”字形；M155、M163、M154三座又呈南北向排列。24座墓的方向，除3座头向北外，其余皆向西。从墓葬形制上，可分口小底大的覆斗形竖穴和四壁垂直的长方形竖穴两大类。24座墓葬皆使用木板棺椁。一椁一棺者16座，一椁两棺者6座，两椁一棺者1座，另外M112在一椁内并排置两棺，为合葬墓。少数墓在棺椁之间又分隔出头箱和边箱。24座墓共出土196件器物。按质料分有陶器、铜器、骨器和石器。其中陶器为115件，铜器32件，骨器、石器49件。简报认为此批墓可分两期。第一期为春秋中期，个别可早至春秋早期；第二期为春秋晚期。墓主人应为士一级。

简报指出，这批春秋墓，在墓葬形制、随葬品的多少及组合上与棺椁使用情况无关。咸阳、铜川等地远离雍都，奴隶主的势力相对较弱，封建因素就易产生与发展。孝公为推行商鞅变法而迁都咸阳，其中一个重要原因，就是咸阳地区封建因素产生得较早，发展得也较快，具有推行变法的社会基础。这批春秋墓与铜川枣庙秦庙的发掘都证实了这一观点。

1472.咸阳石油钢管钢绳厂秦墓清理简报

作　者：咸阳市文物考古研究所　孙德润、晁　翚

出　处：《考古与文物》1996年第5期

1995年，咸阳石油钢管钢绳厂在市区东北的塔儿坡征地建分厂时发现古墓葬。考古人员进行了随工清理，共清理古墓葬402座。其中战国时期的墓葬384座（竖穴墓96座、洞室墓281座），出土器物1260余件。28057号和27063号两座墓葬分别出土骑马俑和商鞅铜镦，墓葬形制不同，出土物皆较丰富，具有一定的代表性。

简报分为：一、27063号墓，二、28057号墓，三、结语，共三个部分。有照片、手绘图。

据介绍，两座墓皆随葬与军队有关的器物——骑马俑和铜镦，表明其墓主与军队有密切关系。这两座墓葬的形制不同，但在整个墓地中属中型墓，皆使用一鼎，说明两墓主是较低一级的军官。简报推断两墓时代为战国晚期的阶段，相当于秦惠文王至秦武王时期。

简报称，骑马俑的发现，将我国骑马俑的历史提前近100年，为探讨秦国的养马史、中国骑兵的发展史及当时秦国内各族交融的情况都提供了新的资料。

简报最后说，秦孝公十九年（前343年）商鞅镦的发现，虽然不是首件，但却是第一次经科学发掘出土的，其学术价值更高，证明前一件传世品是真品无疑，可补史书记载的不足。

1473.陕西武功县赵家来东周时期的秦墓

作　者：中国社会科学院考古研究所武功发掘队　刘随盛

出　处：《考古》1996 年第 12 期

赵家来遗址位于武功县武功镇西北 3.5 公里。1981 年至 1982 年，考古人员在此发现了秦墓 20 座并发掘了其中的四座。

简报分为：一、墓葬形制，二、随葬器物，三、结语，共三个部分。有手绘图等。

据介绍，这四座墓有三座是土坑墓，一座为瓮棺葬，葬式为屈肢葬。土坑墓保存较好者为 M1 和 M5。出土遗物有陶器、青铜器、石器等。这次清理的四座秦墓，M3 和 M11 墓葬规模小，随葬器物少；M1 和 M5 则规模较大，出土器物较多。从墓葬规模看，M1 为二椁一棺，M5 则是一椁一棺，显示出两人的身份可能有高低差异。此四墓年代简报推断为春秋晚期。

1474.咸阳塔儿坡战国墓发掘简报

作　者：咸阳市文物考古研究所　谢高文、岳　起

出　处：《文博》1997 年第 4 期

1995 年，咸阳钢管钢绳厂在市北原塔尔坡新征地。考古人员共在此发现墓葬 400 余座，并进行了随工清理，其中秦人墓 300 余座，另有少量汉唐墓。秦人 M28203 第 4 号陶罐上刻划博局图，具有特色。它被另一座秦人墓 M28275 打破。简报分为：一、墓葬形制，二、随葬器物，三、结语，共三个部分。有照片、手绘图。

据介绍，M28203、M28275 均为土洞式墓，由墓道、墓室两部分组成。墓道为口大底小的长方形竖穴土圹，填土经夯筑。墓室为长方形土洞，拱顶。M28203 葬具为一木棺，已朽。葬式为仰身屈肢葬。墓主双手交置于腹部，双腿弯曲较甚，作蹲坐状。头向南。性别年龄不详。另一墓葬具、人骨已朽。两墓出土器物共 12 件，计陶器 10 件、铜器和铁器各 1 件。两墓年代上限为战国中期晚段，下限为战国晚期。

简报称，M28203 出土陶罐上的博局图，为我国目前发现较早的博局图。我国博戏传说起源很早，古代有“乌曹作博”记载。到春秋战国之际，《史记 · 刺客列传》载：“（荆轲）游于邯郸，鲁勾践与荆柯博，争道，鲁勾践怒而斥之，荆轲嘿而逃去，遂不复合。”这次博局图的出土，补证了史书记载，为研究我国博具的起源、发展提供了重要的实物资料。同刊同期有谢高文、岳起《塔尔坡秦人博局图》一文，可参阅。

1475.淳化县发现匈奴文物

作　者：王　谦
出　处：《文博》1998 年第 1 期

淳化县地处渭北山区，素以林光宫、甘泉宫所在地而著称，特别是秦直道始甘泉，抵九原，全长约 900 公里，直接沟通了北方匈奴文化、政治、经济、军事等方面与中原的交流，因而淳化境内经常发现北方草原文化的蛛丝马迹。简报介绍了几件匈奴文物。

一，双兽—禽纹铜牌饰（两件），1992 年 12 月润镇乡西坡村出土。

二，双怪兽纹铜牌饰。长方形。汉代。

三，扁足深腹铜釜。1978 年官庄出土。

简报指出，以上具草原文化特点的匈奴文物均出土于汉甘泉宫附近，由此可见，这些匈奴文物无疑是通过直道传人关内的，不但有悠久的历史，而且具有较高的艺术性和实用价值。动物形象表现手法上有一个突出的特点——写实，充分显示出匈奴族的冶铜和铸造业已相当发达。匈奴族青铜文化既受中原文化的影响，又表现自己民族的特色，是中原文化与草原文化交流、融合的产物，形成了具有自己强烈民族特点的文化体系，是我国青铜文化中一颗灿烂的明珠。

1476.咸阳塔儿坡战国秦瓮棺葬墓发掘简报

作　者：咸阳市文物考古研究所　岳　起
出　处：《文博》1998 年第 3 期

塔儿坡战国秦人墓地位于咸阳市东北郊、渭水冲积古河床北一级台地上，距市中心约 3 公里。其地势较整个市区高，是一片既向阳又比较开阔的坡地。

1995 年，咸阳石油钢管钢绳厂在塔儿坡征地建分厂，经市钻探管理处钻探发现古墓葬群。考古人员配合钢管钢绳厂基建进行了科学的发掘清理。发掘工作自 1995 年 3 月初开始，至 8 月中旬完成。共清理古墓葬 420 座，其中战国秦墓 381 座，获得了一批较重要的秦墓资料。其中 9 座瓮棺葬墓墓葬形制不同，出土器物较丰富，具有一定的特殊性。简报分为：一、墓葬形制及随葬器物位置，二、随葬器物，三、结语，共三个部分。有手绘图。

据介绍，根据墓葬结构，9 座瓮棺葬墓可分为竖穴和洞室两大类型。其中竖穴墓 5 座，可分为四式，洞室墓 4 座，可分为三式。9 座墓共随葬器物 31 件，其中陶器 30 件、铁器 1 件。陶器大多数为泥质灰陶，仅陶釜和陶高为夹砂灰陶。9 座瓮棺葬墓的时代，据墓葬形制和出土器物推断为战国晚期至秦。

1477.秦当辅村遗址

作　者：淳化县文化馆　姚晓平
出　处：《文博》2000年第5期

当辅遗址，在陕西省淳化县城关镇当辅村。1997年遗址被发现后，考古人员随即进行了调查，1999年4至5月，又两次踏查，遗址迹象大体摸清。当辅村西下过冶峪河为淳化县城，距县城1.5公里，北距汉甘泉宫遗址25公里。遗址从当辅村北延至城关镇坷捞村，南北长约1公里；东自塬面，西至当辅村西冶峪河沟畔，东西长亦约1公里；占地面积约100万平方米。遗址区东高西低，现有南北长短不等的六七条田埂横列其内，有道路从当辅村中向东上塬，在遗址内东西穿过。遗址区瓦件较少，从田埂看，有瓦件埋入地下2米深处。坷捞村南一条田埂下部有灰坑，坑宽2米余，内填残瓦件，边沿土为红褐色。当辅遗址内发现板瓦和筒瓦残件，有瓦当。沙石和石灰岩不规则石块较多，径10至50厘米，被村民采作墙基石。这一迹象于遗址区外未见到。简报配以照片、拓片予以介绍。

据介绍，采集板瓦1件为青灰色；筒瓦多青灰色，褐色仅1件；瓦当采集8件。当辅遗址采集的瓦件，外以细绳纹、交错细绳纹装饰居多，瓦里主要是麻点纹。瓦当饰云纹和葵纹，当代常见的文字瓦当未见。素面圆瓦当，曾见于咸阳秦宫遗址。简报推断，淳化当辅遗址为秦代遗址。

1478.陕西三原县西秦砖窑出土一批耀州窑瓷器

作　者：三原县博物馆　马琴莉
出　处：《考古与文物》2001年第5期

1981年6月26日，陕西省三原县高渠乡西秦砖窑工人在掘土时发现了一批耀州窑瓷器。这批瓷器主要有碗、碟、钵、炉等日常生活用品，现存三原县博物馆。简报配以手绘图予以介绍。

1479.泾阳宝丰寺秦墓发掘简报

作　者：咸阳市文物考古研究所　陈秋歌、赵旭阳
出　处：《文博》2002年第5期

2001年8月至11月，为配合211国道泾淳路的公路建设，考古人员在陕西泾阳县宝丰寺段发掘了20余座战国秦墓。此段公路位于泾阳县的北塬之上、木刘村以北，

为南北向。这批墓葬分布在公路西侧长约500米、宽12米的新征地内。

简报分为：一、墓葬形制，二、随葬物品，三、结语，共三个部分。配以手绘图，先行介绍其中的M10。

据介绍，M10分布在这批墓葬群的中部，机械已将上部的耕土层和杂土层推掉，无棺木痕迹，人骨保存较差。M10为墓圹口大底小的长方形竖穴土坑墓，有生土二层台，有壁龛。随葬品均为实用器，有罐、釜、茧形壶等器，置于墓葬小龛内、外部两侧，小件器物在人骨周围。出土陶器11件，钱币2枚。出土的戳印陶文“杜市”“高市”为县邑市府作坊的戳记，也说明此墓应当为战国晚期到统一的秦王朝时期。所出土的文字和刻划符号应对秦陶文是一个补充，为研究秦陶文和手工业提供了实物资料。

1480.陕西泾阳县秦郑国渠首拦河坝工程遗址调查

作　者：陕西省文物保护技术中心、西北大学地理系

出　处：《考古》2006年第4期

郑国渠是我国古代著名的大型水利工程之一。1985年，考古人员对郑国渠及历代引泾工程渠首遗址进行了全面的调查。调查分为两个阶段：第一阶段自1985年底至1986年6月，调查初步确定了历代引泾工程渠首的范围和内涵，发现了郑国渠拦河坝和宋丰利渠水尺等遗迹；第二阶段自1987年初至1988年底，这次调查除对郑国渠拦河坝及上、下游地层进行深入了解外，还基本摸清了历代引泾工程渠首部分的渠系演化和地层状况，并调查了渠首至三原的一段古渠道遗迹。

简报分为：一、前言，二、历代引泾工程渠首遗址概况，三、郑国渠渠首拦河坝工程，四、大坝的地层堆积与时代判定，五、郑国渠首引水遗迹，六、库区淤积状况，七、溢洪遗迹，八、郑国渠首拦河大坝在中国水利史研究中的地位，共八个部分。有手绘图等。

据介绍，秦郑国渠拦河大坝于古瓠口横断泾水，坝体跨河谷和两岸阶地，总长2650米。它在河西可能设有溢洪设施，在河东设有引水渠，大坝曾经截流引水，发挥过灌溉效益并造成库区淤积。约在西汉早期或秦汉之交大坝废弃，白渠的兴建和大坝顶上的墓葬群可以证明这一点。大坝废弃的原因是河谷部分坝体溃决。这次溃决，洪水同时也卷去了河东岸阶地上近500米长的坝体上部。约在公元6世纪，大坝修复，又一次发挥灌溉作用，后库区又淤积，河谷部分再度溃决。

简报称，秦郑国渠首拦河大坝是我国目前发现时代最早、规模最大的古代拦河坝工程，而且除河谷部分冲毁无存外，尚保存近六分之五的坝段。它的发现，证实了我国文献关于郑国渠工程记载的可靠性，澄清了长期以来对于郑国渠首工程结构

的种种猜测，为研究战国时代水利工程提供了不可多得的实物资料。郑国渠工程在中国水利工程史上具有承前启后的巨大影响，郑国渠拦河坝的规模和建造中的先进思想，后代的引泾工程均没能超越。

1481.旬邑县秦直道遗址考察报告

作　者：国家文物局秦直道研究课题、旬邑县博物馆　张永超、何一平

出　处：《文博》2006 年第 3 期

秦直道是中国古代继万里长城之后的第二大国防工程，被誉为世界上最早的高速公路，从陕西淳化至内蒙古包头全长 700 多公里，距今已有 2200 多年历史，属全国重点文物保护单位。

秦直道在旬邑县全长约 90 公里，是距西安、咸阳最近的，保存较完整的一段。由于历史文献对秦直道的记载过于粗略，在一些地区其具体路线和走向尚不明确。旬邑县人民政府邀请秦直道研究课题组的专家及考古人员与旬邑县博物馆组成秦直道联合考察组，于 2005 年 10 月 31 日至 11 月 8 日，翻山越岭，横跨两省四县，采取现场勘查、考古钻探、试掘等形式对旬邑县境内的秦直道进行了考察，取得了一些科学翔实的资料。

简报分为：一、廓清了秦直道在旬邑县境内的具体走向，二、对石门关附近秦汉建筑遗址的分布范围及文化内涵有了清楚的认识，三、复查了两处烽隧遗址，纠正或补充了原有的认识，四、发现了三处防御工事——驿卡和壕沟遗址，五、发现了秦直道上的排水沟，六、发现了大店驿站遗址，七、消除了旬邑县境内秦直道具体线路上的分歧，八、几点体会，共八个部分。有彩照。

此次考察对子午岭南端秦直道有了较全面的了解，总结出了辨认子午岭山区秦直道的六大要素：

（1）看是否是南北的大致走向。

（2）看是否沿山脊或高地选线。

（3）看是否有堑山堙谷的痕迹。

（4）看是否线形顶直，弯道很大。

（5）看路面是否宽阔平缓（秦直道路面一般宽 20 ～ 30 米。个别路段受自然条件限制，路面较窄，仅存 4 ～ 8 米）。

(6) 看沿线是否有与秦直道配套的设施，如秦汉行宫、兵站、关隘、烽火台等遗址。

如果六点全部符合，即为秦直道无疑。

今有王子今先生《秦始皇秦直道考察与研究》（陕西师范大学出版社 2018 年版）一书，可参阅。

1482.咸阳“周王陵”考古调查、勘探简报

作　者：陕西省考古研究院、咸阳市文物考古研究所、周陵文物管理所　马永赢、赵旭阳、杨武站、王　东、张俊辉

出　处：《考古与文物》2011 年第 1 期

“周王陵”位于陕西省咸阳市渭城区周陵镇北侧，距咸阳市中心约 8 公里，地处咸阳塬南部。这里地势高亢、平坦，南邻渭河，北靠泾水，是古人理想的丧葬之地。西汉帝陵康陵、渭陵、义陵分别分布在“周王陵”的西南、东南部。“周王陵”地面现存覆斗形封土两座。2007 年，考古人员对“周王陵”进行了全面调查和勘探。

简报分为：一、地层关系，二、陵园布局及遗迹，三、采集文物，四、几点认识，共四个部分。有照片、手绘图。

此次调查，除探明陵园布局外，新发现了陵园内、外双重围墙，内壕沟址，27 座外藏坑，5 处建筑遗址，168 座小型墓葬。简报认为“周王陵”的时代是战国晚期。参照“亚”字形大墓和双重陵园的钻探结果，确认“周王陵”是王陵或帝陵应无异议。“周王陵”两座陵墓的主人，刘庆柱、李毓芳先生及徐卫民先生认为是秦惠文王和秦悼武王；王学理先生认为是秦惠文王与惠文后的“公陵”；刘卫鹏、岳起先生将其定为秦悼武王及其夫人的陵墓“永陵”。简报认为后者的可信度更大一些。

1483.咸阳长陵车站 61XYCLJC3 的再发现

作　者：陕西省考古研究院　耿庆刚

出　处：《文博》2013 年第 3 期

据介绍，2012 年 5 月，考古人员在普查的过程中，于咸阳城遗址窑店工作站库房发现铜板 13 块，部分上面依稀可见“61XWT0:XX”编号，与《秦都咸阳考古报告》图版一七显示部分器物基本吻合，应为标本 61XYCLJC3:7 的一部分，原报告描述为“系 1961 年 11 月在北沙坑中出土 500 余公斤铜铁器被火烧后熔化的块状物体”。为了保证资料的完整性，简报分为三个部分予以介绍，有照片、手绘图。

综合窖藏铜器的特点、埋藏信息、年代、铭文及文献记载等分析，简报赞同窖藏性质属于冶铸手工业遗存观点，即废旧铜器回收以作为铸铜原料的储藏坑。

简报称，三处窖藏应与铸铜作坊有关，但周围未发现有熔化铜铁的坩埚、陶范及其工作场所；铜器窖藏与发现的制陶作坊遗址，说明长陵车站是古代一处重要的手工业作坊区，对研究咸阳城布局有着重要意义。

渭南市

1484.陕西华阴岳镇战国古城勘查记

作　者：黄河水库考古队陕西分队　李遇春

出　处：《考古》1959 年第 11 期

为了配合三门峡水利工程建设，考古人员自 1957 至 1959 年在华阴发掘西关堡、横阵、南城子新石器时代遗址。1959 年 3 月在华阴岳镇东调查时发现一座古城（西距华阴县城 2.5 公里），通过初步的勘查，弄清了城墙的范围，于 5 月底开始发掘，7 月底工作基本结束。

简报分为：一、城墙勘查，二、城门的发掘，三、古城的名称及其年代，共三个部分。有照片、手绘图。

据介绍，该古城的城墙，均系夯土版筑，夯打得非常结实。夯土的建筑方法为方块夯筑法。该古城的城墙建筑均未发现夹棍眼。根据城基残存的现象，可知城基是建筑在生土上面，先平好地基然后打墙，墙基是平的，未发现夯土槽的痕迹。城墙保存的情况，以西墙和北墙较好，虽已破坏，但仍然连续不断。东墙和南墙破坏得很厉害，地面上看不到遗迹。经过钻探知道东墙被一条沟所破坏，只找到了很少的痕迹。南墙未找到多少痕迹，只发现了拐角。根据调查、钻探知道古城的平面形状略呈椭圆形。从城西北拐角看是有孤度的。城南北长，东西窄，西墙长 285 米，北墙残长 140 米。城墙上窄下宽，上部已经倒塌，无法测知宽度，下部宽度 7.4 米左右，残存高度最高处为 3.4 米。发掘的城门在西墙北段。出土文化遗物有简瓦、板瓦等。简报认为此古城为战国初年所建魏国阴晋城，是魏国一处军事城堡。

1485.陕西华阴、大荔魏长城勘查记

作　者：中国社会科学院考古研究所陕西工作队　李遇春

出　处：《考古》1981 年第 6 期

1955 年考古人员在陕西华阴进行考古调查时，勘查了今华阴县城长涧河一带的魏长城遗址。1959 年春，在陕西大荔县进行考古调查时，勘查了今大荔县西北党川村至长城村（即北洛河）附近的魏长城遗址。同年春，复查了华阴魏长城，并选择华阴魏长城进行试掘。简报分为四个部分予以介绍，有照片。

据介绍，自华阴县华山南麓朝元洞至风箱城南北长达6公里的范围内发现有魏长城的遗迹，勘查结果和文献记载是符合的。由试掘洪崖村、西关堡魏长城出土的筒瓦、板瓦看，这段长城确是战国时期魏国的长城遗址。自大荔县西北党川村至长城村南北长达7公里的范围内均有魏长城遗迹，这和文献记载也是符合的。魏长城的城墙全部是夯土筑成的，夯筑得非常结实。据文献记载，魏长城有两次修筑，结合华阴魏长城试掘的情况，可以肯定魏长城是经过战国几次修筑的，但未见晚于战国时期的遗物。

简报称，陕西华阴、大荔魏长城的勘查收获，确定了华阴、大荔魏长城的位置与建筑年代，同时了解了魏长城的建筑技术，为研究我国古代防御工程提供了重要的实物资料。

1486.渭南县发现秦半两钱范和“栎市”陶器

作　者：渭南县文管会　左忠诚、郭德法

出　处：《考古与文物》1981年第1期

1980年8月，考古人员在陕西省渭南县南七公社进行文物普查时，同家大队医疗站周玺纯老先生将他近年收集的秦钱范和带有“栎市”字样的战国陶器捐献给政府，并领考古人员观看了文物出土地点。简报配以拓片予以介绍。

据介绍，秦半两钱范是1977年同家村东南土境中出土的，为石质。周围有战国陶片、红烧土块和炉渣。“栎市”陶器出土于同家村北的吝家村旁，计壶3件、罐1件。

简报称，渭南县南七村一带，离临潼县的秦都栎阳故址25公里，古时当属近郊，故有此众多的“栎市”陶器出土。至于秦地两钱范的出土，说明南七公社同家村一带可能有秦的冶铜铸币遗址。

1487.陕西华县发现秦两诏铜钧权

作　者：马　骥、咏　钟

出　处：《文博》1992年第1期

1991年8月26日，陕西华县赤水镇乔家村农民罗中再在村北约200米的责任田里劳动时，在距地表约0.4米处挖出一件秦两诏铜权，后送交陕西省博物馆收藏。简报配以照片予以介绍。

据介绍，铜权呈半球形，鼻纽。权表面大半布满硬质绿锈，经去锈处理，显出錾刻的两诏诏文。诏文共15行，为秦始皇二十六年（前221年）诏文，简报录有诏

文全文。此权虽无自铭，但按实测重量折算，应为秦一钧（30斤）权，折合每斤254克。此权命名为“秦左乐两诏铜钧权”比较适宜，也与秦制相符。

简报称，关于秦代铜权的铸造，以前的报道和有关论文均认为，铜权就是用铜铸造，权底部的圆孔，是为了配重之用。这次发现的左乐铜权，明白无误地告诉人们，当时重一些的铜权，是用青铜来铸壳，底部留有圆孔，再从孔内灌铸铅液而制成。若重量超过，则从孔内取铅以校重量。左乐铜权的发现，提供了秦代制造铜权的新信息，对于测定那些空心铜权量值和鉴定其他秦权的真伪，也会带来有益的启迪。

1488.陕西合阳新发现战国时期秦长城

作　者：姚双年

出　处：《考古与文物》1993 年第 3 期

1988 年 7 月，考古人员在合阳县新池乡、和家庄乡一线发现了 23 处战国长城遗迹，并初步判断为秦国长城。简报配以照片、手绘图予以介绍。

据介绍，陕西省合阳县位于关中平原北部的台塬地带，北与黄龙山区接壤，西邻澄城县，东濒黄河，南为广袤的关中平川。新池乡、和家庄乡在该县中部，位处黄河的西岸。

简报称，这里是秦、魏两国交战的地区。魏国军队在公元前412年攻打秦国时迂回。魏国军队绕道迂回的原因，很可能是由于受到了合阳县新池乡、和家庄乡一线长城工事的阻碍。那么，这段阻击魏国军队的长城，显然当属秦国所筑。至于该段长城的修筑时间，简报推测当在秦国“堑河濑”之后，而在秦国“堑洛”之前。也就是说合阳县新池乡、和家庄乡一线的秦国长城，其修筑时间应在秦灵公九年到秦简公六年之间，即公元前 417 年到公元前 409 年之间。

1489.秦简公“堑洛”遗迹考察简报

作　者：彭　曦

出　处：《文物》1996 年第 4 期

《史记》载秦简公七年（前 408 年），秦为设防三晋而“堑洛”。史念海先生首揭其内涵为长城。1991 ～ 1993 年春，彭曦先生先后三次沿洛河右岸徒步考察，在大荔、蒲城、白水、宜君、黄陵诸县，均发现了堑洛遗迹，其中尤以蒲城、白水最为丰富。

简报分为“蒲城县”“白水县”“小结”三个部分。有照片、拓片、手绘图。

据介绍，重洛是战国秦国数条长城中的一条重要长城，其中遗迹最多的是蒲城、白水二县。春秋至战国，秦晋、秦魏间的多次战争，均发生在这一带。所以这一带不但堑洛遗迹多，且其后的魏国河西长城遗迹亦较集中。堑洛以自然河沟为依托，大量工程是用自然河岸堑削为城。这与秦昭王长城中长约400公里的河沟长城修筑工程完全一样。其中亦有不少地段为地形上的补阙堵隙之需而出现夯土长城、上夯下堑长城。至于石长城，更是以就地取材为原则。它的内侧戍守遗址发现最多，但皆无汉长城内侧障塞的那种夯土城圈。这与秦昭王长城完全一样，说明昭王长城是秦国“堑河旁”“堑洛”的继承与发展。铃耳、冢子梁、北乾等地的烽燧遗迹，都是为将信息传向西北的咸阳，相互间皆有良好的视野空间。遗迹所发现的瓦片纹饰、质地等，与昭王长城中的遗存基本相同。

1490.陕西澄城良周秦汉宫殿遗址调查简报

作　者：姜宝莲、赵　强

出　处：《文博》1998年第4期

1996年8月至12月，根据百姓提供的线索，考古人员对澄城县良周村遗址进行了考古调查并对重点区域进行了钻探，发现此地为一大型秦汉宫殿建筑遗址。遗址面积巨大，内涵丰富，具有重要的学术价值。

简报分为：一、地理环境，二、遗迹，三、遗物，四、小结，共四个部分。

据介绍，遗址位于澄城县刘家洼乡良周村西北，南距澄城县城17公里。遗址中心为一东西向长方形区域，四周有土沟环绕，发现有建筑遗迹、陶窑遗迹、道路遗迹等。采集的遗物主要为建筑材料砖、瓦、石础，另外还有少量陶器、铁器和残块等。良周秦汉宫殿遗址，史书无载。从发现的大量板瓦、筒瓦及瓦当来看，大部分质地细密坚硬，外饰绳纹，内饰麻点纹，与以前所发现的秦宫殿遗址建筑遗物相似。在此遗址中还发现一批带有戳记的板瓦、筒瓦，将其与秦始皇陵、秦咸阳宫遗址、秦栎阳城遗址所出土的秦代陶文相比较，风格相近。同时，出土的璧纹空心砖也是秦宫殿中典型的高等级建筑材料。所以，该遗址的始建年代应当在战国晚期至秦。该遗址应是汉武帝祀汾阴后途中的一处行宫，应属于秦宫汉葺，修葺年代恐与扶荔宫的建筑年代相差不会太远，应在汉武帝时期。

简报称，良周秦汉大型宫殿遗址的发现，为研究秦汉时期宫殿建筑及其布局，增加了新的资料。

1491.富平新发现一座战国秦墓

作　者：陕西省富平县文物局　井增利
出　处：《考古与文物》2001年第1期

1998年11月，陕西省富平县水工队在温泉引水工程工地发现一座战国秦墓。

该墓位于富平县城关乡迤山村四社北约100米的公路北侧，为长方形竖穴式土坑墓。墓室四壁发现有草木灰涂抹痕迹。顶部盖板腐朽塌陷，但髹漆依稀可辨。墓底铺垫红土层。墓主头朝北偏西方向，葬式不明。在墓室的长方形生土台上随葬有日用陶器，器物组合为鬲、罐、盂、盆。在墓主头部及上身周围发现有陶环及陶鸟等小型泥俑十多件。泥俑造型拙朴，胎质疏松，饰红、白彩绘。简报配以照片予以介绍。

据介绍，该墓具战国中期秦人庶民墓的特征。从该墓所出陶鬲的造型看，仍具有浓郁的西戎风格。墓口用木板封盖，反映了战国中期秦墓木椁室退化的时代特征。

简报认为，该墓所处地理位置为温泉河北岸高塬地带，地势较为平坦。在该墓东、西、北约2公里的范围内相继有战国墓被发现，简报推断该地为战国秦人的一个重要墓区。

1492.陕西韩城梁带村遗址M19发掘简报

作　者：陕西省考古研究所、渭南市文物保护考古研究所、韩城市文物旅游局　孙秉君、程蕊萍、陈建凌、王仲林、张　伟
出　处：《考古与文物》2007年第2期

韩城市位于陕西省东部，地处关中平原与陕北黄土高原过渡地带，东濒黄河，隔河与山西乡宁、河津、万荣相望。境内古代遗存丰富，现有全国重点文物保护单位11处，为陕西省各县市之冠。遗址所处的梁带村隶属韩城市昝村镇，位于市区东北7公里处黄河西岸的二级台地上。2004年8月，韩城市文物旅游局发现梁带村北部有古墓葬，且有几座惨遭盗掘。2005年4月，考古人员对梁带村进行调查和勘探，以了解墓地的年代、性质和分布范围。随后，对梁带村北进行了第一次勘探，勘探面积3万余平方米，共发现两周墓葬103座、车马坑17座，其中大墓4座。同时对墓地的范围进行了调查走访和抽样勘探，初步确定墓地东西长约600米，南北宽约550米，面积33万平方米。随即对3座带墓道的大型墓葬（M19、M27、M26）进行了抢救性发掘。M19是最先发掘的大墓，发掘工作于2005年5月开始，年底结束，历时6个月。

简报分为：一、墓葬位置及层位关系，二、墓葬概况，三、随葬器物，四、初步认识，

共四个部分。有手绘图、照片。

据介绍，M19为单墓道长方形竖穴土圹墓，一椁一棺。随葬器物按质料分为青铜器、玉器、漆木器等。简报推断M19的年代为春秋早期。M19最有可能为夫人墓。简报称，梁带村M19“芮”器的发现对于芮国史的研究具有重要的学术意义。

1493.陕西韩城梁带村遗址M27发掘简报

作　者：陕西省考古研究院、渭南市文物保护考古研究所、韩城市文物旅游局　孙秉君、李　恭、程蕊萍、张　伟、童学猛

出　处：《考古与文物》2007年第6期

2005年5月，考古人员始对梁带村遗址的3座带墓道的大型墓葬进行抢救性发掘，发掘工作于2007年1月全部结束。

简报分为：一、墓葬位置及层位关系，二、墓葬概况，三、随葬器物，四、初步认识，共四个部分。介绍了M27，有手绘图、照片。

据介绍，M27是截至目前梁带村遗址唯一发现的带有南北两条墓道的长方形竖穴土坑墓。墓葬形制巨大，随葬青铜礼器七鼎六簋，还有48件金器以及兵器、成套乐器，毋庸置疑，墓主必为一代国君。簋上的铭文“芮公作为旅簋”则直接告诉我们墓主确为芮公。已发掘的M19、M26三座大墓出土的带铭铜器均有“芮公”“芮太子”，梁带村两周墓地的国别确为芮国当无疑问。

简报称，金剑鞘、金镤、金龙以及带盖尊、青铜三角形戈等，都是首次发现的两周时期的新品种，丰富了考古学文化的内涵。就目前的资料分析，随葬的錞于应为迄今发现时代最早的錞于，属春秋早期，这对于研究该类乐器的起源和传播具有重要的学术价值。

1494.陕西韩城市梁带村芮国墓地M28的发掘

作　者：陕西省考古研究院　吕智荣、张天恩等

出　处：《考古》2009年第4期

梁带村芮国墓地位于陕西韩城市昝村乡梁带村北。墓地东距黄河0.5公里，西南距韩城市10公里，北距昝村镇8公里，西禹高速公路从墓地西侧穿过。2005～2006年，考古人员发掘了三座带墓道的大墓，据出土的青铜器铭文知其为芮公及其夫人的墓葬。2007年，再次对墓地进行了考古发掘。发掘分别在南、北两区进行，共清理大、中、小型墓葬30多座，其中位于南区墓地东端、在芮公墓

M27 东南约 27 米处的 M28 是 2007 年发掘的最大的墓葬，出土遗物丰富。

简报分为：一、墓葬形制，二、出土遗物，三、结语，共三个部分。有彩照、手绘图。

据介绍，该墓为带一条斜坡墓道的“甲”字形大墓，墓道位于墓室南壁，葬具为单椁重棺。随葬品有铜礼器、武器、车马器和玉石装饰品共计 773 件。该墓的时代约相当于春秋早期偏晚阶段，墓主是晚于 M27 墓主的芮国的又一代国君。

1495.陕西韩城梁带村芮国墓地西区发掘简报

作　者：陕西省考古研究院、渭南市考古所、韩城市文物局　张天恩、吕智荣

出　处：《考古与文物》2010 年第 1 期

韩城梁带村芮国墓地自 2005 年发现以来，引起广泛关注，大量珍贵文物以及铸有“芮伯”“芮太子”等铭文的青铜器的出土，揭开了对古芮国历史研究的新篇章，也引起了考古文物部门及当地政府的高度重视。2007 年考古人员再次对墓地进行了规模较大的发掘，发现古墓葬 43 座。其中汉墓 1 座，车马坑 3 座，两周时期的墓葬 39 座。考古人员对有可能破坏的 10 座周代墓葬和 1 座马坑进行了发掘。简报分为：一、墓葬形制，二、随葬品，三、殉马坑，四、结语，共四个部分。有照片、手绘图。

据介绍，10 座墓中型墓 4 座、小型墓 6 座。发掘的 4 座中型墓中均有串饰与荒帷遗迹，不过有的墓中比较丰富，有的则较少，绝大多数随葬品贫乏。有的仅有丧仪性物品铜翣和玛瑙串饰、玉玦及口琀等小件，均没有陶器。串饰多由石坠或蚌坠、铜鱼组成，个别还有陶珠。有的铜鱼、铜翣上残留有纺织品遗迹和黑、红彩痕迹，这可能与所谓的“荒帷”有关。M18 是中型墓中唯一一座出土随葬品较为丰富的墓，器物有铜礼器、兵器、车马器和铜翣、铜铃、铜鱼等丧仪器及玉、石、骨器等，另外还有漆器痕迹。小型墓中有的只有玉玦或口琀，有的则无随葬品。殉马坑 3 座，中有 2 匹马、1 条狗。简报推断此处为春秋时芮国墓地。M18 可能是芮国将领，身份为大夫级。M51 的墓主人也应是大夫级，M2、M49 墓主身份要低一些。6 座小墓有葬具，应为庶民身份。

1496.陕西渭南阳郭庙湾战国秦墓发掘简报

作　者：陕西省考古研究院、渭南市考古研究所　孙铁山、杜应文、高雅文、马生涛

出　处：《文博》2011 年第 5 期

渭南阳郭战国秦墓地，西北距渭南城中心约 25 公里。2006 年考古人员配合工程建设进行了抢救性发掘，其中秦墓 32 座。

简报分为：一、墓葬形制，二、随葬器物，三、结语，共三个部分。有手绘图。

据介绍，32 座墓计竖穴土坑墓 17 座、洞室墓 15 座，均为中小型墓。葬式以屈肢葬为主。随葬器物按质地分为陶器、铜器、铁器、料器等。陶器有罐、盆、釜、鬲、壶、茧形壶、盒、盂、钵、碗等。有 4 座墓无随葬品。年代从战国中期至战国晚期不等。此处秦墓的发现，证明至少在战国中期，秦人势力已扩张至此。

延安市

1497.延安地区战国秦长城考察简报

作　者：延安地区文化普查队　姬乃军

出　处：《考古与文物》1990 年第 6 期

1988 年 1 月，延安地区文物普查队在 1987 年延安地区文化普查队调查的基础上，对该地秦长城又进行了一次实地考察，基本查清了该段长城的走向。

简报分为：一、吴旗县庙沟乡境内，二、吴旗县长官庙乡境内，三、吴旗县洛原乡境内（洛河以西段），四、吴旗县洛源乡内（洛河以东段），五、吴旗县薛岔乡境内（南段），六、志丹县纸坊乡境内，七、吴旗县薛岔乡境内（北段），八、吴旗县五谷城乡境内，共八个部分。有手绘图、照片。

据介绍，这段长城西起吴旗县庙沟乡郝林沟村南，经长官庙乡和洛源乡境内，进入志丹县纸坊乡，又进入吴旗县薛岔乡境内，经五谷城乡边缘地带，进入榆林地区靖边县红柳沟乡，全长约 235 公里。延安地区境内的战国秦长城内侧遗迹发现了部分障城城址。这些障城一般规模较大，而且都位于地势险要处，或河道开阔地带。在这些地方筑城并屯以重兵，对保障秦地北部的安全有着十分重要的意义。同时在障城内还发现了建筑遗物及日用陶器罐，为鉴定城址的时代提供了确凿的依据。

简报称，长城所经地，许多地名仍与长城有着十分密切的关系，如城墙村、边墙壕、城墙岭等，为地名学的研究提供了重要的资料。

1498.延安境内秦直道调查报告之二

作　者：延安地区文物普查队　姬乃军

出　处：《考古与文物》1991 年第 5 期

《延安境内秦直道调查报告之一》（载《考古与文物》1989 年第 1 期），曾就秦直道路基的宽度、秦直道与秦汉城堡的关系、圣人条即秦直道等问题作了探讨，反映了延安地区文物普查队 1987 年对志丹、安塞两县境内的秦直道进行的考察。1988 年考古人员又对黄陵、富县、甘泉三县境内的秦直道进行了考察。

简报分为：一、秦直道在黄陵、富县、甘泉境内的基本走向，二、秦直道附近发现的古文化遗址和石窟寺，三、有关秦直道几个问题的探讨，共三个部分。介绍了 1988 年的调查情况，有照片。

简报指出，秦直道建成后，发挥了巨大的历史作用。秦始皇外出病死后运载他尸体的车队，是从秦直道走的。汉武帝抗击匈奴十八万大军，是从秦直道走的。西夏、唐、宋、明、清，许多重大历史事件均与秦直道有关，甚至直至抗战初期秦直道富县至旬邑马栏一段，也曾是奔赴延安的热血青年辗转由关中赴延安的必经之路。1946 年 9 月，王震将军率八路军南下支队从中原突围后，也是由旬邑马栏一带沿着秦直道回到陕甘宁边区的。时至今日，一些简易公路仍利用了秦直道的部分路基，辟作通途。

1499.子长县发现的青铜器

作　者：李亮亮

出　处：《文博》1992 年第 6 期

1991 年 4 月 8 日，子长县史家畔乡李家沟村农民李春祥，在修整承包的果园时，挖出一个古墓坑，墓坑横竖约 2 米，帮、底由浑石砌成，上面横竖覆盖四层，直径为 0.3 米的圆木（木料已黑朽成渣）。墓坑中挖出战国青铜器六件和一个玛瑙环。简报配以照片予以介绍。

据介绍，青铜器有铜壶一个、铜鼎一对、铜剑一把和玛瑙环一个。

1500.陕西志丹县永宁乡发现秦直道行宫遗址

作　者：姬乃军

出　处：《考古》1992 年第 10 期

1989 年 4 月下旬，考古人员在本县永宁乡任窑子村进行田野调查时发现一处大型秦代遗址，并采集了一些遗物。5 月下旬，对遗址进行复查。简报配以照片、拓片予以介绍。

据介绍，该遗址位于任窑子村西约 200 米处，为一高出地面 15 米的土台，南北长约 350 米，东西宽约 80 米，俗称“营盘山”。秦直道即位于遗址西侧。其西侧断面呈垂直状，其余三面皆呈三级台阶状。现遗址已被辟为耕地。四周断面及地表均可发现大量的建筑遗物，其中有砖、瓦、陶管道、陶井圈等。

简报称，秦直道在志丹县境内，南起柏树畔，经松树坪、任窑子、安条、马弯子、牛棚圪塄、土门、新堫坑、杨坬塌等地，宽 40 ～ 50 米。任窑子发现的遗址正位于这条路线附近，其上采集的遗物具有明显的秦代遗物特点，故简报初步肯定此遗址为秦直道沿途的行宫之一。

简报指出，这处遗址的发现对考察秦直道的位置有十分重要的意义，它否定了秦直道是经过甘肃境内子午岭主脉北行直达定边县南的说法。

1501.志丹县发现一处秦代建筑遗址

作　者：宿玉成

出　处：《考古与文物》1995 年第 3 期

考古人员于 1995 年 1 月初在杏河乡候市村发现一处大型秦代建筑遗址。

简报介绍，遗址位于杏子河北岸的二层台地上，东距秦直道约 1 公里，西距候市旧粮站 10 米，东西长 400，南北宽 120 米，平面呈长方形。东城墙残存 50 米左右，高 4 ～ 5 米，城墙外侧留有夯筑时木板痕迹和一排排棍洞痕迹。西城墙残存 40 米左右，高 2 ～ 4 米。从断面和残城头可以明显看出，城墙是在地表土上直接修筑的，并且东西城墙的夯土纯净、坚硬、结构缜密。遗址地表遗物十分丰富，以板瓦、筒瓦、铺地方砖、回纹砖、柱础石为多。瓦当中半瓦当按大小分为两种，均为素面。圆瓦当花纹多样，有的瓦当上还留有朱红色涂料。遗址内还发现灰坑及罐瓮等器物碎片。

简报称，这处秦代遗址和秦直道有一定联系，它的发现对研究秦汉历史有着重要的意义。

1502.延川县出土的几件青铜器

作　者：樊俊成

出　处：《考古与文物》1995 年第 5 期

延川县文管会征集到一批珍贵青铜器。这些青铜器都是本县群众在农田基建和修造房屋时出土的。简报配以手绘图、照片予以介绍。

蛇首七星剑、钺两件青铜器，简报推断为商代器物，出土于 1979 年春在延川县土岗乡土岗村村北约 500 米处的台地上。一起出土的还有贝币数十枚，现存 6 枚；金质弧形器一件，重约 40 克，由延川县人民银行兑换收藏。

三环盖弦纹铜鼎1件，从铸造工艺、造型、质地来看，是一件战国楚式鼎。1984年5月，该鼎在延川县县城东北侧的县外贸公司施工中距地表约5米处出土，一起出土的还有铜鉴2件（残）、秦鼎2件、蒜头壶1件、铜灯台1件并有兽骨数块。

1503.陕西甘泉出土的战国瓦当

作　者：甘泉县博物馆　王勇刚、赵文琦

出　处：《文物》2005年第12期

甘泉县城北距延安市40公里，地处关中通往陕北的咽喉要道，历史悠久。夏商时，为雍州西河地，周为白翟所居。据《史记·匈奴传》记载，春秋时“晋文公攘戎翟，居于河西圁洛之间”。战国时属魏，秦属上郡，汉置雕阴县。1993年以来，甘泉县城区陆续发现了三处古代建筑遗址，在这些遗址内出土了一批瓦当。简报分为：一、半瓦当类，二、圆瓦当类，三、讨论，共三个部分。有彩照、拓片、手绘图。

据介绍，半瓦当类有素面半瓦当、虎纹半瓦当、云纹半瓦当、连鼻纹半瓦当、蘑菇纹半瓦当等。圆瓦当类有狩猎纹瓦当、花瓣纹瓦当、蘑菇状连鼻纹瓦当、勾连阴云纹瓦当、叶云纹瓦当、对虎纹瓦当等。制作不是很精致，甚至有纹饰走样、模印不清和残次品现象。甘泉县城区出土的这批瓦当应为战国中晚期魏国雕阴邑官署建筑所使用。三处遗址的发现和这批瓦当的出土为深入研究陕北地区战国、秦汉历史提供了重要资料。

1504.陕西黄陵寨头河战国戎人墓地发掘简报

作　者：陕西省考古研究院、延安市文物研究所、黄陵县旅游文物局　孙周勇、邵　晶、孙战伟、邵安定、徐　菱

出　处：《考古与文物》2012年第6期

2011年4～12月，考古人员对黄陵县阿党镇寨头河村的战国墓地进行了全面勘探及发掘，出土了一批丰富的战国时期戎人遗存。寨头河墓地系晋陕高原首次发现并完整揭露的唯一一处戎人墓地，与魏国关系密切。

简报分为：一、墓地概况，二、墓葬举例，三、马坑，四、结语，共四个部分。有手绘图、照片。

据介绍，寨头河墓地南北长约110米，东西宽约50米，总面积约5500平方米，共发现墓葬90座、马坑2座以及出土青铜短矛的方坑1座，周边未发现围沟、围墙等墓园建筑遗迹。出土了包括铜、陶、铁、骨、玉、贝、石器和料珠等在内的一批

重要文物，数量达千余件。其中有战国时魏国货币及陇东一带戎人墓地常见器物，还有少量北方草原风格器物。简报称，寨头河墓地区域位置重要，地处由北向南、由西至东的文化通道之中枢，文化面貌复杂，多元因素共存，为探讨东周时期的文化传播、民族融合和互动提供了新的考古学材料。

汉中市

1505.褒斜栈道调查记

作　者：陕西省考古研究所、汉中市博物馆　秦中行、李自智、赵化成
出　处：《考古与文物》1980 年第 4 期

1962 年，考古人员对褒斜栈道曾作过调查。1979 年对褒斜栈道又进行了一次调查，历时 14 天，从留坝县武关驿出发，沿褒、斜二水，一直走到郿县斜峪关，行程 200 余公里。沿途发现了栈道遗迹 22 处，桥梁遗迹 3 处，唐代造像 1 处，古城址 1 处。这些遗迹对研究褒斜栈道颇有参考价值。简报分为三个部分予以介绍，有照片、手绘图。

简报称，褒斜栈道是我国开凿最早、规模最大、沿用时间最长的一条栈道。长期以来，一直是往来秦岭南北通向西南的一条重要通道。褒斜栈道修成之后，促进了我国的统一，促进了巴蜀地区社会经济文化的发展，也促进了中原地区和西南各民族的团结，在历史上起着重要的作用，在交通史上占有重要地位。在 2000 多年前凿通这条栈道，是一种了不起的创举。它标志着我国当时工程技术的水平，表现了我国人民高度的智慧与艰苦卓绝的劳动，是我们可以引为自豪的。

1506.汉中杨家山秦墓发掘简报

作　者：何新成
出　处：《文博》1985 年第 5 期

杨家山村位于汉中城北，现属汉中市沙沿乡。安中机械厂在此建厂，钻探出古墓葬 60 多座，其中土坑墓有 37 座。1979 年 2 月，考古人员配合该厂基建施工，清理了两座西汉前期的长方形竖穴土坑墓。1982 年春节期间，该厂新建教学大楼，又随工清理了一座墓葬，编号 82HYM3。

简报分为：一、墓葬形制，二、随葬器物，三、结语，共三个部分。有拓片、照片、手绘图。

据介绍，该墓为长方形竖穴土坑墓，单棺单椁，人骨已朽，葬式不明。这座墓共出土随葬品27件，绝大多数器物保存完好。这些随葬品大体放置在墓底四周炭层上面：铜鼎4件，陶罐4件，陶茧形壶4件，彩绘陶钫1件，铜盘1件，放置在墓室东部；铜钫大小各2件，放置在墓室西部；铜镜1件，半两钱1246枚，放置在墓室的西北侧；铜弩机放置在两铜钫之间；铜甑1件，蒜头壶大小各1件，铜鍪2件，置于墓室的南侧。出土印章一枚，玉质，上刻“赵忠”两字，应为墓主人姓名。从随葬品看，此人可能为一武官。简报认为这座墓应为秦墓，其下限不会晚于秦亡。

1507.汉中市石英沙厂清理三座战国墓

作　者：何新成

出　处：《文博》1987年第6期

1986年6月21日，汉中市石英沙厂修建蓄水池，在距地表1.4米深处，发现有陶器及人骨架。现场勘查的结果，确定此处为战国时期的墓葬，考古人员即日进行了清理工作。

简报分为：一、墓地概况与墓葬形制，二、随葬器物，三、结语，共三个部分。有手绘图、照片。

据介绍，墓地坐落在汉中城北约13.5公里的周宅村北端、距褒河区1.5公里的沙丘带，西距褒水约100米。石英沙厂在此建厂期间，先后几次发现古墓。三座战国墓葬所在地，早在建厂时地面沙丘就已夷平，现成为一块平地。三座墓均未发现有棺椁痕迹，各墓的人骨架均保存完整，为仰身直肢葬，除M1部分骨架已被移位，面部向下外，另外两具骨架尚且完好。共出土陶、铜、石、骨等质料的器物54件。其中以陶器占多，有少量铜器。简报推断，此三墓应为战国中期巴蜀人墓葬。

1508.陕西城固发现楚国铜戈

作　者：王寿芝

出　处：《考古与文物》1988年第1期

城固县柳林镇古城村农民挖土时，发现两件铜戈，及时送县文化馆保存。简报配以拓片予以介绍。

据介绍，第一件是长胡三穿戈，第二件是三角三穿戈。战国时，汉中盆地属楚。怀王为了防止秦国入侵，在汉中屯兵，并设立汉中郡。过去，汉中盆地各县未见楚国遗物。这两件铜戈的出土，为研究战国时楚国在汉中盆地的活动，提供了实物资料。

1509.陕西勉县发现巴式青铜剑

作　者：勉县博物馆　郭清华
出　处：《考古》1992 年第 7 期

勉县博物馆从淘沙金的农民手中征集到两柄柳叶形青铜剑。这两柄青铜剑都属于春秋战国之际巴民族的实用兵器。它们出土于汉江 5 ～ 6 米深的河床中。简报配以照片予以介绍。

据介绍，一件为龙纹青铜剑。扁茎，无格，有中脊，柄有两个圆穿，剑锋较薄，故而残缺。剑的两面中脊处，各有一条浅浮雕形龙纹。其中一面在龙的胫部前方，有一字，当属巴国文字。另一件为虎纹青铜剑。扁茎，无格，有中脊，中脊有血槽，柄有两个圆穿，剑身隐约可见满布卷草阴线纹饰。剑锋上部有阴刻虎头纹图腾。

简报称，这次先后出土在汉江（古沔水）河床深处的两柄青铜柳叶剑，是继 1973 年在勉县发现虎纹巴式铜矛后的又一批春秋战国之际的巴人兵器。这些兵器，很可能是当时巴、楚争战中所遗之物。剑上的龙纹、虎纹，是巴人崇拜的图腾。

榆林市

1510.陕西神木县出土匈奴文物

作　者：戴应新、孙嘉祥
出　处：《文物》1983 年第 12 期

神木县地处鄂尔多斯高原南缘，毛乌素沙漠向陕北黄土高原过渡地带的东段，北连内蒙古，南滨黄河，西邻榆林，东接府谷，隔黄河与山西保德县相望。在神木境内，有两条长城遗迹。一条是战国秦长城，另一条是明长城。神木县以明长城为分野，形成两种不同景观：以北是风沙草滩；以南为黄土丘陵沟壑区，土厚山高，梁峁层叠，沟壑纵横。战国末期，鄂尔多斯高原是逐水草而居的匈奴人生活驰骋的地方。贯穿神木的秦长城，就是秦昭襄王为了防御匈奴入侵而修筑的。考古人员先后在纳林高兔、李家畔、中沟、老龙池、马家盖沟和乔岔滩发现匈奴墓葬和遗物。简报配以照片、拓片、手绘图予以介绍。

据介绍，出土匈奴遗物有剑柄、圆雕银雄鹿、圆雕银雌鹿、圆浮雕金虎、圆雕银盘羊扣饰、圆雕银环、金虎、圆雕铜兔、铜印等。简报推断这批文物的时代为从春秋末年或战国早期，下限不超过秦汉之际。

1511.神木县窟野河上游秦长城调查记

作　者：陕西省考古研究所陕北考古队、榆林地区文物管理委员会　戴应新、康兰英

出　处：《考古与文物》1988 年第 2 期

陕北神木县窟野河上游秦长城，是战国末期秦昭襄王修筑的西起甘肃岷县、东达内蒙古准格尔旗黄河南岸十二连城的“万里长城”的一部分。准格尔旗的那段长城，史念海先生曾予调查。考古人员依照史先生提供的线索，在陕蒙边界牸牛川西侧发现了秦长城遗迹，并顺蔓摸瓜，一直追寻到神木县西，完成了神府煤田矿区七十多处的长城调查任务。

简报分为“调查目的与经过”“山河地势与长城走向”“结论”，共三个部分予以介绍，有手绘图。

据介绍，秦长城是就地取材、因应地势而建筑的，其高低，宽度，墩台大小、距离及各段落的长短都不一致，是根据建筑材料、地理形势和防守的需要而变化的。长城外侧有壕沟，起到防敌和排水的双重作用。汉代曾继续使用这段长城。

1512.榆林境内秦直道调查

作　者：榆林市文物保护研究所　王富春

出　处：《文博》2005 年第 3 期

秦直道是秦始皇统一全国后，为对付匈奴南侵，于公元前 212 ～前 210 年派大将蒙恬，役使十数万民众，用不到两年半时间，修筑的一条南起咸阳北的云阳林光宫、北至内蒙古包头西的九原郡、全长 1800 里（合今 742.5 公里）的军事大道。秦直道的走向及所经路线史籍记载非常简略，不足百字，再加上两千多年环境的变迁，给后世研究者带来诸多不便，也使人们对它的走向产生了很多认识上的分歧。考古人员亲往调查榆林境内秦直道。

简报分为：一、榆林境内秦直道的入口，二、榆林境内秦直道的出口，三、榆林境内秦直道的走向，四、对榆林境内秦直道的几点认识，共四个部分。有照片。

据介绍，榆林境内秦直道经过3县12乡（镇）23村，全程长约151公里，占整个秦直道长度的20.3%，宽度窄处6米、宽处45米。简报还详述了秦直道在榆林市境内的入口、出口、走向等。

1513.神木县西沟秦长城遗址发掘、调查报告

作　者：陕西省考古研究院、榆林市文物考古勘探工作队、神木县文管办　肖健一、康宁武、程根荣、尚爱红、陈　毅

出　处：《考古与文物》2011年第3期

2008年榆神高速公路的考古工作中，于神木县西沟乡西沟行政村瓜地渠自然村东北约1公里处发现秦汉建筑遗址。

简报分为：一、西沟瓜地渠遗址的发掘，二、瓜地渠遗址南北延伸段调查，三、出土与采集遗物，四、结语，共四个部分。有照片、手绘图。

据介绍，主要遗迹有长城墩台等，遗物有制作粗糙的筒瓦、板瓦等。此次发掘的遗址与调查的墩台及墙体，从出土、采集遗物来看，应属战国晚期无疑。大体为南北走向，位于窟野河右岸3～5公里处。从其走向及地理位置观察，应为秦昭襄王修筑的长城。

安康市

1514.安康发现石质“半两”钱范

作　者：李启良

出　处：《考古与文物》1982年第4期

1981年陕西安康地区文物普查中，在安康县恒口新街队征集了一件石“半两”钱范，系该队农民近年在宅旁挖沼气池时出土。简报配以拓片予以介绍。

据介绍，范用较坚硬的砂石制成，首缺，残长26.5厘米，宽12.4厘米，厚3厘米，略呈长方形。范背面琢制成瓦形。钱圆形，穿正方形，边长1厘米。穿左右篆刻钱文“半两”二字。穿部突起与范身齐平，以平的石扳扣合即可使用。

从钱文推测，为当秦汉之际民间私铸所用的钱范。

1515.安康出土一件虎钮錞于

作　者：陕西省安康文管会　徐信印

出　处：《江汉考古》1985年第4期

錞于是我国西南地区古代民族具有代表性的一种乐器。錞于的铸造始于春秋，绝于东汉魏孝武帝被高欢所逼西迁。但个别民族直到宋代还有铜鼓与錞于合奏的风俗，总之錞于使用的历史时间很长，流传地域也较广，然而汉水流域发现甚少。安康出土的这件虎钮錞于，可谓初见。简报配以照片予以介绍。

据介绍，这件虎钮铜錞于，是1974年在安康县土产公司废旧物资中拣选出来的，出土于安康五里月河一带，拣选时下部略残，现已修复。这件战国虎钮錞于应属于以白虎为图腾的巴族乐器。

1516.安康出土的一件战国虎钮錞于

作　者：徐信印

出　处：《文博》1985年第5期

錞于是我国西南地区古代民族具有代表性的一种乐器。錞于的铸造始于春秋，衰于东汉。在“魏孝武帝被高欢所迫西迁，雅乐废缺”的年代，自蜀得之的錞于，已成为稀世的古物。个别民族可能延续的时代较长一点。总之，錞于使用的历史时间很长，但汉水流域却发现甚少，安康出土的这件錞于，可以说是独一无二之物。简报配以照片予以介绍。

据介绍，这件虎钮铜錞于，是1974年在安康县土产公司废旧物资中拣选出来的。据了解出土于安康五里月河一带，拣选时下部略残，现已复原。錞于是我国古代一种青铜乐器，演奏时即在钮上贯一横木，架于两柱之间，使錞于竖悬，演奏时用锤敲击錞于臂部。该件虎钮錞于，简报推断为战国时期遗物。

1517.陕西旬阳发现战国楚墓

作　者：旬阳县博物馆　张　沛等

出　处：《文物》1987年第5期

1985年7月，陕西省旬阳县雪茄烟厂基建工地（县城北1公里）发现一座战国楚墓，考古人员进行了清理。墓葬因破坏严重，形制已无法看清，可能为竖穴土坑墓，获得铜器、玉器及陶器共十余件。简报配以照片予以介绍。

据介绍，旬阳地区春秋中期以前属于庸国。楚庄王即位第三年（前611年）春，庸国被灭。此后，至战国中期，旬阳地区一直隶属楚国。楚怀王十七年（前312年）春，楚国战败，旬阳地区改属秦国。楚怀王二十五年（前304年）楚、秦结盟，旬阳地区重归楚国。楚顷襄王十九年（前280年），秦又伐楚，旬阳地区再属秦国。此座战国楚墓，曲折反映了这段历史。简报推断此墓很可能葬于战国中期，不晚于楚顷襄王之时。

1518.陕西紫阳白马石巴蜀墓发掘简报

作　者：陕西省安良水电站库区考古队　孙秉君、王炜林

出　处：《考古与文物》1987年第5期

白马石战国巴蜀墓位于陕西省紫阳县金川乡白马石村西北约150米的山坡上，南距汉江300多米，高出江汉河床约百米。1986年1月，当地农民筑房取土，在此发现竖穴式墓葬3座。考古人员进行了清理，在清理过程中又新发现了5座同期的墓葬。

简报分为：一、墓葬的布局、结构及葬式，二、随葬器物，三、结语，共三个部分。有手绘图。

据介绍，八墓东西分类一行，有四座有二层台，葬式可辨的为侧身直肢葬。这八座墓中四座有随葬品，均为青铜兵器剑和戈，多放置于死者腰部。有的上有奇特铭文，无法辨读。这批墓，简报定为战国中期偏早巴人墓。白马石战国巴蜀墓葬的发掘，对于研究战国时期巴楚的关系、探讨古巴蜀的民族文字以及复原古巴蜀的历史等都有着一定的意义。

1519.旬阳又发现两座战国楚墓

作　者：张　沛

出　处：《文博》1991年第5期

继1985年7月1日在陕西省旬阳县雪茄烟厂基建工地（旬阳县城北1公里小河北）首次发现战国楚墓之后，1988年3月25日和4月2日，又连续在同一地点发现两座战国楚墓（旬阳2号楚墓、3号楚墓）。这两处楚墓均系施工中无意发现的，墓室毁坏严重，未能进行科学清理。简报配以照片，介绍现场获得的遗物。

据介绍，旬阳2号楚墓出土铜器、陶器、玉器、骨器共30余件。旬阳3号楚墓出土比较完整的陶器6件。

两墓应为战国中期楚墓。

1520.陕西安康一里坡战国墓清理简报

作　者：李启良

出　处：《文物》1992 年第 1 期

近年来，安康城南郊一里坡因安康县第二机砖厂大量取土，先后发现一些古墓葬。1984 年 4 月间，考古人员到该地进行考古调查，在砖厂取土的断层上又发现了几座古墓。地区文管会对其中保存较完整的一座墓葬进行了抢救性清理。

简报分为：一、墓葬情况，二、结语，共两个部分。配有照片。

据介绍，此墓为长方形竖穴土坑墓，无封土，墓底距地表 4.3 米。随葬器物经复原后统计达 80 余件。以陶器为主，计 77 件；另有绿松石等其他器物 6 件。墓葬时代简报推断属于战国时期，上限不早于战国中晚期。墓主是生前具有一定社会地位的中小贵族。

简报称，M3 的随葬器物包括成组成套的礼器，多为双数。虽没有一件铜器，但不少陶器依照铜器形制，表面还残留铜绿色涂层。这反映了当时用礼器随葬的制度，与汉代以后用生活用具模型随葬的情况是不同的。

1521.安康地区博物馆藏战国青铜器

作　者：施昌成、刘康利

出　处：《文博》1992 年第 5 期

20 世纪 70 年代以来，安康地区博物馆陆续收集了一批战国时期的青铜器。其中部分风格独特，纹饰精美，具有较强的地方特色。简报配以拓片、照片介绍部分器物。

据介绍，提梁盉、羽纹钫、双鱼纹釜均为征集，铜鼎、铜簋、云纹壶、花蒂纹壶、虎钮錞于均有具体出土地点。从造型风格上看，除錞于外，这几件铜器中提梁盉较早，其他当在战国中晚期。

简报称，这批铜器中仅有羽纹钫有铭文，除史密簋外，这是目前安康所仅见的一件带铭铜器。铭文笔画纤细，如针刺成，不像巴蜀符号那样具有象形性，而具有金文的结构特征。因文字单一，不能反映一个事件，简报推测它是某个部族名称或人名。

今有彭裕商先生《战国青铜器年代综合研究》（巴蜀书社 2018 年版）一书，可参阅。

商洛市

1522.陕西丹凤商邑遗址

作　者：王子今、周苏平、焦南峰
出　处：《考古》1989年第6期

商邑遗址位于陕西丹凤县城以西约3公里的古城村，西临老君河，南濒丹江，为丹江川道东西交通要冲。1984年4月和12月，考古人员两次赴商邑遗址进行调查。简报分为三个部分予以介绍，有手绘图。

据介绍，遗址南部现在大部被古城村民居所覆盖。墙边屋后多堆积古瓦和陶器残片，曾出土完整的朱雀图案的空心砖。遗址北部曾多次出土青铜兵器。田头渠畔及路边崖上，保留残砖、碎瓦、夯土、墓穴等遗址现象。据调查资料分析，遗址中部偏北的建筑区，可能为官署所在，南部为一般民居，北部曾分布带有军事意义的建筑，此外还有一些墓葬。出土遗物主要有铜器、陶器、陶建筑材料等。简报推断其年代亦相当于战国时期。

简报指出，丹凤古城岭遗址发现之后，有人曾推测此即商鞅封地商城。经过1984年的调查，大量遗迹遗物，特别是“商”字瓦文的发现，可以判定这里确实是战国时期的名城商邑的遗址。

1523.陕西山阳过凤楼出土战国铜器

作　者：山阳县文物管理所　蔺德智
出　处：《考古与文物》1992年第5期

1989年12月，山阳过凤楼乡陶瓷厂工人在取土时挖出铜剑一柄，铜剑周围土层中有零散小片碎骨。1990年2月22日，陶瓷厂工人又在距1989年出土铜剑西侧约3米的地方，挖出铜壶、铜戈、铜剑等器物四件。在这些器物的土层中亦伴有零星碎骨，同时还发现有陶罐和陶高的残片。这两次发现，考古人员前往现场进行了勘查。从现场情况分析，这些器物可能是墓葬中的随葬品，因现场破坏严重，基葬的形制已无法得知。两次出土器物共5件。简报配以照片予以介绍。

据介绍，这批器物有：铜壶，2件，可分二式；铜剑2件，可分二式；戈1件。以上所出器物，其中铜剑的形制与丹凤县古城村遗址和洛阳中州路战国墓出土的铜剑相同，铜壶与湖北江陵雨台山楚墓出土的形制相似，戈的形制则是战国中晚期所常见的。以上铜器应为战国时期的遗存。简报称，这次发现在山阳境内尚属首次，为研究这一地区战国时期的历史面貌，提供了宝贵的实物资料。

1524.陕西洛南祝塬秦宫殿遗址调查简报

作　者：秦建明、陈良合

出　处：《考古与文物》1994 年第 4 期

1991 年 8 月上旬，考古人员对洛南县境内重点文物进行复查，于洛南县西部旧传为“李密冢”的高丘上，采集到一些绳纹瓦块。经观察，土丘堆积形状与一般隋唐墓葬封土有较大差异。为断定该土丘的性质和时代，同年 10 月，考古人员对该处进行了考古调查，发现土丘系一处大型秦代宫殿台基遗址。

简报分为：一、地理位置与环境，二、遗址状况，三、遗物，四、结语，共四个部分。有手绘图、拓片。

据介绍，此次于台基东侧发现的建筑地面，高出台基下地面 3.5 米，如台基下有一层建筑，则此台基至少应有三层建筑。最高处高出地面 11 米，比秦咸阳宫台基还高 3 米，所以其规模是比较宏伟的。调查中发现的室内建筑地面为淡红色，墙壁有白、淡紫色，与史籍里记载的秦始皇兴修的离宫别馆中“木衣绨绣，土被朱紫”可以相互印证。同时，咸阳宫一号遗址地面处理与此相仿，简报由此推断，此处宫室当为秦筑于洛水上游的离宫性质的建筑，可能属于所谓“关内二百七十多处宫观”之一。依据出土和采集的遗物分析，这座建筑始建于战国晚期，大致毁于秦末战乱中。

简报认为，此次洛南祝塘村秦代大型宫殿遗址的发现，是陕西近年考古调查的重要收获之一，是商洛及陕南秦岭山区发现的第一处大型秦宫殿遗址。这一发现大大丰富了我们对秦宫殿建筑的分布区域之认识，把秦大型宫殿在陕西的分布范围进一步向东南作了拓展。

1525.陕西洛南冀塬一号战国墓

作　者：西北大学、洛南县博物馆　张懋镕、张小兵

出　处：《文物》2001 年第 9 期

1982 年 10 月，洛南县城关镇西寺冀塘村农民在取土时发现一座古代墓葬，考古人员进行了清理。西寺冀塬东距县城 1 公里，墓葬位于村南土坡上，俗名“西石嘴”。坡下是蓝洛公路。葬具仅存椁木。出土有铜礼器鼎、豆、匜以及兵器、车马器等。

简报分为三个部分予以介绍，有彩照、手绘图。

据介绍，出土遗物中以有铭文的一件戈最为精美。此戈应属吴器，年代属春秋晚期，极有可能是吴国王室用器。其他铜器，少部分可早到春秋晚期，延续使用至战国早期，而大部分器物有战国早期铜器特征。故此墓年代应属战国早期。

1526.洛南西寺冀塬及城关粮库东周墓发掘简报

作　者：商洛市考古队、洛南县博物馆　王昌富、陈道久、张小兵

出　处：《考古与文物》2003 年第 5 期

陕西洛南县城北面紧靠一条东西走向的山梁，当地俗称“北塬”。山梁呈弯月状围搂着县城，并有数条向南伸下的梁峁直抵城边。西寺冀塬位于西端的梁坡上下，县粮库则位于“弯月”的中段偏东，两地相距 1.5 公里。早在 1984 年，西寺冀塬的梁头上就有墓葬发现，出土文物已见报道。粮库早年也有零星文物出土。在“弯月”的东端，1988 年砖厂曾发现木椁墓一座，汉代遗存也很丰富。2000 年 3 月初，考古人员对西寺冀塬进行了调查。由于城市不断扩建，县城以北的梁坡上下已遍是房舍，西寺冀塬也不例外，梁头上的几处空地也已划为宅基地。为防意外，即对梁头上房前屋后的空地进行了小范围考古钻探，发现墓葬三座。2000 年 3 月 20 日对这三座墓葬进行了抢救性发掘。发掘结束后，县粮库南端梁头因垮塌暴露出墓葬一座，考古人员又在暴露墓葬的附近钻探发现墓葬一座，随后对其进行了抢救性发掘。两处地点共发掘墓葬五座，钻探和发掘时间共 23 天。

简报分为：一、西寺冀塬墓葬（A 区），二、粮库墓葬（B 区），三、结语，共三个部分。有手绘图、拓片。

简报推断：AXJM2 墓葬年代为春秋晚期至战国早期之间，墓主人身份为士；BLKM1 的墓葬年代为战国早期，墓主人身份不是一般的士；BLKM2 的墓葬年代亦定在战国早期，墓主亦属士一级，庶民中的较富有者。M1“弯月”M2 定为三晋魏国墓。这一发现为秦、晋、楚三国在陕南军事分界的划定等，提供了一定依据。

1527.陕西山阳县鹃岭战国墓葬

作　者：陕西省商洛地区考古队　王昌富、张小兵等

出　处：《考古》2005 年第 2 期

鹃岭村位于陕西省山阳县城以东 12 公里处的鹃岭下。鹃岭呈南北走向，将流岭和鹘岭两条南北相峙的山脉连接起来，是东连丹江、南通汉水流域的交通要道。原

山阳县陶瓷厂曾在鹃岭村北的金花沟取土，常有古墓葬发现并被破坏。历年来征集追回的文物有铜壶、戈、剑等。金花沟西侧很近处是唐家沟村的砖厂，在取土过程中也曾有古墓葬被破坏。1997 年 12 月，考古人员对这一区域进行全面的考古调查。当时在唐家沟砖厂清理了一座刚被炸开的竖穴土坑墓，出土一些铜壶残片和 1 件铜辖；另从砖厂办公室收回从墓中取出的铜鼎 2 件、剑 1 件及陶豆 2 件，并在现场对出土情况进行了核实。据调查分析，这一带可能存在大面积的古墓葬群。为此，考古人员于 1998 年 12 月对金花沟以及唐家沟砖厂取土的两条山梁重点进行了考古钻探，在金花沟发现墓葬 5 座，在唐家沟砖厂取土的山梁上发现墓葬 1 座，随即进行了抢救性发掘。这 6 座墓，加上 1997 年清理的 1 座，依次编号为 M1 ~ M7，统称为“鹃岭墓葬”。

简报分为：一、墓葬形制，二、随葬器物，三、结语，共三个部分。有照片、手绘图。

据介绍，墓均为长方形竖穴土坑墓葬。葬具为单棺或一棺一椁，棺木多髹漆并绘彩，个别木棺带有边箱。其中，M1 的葬式和随葬品较特殊，应为战国晚期的秦墓，甚至可能是已接近秦统一之时的秦墓。其余五座墓均属战国中、晚期的楚墓，随葬陶器基本组合为鼎、敦、壶，仅在 M2 和 M7 中出有少量铜器。简报指出，此次发掘为丹江上游和汉水流域楚文化的分布和研究，提供了新的实物资料。

1528.陕西丹凤县秦商邑遗址

作　者：商鞅封邑考古队　杨亚长、王昌富等

出　处：《考古》2006 年第 3 期

秦商邑遗址位于陕西省丹凤县城（龙驹寨）以西约 2 公里处的西河乡古城村，西距商州市（原商县）约 40 公里。该遗址是 1979 年考古人员首次调查发现的，1984 年考古人员又对该遗址进行过两次复查，初步判定其为战国商鞅封邑故址。1996 年 5 月，为了配合 312 国道改建工程，考古人员及时对该遗址进行了细致的调查与重点区域铲探，并对即将掘毁的两处地点进行了抢救性发掘。简报分为四个部分予以介绍，有照片、手绘图。

据介绍，此次发掘获得大量陶器和建筑构件，查明了该遗址的分布范围和年代，并在遗址东侧发现并局部清理一段战国城墙。遗存分属东周时期楚、秦和秦代至西汉早期。这些发现为探讨商鞅封邑的具体位置和秦楚两国的关系提供了新资料。

简报指出，丹凤古城村商邑遗址中大量春秋中期至战国中期楚文化遗存的发现，说明这里在商鞅就封之前曾经为楚国所有，并且是一处具有浓厚军事色彩的楚国聚落。据文献记载，至少在春秋中期，丹江上游即为楚国所有，楚国当年还曾在此设立商县进行管理。此次古城村商邑遗址中东周楚文化遗存的大量发现，则极可能与

当年楚国的商县有密切关系。联系近年对商南县过凤楼春秋楚文化遗址的调查与试掘资料，简报初步认为春秋时期楚国的商县故址很有可能就在这里。古城村商邑遗址的地理位置，与史书记载中的秦代以及西汉时期所设商县的方位完全相符，而该遗址中所发现的属于秦代和西汉早期的遗存，则理当属于当年商县之物质遗存。大量瓦当的出土亦表明，当年这里的建筑恐非一般民居。

甘肃省

兰州市

1529.甘肃永登榆树沟的沙井墓葬

作　者：甘肃省博物馆文物工作队　蒲朝绂

出　处：《考古与文物》1981 年第 4 期

1980 年 1 月 5 日，兰州化肥厂于全莲先生在野外打猎时，于永登县树坪公社赵老湾村南 2 公里处发现了一座沙井文化墓葬。考古人员进行了调查清理。该墓位于一座大山南面两道山梁的缓坡之间，墓葬已明塌，随葬品及填土已陷入沟底，崖面上留有墓葬的印痕。从残存的一根人腿骨的方向，可知墓葬的方向是头北足南。在靠近随葬品的西南角处，出现许多马、羊、牛的头骨，似乎是牺牲殉葬坑。简报配以照片、手绘图予以介绍。

墓葬共出土铜器 146 件以及少许铁器、陶片。时代测定相当于春秋早期，但简报认为应定为战国时期为宜。根据其分布地区和所处的时代推测，它可能是曾经活动在河西走廊一带的古月氏部族的遗存。

嘉峪关

金昌市

1530.甘肃永昌三角城沙井文化遗址调查

作　者：甘肃省博物馆文物工作队、武威地区展览馆　蒲朝绂、赵建龙

出　处：《考古》1984 年第 7 期

永昌三角城沙井文化遗址，是 1976 年冬季发现的。武威地区和永昌县，为此先

后两次派人调查了解，并对遗址采取了保护措施。考古人员于1979年3月又共同派人对该遗址再次进行了复查。简报分为“三角城遗址”“蛤蟆墩墓葬”两部分予以介绍，有手绘图、照片。

三角城遗址位于永昌县双湾公社尚家沟大队第二生产队西北角约0.5公里处，因其形状呈不规则三角形而得名。这里地势较高，有许多古墓葬。三角城略呈南北向，遗址中彩陶片甚少，只拣到很小的3块。这种彩陶纹饰，为沙井文化彩陶的一种，在过去较少见。遗址上有极少量的绳纹泥质灰陶片，与战国秦的陶质纹饰极相似。另征集到铜镞1枚、铜刀1把和几件陶器。

蛤蟆墩在三角城遗址略偏西南1公里处。那里地势较高，经雨水冲刷，形成高低不平的土丘，因常有积水而有蛤蟆，故叫“蛤蟆墩”。1978年秋，公社农林场修建房屋时，发现了墓葬。一座墓内仅存一头骨和几根肢骨，经鉴定为40岁左右的男性，其他遗物有木棒（直径4～5厘米）3根和一些芨芨草。另一座残墓从残存的墓坑痕迹看，墓口距地表约40厘米，基坑为长方形竖穴土坑，上小下大，墓深约2米。此墓随葬品较多，计有铜刀1件、铜牌饰22件、铜泡4件，还有马头骨2个、山羊头骨4个。

简报对三角城遗址的木炭标本进行了放射性碳素年代测定，其结果分别为距今2675±100年和距今2600±100年，相当于春秋早期阶段。

1531.永昌三角城与蛤蟆墩沙井文化遗存

作　者：甘肃省文物考古研究所

出　处：《考古学报》1990年第2期

甘肃永昌三角城地区与阿拉善台地的南缘残丘戈壁接壤。三角城和蛤蟆墩位于祁连山北麓的龙首山东延部分山脉下，这里因有金川河地下水源和祁连山冰雪水补充灌溉，故有金川河下游宁远堡和双湾绿洲区的形成，俗有“永昌盆地”之称。据调查和发掘，这里不仅分布着大量的沙井文化的墓葬和遗址，而且还有马家窑类型遗存。三角城和蛤蟆墩现属甘肃省金昌市双湾乡尚家沟村，西为自遗址西边向东北方向通往雅布赖的道路。三甬城和蛤蟆墩周围，过去无人居住，但遗址一带的土地早被尚家沟农民引水灌溉，辟为农田。20世纪70年代初，尚家沟的部分居民迁到这里建起新村庄。三角城城址就在新村庄西北角0.5公里处。三角城遗址和蛤蟆墩墓地，都是农民挖灰施肥和修建房屋于1976年和1978年先后发现的。1979年3月，考古人员对该遗址和墓葬进一步复查，并进行发掘。

简报分为：一、三角城遗址，二、蛤蟆墩墓葬，三、结语，共三个部分。有照片、手绘图。

据介绍，三角城一带墓表土因风蚀多已流失，有的只残留深 20 ～ 30 厘米的墓底，随葬器物暴露于地表。考古人员清理了暴露的五座残墓，采集到陶器、铜器、绿松石、料珠等遗物。另外，蛤蟆墩西边的空旷处上无植被，地表浮土被风刮走，未见灰层。地面散布着料疆石块和碎小石子，其中杂有马家窑文化遗物，采集的标本有陶刀、彩陶片、泥质陶和夹砂绳纹陶片等。

简报认为，沙井文化主要是古代月氏族的遗存。战国至秦，月氏族十分强大，其在河西地区的活动时间，当然要更早。此次发掘测定的 9 个碳 14 数据，其年代多在春秋早期至战国时期，个别数据可到西周，但没有晚至秦汉之际的，与文献所载月氏族活动时间相符。月氏族的社会性质，简报认为是奴隶社会，经济以畜牧业为主，农业、手工业不占主导地位。

白银市

1532.甘肃省靖远县吴家川发现岩画

作　者：甘肃省博物馆　张宝玺
出　处：《文物》1983 年第 2 期

1976 年春，兰州大学生物系部分师生在靖远县吴家川一带野外工作中发现一处岩画，作了初步记录。考古人员随即前往。简报配以照片、手绘图予以介绍。

据介绍，岩画位于靖远县吴家川以北的山岩上。这里沟壑纵横、岗峦起伏，山丘高度一般为 20 ～ 30 米。山丘的地貌特征是红砂岩上覆盖黄土，红砂岩断裂的部位形成崖面，经长期风雨剥蚀已呈茶黑色。岩画集中刻划在两个红砂石崖面上。崖面比较平整，没有发现人工平整的痕迹。岩画用金属及其他坚硬的钝器刻凿而成，表现手法有两种：一种只刻出动物形体的外形轮廓（类似后来的线描），另一种对动物形体通体进行刻凿（类似后来的减底阴刻）。因琢刻极浅，经长期风化，已很模糊，但仔细观察尚能辨识。岩画布满崖面，无一定布局，看来是陆续刻上去的。内容有鹿、石羊、马、狗等动物形象。简报推测这批岩画时代应比较古老，似为秦以前游牧民族所绘。

今有韩积罡先生《肃北岩画》（甘肃人民美术出版社 2015 年版）一书，可参阅。

天水市

1533.甘肃清水县刘坪近年发现的北方系青铜器及金饰片

作　者：甘肃省博物馆、清水县博物馆　李晓青、南宝生

出　处：《文物》2003 年第 7 期

在甘肃省清水县西北 25 公里的白驼乡南侧刘坪村东约 2 万平方米的区域内，分布着一批先秦墓葬群。墓葬群所在现为山坡耕地。1960 ~ 1975 年，每年冬季，当地村民和白驼中学等单位联合兴修梯田，曾多次出土铜器如刀、戈、戟、匕首、爵、杯等，均被打坏或再次埋入地下。20 世纪 80 ~ 90 年代，该地时有零星先秦遗物出土，因而引起了县文物工作者的重视，多次前往勘查。1989 年，该地被列为秦汉墓葬保护区。近年来保护区多次遭盗扰，致使大批文物流失。后经多方全力协助，才将部分文物收缴、征集保存下来。2000 年 3 月经县政府批准，在县公安局、白驼乡政府的支持和协助下，清水县博物馆清理了刘坪墓葬区被盗的一座较大墓葬。

简报分为：一、墓葬区地理位置、墓葬形制，二、出土器物，三、器物特征与时代推断，四、族属问题，共四个部分。有彩照等。

据介绍，该墓为土坑墓，两端有龛，无葬具，盗后遗留有大量青铜车马器，并有一些马腿骨，墓葬底部距地表 10 米。除这座大墓外，周围有小型墓葬十几座，均为土坑墓，已被盗。经初步统计，历年征集的文物和清理墓葬所得的文物共有 600 多件，分别由清水县博物馆和甘肃省博物馆收藏。简报推断这批墓葬的上限不早于春秋晚期，下限不晚于战国晚期，应属戎族青铜文化。

1534.2006 年度甘肃张家川回族自治县马家塬战国墓地发掘简报

作　者：甘肃省文物考古研究所、张家川回族自治县博物馆　周广济、谢　言、马明远等

出　处：《文物》2008 年第 9 期

2006 年 7 月中旬，天水市张家川回族自治县公安局在该县木河乡桃园村抓获几名盗掘古墓的犯罪分子并缴获一批文物。同年 8 月初，考古人员对墓地被盗掘的墓葬进行抢救性发掘。

简报分为：一、地理位置，二、发掘经过，三、墓葬概况，四、随葬车乘，五、

出土器物，六、小结，共六个部分。有彩照、手绘图。

马家塬墓地位于天水市张家川回族自治县木河乡东北3公里的桃园村三队北约300米的马家塬上。此遗址所处地形较为特殊，为中部低凹平缓、两边高陡的簸箕状环抱地形。墓地现地表为农田。

简报介绍说，此次发掘共清理墓葬3座（M1 ~ M3）。其中M1、M3的墓葬结构基本相似，为墓道、车坑、墓室集于一体。3座墓中均有车乘出土，其中M1、M3车坑中随葬4辆，墓室内随葬1辆。这些车辆极为豪华。墓葬出土陶、铜、金、银、铁、骨及玛瑙、绿松石、琉璃等器物2200余件。从墓葬形制和出土遗物来看，此墓地有着浓烈的当地土著和西戎文化的因素及特征，应是秦人统治下的某一支戎人首领的墓地。墓葬的年代简报推断为战国晚期。马家塬墓地的发掘为研究甘肃东部地区战国中晚期文化提供了新资料，在秦文化和西戎文化的关系方面有着重要的研究价值。

1535.张家川马家塬战国墓地2007 ~ 2008年发掘简报

作　者：早期秦文化联合考古队、张家川回族自治县博物馆　王　辉、周广济、赵吴成等

出　处：《文物》2009年第10期

张家川回族自治县位于甘肃东南部，境内有关陇古道连接甘肃和关中。马家塬墓地自2006年开始发掘，2007 ~ 2008年对该墓地进行了连续发掘。

简报分为：一、墓地概况，二、大型墓，三、中型墓，四、次中型墓，五、小型墓，六、结语，共六个部分，介绍2007 ~ 2008年的主要勘探和发掘成果。

据介绍，马家塬墓地经2007年全面勘探，发现墓地由59座墓葬和祭祀坑组成，面积约2万平方米。墓地的布局以M6为中心，其余墓葬呈半月形分布在其北部和东西两侧。2007 ~ 2008年共发掘墓葬8座、祭祀坑1座。除大型墓外，均为竖穴偏洞室墓，有数量不等的阶梯式墓道，最多者9级，最少者3级。洞室均在竖穴北壁偏西处。除遭盗掘的墓葬葬式不明外，其余均为单人仰身直肢葬，头向东北。根据墓葬的大小、墓葬阶梯的多少、随葬车辆的数量以及随葬器物的质地等，墓葬可分为大型墓、中型墓、次中型墓和小型墓四类。其中大型墓（M6）为中间斜坡墓道、两侧阶梯式墓道的竖穴土坑木椁墓，阶式墓道共有9级台阶，发现有随葬车辆、殉马等。马家塬墓地出土的车辆大多以髹漆、金银饰件、铜饰件以及料珠等装饰，极为豪华，显示了墓主人的身份和等级。简报认为此地应为战国晚期一支西戎首领或部落酋长的墓葬。

1536.张家川马家塬战国墓地 2008 ~ 2009 年发掘简报

作　者：早期秦文化联合考古队　赵吴成、王　辉等
出　处：《文物》2010 年第 10 期

马家塬墓地自 2006 年开始发掘以来，2007 ~ 2009 年对该墓地进行了连续发掘。简报分为：一、M5，二、M7，三、M8，四、M13，五、M16，六、结语，共六个部分，介绍了 2008 ~ 2009 年发掘的 M5、M7、M8、M13、M16 的情况，其中只有 M16 为 2008 年发掘，其他都是 2009 年发掘的，有彩照、手绘图。

据介绍，M5、M7 属小型墓，M8 属次小型墓，M13 属次中型墓，M16 属中型墓。墓葬大多随葬以髹漆、金银饰件、铜饰件以及料珠等装饰的车辆，另有大量的马、牛、羊的头骨和蹄等，特别是有的牛角上还套有铜帽和木帽。此外，还出土许多陶器、铜器、铁器、金银器等随葬器物。

简报指出，此次发掘，为进一步研究西戎文化的面貌、秦戎关系及其文化交流等增添了新资料。同期发表有《张家川马家塬战国墓地出土金属饰件的初步分析》一文，指出，研究者采用金相显微镜、扫描电子显微镜及能谱分析仪对该墓地出土的 7 件镀锡铜饰件、7 件银饰件、4 件金饰件和 2 件锡饰件共 20 件样品进行了分析研究。分析结果显示这些样品中镀锡铜饰件基体均为铜锡铅合金铸造，表面工艺为热镀锡；银饰件有银铜合金或银金合金，均为热锻成形；金饰件均为金银合金，亦为热锻成形；锡饰件均为铸造而成，为纯锡或锡铅合金。

1537.甘肃秦安王洼战国墓地 2009 年发掘简报

作　者：甘肃省文物考古研究所　王　山、赵雪野
出　处：《文物》2012 年第 8 期

王洼墓地位于甘肃省秦安县五营乡王家洼村北部的老爷头山南坡台地上。墓地所在区域的自然地貌现为北高南低的梯田。墓地近年屡遭盗掘，随处可见盗洞及骨骸。2009 年 8 ~ 11 月，考古人员对墓地进行了勘探与抢救性发掘，共发现墓葬 30 座，其中 26 座被盗。此次发掘清理战国墓葬 3 座，出土器物有铜器、陶器等，其中绝大多数为车马器，其次为容器、装饰品等。

简报分为：一、地层堆积，二、M1，三、M2，四、M3，五、结语，共五个部分。有彩照、手绘图。

据介绍，发掘墓葬均为竖穴偏洞室墓。简报推断，王洼墓地属于战国时期的西戎文化。

1538.张家川马家塬战国墓地 2010 ～ 2011 年发掘简报

作　者：早期秦文化联合考古队、张家川回族自治县博物馆　谢　言、刘兵兵、赵雪野、王　辉

出　处：《文物》2012 年第 8 期

甘肃张家川马家塬战国墓地自 2006 年考古发掘取得重要发现后，考古人员对此墓地进行了跨年度连续发掘，至 2009 年共发掘清理墓葬 20 座。2010 年下半年至 2011 年底，对此墓地进行第五、六年度的考古发掘工作。

简报分为：一、M18，二、M19，三、M20，四、M21，五、M59，六、结语，共六个部分。有彩照、手绘图。

据介绍，新发掘清理了位于墓地东北部的 5 座中、小型墓葬（M18 ～ M21、M59），大部分为竖穴阶梯墓道偏洞室墓，竖穴内均随葬有车及牛、羊、马头骨和腿骨等。其中 M18 出土的 2 号车，车身不同部位采用铜、银、贴金铁饰件和髹漆等装饰。墓葬出土有金器、银器、铜器、铁器、陶器、骨器等器物，其中铜敦、匜、三足壶和盆以及数量较多的漆耳盘（杯）等为马家塬墓地新出土的器类。简报推断 M18 ～ M21 时代为战国晚期至秦初，M59 与上述 4 座时代基本接近。这些墓葬为研究西戎文化与其他文化的交流等提供了新资料。

1539.甘肃张家川县马家塬战国墓地 M4 木棺实验室考古简报

作　者：甘肃省文物考古研究所、陕西省考古研究院　黄晓娟、王　辉、赵西晨等

出　处：《考古》2013 年第 8 期

马家塬墓地位于甘肃省天水市张家川回族自治县木河乡桃园村。该墓地自 2006 年开始发掘，其独特的墓葬形制、装饰华丽复杂的车辆、由大量的金银和各种质地的珠饰组成的人体装饰等，反映了战国晚期生活在当地的西戎部族的文化面貌和丧葬习俗，对研究当时甘肃东南部地区与周边地区的文化交流和秦戎关系具有重要意义。

据介绍，该墓地已发掘的墓葬大体可分为两侧为阶梯式墓道而中间为斜坡墓道的竖穴木椁墓、阶梯式墓道竖穴偏洞室墓、竖穴木棺墓和竖穴土洞墓四类。其中第二类墓占绝大多数，第一、四类墓目前各发现 1 座，第三类墓发现 2 座。大多数墓葬随葬有装饰复杂的车辆。在保存完整的墓葬中，墓主身体上多有金、银、锡质带饰和由珠子组成的装饰，珠子的质地包括金、银、绿松石、肉红石髓、汉紫、汉蓝、铅白、玻璃、蜻蜓眼等种类。珠子的直径小至 1 毫米，部分汉紫珠、汉蓝珠和铅白珠保存状况较差。珠饰结构复杂，以往在现场的工作中由于工作条件的限制，未能揭示珠饰的排列和结构形态，也未能获得有关人体装饰的完整信息。

为了解有关人体装饰和服饰的完整信息、复原人体装饰和服饰的全貌，对保存状况较好、装饰复杂的M4、M16、M57的棺木进行了整体打包，提取至室内进行清理和保护。

简报分为：一、背景及工作目的，二、工作方法及步骤，三、棺内遗迹及随葬品，四、结语，共四个部分。全面介绍了对M4木棺进行实验室考古的过程和方法。配有彩照、X光照片等。

简报反映了在发掘中同时总结的一些实验室考古发掘运用的新技术，是对实验室考古发掘规范化的工作流程及多种信息提取方法的有益尝试。

1540.甘肃张家川马家塬出土车厢侧板的实验室考古清理

作　者：甘肃省文物考古研究所、中国国家博物馆科技保护中心　韩　飞、王　辉、马燕如

出　处：《文物》2014年第6期

2006年8～12月，甘肃省文物考古研究所和张家川县博物馆对甘肃张家川马家塬战国墓地进行了抢救性发掘。此次发掘的3座墓葬，出土陶、铜、金、银、铁、骨及玛瑙、绿松石、琉璃等器物2200余件，多为车马器和车马饰，另有一部分饰件还保留在车厢侧板上。考古人员对M3墓室车厢侧板进行了提取。

简报分为：一、实验室考古清理的概念，二、实验室考古清理方案的制定，三、实验室考古清理的实施，四、结语，共四个部分。有照片、手绘图。

简报称，此次对张家川马家塬出土车厢侧板的实验室考古清理，成功地提取了叠压关系复杂的文物，同时采集了相关测试样品，收集了相应的考古信息。

武威市

张掖市

1541.甘肃张掖市龙渠乡出土一批青铜器

作　者：甘肃处张掖市博物馆　萧云兰

出　处：《考古与文物》1990年第1期

1985年春，张掖市龙渠乡木龙坝村民在放牧时发现一批青铜器。考古人员赶往

现场调查并找到发现人进行了解，确定这批铜器系墓葬随葬品。铜器出土地点在龙渠乡木龙坝六社南面名为平山的北坡，距木龙坝约3公里。器物发现于山坡中段海拔约1000米处一个小山梁下的洞内，距地表约50厘米。在近1米的范围内出土有铜舟、铜鹿饰、铜车轮、铜饰及车马饰残件等，共数十件。简报配以照片、拓片予以介绍。

据介绍，由于墓葬破坏，这批青铜器的时代，简报只能根据器物本身的特征进行分析，其中的铜舟与河南洛阳春秋墓出土的同类器形制基本相同，其时代大致可定在春秋时期。出土的铜鹿饰则是具有浓厚的北方少数民族风格的器物，这类铜器在甘肃河西地区还是首次发现，这对于研究当时该地区与北方少数民族的关系是珍贵的资料。

平凉市

1542.甘肃灵台县景家庄春秋墓

作　者：刘得祯、朱建唐

出　处：《考古》1981年第4期

1977年11月梁原公社景家庄大队在周家坪修农田时，于距地表1米深处挖出一堆马骨，并出土有车饰、兵器等铜器。考古人员发现这是一古墓葬区。1978年3月21日至28日，清理了四座墓（M1～M4）。简报配以手绘图等予以介绍。

据介绍，景家庄位处灵台县城西北，距白草坡55公里的黑河川上游。墓葬紧靠黑河左岸距河底约80米高的一层台地上，地名叫“周家坪”。当地文化遗存丰富。此次发掘的4座墓，出土有铜器、陶器、石饰品、牛羊狗猫骨头等。其中M4简报怀疑是奴隶葬坑。这批墓的时代，简报推断为春秋早期秦墓。

简报称，此次出土的铜柄铁剑罕见，铁剑叶焊接于铜格上。叶虽已残缺，但也能反映当时铁的冶炼和铸造技术已达到相当高的水平，这为进一步研究我国铁器使用的历史提供了实物证据。

1543.甘肃平凉庙庄的两座战国墓

作　者：甘肃省博物馆　魏怀珩

出　处：《考古与文物》1982年第5期

1974年10月初，考古人员在平凉县东四十里铺公社庙庄大队的庙嘴坪上，铲探出四座附葬车马的战国晚期中型墓葬（M6～M9），只清理了其中的六、七号墓。

庙庄村依山，前临无名小河。简报分为五个部分介绍了六、七号墓的发掘情况，有手绘图、照片。

据介绍，六号墓早年被盗，一椁双棺，随葬品几无存，仅有幸存的铜鼎一件、铜壶二件、铜洗一件、铜匜一件以及陶器等。七号墓形制与六号墓大体相同，也出土有铜器等，葬具为一椁一棺。两墓年代简报推断为秦统一之前。

简报指出，这两座墓葬，形制相同，规模较大，墓内都埋葬一车四马，应该是属于封建统治阶级的墓地。六号墓和车马坑内出土铜兵器，估计墓的主人是男性。同时，一号车子装饰华丽，轴头两端悬挂飞铃，又有红色的车耳，说明死者是当时社会上有一定社会地位和影响的人物。此车是这次发掘最重要发现之一。

1544.甘肃崇信出土的秦戳记陶器

作　者：陶　荣

出　处：《文物》1991 年第 5 期

1985 年春至 1987 年秋，崇信县文化馆从本县九功、锦屏、赤城、铜城等乡镇征集到带有戳记的陶器 42 件。器种有鼎、罐、盆、釜、甑、茧形壶等，多为泥质灰陶，少量为泥质灰褐陶。除 4 件器物外，其余均出自不同地点的 9 座墓葬。简报配以拓片、照片予以介绍。

据介绍，这批陶器有陶鼎、陶囷、陶釜、陶盆、陶罐、陶缶、陶钵等。陶器中除茧形壶为实用器外，其余均为冥器。关于古卤县的地理位置，文献中没有确切记载。《汉书 · 地理志》：“安定郡，武帝元鼎三年置。县二十一，有高平……临泾、卤、乌氏……’卤县今无考。这批“卤市”陶文的发现，为考证卤县为战国秦置和古卤县的所在提供了实物资料。

1545.庄浪县邵坪村出土一批青铜器

作　者：庄浪县博物馆　李晓斌等

出　处：《文物》2005 年第 3 期

2000 年 5 月，甘肃省庄浪县万泉乡邵坪村因建房发现一座墓葬，出土一批青铜器。简报配以照片予以说明。

据介绍，墓葬已遭破坏，应为土坑竖穴，无葬具。出土有铜戈、铜镦、铜剑等铜器 85 件，有一马殉葬，该墓系北方青铜文化风格。简报认为这批青铜器的年代，为春秋末期到战国早期。

1546.甘肃庄浪县出土北方系青铜器

作　者：庄浪县博物馆　李晓斌等

出　处：《考古》2005年第5期

2001年4月，甘肃省庄浪县赵墩乡石嘴村一村民在取土时发现一批青铜器，共59件，有卧鹿、车马器、工具、牌饰等。当考古人员进行实地调查时，发现铜器的地方已被夷为平地。根据发现者提供的情况分析，这里应该是一座土坑墓葬，距地表2～2.5米深。墓葬形制大体呈长方形，没有葬具。这批青铜器现被庄浪县博物馆收藏。简报介绍了相关情况。

据介绍，卧鹿8件。形制相同。鹿呈卧状，昂首圆目，目前视，嘴部铸成实心圆柱状，耳残失，留有镶耳用的圆形小孔，长颈，头与身在颈部分离，头身之间原有套接之物，鹿腹中空，无尾。长9.5厘米，高8.4厘米。

简报认为，此处墓葬虽被破坏，但遗物中以车马等为主，反映了北方游牧民族生活特点。简报认为此处青铜器的时代应在战国早期或中期。

酒泉市

庆阳市

1547.甘肃省华池县发现透雕金带饰

作　者：黄晓芬、梁晓青

出　处：《文物》1985年第5期

1959年冬，甘肃华池县东华池豹子川王家街子农民凿崖修窑时，发现一件透雕金带饰。1984年3月，这一饰件归陕西省博物馆收藏。简报配以照片予以介绍。

据介绍，这件透雕金带饰呈长方形，带饰四角有镂孔，除右下角外，其他三角均有明显的磨痕，说明这件金带饰使用时间很长。从纹饰结构看，这件透雕金带饰与西岔沟墓地所出双牛、双马、双羊、双驼纹的带饰属同一类型，年代当与之相近。西岔沟的年代相当于公元前2世纪至前1世纪。简报认为此金带饰属匈奴文化遗物。

1548.甘肃庆阳春秋战国墓葬的清理

作　者：刘得祯、许俊臣
出　处：《考古》1988 年第 5 期

从 1984 年以来，考古人员先后在庆阳地区的宁县平子乡袁家村，庆阳县什社乡塌头村、董志乡冯堡村、赤城乡李沟村、后官寨乡马寨村，镇原县庙渠乡庙渠村、孟坝乡吴家沟圈村、太平乡红岩村，正宁县山河乡后庄村等地进行调查，发现了一些春秋战国时期的墓葬和车马坑，出土了不少青铜器，同时也从当地人手中收集到一批这一时期的器物。简报配以手绘图、图片予以介绍。

据介绍，宁县，1984 年 12 月平子乡袁家村农民袁孝恒在村西靠近沟畔处修庄基时挖出一座古墓葬和一座葬马坑。考古人员赴现场调查清理，发现虽有所破坏，但现场残存情况基本清楚。墓葬、葬马坑共出土器物 43 件，其中墓葬内出土器物 22 件。

正宁县，1982 年 4 月在县城东北 2.5 公里的后庄村“狼牙坟”修竖穴庄基时，在距地表不到 2 米处，挖出古墓一座和一处葬马坑，出土了一批青铜器。1983 年 3 月考古人员进行调查时得知这一情况，将出土器物收回。因墓葬早被破坏，详情不明。据了解，基本与袁家村墓葬出土情况相类似，共出土器物 32 件。

镇原县，庙渠乡庙渠村农民 1983 年修半穴式庄基时，从一墓葬中挖出一批铜器。墓已破坏，葬式不明，出土物略有散失。1984 年 8 月考古人员普查文物时收回出土器物 26 件。

1984 年红岩村农民在修半竖穴式庄基时，挖出一座墓葬和一座葬马坑，出土器物 39 件。

1984 年春李沟农民挖土时挖出铜兵器 2 件。

庆阳县，马寨村农民 1984 年 5 月挖土时挖出铜兵器 4 件。冯堡村农民上交出土青铜鹿 6 件。

此外地质博物馆还零星收集到 20 件青铜器。这批器物少数时代可能较早，大多数为春秋至战国中期遗物。

1549.甘肃庆阳城北发现战国时期葬马坑

作　者：庆阳地区博物馆、庆阳县博物馆　刘得祯、王　春
出　处：《考古》1988 年第 9 期

1987 年 4 月，庆阳县城北五里坡居住区修地下水道时，挖出许多长条薄铜片。考古人员对现场进行了清理。简报配以手绘图、照片予以介绍。

据介绍，出土铜片处为一座古代葬马坑。马坑位处环江左岸第一级台地的长咀

北边，距河床高约 40 米。出土文物 73 件。出土的铜铃和铜柄铁剑、带扣与庆阳区宁县等地出土的一样，均为战国时期少数民族的遗物。马甲在庆阳区还是首次发现，可以恢复原状，用于马的前颊，从中不难看出西北少数民族对战马是十分爱护的。

1550.甘肃庆阳地区秦直道调查记

作　者：李仲立、刘得祯

出　处：《考古与文物》1991 年第 5 期

秦直道由陕西淳化县北梁武帝村开始，就进入子午岭南端的山梁——甘泉山。由旬邑县的石门关入正宁县的刘家店，沿分水岭向北延伸，到陕西定边县，在庆阳地区内长约 290 公里。

简报分为：一、秦直道在甘肃庆阳内的走向，二、直道沿线和附近发现的重要遗址，三、对秦直道有关问题的探讨，共三个部分。有手绘图。

经实地调查，庆阳地区部分秦直道保存基本完好，还发现有秦兵站（调令关南约 5 公里南梁峁）、调令关、顶口城（合水县）等秦汉遗址。

简报称，秦直道始修于始皇三十五年（前 212 年）。司马迁走过秦直道，但《史记》中记载很简略。史念海先生是研究秦直道的专家，对其路线记载甚详，但未论及直道的宽度问题。经实地考察，在庆阳区境内的今存直道宽 5 米左右。因修筑于子午岭山脊之上，自然条件所限，当初也不过在 6 米左右，只能通行两辆马车。从修筑时间看，仅一年半。工程艰巨，时间紧迫，也不可能修 40 ～ 160 米宽的道路。

1551.甘肃镇原县富坪出土秦二十六年铜诏版

作　者：镇原县博物馆　王博文等

出　处：《考古》2005 年第 12 期

1976 年 4 月，甘肃省镇原县城关镇富坪村出土 1 件秦二十六年铜诏版。

据介绍，诏版为青铜铸造。长 10.8 厘米，宽 6.8 厘米，厚 0.3 厘米。其上阴刻秦始皇二十六年（前 221 年）统一度量衡的诏书：“廿六年，皇帝尽并兼天下，诸侯黔首大安，立号为皇帝，乃诏丞相状，绾，法度量则，不壹歉（嫌）疑者，皆明壹之。”共 5 行 40 字。字为秦篆，字迹清晰，线条纤细。

简报认为，这件诏版当时应是钉在官定的木容器上或镶嵌在铁量、衡器上，诏版上有四个钉孔，其中两孔已残。目前我国出土的刻有秦始皇诏文的遗物有铜椭量和铜权等，而像这样把诏文刻到铜版上的形式较少见。

这件诏版的出土，为研究秦朝的政治、经济、文化及我国的度量衡制度提供了新的资料。简报有照片、拓片。

定西市

1552.定西地区战国秦长城遗迹考察记

作　者：甘肃省定西地区文化局长城考察组　何　钰等
出　处：《文物》1987 年第 7 期

1976 年文物普查时，考古人员曾对定西地区的战国秦长城遗迹进行初步调查。1981 年 7 月至 10 月，又对临洮、渭源、陇西、通渭四县境内的战国秦长城进行了一次实地考察，基本查清了定西地区战国秦长城的起点和走向。

简报分为：一、长城遗迹，二、问题讨论，共两个部分。配以照片、手绘图，介绍了考察结果。

据介绍，这段长城西起临洮县城北面，沿东峪沟北岸向东南延伸，到达渭源县城以北，复向东经陇西县境的北部、东部，横贯通渭县境后进入甘肃省平凉地区静宁县，全长约 300 公里，城墙墙体均系黄土夯筑而成，沿途多有遗物暴露。

简报指出，定西地区境内的长城遗迹确系秦昭襄王时所筑。史载秦向西扩展疆土主要有三次：一次是秦穆公三十七年（前 623 年），“秦用由余谋伐戎王，益国十二，开地千里，遂霸西戎”；再一次是昭襄王二十七年（前 280 年），“又使司马错伐陇西”；第三次是昭襄王三十七年（前 270 年），“灭义渠”。前两次未言筑长城事，“灭义渠”后有筑长城的记载。简报还讨论了秦长城是否首起岷县的问题，认为秦长城首起“今岷县西二十里”之说至少有待进一步的考察和研究，并指出《中国历史地图集》所绘战国秦长城兰州、靖原至固原之间一段当系误断。

陇南市

1553.甘肃武都县东古城出土战国铜镜

作　者：甘肃省武都县博物馆　杨万华
出　处：《考古》1996 年第 3 期

1988 年春，村民在甘肃武都县佛崖乡东古城遗址北搞农田基建时，挖出一土坑竖穴墓，发现残破的铜镜和锈蚀的残铁剑各1件，其中铜镜由县博物馆征集修复。简报配以照片予以介绍。

据介绍，铜镜基本可以复原。从该镜的形制与图案风格看，当为战国时期的蟠螭纹镜。

1554.礼县圆顶山春秋秦墓

作　者： 甘肃省文物考古研究所、礼县博物馆　毛瑞林、李永宁、赵吴成、王　刚等

出　处：《文物》2002年第2期

圆顶山位于礼县城东13公里，永兴乡赵坪村西南部。由于此墓地1998年初被盗，考古人员于1998年2～6月对圆顶山春秋秦墓进行了抢救性发掘，共清理墓葬3座（98LDM1、M2、M3）、车马坑1座（98LDK1）。由于地下水位较高，在距墓圹口5～6.3米处大量出水，加之被盗，因而发掘材料不全。

简报分为：一、地理位置，二、墓葬形制，三、随葬器物，四、车马坑，五、结语，共五个部分。有彩照、手绘图。

据介绍，编号为98LDM1和98LDM3的2座墓葬，均为圆角长方形直壁土坑竖穴墓，葬具为一椁一棺。其中M1有殉人3、殉狗1;M3有殉人1。这两座墓葬出土随葬器物111件（组），主要随葬于椁盖板顶上及棺椁之间墓室西端，有铜器、陶器、玉石器及骨贝器等。M1出土有鼎、簋、壶、盘、匜、扁壶以及四轮方盒等青铜器，许多器物铸造精美、造型独特。车马坑位于M3西北约20米，为长方形坑，内随葬车马5乘，其中第1乘还葬有御奴1名，并出土许多车马器、兵器及陶器、漆器残片等。

简报推断圆顶山墓葬的年代应属春秋早期，M1的墓主为女性，M3的墓主属中等贵族的男性。这批墓葬及车马坑的发掘，为研究西周晚期到春秋早期秦国考古文化提供了十分重要的实物资料。

1555.甘肃礼县圆顶山98LDM2、2000LDM4春秋秦墓

作　者： 甘肃省文物考古研究所、礼县博物馆　李永宁、王　刚、毛瑞林、赵吴成等

出　处：《文物》2005年第2期

圆顶山墓地位于县城东13公里的永兴乡赵坪村西南部，与大堡子山秦公墓地隔河相望，属于秦公墓地的保护范围。继1998年2～6月由考古人员行抢救性发掘后，

2000 年 5 月此墓地又一次被盗，考古人员进行了第二次抢救性发掘。两次共发掘墓葬 4 座（98LDM1、98LDM2、98LDM3、22000LDM4）、车马坑 1 座（98LDK1），探明被盗车马坑 1 座。两次发掘均属于被盗后的抢救性发掘，因墓地地下水位较高，墓葬底部大量积水，发掘困难较大，故两次发掘的墓葬材料都不太完整。

简报分为：一、墓葬位置及层位关系，二、98LDM2，三、2000LDM4，四、结语，共四个部分。配以手绘图，介绍了第一次发掘的 98LDM2 和第二次发掘的 2000LDM4 的主要收获。

简报介绍说，两座墓葬位于圆顶山墓地西侧，两墓相距约 20 米，均为圆角长方形竖穴土坑墓。98LDM2 葬具为一棺一椁，有殉人 7、殉狗 1，出土随葬器物 102 件（组），有铜器、陶器、玉石器等。2000LDM4 由于被盗严重，葬具和殉人情况不明，出土有铜器和玉器等。出土器物中铜礼器的组合为鼎、簋、壶（方壶、圆壶）、盘、簠、匜、盉等，有食器、酒器和水器，许多器物纹饰精美。圆顶山秦墓的年代，简报推断为春秋中晚期，两座墓葬的墓主均为男性贵族。从与大堡子山秦公墓地的关系看，这里应是春秋中晚期秦国的贵族墓地。

1556.甘肃礼县大堡子山早期秦文化遗址

作　者：早期秦文化考古联合课题组　赵化成、王　辉等

出　处：《考古》2007 年第 7 期

据司马迁在《史记 · 秦本纪》中记载，秦人在商末、西周至春秋早期，主要活动区域就在今甘肃省东南部的渭河和西汉水流域一带。20 世纪 80 年代初，考古人员在渭河上游的甘谷县毛家坪遗址首次发掘到西周时期的秦文化遗存，从而证实司马迁的记载是可信的。1992 ~ 1993 年，地处西汉水上游礼县大堡子山的秦公大墓遭群体性盗掘，出土了包括有“秦公”字样铭文的鼎、簋、壶、钟等大型铜礼乐器以及棺饰金片等珍贵文物，多已流失海外。1994 年 3 ~ 11 月，考古人员对大堡子山被盗掘的 2 座大墓和 1 座车马坑进行了劫后清理，并发掘了几座小型墓葬。2004 年起，有关部门对礼县等地再次进行了考古调查和发掘。

简报分为：一、遗址位置及工作概况，二、21 号建筑基址，三、墓葬，四、祭祀遗迹，五、结语，共五个部分。有彩照、手绘图。

据介绍，主要发掘了 1 座大型建筑基址、7 座中小型墓葬以及 1 座乐器坑和 4 座人祭坑等。此次发掘，对认识大堡子城址的性质具有重要意义，为研究早期秦人的礼乐制度、祭祀制度、铜器制造工艺等提供了珍贵的资料。

4 座人祭坑中，每坑埋 1 ~ 2 具屈肢葬人骨，均残缺不全，其性质当为杀人祭祀。

乐器坑的性质与人祭坑相同，也应用于祭祀。大堡子山遗址发现的乐器坑距离被盗的秦公大墓很近，当与此墓有关，该乐器祭祀坑是在群体性盗掘后幸存下来的，在坑的周围及坑上部先后发现 10 多个盗洞，最近的一个大型盗洞距离坑边仅 20 厘米，因此此坑的发现更为难得。简报说，该处祭祀遗迹的发掘尚未结束，在乐器坑的东南面 3 米以外还发现有建筑迹象，今后还需要继续开展工作。

1557.2006 年甘肃礼县大堡子山 21 号建筑基址发掘简报

作　者：早期秦文化联合考古队　游富祥、杨哲峰等

出　处：《文物》2008 年第 11 期

1992 ~ 1993 年，礼县大堡子秦公大墓被盗。1994 年 3 ~ 11 月考古人员对大堡子山被盗大墓进行了劫后清理。秦公大墓的发现，为确定秦人早期活动中心提供了重要线索。为进一步探索早期秦文化的面貌，寻找秦人早期都邑以及其他先公、先祖陵墓所在，自 2004 年始，考古人员重点调查了礼县西汉水上游地区，新发现数十处早期秦文化遗址。2004 ~ 2005 年，发掘了礼县县城以西的西山坪。早期秦人聚落遗址以及鸾亭山汉代皇家祭天遗址。2006 年工作重点转移至大堡山遗址。

简报分为：一、调查、钻探与发掘概况，二、21 号建筑基址地层堆积，三、遗迹现象，四、21 号建筑基址的年代与性质，共四个部分。有照片、手绘图。

大堡子山遗址位于礼县县城以东 13 公里处的西汉水北岸，行政区划属永坪乡赵坪村。这里共发现夯土建筑基址 1 座（21 号）、墓葬 2 座、灰坑 6 个、灰沟 3 条，另外发现的盗洞居然多达 27 个。

简报称，21 号建筑基址位于大堡子山城内南端较高处，南北长 107 米，东西宽 16.4 米，夯土致密坚硬。在东西两道夯土墙之间正中位置发现柱础石 18 个，表明该建筑中部应有大型木柱支撑，周围夯土墙可能主要用来承重，应是具有梁架结构的两面坡式建筑。遗址中未见瓦片堆积，估计为茅草屋顶。该建筑结构相对简单，未见室内隔墙，地面未作处理，因此 21 号建筑应是大型府库类建筑。始建年代应为春秋早期偏晚或春秋中期偏早，使用至战国时被废弃，但直至王莽时才被彻底破坏。20 世纪 90 年代初的群体性盗掘，使该建筑受到更大破坏。

1558.2006 年甘肃礼县大堡子山东周墓葬发掘简报

作　者：早期秦文化联合考古队　侯红伟等

出　处：《文物》2008 年第 11 期

2006 年，考古人员对大堡子山遗址进行调查、钻探和发掘。在重点发掘 21 号建

筑基址、祭祀遗迹的同时，也发掘了几座中小型墓葬。简报分为：一、墓葬分布与发掘概况，二、墓葬形制及随葬器物，三、年代与墓主身份，共三个部分。有彩照、手绘图。

据介绍，2006 年，大堡子山遗址共发现中小型墓葬 400 余座，并试掘了 7 座墓葬。均为竖穴土坑墓，其中 IM25、IIIM1 葬具均为一棺一椁，且均随葬铜鼎 3 件，甗、剑各 1 件，以及其他石玉器、陶器和铜器。在 IM25 的棺椁内，还出土了 120 余件大小不等的石圭。IIIM1 的墓室内葬车，在春秋时期墓葬中较为少见。简报推测 IM25 的年代为春秋中期偏晚阶段，IIIM1 的年代为春秋晚期。墓主身份似较低，至多为大夫一级。

1559.2006 年甘肃礼县大堡子山祭祀遗迹发掘简报

作　者：早期秦文化联合考古队　韦　正、王　辉等
出　处：《文物》2008 年第 11 期

20 世纪 90 年代初，礼县大堡子山秦公大墓被盗掘。考古人员随后对被盗大墓进行清理，发掘 2 座“中”字形大墓和 2 座车马坑（其中 1 座未清理）。本次发掘的祭祀遗迹位于被盗掘大墓（M2）西南 20 余米处，海拔高度为 1540 米。

简报分为：一、发现与发掘过程，二、地层堆积，三、遗迹与遗物，四、基本认识，共四个部分。有彩照、手绘图。

据介绍，发现的主要遗迹有人祭坑 4 座、乐器坑 1 座以及灰坑 6 个。乐器坑为一东西向的长方形坑，坑内出土有铜镈、钟和石磬等器物。其中 1 件铜镈上还铸有铭文，为我国音乐史研究提供了难得的实物。年代应属春秋早期。

临夏州

1560.甘肃临夏秦魏家遗址第二次发掘的主要收获

作　者：黄河水库考古队甘肃分队　谢端琚
出　处：《考古》1964 年第 6 期

1959 ～ 1960 年，考古人员在甘肃秦魏家遗址共作了两次发掘。第一次的发掘简报已经在《考古》1960 年第 3 期上发表过。简报分为四个部分，介绍第二次发掘的主要收获，有照片。

第二次发掘工作自1960年4月4日开始，至5月13日结束。这次发掘除了在遗址的西南部（第一次发掘的地区）继续进行外，主要是在遗址的东北部又发现一片墓地。它也是齐家文化的氏族公共墓地，保存相当完整。墓葬都是长方形的竖穴土坑，没有发现葬具的痕迹。墓葬分布密集，排列整齐，在100多平方米的范围内发现有29座墓葬，分为三行排列。有单葬和合葬两种，以单葬为主，共24座；合葬较少，仅5座。前者皆为仰身直肢葬，后者都是大人合葬，每墓骨架两具，一具为仰身直肢葬，另一具为侧身屈肢葬，后者均位于前者的左边。据部分人骨架鉴定的结果，大人合葬者系一男一女，从他们的葬式性别和年龄的情况来看，显然是夫妻合葬。这种成年男女合葬的出现，反映了当时的婚姻形态已经由对偶婚过渡到一夫一妻制。这些墓葬的死者都是一次埋藏的。男女不可能同时死，这很可能是以男子为主体，而把女子作为殉葬者来处理的。墓葬的随葬品主要是陶器，其次是猪下颌骨。猪骨少者1块，多者达15块。这一事实清楚地说明了猪成了当时主要的一种私有财产，也成为衡量财富的标尺。同时数量上的判别也反映了当时在氏族内部已经出现了贫富的分化。

简报认为，这里的齐家文化已进入了父系氏族社会。

甘南州

青海省

西宁市

海东地区

海北州

黄南州

海南州

果洛州

玉树州

海西州

1561.青海都兰县诺木洪搭里他里哈遗址调查与试掘

作　者：青海省文物管理委员会、中国科学院考古研究所青海队　吴汝祚
出　处：《考古学报》1963 年第 1 期

诺木洪位于柴达木盆地南部的平原地区，海拔约 2780 米。遗址在诺木洪农场第三作业站东南约 0.5 公里，面积约 5 万平方米。它东面约 3 公里有海西哇河，7 公里左右有诺木洪河。从地形上观察，在遗址以西 40 ～ 50 米处有一条干河，可能是当时这里的居民取水的地点。遗址高于平原地区，远望好像一座小土包。遗址由三个土包组成，分别称为Ⅰ、Ⅱ、Ⅲ三个地点，其中以第Ⅱ地点的范围较大，暴露的遗迹和遗物也较丰富，可能是遗址的主要部分。遗址于 1957 年发现，1959 年发掘，共清理土坯围墙 1 座、残房子 11 座、土坯坑 9 个、圈栏 1 座、瓮棺葬 3 座。

简报分为：一、前言，二、地层关系，三、遗迹，四、遗物，五、结束语，共五个部分。有照片、手绘图。

简报称，诺木洪搭里他里哈遗址的文化堆积厚约 5 米，而其出土遗物是属于一种文化的遗存。这个遗址的居民，以畜牧业为生活资料主要来源。这从大量的动物骨骼出土、发现圈栏和其内有羊粪堆积，而且遗址周围又是一辽阔的水草丰美的天然牧区中，都可以得到证明。同时，农业生产也是生活资料来源之一。出土骨铲是农业生产工具，而麦类遗物可能是当时种植的一种作物。生活中使用的陶器，都为夹砂陶质。器形除直口缸、大口罐形器外，有高大的四耳罐、小口罐和瓮等，有盆和碗，都是具有代表性的陶器。还有用羊毛纺成的绳线和织成的布及其制品以及用牛皮做成的革履等。这些都反映了当时的手工业情况。居住遗迹有土坯围墙，有饲养家畜的圈栏。尽管由于残存情况不够良好，难以了解遗迹的建筑布局，但也反映了这一文化遗存的特色。

该遗址的年代下限，简报推断为战国或汉代以前。

宁夏回族自治区

银川市

石嘴山市

吴忠市

固原市

1562.宁夏彭阳发现“二十七年晋”戈

作　者：杨　明
出　处：《考古》1986年第8期

1983年考古人员在彭阳县红河乡征集到一件带铭文的铜戈。简报配以照片予以介绍。

据介绍，戈全长21，援长13，内长8厘米，援宽约2.5，内宽3.5厘米，有铭文。就整个戈的造型看应是战国晚期流行的一种式样。就铭文的字体、格式看，与战国晚期各国出土的带铭文的器物及武器相比较，可以看出是属三晋系统的。铭文中的字体和写法与魏国相近，此戈应是战国时期魏国的兵器，年代定为魏安釐王二十七年（前250年）比较恰当。

1563.隆德县出土的匈奴文物

作　者：隆德县文管所　王全甲

出　处：《考古与文物》1990 年第 2 期

宁夏回族自治区隆德县的一些百姓在施工取土中，自墓葬、土坑出土了一批匈奴文物。简报配以照片予以介绍。

1984 年，温堡乡吴沟村一农民在平整承包地时，发现了一土圹竖穴墓。墓内有一残人骨架及数块畜骨，并有多件铜车马饰件及佩饰、箭镞之类件之出土。

1986 年春，沙塘乡机砖厂工人在北塘头取土时，出土了一批铜车马饰件，坑内还发现了零散的人骨和马骨。

1987 年初，隆德县城郊乡和神林乡还出土了铜釜、铜刀、铜带钩各一件，也是具有匈奴特征的文物。

简报称，几座古墓虽遭破坏，但从调查和清理情况看，知其葬俗与内蒙古玉隆太墓类似，所出土铜器，具有明显的我国古代匈奴部族的特征。其时代，应在战国中期或早期。这批铜器的出土，为研究古代六盘山区游牧民族的活动范围及其经济特点和生活习俗提供了实物资料。

1564.宁夏固原于家庄墓地发掘简报

作　者：宁夏文物考古研究所　钟　侃、陈晓桦、延世忠

出　处：《华夏考古》1991 年第 3 期

于家庄墓地在宁夏固原县西北约 15 公里，隶属彭堡乡撒门村，南距战国秦长城约 10 公里。1986 年夏，考古人员曾在墓地中区开了两条探沟，因故未继续发掘。1987 年 7 月 13 日～9 月 27 日，考古人员对墓地进行了发掘，发掘面积 854 平方米，发现墓葬 20 座（其中 1 座已残）。在南区开探方 4 个，发掘面积 400 平方米，发现墓葬 5 座（其中 1 座亦残）。北区只在西侧断崖处清理了 3 座墓葬，其中 2 座残毁。另外开探方 2 个（10 米 ×10 米），未发现墓葬。

简报分为：一、墓葬，二、小结，共两个部分。有手绘图。

据介绍，于家庄墓地普遍以牛、马、羊的头、蹄骨随葬，羊头多者达 53 个。此外还有羊下颚骨 130 个和牛头骨、马下颌骨。出土随葬品 1400 余件，以铜器、骨器珠饰为主，还有少量的陶器、铁器和金器。铜质和骨质的马具较发达。不见农业生产工具和祭祀用品。陶器少，制作粗糙。这些表明墓主是从事畜牧畋猎的古代少数民族。就大范围而言，于家庄墓地仍属北方草原游牧民族的青铜文化范畴，其时代

当在春秋晚期至战国初期。

1565.宁夏固原吕坪村发现一座东周墓

作　者：固原博物馆　延世忠
出　处：《考古》1992 年第 5 期

1988 年 1 月，固原县河川乡吕坪村村民在修路时发现一批铜器并及时交献给固原博物馆。4 月初，考古人员前往现场调查，确定了出土铜器地点为一座墓葬。简报配以照片予以介绍。

据介绍，吕坪村位于固原县东南部，距固原县城约 35 公里，西南约 10 公里是乡政府所在地河川。村东南有一条长约 1000 米的沟。调查时墓已遭破坏，除一些牲畜头蹄骨外，仅存一长方形土坑。据发现者讲，葬式为仰身直肢，未发现葬具。随葬品散置于死者周围。在人骨架之上有马、牛、羊等牲畜头骨层层叠压，以羊头骨为多，可辨认的有 20 个羊头骨、11 个马头骨、12 个马蹄骨、4 个牛头骨。该墓出土随葬品 84 件，其中铜器 75 件，骨、石等器 9 件。

墓葬的时代简报推断在春秋末至战国初期。

1566.宁夏西吉发现一座青铜时代墓葬

作　者：延世忠、李怀仁
出　处：《考古》1992 年第 6 期

1988 年秋，在固原所属的西吉县新营乡陈阳川村又发现一座墓葬。这座墓葬是该村一农民在村西北的台地上平田整地时发现的，墓葬已遭严重破坏。据当事人现场所述，墓葬为长方竖穴土坑墓，无葬具，墓主人头东足西，竖穴内发现马、牛、羊头骨，计马头骨 3 个、牛头骨 4 个、羊头骨 8 个。随葬品散置于墓主人周围。墓内共出土各种青铜器 62 件，另外还有银器 1 件。这批遗物已由宁夏固原博物馆收藏。简报配以照片予以介绍。

据介绍，这座青铜器墓和宁夏固原发现的其他同类青铜器墓一样，应属于北方系青铜器中的一个地方类型。土坑墓，无葬具，并殉以马、牛、羊头等与内蒙古桃红巴拉、凉城毛庆沟墓葬情况相同，表现了从事狩猎、畜牧的古代北方民族在经济上的共性。

此墓的时代下限应在战国晚期。

1567.宁夏固原杨郎青铜文化墓地

作　者：宁夏文物考古研究所、宁夏固原博物馆　许　成、李进增、卫　忠、韩小忙、延世忠等

出　处：《考古学报》1993 年第 1 期

1989 年 9 月，考古人员抢救固原县杨郎乡马庄古墓地，赶赴现场进行调查清理和发掘。田野工作从 9 月 29 日动工至 11 月 1 日结束，清理出相当于东周时期的墓葬 49 座，其他时代墓葬 3 座。49 座东周墓出土各类遗物 2957 件（组）。

简报分为：一、地层堆积，二、墓葬概述，三、出土遗物，四、墓葬分期与年代，五、结语，共五个部分。有照片、手绘图。

据介绍，墓地位于杨郎乡马庄附近的沙沟北岸。沙沟是一条季节性小河，由西向东蜿蜒而下，沟北岸为连绵起伏的沙丘，20 世纪 70 年代已辟为林带。自马庄村后起沿沟北岸往东近 3 公里，在南北宽约 200 米的范围内，皆有墓葬分布，比较密集的地点共有三处，从东向西依次编为第一、二、三地点。墓地范围较大，此次发掘只清理了三处墓葬密集区。该墓地以长方形竖穴墓道土洞墓为主，墓主均头低足高地置于洞室内，无葬具，葬式基本为单人仰身直肢葬，无合葬墓。各墓均于洞室和墓道殉羊、马、牛等牲畜，数量多寡悬殊。随葬品皆是生前所用之兵器、车马饰品、生活用具，以铜器为大宗，次为骨器和铁器。铜器有独具地方特色的车马器和服饰品，也有少量与中原地区近似的同类器物。骨器中的镳、节约、骨三瓣形器和装饰颇具地方特色。此外，作为北方少数民族青铜文化标型器的鹤嘴斧、削（刀）、触角式短剑，也在墓中出现。根据地层关系和随葬品的演变，将 18 座保存较好的墓葬分为早、晚两期：早期相当于春秋末至战国早期；晚期属于战国晚期。早、晚两期墓葬在墓坑排列、墓葬形制、墓向、葬式、殉牲等埋葬习俗上基本相同，说明两墓葬虽有一定的时间间隔，但文化内涵仍有延续性，应是同一人群在不同时期创造的遗存。从葬俗和随葬品的特征来看，畜牧业在生产和生活中占主导地位。晚期墓中大量出现车马器，说明马匹不仅用于乘骑，也用于驾车。两期墓葬无论大小，均有殉牲，一般在 10 具以上，多者可达 50 多具，显然具有宗教祭祀和财富象征等多重意义。此外骨器的种类与数量也很可观，有车马器、日用器和装饰品多种。这一切都与发达的畜牧业紧密关联。与这种现象相呼应的是墓葬中除斧之外，没有别的农业工具；与农业密切相关的陶器不仅数量少，而且制作不精，陶色不匀，表明农业在生产中的比重很小。

简报认为，此墓地所属族群应过着稳定的定居生活，有别于逐水草而居、迁徙不定的游牧生活的戎人聚居区。

1568.1988 年固原出土的北方系青铜器

作　者：罗　丰、延世忠

出　处：《考古与文物》1993 年第 4 期

宁夏固原地区多年来曾经出土过大量属于北方系的青铜器，以其数量众多、风格独特而引起学术界的广泛关注。1988 年夏，在固原所属的鼓阳县交岔乡官台村、固原县程儿山乡二道岔村和固原县彭堡乡撒门村，又发现几座墓葬。墓葬遭到不同程度的破坏，但仍然从农民手中收集到一批青铜器，由宁夏固原博物馆收藏。简报配以照片、手绘图予以介绍。

1988 年 5 月初，彭阳县交岔乡官台村拐区村农民，在该村西北的沟畔发现一座墓葬。墓葬为土坑墓，没有发现明显葬具。据当事人所述，墓主人头东足西，附近有马、牛、羊头骨陪葬，共出土青铜器、骨角器 30 余件，计有兵器、车马器、装饰品等类。青铜器上未见铭文。

1988 年 6 月，固原县程儿山乡二道岔村沟畔中被洪水冲毁一座墓葬，征集到青铜戈及牌泡饰共 6 件。

简报指出，以上出土北方系青铜器的年代，当在战国时期，应为乌氏之戎遗存。固原青铜文化是北方系青铜文化中重要的一支，与内蒙古等地的同类文化有着十分密切的关系，但在具体内涵上又有别于所谓“鄂尔多斯式青铜器”。

1569.宁夏固原出土战国青铜器

作　者：延世忠

出　处：《文物》1994 年第 9 期

1989 年 8 月，宁夏回族自治区固原县彭堡乡余家庄村村民在挖土垫圈时，挖出一批青铜器。考古人员前往现场调查。墓葬已遭严重破坏，仅收得部分文物。

据介绍，文物计有青铜短剑、铜柄铁剑、青铜刀、车轴饰、泡饰、竿头饰、鹿饰、带扣、牌饰等共 26 件，另外还有绿松石珠 1 枚。简报推断这批文物应属战国时期。

1570.宁夏彭堡于家庄墓地

作　者：宁夏文物考古研究所　钟　侃、陈晓桦、延世忠等

出　处：《考古学报》1995 年第 1 期

于家庄墓地在宁夏回族自治区固原县彭堡乡撒门村西北 2.5 公里、冬至河支流

大营河的东岸，背靠清水河和冬至河之间的高塬，西临冬至河及大营河冲积而成的平川。由于当地百姓在村中取土建房，历年来屡有铜器、骨器及殉牲的头、蹄骨出土。固原博物馆和县文管所曾陆续进行了征集，并有所报道。1986年夏，考古人员曾在墓地中区进行探查，但未发现墓葬。1987年7月考古人员对墓地进行了发掘。发掘工作从7月13日开始，至9月27日结束。

简报分为：一、墓葬概况，二、随葬器物，三、结语，共三个部分。有照片、手绘图。

据介绍，于家庄墓地的墓葬地表都没有封土和其他标志。墓葬形制以土洞墓为主，有17座，竖穴土坑墓有6座。除两墓（凹字形土洞墓M2和竖穴土坑墓SM3）是儿童合葬墓外，其余都是成人单人葬。葬式均为仰身直肢，没有使用葬具。于家庄墓地盛行殉牲的习俗。完整的22座墓葬中，有21座殉有不同数量的牛、马、羊头骨和下颌骨、蹄骨。其中以羊头骨为最普遍，少者1具，多者53具。土洞墓的殉牲数量较多，土坑墓的殉牲则相对较少。随葬器物以铜器和骨器为大宗，陶器很少，只在M4、M5、M10、M17和SM1、NM2等墓各出1件单耳罐或双耳罐。铜器中有短剑、戈、矛、镞等兵器，但数量不多，最常见的是刀、凿、铜管、扣具、锥、环、泡和各种饰件。骨器制作较发达，器类除当卢、镳、节约、镞、针外，还有各种饰件，制作精细。随葬品的放置位置，除在墓道中放置少量的车马具外，大多由墓主随身携带，置于墓室之中。于家庄墓地的时代，简报推断为春秋晚期至战国早期。

简报指出，固原是西周、春秋、战国、秦时关中通往西北的咽喉，但是考古发现大多未经正式发掘，从而对全面了解这种文化遗存带来不少困难。固原彭堡于家庄墓地的发掘，较全面地揭露了这种青铜文化遗存的内涵，具有重要的价值。于家庄墓地这类青铜文化遗存随葬器物中除斧、凿、锥等手工工具外，未见有农业工具。盛行以羊、牛、马的头骨或蹄骨殉葬，且数量巨大。随葬青铜短剑、刀、戈、矛、镞及大量的泡饰、扣饰和马衔、马镳、节约、当卢等。这些情况表明，这种文化遗存的居民绝不是农业民族，而是从事畜牧业、“习战攻”的民族。

简报推测，于家庄这类青铜文化，无论从其存在的时间看，还是从其分布的地域看，都与春秋时期的“西戎八国”关系密切。西戎是有着千余年历史的强大民族，在西周晚期以后便形成强大的政治、军事力量，并先后与周、秦相抗衡。这样一个在中国历史上有过重大影响的少数民族，至今仍是考古学研究中一个未被涉及的领域。于家庄墓地较全面地揭示出西戎文化遗存的内涵，其在考古学、历史学、民族学等学科研究中所处的重要地位是不言而喻的。

1571.宁夏彭阳县近年出土的北方系青铜器

作　者：杨宁国、祁悦章

出　处：《考古》1999 年第 12 期

春秋战国时期以生产工具、青铜兵器、车马饰件、动物纹装饰品等为主要特征的北方系青铜器，在固原地区屡有发现。近年来，在固原所属彭阳县等地又陆续发现几处墓葬以及一些零星出土的青铜器。近年发现的这些墓葬虽遭不同程度的破坏，但大部分重要的青铜器仍从当地人手中征集回来，丰富了固原地区青铜文化的内涵。简报配以手绘图予以介绍。

1987 年 6 月，草庙乡张街村出土一批青铜器。墓为土坑墓，无葬具。为单人仰身直肢葬。随葬品散置于墓主人周围。在人骨上有马、牛、羊等牲畜头骨层层叠压。共出土青铜器 160 件。

1991 年 5 月，刘塬乡米塬村农民发现一座墓葬。共出土青铜器 58 件。

1992 年 7 月，交岔乡克麻村出土一批青铜器。此处为一墓葬，距地表约 1 米，人骨一架，无葬具。伴随出土牛、羊骨 6 件，出土青铜器共计 72 件。

1993 年 4 月，沟口乡白草洼村出土一批青铜器，共 17 件。

1992 年 4 月，白阳镇乡白岔村出土一批青铜器，现征集回 14 件。

1992 年 5 月，古城乡店洼村发现一批青铜器，现征集到 25 件。

另外在彭阳乡姚河村、川口乡郑庄村、新集乡白林村等地零星收集到一些青铜器。

彭阳县出土的大量北方系青铜器，其时代上限为春秋晚期，下限应为战国中晚期。简报称，这对于研究春秋战国时期我国北方地区西戎民族文化有着重要的学术价值。

1572.宁夏彭阳县张街村春秋战国墓地

作　者：宁夏回族自治区文物考古研究所、彭阳县文物站　耿志强、樊　军、杜李平、杨宁国、陈风娟

出　处：《考古》2002 年第 8 期

张街村位于宁夏彭阳县草庙乡，在县城东北约 25 公里处，距横穿彭阳的战国秦长城 16 公里，距彭草公路 2 公里。墓地坐落在村北一处两面环山的台阶坡地上。现存范围南北长 500 米，东西宽 200 米，当地村民称这里为“蕃王墓地”。1987 年，村民在平整田地时，多次发现铜器、殉牲等遗物。近年来在此处已挖毁和破坏过 10 余座墓葬。1987 年彭阳县文物站在张街村征集到 100 多件青铜器。从实地调查和发掘情况来看，该墓地遭受人为破坏十分严重。1998 年 5 月考古人员对墓地进行了全

面的钻探和发掘。发掘工作从6月1日开始，至7月19日结束。发掘清理墓葬6座、葬坑1座，出土殉牲72具、随葬品86件（组）。

简报分为：一、墓葬分布与形制，二、遗物，三、结语，共三个部分。有手绘图、照片。

据介绍，张街村墓地的墓葬形制分竖穴土坑和“凸”字形土洞墓两类，地表都没有封土，均为单人仰身直肢葬，头向东，无葬具。随葬器物以青铜器为主，陶器及骨器很少，简报推断张街村墓地的时代应为春秋晚期到战国早期，该墓地无论从存在时间还是从分布地域看，都与春秋时期的“西戎八国”关系密切。

中卫市

1573.宁夏中宁县青铜短剑墓清理简报

作　者：宁夏回族自治区博物馆考古队　钟　侃

出　处：《考古》1987年第9期

1983年11月，宁夏回族自治区中宁县关帝乡农民在倪丁村挖沙时发现一批青铜器。考古人员前往调查，除从农民手中征集了部分出土青铜器外，又在当地发现了一座墓葬。

简报分为：一、墓地环境和墓葬形制，二、随葬器物，三、小结，共三个部分。有手绘图。

据介绍，墓地位于中宁县关帝乡西南约5公里的倪丁村西北，这里地貌为固定沙丘景观。墓地南约200米，为黄河古代河道，由于河床南移，现成为黄河的河漫滩；北为隆起的岗丘，是贺兰山东麓的洪积带，经雨水长期切割形成沟壑。墓地在倪丁村西北约100米的一个平坦沙丘上。出土随葬物有铜器、石器、骨器、金器、陶器等计100多件。两墓出土的随葬品，以马具和兵器为主。马具除衔、环外，还有马头上的当卢等装饰。兵器除用于护身的短剑外，还有管銎斧、镦、镞等。其他均属个人生活用品，如镜、扣具、锥、磨石、金饰等，未见有生产工具。简报认为两墓均为战国初期北方游牧民族墓葬。

1574.宁夏中卫县狼窝子坑的青铜短剑墓群

作　者：周兴华

出　处：《考古》1989年第11期

1987年7月，宁夏回族自治区中卫县西台乡双瘩村狼窝子坑出土了一批古代文物。经整理，出土文物绝大部分为铜器，还有一些陶器、骨器、石器和铜铁合制器等。主要类型有兵器、生产工具、马具、生活用具、装饰品等，共计440多件。其中铜器49种，398件；铜铁合制器1种，2件；陶器4种，9件；骨器7种，18件；石器2种，5件；珠类8种，890颗。

简报分为：一、墓葬概况，二、出土器物，三、结语，共三个部分。

据介绍，中卫青铜短剑墓群出土文物种类繁杂，典型器很多。有些文物是首次发现，极为珍贵。这批文物的时代特征、地域特征、民族特征、文化特征十分明显。简报推断，中卫青铜器短剑墓群的时代不会晚于春秋。

简报指出，中卫青铜短剑墓群的发现，以新的实物资料证明了中华儿女早就繁衍生息在宁夏地区，创造并向周围传播着光辉灿烂的华夏文化，具有十分重要的学术价值和科学意义。

1575.中卫出土春秋青铜饰牌

作　者：刘　军

出　处：《考古与文物》2001年第2期

1987年7月宁夏中卫县双瘩村村民平田整地时，在村西南约200米处沙丘地表上，发现了一批青铜器物。考古人员实地勘察，认为属春秋时期墓葬，并进行了抢救性清理，从清理的11个坑位中，整理出400余件器物，其中以动物纹样为主要特征的各种青铜饰牌最具特色。简报配以照片予以介绍。

据介绍，人面纹鞋底形饰牌，通体形似鞋底形。人面蛇身纹饰牌，器形均残，但从出土时的资料看，它和人面纹鞋底形饰牌的器形相同，都是鞋底形。这两种饰牌的阴刻技术极高，说明了当时车马具的饰牌纹饰种类多，装备已非常讲究。从这两种饰牌的形状可以看出，它是挂在马鼻上的。这种马面饰以春秋末期至战国初期最为盛行，延续的时间长。除了这两种饰牌外，该墓葬还出土了青铜短剑、刀、戈、斧、陶器、骨器、石器等，具有强烈的北方民族文化特色。由此可见，春秋时期今中卫一带西戎民族活动相当活跃，这里曾是他们生息繁衍之地。

1576.宁夏中卫县出土的春秋时期青铜饰牌

作　者：王凤菊

出　处：《北方文物》2002年第4期

1987年，在宁夏回族自治区中卫县狼窝子坑春秋时期的墓葬中出土一对造型、纹饰完全一样的透雕龙纹饰牌，现由宁夏回族自治区中卫县博物馆珍藏。简报配以照片予以介绍。

据介绍，饰牌由三部分组成，上部窄平凹肩，中部为长方形，下部收为三角形，青铜制作且镶嵌红铜。该器通长11.6厘米，中间宽6.3厘米，厚0.3厘米。饰牌雕刻细腻精湛，造型完美独特，既是生活实用器，又充满游牧民族的生活气息，融实用与艺术于一体。

简报称，它的发现说明春秋时期西戎民族的青铜冶铸工艺技术已达到相当高的水平。这对青铜饰牌具有很高的艺术价值，可以说它是我国古代北方少数民族文化中的瑰宝。

1577.宁夏中卫出土的东周青铜器

作　者：中卫市文物管理所　张伟宁
出　处：《文物》2010年第9期

1987年7月，原中卫县西台乡双达村村民在推田时，推出了十余座古墓葬。考古人员进行了抢救性清理，共清理出文物440件，其中青铜器398件、其他器物42件。这批文物收藏于中卫市博物馆。简报配以照片，介绍了其中重要的东周青铜器，计有透雕龙纹铜牌饰2件、短剑4件、羊头饰4件、鹤嘴镐1件、马衔10件、斧3件、锛3件等。

简报认为，这批青铜器均属鄂尔多斯式青铜器，时代不会晚于春秋时期。

1578.宁夏中卫出土的北方系青铜器

作　者：宁夏中卫市博物馆　张伟宁
出　处：《考古与文物》2011年第5期

2003年9月在地处腾格里沙漠边缘的中卫市城区小湖岗子出土了一批青铜器，共7件。据当地村民讲，他们在走路时用脚踢一黑色灰堆时发现了这些青铜器。在该地点没有发现人、畜骨骼和其他器物，这批器物是散落在原地表上的，非墓葬出土。简报配以照片予以介绍。

据介绍，这批青铜器计青铜短剑1件，铜镜1件，铜环1件，带扣、扣饰、马饰具、喇叭口圆管饰各1件。简报认为，这批遗物是不晚于战国时期的北方草原鄂尔多斯式青铜器。

新疆维吾尔自治区

乌鲁木齐市

1579.乌鲁木齐市南郊发现石堆墓

作　者：张玉忠

出　处：《考古与文物》1989 年第 2 期

遗址于 1983 年发现并试掘，共计两座小型墓。随葬品仅有金器、包金铁器等十余件，应为春秋战国之际遗存。

1580.乌鲁木齐市柴窝堡林场 II 号地点墓葬的发掘

作　者：新疆文物考古研究所、乌鲁木齐文物保护管理所　邢开鼎

出　处：《考古》2003 年第 3 期

1994 年考古人员为配合大黄山至吐鲁番的高级公路建设，在柴窝堡公路沿线清理发掘了 4 个墓葬点。墓葬位于乌鲁木齐市区东南约 50 公里柴窝堡林场东北部的天山山前冲积扇地带，地表为砾石戈壁。

简报分为：一、墓葬情况，二、随葬器物，三、结语，共三个部分。有手绘图。

据介绍，柴窝堡林场 II 号地点的 10 座墓，独处一地，虽分两组，但它们排列有序，相距不远，文化特征也较一致，是一处小型墓地。该墓地的时代，简报推断为战国时期。

简报称，II 号地点墓葬多数都随葬羊尾骨，有的羊尾骨上放着铜签，可能是用作剔牙或挑肉的用具，这反映出当时人们经济生活是以畜牧经济为主体。

1581.乌鲁木齐市鱼儿沟遗址与阿拉沟墓地

作　者：新疆文物考古研究所
出　处：《考古》2014 年第 4 期

鱼儿沟遗址位于乌鲁木齐市南山矿区。2008 年为配合铁路建设，考古人员进行了发掘、清理。

简报分为：一、鱼儿沟遗址，二、阿拉沟墓葬，三、结语，共三个部分。有彩照、手绘图。

据介绍，鱼儿沟遗址有石墙 6 列、房址 2 组，还有 8 幅岩画；阿拉沟遗址有墓葬 3 座，均有石堆作为标志。墓坑为圆形或椭圆形竖穴，部分墓坑内有石室。葬式为多人合葬。出土遗物以陶器、木器为主，部分墓葬内随葬羊等动物。两地应属同一文化，时代为距今 2400 年左右的春秋战国时期。

克拉玛依市

吐鲁番地区

1582.苏贝希遗址及墓地

作　者：新疆文物考古研究所、吐鲁番地区博物馆　吕恩国、郑渤秋
出　处：《考古》2002 年第 6 期

苏贝希所在的吐鲁番盆地四周由天山主脉、余脉环绕，火焰山横亘于盆地东北部，源于北方博格达山的地下水通过坎儿井到火焰山前溢出地面，孕育出肥沃的绿洲，并形成三条河流横断火焰山，中间的一条就叫“吐峪沟”。苏贝希村位于吐峪沟北口，苏贝希为维吾尔语，意为水的源头，隶属鄯善县吐峪沟乡。

在 1980 年 5 月在此进行的发掘，以及以后多次进行的调查中，发现了苏贝希遗址和Ⅰ、Ⅱ号墓地。1992 年修建公路，新发现Ⅲ号墓地，随即对遗址和墓地进行了抢救性发掘。

简报分为：一、苏贝希遗址，二、Ⅲ号墓地，三、Ⅰ号墓地，四、结语，共四个部分。有手绘图。

据介绍，发掘的一处遗址和两处墓地相距很近，遗址有 3 座房址，包括居室、牲畜圈、窖址等。墓葬类型、器物形制和纹样、织物品种和工艺水平甚至服饰等都比较一致，简报认为是同一时代的古代聚落遗址，应在公元前 5 ~公元前 3 世纪。

简报称，上述地点的遗址和墓地有些比苏贝希早一些，有些晚一些，苏贝希居中，恰好形成了早期铁器时代“苏贝希文化”的基本框架。

1583.新疆鄯善县吐峪沟西区北侧石窟发掘简报

作　者：中国社会科学院考古研究所边疆民族考古研究室、吐鲁番学研究院、龟兹研究院　陈　凌、李裕群、李　肖

出　处：《考古》2012 年第 1 期

2010 年和 2011 年，考古人员对新疆鄯善县吐峪沟西区北侧进行发掘。简报分为：一、地层堆积，二、遗迹，三、遗物，四、结语，共四个部分。有手绘图。

据介绍，这次发掘，共清理洞窟 14 处，还发现一处上山踏步。出土一些纸文书、建筑木构件等，还发现较大面积的壁画、题记。NK2 应是这组窟群的中心建筑，石窟开凿于公元 5 世纪前后。简报称，吐峪沟西区北侧石窟的发掘对研究吐峪沟佛教石窟群的布局及演变等具有重要意义。

哈密地区

1584.新疆东部发现的几批铜器

作　者：王炳华

出　处：《考古》1986 年第 10 期

近年，在新疆东部地区考古调查中，在哈密县花园子、巴里坤奎苏、木垒东城等处见到几批铜器，对认识新疆东部地区青铜时代考古文化面貌及其与邻近地区考古文化的关系，均有相当意义。

简报分为：一、哈密市郊出土遗物，二、巴里坤县出土遗物，三、东垒县出土遗物，共三个部分。有手绘图、照片。

据介绍，哈密市郊出土的是一组相当重要、值得注意的文物。其中的鹿首刀、环首刀，具典型的鄂尔多斯式铜刀风格。相类文物，在内蒙古鄂尔多斯地区及河北青龙县抄道沟及陕西绥德墕头村商代遗址中都曾经发现过。目前一些学者认为，兽首铜刀流行时代在商代晚期至西周前期。

巴里坤县土墩遗迹的年代，经国家文物局文保技术所碳 14 实验室年代测定，为距今 2620±70 年，即公元前 670 年前后。

木垒县曾出土透雕动物铜饰牌及铜质圆雕动物形象多件，引起了各方面的注意。

这次踏查工作过程也收集到透雕动物铜饰牌1件。这批动物饰牌应与匈奴右部存在密切关系。

1585.新疆哈密市寒气沟墓地发掘简报

作　者：新疆文物考古研究所、哈密地区文管所　郭建国

出　处：《考古》1997年第9期

1994年5～6月，为配合哈密地区修建哈密市至巴里坤松树塘的公路，考古人员抢救性发掘了哈密市天山区白石头乡寒气沟墓地。寒气沟是天山主脉北坡一条大致呈东西走向的山沟，沟水由东向西流。墓地位于寒气沟沟口北侧山坡上，地势东高西低，坡度较大。墓地共存25座墓葬，已被盗掘2座。此次只发掘了4座，编号为94HTBHM1～M4。

简报分为：一，墓地概况，二、墓葬形制，三、随葬器物，四，结语，共四个部分。有手绘图。

据介绍，出土随葬品中，有陶器35件、铜器5件、骨器4件。寒气沟墓地所处台地面积不大，墓葬分布有序，应是一定时期内一个人数不多的古代部落集团的公共墓地。墓地以地表积石为墓葬标志，流行南北走向的竖穴土坑墓和竖穴石室墓，男女合葬现象较多，以屈肢葬为主，头向北。出土陶器中，以单耳罐、豆和各种不同形状鋬耳罐为代表性器物。从寒气沟墓地的墓葬形制、葬式和出土陶器来看，其与新疆哈密地区天山南部绿洲地带的焉布拉克墓地最为接近，故寒气沟墓地文化相同或相似于焉布拉克文化，同时也融合了天山以北草原文化的一些因素，可定名为“焉布拉克文化寒气沟类型”。寒气沟墓地M4墓室中的木质葬具，经碳14实验室年代测定为距今2205±93，树轮校正年代为公元前359～公元40年，相当于春秋战国至西汉时期。寒气沟墓地年代简报推断为春秋末至战国。

简报称，距今2000年至3000年间，哈密焉布拉克文化同其相邻地域的各种文化接触频繁。相关资料不断积累和研究的进一步深化，对历史记载中曾活动于哈密地域的月氏、乌孙、车师、匈奴等不同考古学文化的研究，有重要学术价值。

1586.新疆巴里坤岳公台—西黑沟遗址群调查

作　者：西北大学考古专业、哈密地区文管会　王建新、刘瑞俊、丁　岩、亚合甫江、于建军

出　处：《考古与文物》2005年第2期

岳公台—西黑沟遗址群位于新疆哈密地区巴里坤县城西南3公里处东天山（巴

里坤山）北麓的山前缓坡地带，有大片的草原牧场和山地森林。遗址群所在的巴里坤盆地，处于欧亚大陆北方大草原东西交通的要道上，地理位置十分重要。沿天山北麓向东穿伊吾谷地是蒙古大草原，东南与甘肃北部地区接连，沿天山北麓向西经木垒、奇台可进入准噶尔盆地，向南可沿多处山口古道翻越天山进入哈密盆地。

岳公台—西黑沟遗址群沿东天山北麓的山前缓坡地带呈西南—东北向分布，南北宽约3公里，东西延续约5公里，面积约10平方公里。遗址群西达西黑沟，南已进入天山北麓峰谷之北，东至于县城正南的岳公台山峰，北以兰州湾子村为界。经调查，遗址区内分布有石筑高台、石围基址、石筑墓葬以及岩画等遗迹。遗址群西起西黑沟，东到兰州湾子村以南的山前缓坡地带，主要以石结构建筑基址为主，其间散布有墓葬和少量岩画，其中小沟口外山麓地带集中分布上百幅岩画；遗址群中部的弯沟口外两侧山坡上，集中分布着数百座墓葬；遗址群东部的弯沟到岳公台的山前坡地上，分布着数量众多的岩画，弯沟口外和大直沟口外山坡上岩画分布较集中。

1983～1984年考古人员调查并发掘了兰州湾子石结构建筑遗址；1984年发掘了弯沟口内4座古墓。2001年7月底对该遗址群进行了初步考察，2002年7～8月对地表遗迹进行了全面的调查和测绘。本次调查对所有石结构建筑基址进行了详细测绘，对墓葬和岩画点进行了位置测绘。由于时间的限制，只对部分墓葬的地表结构进行了测绘，没有对岩画进行临摹和以幅为单位的测绘。为了测绘方便，根据地形状况把该遗址群划分为3个区域，由西向东分别为西区、中区和东区。

简报分为：一、石结构建筑遗迹，二、墓葬，三、岩画，四、遗物，五、结语，共五个部分。

据介绍，保存较为完整的高家鄂博石筑高台上遗留有可能与祭祀活动有关的遗迹，简报据此初步推测石筑高台可能与祭祀活动有关系。大型石围墙基址的数量较少，已经发掘的邵家鄂博出土有陶器、石器和铜器等。本次调查确认了石筑高台、方形和长方形石围基址、不起堆的方形和长方形石结构墓、静态剪影式的岩画等遗迹之间具有共存的关系。该遗址的年代在春秋战国之际。

简报认为，岳公台—西黑沟遗址群规模巨大，遗址群内各类遗迹的数量多、规模大，其中最大的石围基址面积达900平方米，是在新疆东部和甘肃西北部广大区域内调查发现的同类遗址中规模最大的遗址群之一。简报推断，这里有可能是某一游牧部族的政治中心——夏季王庭所在地。

1587.2009 年新疆伊吾县托背梁墓地发掘简报

作　者：西北大学文化遗产保护与考古学研究中心、新疆文物考古研究所、哈密地区文物局

出　处：《考古与文物》2014 年第 4 期

托背梁墓地位于新疆维吾尔自治区伊吾县吐葫芦乡托背梁村东部，莫钦乌拉山和喀尔里克山之间伊吾山间盆地的伊吾河西岸的冲积台地上，地势开阔平坦，地表植被较少，遍布细碎砾石。2009 年，为配合伊吾县政府在吐葫芦乡托背梁村进行的抗震安居工程，考古人员对托背梁墓地进行了抢救性发掘，共发掘墓葬 16 座、石围居址 1 座、祭祀遗迹 3 座。

简报分为：一、墓葬形制，二、出土器物，三、结语，共三个部分。有彩照、手绘图。

据介绍，这是位于新疆伊吾县城西南托背梁村北一处古代游牧文化墓地，共清理墓葬 16 座、房址 1 座、祭祀遗迹 3 处。根据墓葬和出土遗物形制特征，简报初步推断该墓地属于早期铁器时代。简报称，该墓地的发现与发掘，为探讨东天山北麓古代游牧民族考古学文化面貌及其分布等问题都具有重要意义。

和田地区

阿克苏地区

喀什地区

1588.新疆麦盖提发现古箭

作　者：柳用能

出　处：《考古》1965 年第 3 期

1962 年新疆麦盖提县掘出大批古箭。1964 年秋，考古人员赴麦盖提对古箭出土情况作了详细调查，并取回 14 支标本。简报配以手绘图予以介绍。

据介绍，麦盖提在清中叶时仅为一小庄，属巴楚州，后析出置县，改隶莎车府。古箭出于麦盖提绿洲与塔克拉玛干沙漠的分界线上，西距麦盖提县 6 公里。1962 年

冬开荒造田时，在一个普通的红柳沙丘内发现。古箭被埋在沙丘的底部，上距丘顶4米左右。出土时，古箭盛于一长形木箱内。木箱系用一段杨木挖刨而成，另以一块木板为盖。在盖与木箱的边沿，钻有小孔以系绳索。箱内除古箭51支外，尚有钻头、鹰嘴、鹰羽、牛角、皮革、大布等物。就木箱和箱内所盛的全部器物观察，这个木箱内有各种形制不同、用途不同的箭和制箭工具，可能是一个制箭工匠的工具箱。简报未提这批古箭的年代，但从铁镞、骨镞共存的现象看，似不早于战国。

1589.帕米尔高原古墓

作　者：新疆社会科学院考古研究所　陈　戈等

出　处：《考古学报》1981年第2期

帕米尔，在我国古代称为“葱岭”，横亘于中亚细亚腹部，其东半部处于我国古时称为“西域”的新疆维吾尔自治区西南部境内。我国境内的帕米尔地区还是一块考古处女地。1976年7～8月间，考古人员到塔什库尔干塔吉克自治县进行调查。调查的六个公社和一个牧场中，都有古代墓葬的发现。这些墓葬一般都分布在河流两岸的台地上，有些比较集中，有的则断断续续。地面上都有明显的特征，即用大、小石头堆成圆形、长圆形、方形或长方形的石堆，有些石堆中部凹陷，石头亦少，形成石围。其直径长2～10米，高出地面1米不等。在调查的基础上，选择发掘一片墓地。这片墓地位于县城北约4公里的山前台地上。墓地北头有许多的塔吉克族的坟墓，当地百姓称此为“香宝宝墓地”。发掘分两次进行，第一次是1976年8月，发掘15座墓（编号76TXM1～M15）；第二次是1977年6月，发掘25座墓（编号77TXM16～M40）。

简报分为：一、墓葬形制，二、葬具与葬式，三、随葬器物，四、结语，共四个部分。有照片、手绘图。

据介绍，40座墓中，除一座（M14）地面上没有标志外（该墓仅埋一头骨及一件陶器），其余的地面上都有明显的标志。按其形状，可分为石堆和石围两种。石堆是用大石头堆垒而成，中部较高，平面略呈圆形。直径最大的5.4米，最小的1.6米。顶部距地面最高0.4米，最低仅0.1米。石围是用大石头堆成一圈，中部填少量石头或没有石头，故中间部分凹陷。石围形状有圆形、长圆形、方形和长方形四种，而以圆形为最多。最大的石围长9米、宽8.5米、高1.1米，最小的直径2.2米。石堆有17座，石围有22座。年代简报推定为春秋战国时期，出土有铁器的墓葬一般较晚。M9、M19、M20、M37有殉人，或被活埋，或被肢解。简报认为，在我国中原地区由奴隶社会向封建社会转变的春秋战国时期，在新疆地区也正经历着另一种性质的社会变革，即由原始社会向奴隶社会转变。墓主人有可能与羌族有关。

简报指出，这批墓葬的葬式是多种多样的，土葬和火葬大约各占一半。火葬墓基本上都无随葬品，但却有殉人；土葬墓多有随葬品，但数量不一，亦有殉人。这说明实施火葬或土葬并不以贫富贵贱为依据。二次葬既有合葬，也有单身葬。侧身屈肢葬比较普遍。缺腿葬比较特殊，而且有殉人的一个墓主就取此种葬式。有一座墓中仅埋一头骨。对这些墓葬的结构、埋葬情况和随葬品的多寡进行比较分析，尚难看出有什么规律。因此，考古人员暂时得出这样的结论，即当时这个地区的人们不分社会地位的高低和贫富差别而同时流行着多种葬式。当然，这些不同的葬式也许含有某种意义，但目前材料有限，还不能去说明它。另外，M2、M3、M12 在地面上有圆形石堆，但下面却不见墓室，这可能是一种祭祀性质的设施，而不是墓葬。

克孜勒苏柯尔克孜自治州

巴音郭楞蒙古自治州

1590.新疆和静县察吾乎沟口一号墓地

作　者：中国社会科学院考古所新疆队、新疆巴音郭楞蒙古自治州文管所　孙秉根、陈　戈等

出　处：《考古学报》1988 年第 1 期

1983 年下半年，考古人员对全州和县进行了一次规模较大的普遍的文物考古调查，和静县察吾乎沟口墓地就是在这次调查中由当地百姓提供线索而发现的。察吾乎沟口墓地共有三片，分别编为一、二、三号墓地。1983 年 10 ~ 12 月和 1984 年 7 ~ 10 月先后分别对一、二、三号墓地的部分墓葬进行了发掘。

简报分为：一、墓地的地理环境和墓葬分布概况，二、墓葬形制，三、随葬器物，四、结语，共四个部分。先行介绍一号墓地的简要情况，有照片、手绘图。

据介绍，察吾乎沟口一号墓地墓葬具有非常明显的特征：一、墓葬表面有石围或石堆标志；二、墓葬周围有儿童墓和马头坑、牛头坑；三、墓室为竖穴石室，口部棚盖大石板；四、葬式基本上是多人二次合葬，一般头向西或西北，多侧身屈肢；五、随葬器物中以带流陶罐为最多；六、彩陶基本上是在黄白色陶衣上绘红色彩绘，花纹一般多饰于器物上部，尤以在器物之一侧绘一斜条带和在颈部绘一横条带最为

别致。这些特征，特别是大量的带流罐和彩陶纹饰特点是他地很少见到的，很明显，它们应是一种地方文化。简报推断其时代为距今 3000 ~ 2000 年，大致相当商代晚期至西汉末年。当地先民应是以畜牧业为主，兼营狩猎，已出现贫富分化，应已进入阶级社会。随葬品中出现有铁器，时代大约在春秋时期。简报认为这一现象值得注意，至少从铁器出现的时间看，新疆并不晚于中原地区。

1591.新疆库尔勒市上户乡古墓葬

作　者：巴音郭楞蒙古自治州文物保护管理所　何德修等

出　处：《文物》1999 年第 2 期

1995 年 11 月 8 日，库尔勒市福利公司纸箱厂在挖掘排污水池时，发现了十余件陶器。考古人员于 11 月 13 日至 11 月 22 日，清理土葬墓 2 座、火葬墓 1 座。

简报分为：一、墓葬位置，二、墓葬形制，三、出土器物，四、结语，共四个部分。有照片、手绘图。

据介绍，墓葬位于库尔勒市城西约 15 公里、上户乡政府西北约 1.5 公里，自治区物资局 326 物资仓库院内。M1、M2 纵向排列，M2 北距 M1 1.2 米，两墓西侧均被挖毁。M3 位于 M2 东侧 4 米，北面被挖毁。M1 为三人合葬，无棺椁，出土遗物 7 件，有陶器、石器、金器、铁条。M2 出土陶罐 2 个。M3 出土铁器 16 件，海贝、铜饰等 13 件，石器 4 件，陶器 36 件，金器 11 件。

简报指出，库尔勒市是丝绸之路的必经之路，墓葬年代下限为汉代以前。上户乡古墓的葬俗，有几点应引起注意：一是上户乡古墓葬无石围石堆，亦无封土堆，地面无任何标志；二是土葬墓室浅，无葬具，尸骨头向不一；三是火葬墓室较深，有墓道，尸骨零乱，似边焚边葬或先焚后葬；四是 M3 出土的金箔，其薄如纸，很可能是人死后置于齿间或唇间的装饰。以上几点是以前报道的和静县察吾乎沟和轮台县群巴克古墓所不曾见的。

昌吉回族自治州

博尔塔拉蒙古自治州

伊犁哈萨克自治州

1592.新疆伊犁地区发现的大型铜器

作　者：张玉忠

出　处：《文博》1985 年第 6 期

1984 年初，伊犁地区 72 团场职工向新疆维吾尔自治区考古所反映，他在农田里发现一件大型铜镀。考古人员去现场查看。此后，考古人员又在昭苏县文物保管所看了近年来征集到的两件铜器。简报一并加以介绍，有照片。

据介绍，铜镀 1 件，1979 年 8 月在新源县境巩乃斯河南岸的肖尔不拉克（72 团 11 连所在地）取土时在距地表深 1.5 米处发现。据发现者介绍，此处原有许多土墩（即伊犁河流域广为分布的土墩墓），因平整土地，现已不存。波纹镀 1 件，1959 年发现于昭苏县天山牧场一土墩墓中。兽足方铜盘 1 件，1981 年 7 月在昭苏县四公社一大队整修水渠时发现。这些铜器从文物特征看可能属于塞人文化。简报认为是属于公元前 5 世纪前后的塞人遗物，约相当中原战国时期。

1593.新疆新源铁木里克古墓群

作　者：新疆文物考古研究所　张玉忠等

出　处：《文物》1988 年第 8 期

铁木里克位于伊犁哈萨克自治州新源县城西北约 30 公里处。1981 至 1982 年，考古人员先后两次发掘了这一墓群中的 15 座墓葬（编号 M1 ~ 7、M9 ~ 16）。

简报分为：一、墓葬形制及葬式，二、随葬器物，三、结语，共三个部分。有照片、手绘图。

据介绍，此墓群有古墓约 40 座，均有大小不等的圆形封土堆。最大的高约 3.1 米、直径 31.3 米，最小的只稍稍隆起，高 0.5 米、直径 7 米左右，彼此间距不等。大封土堆间距为 30 ~ 100 米，小封土堆间距只有 10 多米。大封土堆中，有的在底部周围用石块嵌一个圆圈。发掘的 15 座墓葬，随葬品不多，近半的墓没有随葬品或仅见羊骨。仅有一座双室木椁合葬墓。简报认为，此处是战国时期塞种人的一处墓地。

1594.新疆巩留县出土一批铜器

作　者：王　博、成振国
出　处：《文物》1989 年第 8 期

1976 年夏，巩留县特克斯河与巩乃斯河交汇处的西南岸三角地带出土一批铜器，种类有斧、镰、凿和锤等，共 13 件。简报配以照片予以介绍。

据介绍，13 件铜器为铜斧 3 件、铜镰 3 件、铜凿 5 件、铜锤 1 件、残铜器 1 件。同时出土的有 1 件已碎的夹砂粗红陶罐。这批铜器的年代可能属于春秋时期，最迟不晚于战国。

简报称，这批铜器的发现，为探讨伊犁地区早期文化的性质及这一文化发展的程度提供了新的实物资料。

1595.新疆尼勒克县发现古代铜镀

作　者：郭林平
出　处：《文博》1998 年第 1 期

1997 年 6 月中旬，尼勒克县文物保护管理所工作人员在该县克令乡卡哈拉木东村一农民家征集到一件双耳深腹高圈足铜镀。简报配以照片予以介绍。

简报称，据发现该文物的农民称，这件铜镀是 1995 年他在自家院里建房挖地基时出土的，出土时保存较完整。由于缺乏文物保护意识，发现者用钢锯将铜镀底座锯去了一小截。由于这件铜镀的出土地点距离自治区级文物保护单位著名的奴拉赛古铜矿遗址仅数公里，简报根据铜镀的造型特点、图案风格并结合伊犁地区境内的其他发现，推断其时代和文化内涵应为公元前 5 ～公元前 3 世纪初活动于伊犁河谷的塞人的文化遗存。

简报称，铜镀是古代活动于从蒙古高原到准噶尔盆地、哈萨克丘陵等广大地区游牧民族所使用的一种炊煮器。现出土的铜镀不仅分布范围广，而且数量也比较多，是研究古代草原文化的代表性器物。这件双耳深腹高圈足铜镀的发现，对于研究古代新疆冶铜及制造复杂器物的技术具有一定的价值。

今有刘学堂先生《丝路天山地区青铜器研究》（三秦出版社 2017 年版）一书，可参阅。

1596.新疆察布查尔县索墩布拉克古墓群

作　者：新疆文物考古研究所　张玉忠

出　处：《考古》1999 年第 8 期

索墩布拉克村位于新疆西部伊犁河谷察布查尔锡伯自治县西南约 50 公里处。这里分布有大量古代墓葬，据 1989 年文物普查，察布查尔县境内有墓葬共计约 3000 座，而索墩布拉克村周围则有 120 余座，主要集中在村南和村北，其中村南约 80 座，村北约 40 座。索墩布拉克村周围的墓葬，考古人员 1958 年在伊犁河谷进行考古调查时就已发现。1987 年，因修筑公路，村庄内和村南的 3 座墓葬遭到破坏，考古人员曾组织过清理发掘。1990 年 8 ～ 9 月，对这处已遭破坏的古墓群又进行了清理发掘。这次共发掘墓葬 33 座，其中 5 座（M1 ～ M5）位于村北沟谷旁，28 座（M6 ～ M33）位于村南台地上。

简报分为：一、墓葬形制，二、随葬器物，三、结语，共三个部分。有手绘图。

据介绍，这批墓葬共出土铁器 8 件、铜器 2 件，铁器的数量明显较铜器为多，且彩陶与铜、铁器共存。简报推断这批墓葬应是一处公元前 5 ～公元前 3 世纪属于早期铁器时代的考古学文化遗存。

1597.新疆特克斯恰甫其海 A 区 XV 号墓地发掘简报

作　者：新疆文物考古研究所、西北大学文化遗产与考古学研究中心　陈洪海、吕恩国等

出　处：《文物》2006 年第 9 期

为配合新疆特克斯河中下游恰甫其海水库工程，2000 年，考古人员在新疆伊犁哈萨克自治州特克斯县喀拉托海乡和喀拉达拉牧场的水库淹没区进行文物点复查。此次复查登记古代墓葬近 300 座，其中特克斯河以北的 15 处墓地为 A 区，编号为 AI ～ AXV；特克斯河以南的 10 处墓地为 B 区，编号为 BI ～ BX；位于巩留县吉尔尕朗乡的特克斯河支流吉尔尕朗河流域淹没区的 2 处墓地为 C 区。A 区最西部的 XV 号墓地位于喀拉达拉牧场牧业队居民点正西 2 公里处，西南距喀拉托海乡政府驻地 10 余公里。墓葬散布在特克斯河北岸一级台地东西长 1.2 公里、南北宽 0.8 公里的范围内，先期普查时编为 A 区 XV 号的一个墓地的墓葬相对集中为三个独立的小区。2003 年 6 月 19 日至 7 月 18 日，考古人员对该墓地进行了发掘，清理墓葬 73 座。

简报分为：一、墓葬特点，二、随葬器物，三、几点认识，共三个部分。有照片、手绘图。

据介绍，此次发掘的墓葬在地面之上均有圆形或椭圆形的土石构建的封堆，直径

2.5 ~ 18 米，石料为附近河床的卵石。依封堆的构造可分为石堆墓、石圈墓和石圈石堆墓三大类。石堆墓中单个石堆墓的数量最多，达 25 座，地表只有石堆，墓室在石堆的中心部分之下，个别的仅在地面上散乱放置一些卵石；有的墓葬在石堆外堆土，外层再加一层石堆，称为“双重石堆墓”，仅有 2 座。石圈墓是在地面上用卵石围成一个圆圈，圈内是封土，墓室均在石圈中心位置，计有 14 座；也有外围加堆一圈乱石的，称为“内外双石圈墓”，计有 17 座。有的封堆的内层为石堆、外层为石圈，称之为“石圈石堆墓”，计有 15 座。73 座墓中有 39 座有随葬品，主要为陶器、骨器、铜器、铁器、石器等。简报认为本墓地属于塞—乌孙文化，即中国史籍所记的“乌孙”人，年代大致为公元前 4 ~公元前 3 世纪，即战国时期，个别墓葬晚至东汉。

塔城地区

1598.新疆塔城地区白杨河墓地发掘简报

作　者：新疆文物考古研究所　王永强、田小红

出　处：《考古》2012 年第 9 期

2010 年 9 月，为配合白杨河水利枢纽工程建设，新疆文物考古研究所在塔城地区文物局协助下，对塔城白杨河墓地进行了抢救性发掘，共清理墓葬 51 座。

发掘情况简报分为：一、地理位置，二、墓葬概况，三、出土遗物，四、结语，共四个部分。有彩照、手绘图。

据介绍，墓葬的形制分为竖穴土坑墓、竖穴偏室墓、竖穴石棺墓等。多不见随葬品或仅有铁刀和羊骨，个别出土陶器、铜镜、木器等。其年代大约相当于战国到汉代。简报称，其文化内涵与阿尔泰山南麓的同类墓葬有关，同天山东部和天山北麓乃至伊犁河谷的文化也有联系。

阿勒泰地区

1599.新疆布尔津县出土的橄榄形陶罐

作　者：新疆文物考古研究所　张玉忠

出　处：《文物》2007 年第 2 期

2003 年，布尔津县文物管理所征集到一件橄榄形陶罐和一件陶豆。它们同出于

一座彩绘石棺墓中。简报配以照片予以介绍。

据介绍，彩绘石棺墓位于布尔津县城以北约 40 公里的窝依莫克乡，在阿和加尔村阔帕尔谷地，2003 年 5 月农民平整土地时发现。石棺东西长 1.56 米，南北宽 1.14 米，深 1.32 米，用 4 块花岗岩石板相拼，竖植于竖穴土坑四壁，围成长方形石棺，棺底是生土。棺口盖一块大石板，石板厚约 15 厘米。据农民讲，发现时石棺壁都有鲜艳的彩绘。出土遗物除了橄榄形夹砂红陶陶罐及陶豆，还有一把铜刀，已佚。

简报称，该墓年代上限不早于战国时期，是当地不多见的彩绘石棺墓。

1600.新疆哈巴河东塔勒德墓地发掘简报

作　者：新疆文物考古研究所　于建军、党志豪、胡望林等

出　处：《文物》2013 年第 3 期

2011 年 6 ～ 8 月，为配合哈巴河县东塔勒德水库建设，考古人员对水库涉及的东塔勒德墓地进行了抢救性发掘。东塔勒德墓地位于阿勒泰地区哈巴河县东北约 20 公里的加依勒玛乡塔木齐村附近阿尔泰山前山支脉之间的多条山梁上。墓地被一道西北—东南走向的山岭分为两个区域。I 区西侧山沟内有南北向的溪流；西南为修建中的堤坝；西缘山岩上有岩画，凿刻有羊群、牛、马等形象；北部为阿尔泰山南麓逐渐降低的起伏山岭；东部山沟内也有南向北流的山溪。墓葬分布在山岭北麓西北—东南走向的山梁上，其间有近现代墓葬，Ⅱ区位于山岭南麓，墓葬集中分布在一道南北向的沙梁上。简报分为三个部分进行介绍，配有彩照和手绘图。

据介绍，此次共发掘墓葬 61 座，其中 I 区墓葬 47 座、Ⅱ区墓葬 14 座，出土随葬器物 800 余件，有陶器、石器、铜器、铁器、金器等。经过发掘发现，墓葬地表多有岩石块堆积的圆台状或圆饼状封堆，下则多为开口近长方形的竖穴土坑，少数在墓坑下半部以石板构筑石椁，并以石板封盖。大部分墓葬被扰动，有的可能属于扰乱葬，有的可能埋葬不久即被盗扰。从保存较好的墓葬观察，多为单人仰身直肢葬。

出土器物中，陶器出土数量很少。器类有罐、壶，稍显粗糙。石罐 1 件，铜镞若干。出土金器数量较多，约 800 件，均为装饰品，多以金箔制成，图案以动物为主，体现了比较成熟的工艺。另外还有骨器、玛瑙珠、绿松石等。

简所初步判断东塔勒德墓地的年代最早可以上溯到春秋晚期，晚至西汉。东塔勒德墓地的发掘，对于构建哈巴河县早期历史具有重要意义，对于阿勒泰地区早期考古学文化的研究有着更多的启迪。

石河子市

阿拉尔市

图木舒克市

五家渠市

香港特别行政区、澳门特别行政区、台湾省

参考文献

一、参考文献分为上编、中编、下编。

二、上编收录本书收录的考古核心刊物（以《北京大学中文核心期刊目录》2011年版考古学科为准，略加调整）。中编系非核心刊物及以书代刊的连续出版物、某一地区考古成果汇编等举要。下编是面对非考古专业读者的相关书籍。

三、上编依《北京大学中文核心期刊目录》2011年版给出顺序排列；中编依通行的省市自治区直辖市顺序排列。省市自治区下排列不分先后。

上　编

1.《文物》

创刊于1950年，国家文物局主管，文物出版社主办。初名《文物参考资料》，1959年改为《文物》。1971年曾停刊一年。现为月刊。

2.《考古》

创刊于1955年，由中国社会科学院考古研究所主办。1955 ~ 1959年，用《考古通讯》的刊名，1955 ~ 1957年为双月刊，此后改为月刊，1966年6月至1971年12月停刊，1972 ~ 1982年为双月刊，1983年至今为月刊。有《考古（1955 ~ 1996年）》《考古（1997 ~ 2003年）》两张全文检索光盘出版。2007年3月起，实行双向匿名审稿。

3.《考古学报》

创刊于1936年8月，由国立“中央研究院”历史语言研究所主办，刊名《田野考古报告》，列为专刊之十三。第二册（1947年3月出版）更名为《中国考古学报》，至1949年共出版四册。第四册出版于1949年12月，由中国科学院历史语言研究所主办。1950年8月1日，中国社会科学院考古研究所成立（当时为中国科学院所属研究机构），继续主办，于1950年12月出版第五册。自第六册（1953年12月出版）更名为《考古学报》至今。1954年变更为半年刊，1956年变更为季刊，1960年又变更为半年刊，1978年起改为季刊，每年1、4、7、10月的30日出版。2007年3月起，实行双向匿名审稿。

4.《考古与文物》

1980年创刊，陕西省考古研究所主办，季刊。1982年改为双月刊。该刊曾编有若干期《考古与文物》辑刊，多为研究性文章；还编有《考古与文物丛刊》，为不定期刊物，有少许发掘报告，但内容较宽泛，古文字学、古人类学等方面文章均收。

5.《中原文物》

河南省博物馆主办，1977年创刊时名为《河南文博通讯》，1981年改名《中原文物》，季刊。2000年改为双月刊。有《〈中原文物〉十五年叙录（1977 ~ 1992）》一书。

6.《北方文物》

黑龙江省考古研究所、考古学会主办，1981年创刊，初名《黑龙江文物丛刊》，季刊。

7.《华夏考古》

河南省考古研究所、河南省文物考古学会主办，创刊于 1987 年，季刊。

8.《四川文物》

四川省文物局主办。1984 年创刊，双月刊。出版有《〈四川文物〉二十年目录索引（1984 ~ 2003）》。

9.《江汉考古》

1980 年创刊，先以不定期形式共出了五期（至 1982 年底为止）。从 1983 年第 1 期（即总第 6 期）起改为季刊，向国内外公开发行。1989 年第 3 期起，由湖北省文物考古研究所主办。

10.《农业考古》

1981 年创刊，为国内外唯一的专门发表有关农业考古学研究成果的大型学术刊物。原主办单位为江西省博物馆、江西省中国农业考古研究中心。1985 年由江西省社会科学院历史研究所和江西省中国农业考古研究中心主办；1994 年起由江西省社会科学院和中国农业博物馆联合主办；2003 年起由江西省社会科学院主办。双月刊。

11.《文博》

1984 年 7 月创刊，陕西省考古研究所主办；陕西省博物馆、秦始皇陵兵马俑博物馆参办。双月刊。

《文博》虽未列入 2011 年版《北京大学中文核心期刊目录》，但考虑到该刊的质量及陕西省作为文物大省的地位，此次仍然予以收录。

中　编

1. 北京市

《考古学社社刊》

北京燕京大学考古学社编，1934 年创刊，1937 年停刊。

《考古学集刊》

中国社会科学院考古研究所主办，1981 年创刊，科学出版社出版，年刊。自第 16 期开始以专业论文为主。

《考古学研究》

北京大学考古文博学院、中国考古学研究中心编，16 开平装，科学出版社、北京大学出版社不定期出版。

《北京文物与考古》

1983 年创刊。

《北京文博》

北京市文物事业管理局主办，1995 年创刊，季刊。

《北京考古》

北京市文物研究所编，北京燕山出版社 2008 年始不定期出版。

《三代考古》

中国社会科学院考古研究所夏商周考古研究室编，16 开平装，科学出版社不定期出版。

《中国道教考古》

线装书局不定期出版。

《中国古陶瓷研究》

紫禁城出版社出版的连续出版物。

《石窟寺研究》

中国古迹遗址保护协会石窟专业委员会编，文物出版社不定期出版。

《中国大遗址保护调研》

中国社会科学院考古研究所文化遗产保护研究中心编，科学出版社 2011 年始不定期出版。

《文物研究》

科学出版社连续出版物。

《九州》

商务印书馆连续出版物。

《古脊椎动物学报》

中国科学院古脊椎动物与古人类研究所主办。1957年创刊时为英文版，季刊，1959年创刊中文版。1961年英文、中文版合并，1966年停刊，1973年复刊。

《文物资料丛刊》

《文物》编辑委员会编，文物出版社不定期出版。

《古代文明》

北京大学中国考古学研究中心编，文物出版社不定期出版。

《古代文明研究》

中国社会科学院考古研究所、古代文明研究中心编，文物出版社不定期出版。

《中国盐业考古》

科学出版社不定期出版。

《科技考古》

中国社会科学院考古研究所编，科学出版社不定期出版。

《水下考古》

国家文物局水下文化遗产保护中心编，上海古籍出版社2018年出版第1辑。

《中国国家博物馆馆刊》

创刊于1979年，初名《中国历史博物馆馆刊》。原为半年刊，一年两本。1999年改名《中国历史文物》，2002年改为双月刊，2011年改为《中国国家博物馆馆刊》，并改为月刊。

《首都博物馆丛刊》

首都博物馆主办，北京燕山出版社2007年始不定期出版。

《中国文物报内部通讯》

1991年7月创刊，不定期出版。

《陶瓷考古通讯》

《玉器考古通讯》

《古代文明考古通讯》

以上三种“通讯”，均由北京大学文博学院主办。

《青年考古学家》

北京大学文物爱好者协会会刊，1988年创刊。科学出版社出版。每年一册。

《故宫博物院院刊》

故宫博物院主办，1958年创刊，双月刊。

《中国文物科学研究》

国家文物学会、故宫博物院主办，2006 年创刊。

《中国历史文物》

国家博物馆主办，双月刊。

2. 天津市

《天津博物馆集刊》

天津博物馆编，天津人民出版社出版，1998 年第一辑出版。

《天津考古》

天津市文化遗产保护中心编，16 开精装，科学出版社不定期出版。

《天津博物馆论丛》

科学出版社不定期出版。

《天津文博》

天津市文物博物馆学会编，1986 年创刊。

3. 河北省

《文物春秋》

河北省文物局主办，创刊于 1989 年，双月刊。

《河北省考古文集》

河北省文物研究所编，科学出版社不定期出版。

4. 山西省

《三晋考古》

山西省考古学会、山西省考古研究所主办，1994 年创刊。年刊，现由上海古籍出版社出版。

《山西博物馆学术文集》

山西人民出版社不定期出版。

《晋中考古》

文物出版社不定期出版。

《运城地区博物馆馆刊》

运城地区博物馆主办。

《北朝研究》

中国魏晋南北朝史学会、大同平城北朝研究会编，16 开平装，科学出版社不定期出版。

《文物世界》

山西省文物局主管，1987 年创刊，双月刊。

5. 内蒙古自治区

《内蒙古文物考古》

内蒙古文化厅、内蒙古考古博物馆学会主办，1981 年创刊，半年刊。

《草原文物》

内蒙古自治区文化厅、内蒙古考古博物馆学会主办，1984 年创刊，1997 年由年刊改为半年刊。

《鄂尔多斯考古文集》

伊克昭盟文物工作站 1981 年创刊。

《内蒙古包头博物馆馆刊》

内蒙古包头博物馆主办，2000 年创刊。

6. 辽宁省

《辽宁文物》

辽宁省博物馆主办，1980 年创刊。

《辽海文物学刊》

1986 年创刊，辽宁省博物馆、文物考古研究所主办，半月刊。

《辽宁考古文集》

辽宁省文物考古研究所编，16 开平装，科学出版社不定期出版。

《辽宁省博物馆馆刊》

辽海出版社不定期出版。

《沈阳故宫博物院院刊》

沈阳故宫博物院主办，1995 年创刊，半年刊。

《沈阳考古文集》

沈阳市文物考古研究所编，科学出版社 2007 年始不定期出版。

《大连文物》

科学出版社不定期出版。

7. 吉林省

《东北史地》

吉林省社会科学院吉林省高句丽研究中心主办，2004 年 1 月创刊。

《博物馆研究》

吉林省博物馆学会、吉林省考古学会主办，季刊。

《边疆考古研究》

吉林大学连续考古研究中心编，科学出版社不定期出版。

《亚洲考古》

吉林大学边疆考古研究中心编，科学出版社出版。该刊为英文版。

8. 黑龙江省

《黑龙江文物丛刊》

1985 年创刊，季刊，现已改名为《北方文物》。

《昂昂溪考古文集》

科学出版社 2013 年版。

9. 上海市

《上海博物馆馆刊》

创刊于 1981 年，上海人民出版社出版。后改名《上海博物馆集刊》，年刊。

《上海文博论丛》

上海博物馆主办。2002 年创办，季刊。

《文物保护与考古科学》

上海博物馆主办，1989 年创刊，现为双月刊。

《出土文献》

清华大学出土文献研究与保护中心编，2010 年创办，每年一辑。

10. 江苏省

《东南文化》

南京博物院、江苏省考古学会主办，1975 年创刊时名为《文博通讯》，1985 年改为《东南文化》。

《南京博物院集刊》

南京博物院主办，文物出版社出版。

《无锡文博》

1990 年创刊，季刊，原名《无锡博物馆通讯》。

《扬州文博》

扬州市博物馆主办，1990 年创刊，1992 年停刊。

《江淮文化论丛》

扬州市博物馆编，文物出版社不定期出版。

《徐州文物考古文集》

徐州市博物馆编，科学出版社不定期出版。

《苏州文博论丛》

苏州市博物馆编，文物出版社不定期出版。

《文博通讯》

江苏省考古学会编。1975 年创刊，1985 年改名为《东南文化》。

《江阴文博》

江阴市文物管理委员会编，半年刊。

《常州文博》

常州市博物馆编，1993 年创刊，半年刊。

11．浙江省

《东方博物》

浙江省博物馆主管，创刊于 1997 年，季刊。

《杭州文博》

杭州出版社不定期出版。

《浙江省文物考古所学刊》

科学、文物出版社不定期出版。

《宁波文物考古研究文集》

宁波市文物考古研究所、文物保护管理所编，科学出版社不定期出版。

《东方建筑遗产》

宁波报国寺古建筑博物馆编，科学出版社的连续出版物。

《绍兴市考古学会会刊》

绍兴市考古学会编，不定期出版。

12．安徽省

《安徽省考古学会会刊》

安徽省文物考古研究所、考古学会编，16 开平装，1985 年创刊，为科学出版社出版的连续出版物。

《安徽文博》

安徽博物院、安徽省博物馆协会主办，1980 年创刊。年刊。

《徽州文博》

黄山市博物馆协会主办。

《文物研究》

安徽省文物考古研究所编，科学出版社不定期出版。

13．福建省

《福建文博》

福建省博物馆主办，1979 年创刊，半年刊。

《东南考古研究》

厦门大学出版社不定期出版，涉及东南亚国家考古成果。

14. 江西省

《南方文物》

江西省文化厅主办，江西省博物馆、江西省考古研究所编辑出版。原名《江西文物》，1992 年改称《南方文物》，季刊。

《江西省博物馆集刊》

江西省博物馆主办，文物出版社不定期出版。

15. 山东省

《东方考古》

山东大学东方考古研究中心编，16 开平装，为科学出版社推出的连续出版物。

《齐鲁文物》

山东省博物馆编，科学出版社不定期出版。

《海岱考古》

山东省文物考古研究所编，科学出版社不定期出版。

《胶东考古》

《齐鲁文博》

齐鲁书社不定期出版。

《山东省高速公路考古报告集》

科学出版社不定期出版。

《济南考古》

济南市考古研究所编，为科学出版社的连续出版物。

《青岛考古》

青岛市文物保护考古研究所编，为科学出版社出版的连续出版物。

16. 河南省

《河南博物馆馆刊》

1936 年创刊，河南博物馆编辑出版，16 开，计已出版了 11 册。除了考古成果，还收录了动物、植物、矿物等方面的成果。

《中原文物考古研究》

大象出版社不定期出版。

《河洛文化论丛》

北京图书馆出版社不定期出版。

《动物考古》

河南省文物考古研究所编，文物出版社不定期出版。

《文物建筑》

河南省古代建筑保护研究所编，科学出版社不定期出版。

《郑州文物考古与研究》

郑州市文物考古研究院编，科学出版社不定期出版。

《郑州商城考古新发现与研究》

河南省文物考古研究所编，中州古籍出版社出版。

《洛阳考古》

洛阳市文物考古研究院编，中州古籍出版社出版的系列出版物，2017 年以来已出版十余册。

《洛阳文物钻探报告》

洛阳市文物钻探管理办公室编，文物出版社不定期出版。

《开封考古发现与研究》

开封市文物工作队编，中州古籍出版社 1998 年出版。

《开封文博》

开封市博物馆主办，1990 年创刊，半年刊。

《殷都学刊》

安阳师范学院主管，1980 年创刊，季刊。

17. 湖北省

《楚文化研究论集》

荆楚书社不定期出版。

《荆楚文物》

荆州博物馆编，16 开平装，科学出版社 2013 年始不定期出版。

《襄樊考古文集》

襄樊市文物考古研究所编，科学出版社 2007 年始不定期出版。

《鄂东北考古报告集》

湖北科学出版社 1996 年版。

《三峡考古之发现》

湖北科学技术出版社推出的连续出版物。

《湖北库区考古报告集》

国务院三峡工程建设委员会办公室、国家文物局编，科学出版社 2003 年始不定期出版。

《武汉文博》

武汉市文物管理处研究室编，1988 年创刊，季刊。

《清江考古》

湖北省清江隔河岩考古队、湖北省文物考古研究所编，科学出版社 2004 年出版。

《湖北南水北调工程考古报告集》

科学出版社不定期出版。

《葛洲坝工程文物考古成果汇编》

武汉大学出版社出版。

《长江文物考古简讯》

长江流域规划办文物考古队编，1958 年创刊，月刊。

18. 湖南省

《湖南省博物馆馆刊》

岳麓书社不定期出版。

《湖南考古辑刊》

岳麓书社不定期出版。

19. 广东省

《广东文物》

广东省文化厅、广东省文物博物馆学会主办，1996 年创刊，半年刊。

《广东文博》

广东省文物管理委员会主办，1983 年创刊，不定期出版。

《艺术史研究》

中山大学艺术史研究中心编，中山大学出版社出版，每年一本。

《华南考古》

广州市文物考古研究所等编，文物出版社 2004 年始不定期出版。

《羊城考古发现与研究》

广州市文物考古研究所编，文物出版社 2005 年始不定期出版。

《广州文博》

广州市文物局等编，1985 年创刊，文物出版社不定期出版。

《珠海考古发现与研究》

广东人民出版社 1991 年版。

《深圳文博论丛》

深圳博物馆编，文物出版社不定期出版。

20. 广西壮族自治区

《广西考古文集》

广西文物考古研究所编，文物出版社不定期出版。

《广西文物考古报告集》

广西壮族自治区文物工作队编，广西人民出版社1993年出版的一册汇集了1950～1990年的考古调查、考古发掘报告等。

21．海南省

《海南省博物馆研究文集》

科学出版社不定期出版。

《西沙水下考古》

中国国家博物馆水下考古研究中心、海南省文物保护管理办公室编，科学出版社不定期出版。

22．重庆市

《长江文明》

中国三峡博物馆主办，2008年创刊，季刊。

《重庆库区考古报告集》

重庆市文物局、重庆市移民局编，科学出版社出版，大体每年一卷。

《大足学刊》

大足石刻研究院编，重庆出版社不定期出版。

23．四川省

《四川考古报告集》

文物出版社不定期出版。1998年出版第1集。

《南方民族考古》

四川大学博物馆、成都民族文物考古研究所编，1987年创刊，中间因故停刊，2010年复刊。科学出版社不定期出版。

《成都文物》

成都文物管理委员会主办，季刊。

《成都考古发现》

成都市文物考古研究所编，科学出版社出版，大体一年一册。据称自2001年以来，20年间发表了425篇报告。

《四川古陶瓷研究》

四川省社会科学院主办，不定期出版。

《川南文博》

四川省宜宾市博物馆主办，1985年创刊。

24．贵州省

《贵州省博物馆馆刊》

贵州省博物馆主办，1985年创刊，1988年停刊，1992年与《贵州文物》合并，改名《贵州文博》。

《贵州文物》

贵州省文管会主办，1982 年创刊，1992 年停刊。

25. 云南省

《云南文物》

云南省博物馆主办，1973 年创刊，1987 年停刊。

《云南考古文集》

云南民族出版社出版。

《茶马古道研究集刊》

云南大学出版社不定期出版。

26. 西藏自治区

《西藏文物考古研究》

西藏自治区文物保护研究所编著，平装 16 开，科学出版社 2014 年始不定期出版。

《西藏考古》

四川大学出版社 1994 年始不定期出版。

《西藏文物通讯》

西藏自治区文管会主办，1981 年创刊。

27. 陕西省

《周秦文明论丛》

三秦出版社不定期出版。

《西部考古》

三秦出版社出版的连续出版物。

《史前研究》

陕西省考古研究院、西安半坡博物馆主办，1986 年创刊，季刊。

《秦文化论丛》

西北大学出版社出版的连续出版物。

《陕西省历史博物馆馆刊》

西北大学出版社出版的连续出版物。

《陕西博物馆馆刊》

三秦出版社不定期出版。

《宝鸡文博》

1991 年创刊，不定期出版。

《秦陵秦俑研究动态》

秦始皇兵马俑博物馆主办，1986 年创刊，季刊。

28. 甘肃省

《敦煌研究》

《西北民族研究》

《陇右文博》

甘肃省博物馆主办，1996 年创刊，半年刊。

《简牍学研究》

西北师范大学、甘肃省文物考古研究所编，甘肃人民出版社 1997 年开始出版。

29. 青海省

《青海文物》

青海省文化厅主办，1988 年创刊。

《青海考古学会会刊》

青海省文化厅文物处、青海省考古学会主办，1980 年创刊，1985 年停刊。

30. 宁夏回族自治区

《宁夏社会科学》

《西夏学》

宁夏大学西夏学研究院主办，半年刊。

31. 新疆维吾尔自治区

《新疆文物考古研究所丛刊》

《新疆考古》

新疆社会科学院考古研究所主办，后改为《新疆考古研究资料》，不定期出版。

《新疆文物》

《西域文史》

北京大学中国古代史研究中心、新疆师范大学西域文史研究中心合办，16 开平装，由科学出版社不定期出版。

《吐鲁番学研究》

吐鲁番地区文物局编。

32. 香港特别行政区、澳门特别行政区、台湾省

《香港文物》

香港古物古迹办事处出版。

《香港考古学会专刊》

《“国立”台湾大学考古人类学刊》

1953 年创刊，年刊。

《台湾省博物馆季刊》
创刊于 1948 年，现存 4 期，已停刊。
《故宫文物月刊》
台湾“‘国立’故宫博物院”出版，1983 年创刊。

下　编

欲了解最新的考古成果、考古文献，有两套书是必须知道的：一套是《中国考古学年鉴》，自 1984 年以来每年一册，欲了解上一年度（如 2019 年出版的年鉴，反映的是 2018 年的信息）的考古成果、考古书籍、考古论文等，这是最权威的工具书之一；另一套是《中国重要考古发现系列》，这套书的优点是图文并茂，反映的就是书名所示年度的重要考古发现。如 2013 年出版的《2012 年中国重要考古发现》，说的就是书名所示 2012 年的事情。这两套书，均由文物出版社出版。

更深入一些的书籍，有三套书应该提到：

第一套是文物出版社出版的《中国文物地图集》，这套书按各省市自治区分册，如重庆分册、河北分册等。优点是将考古发现与地图结合，可以直观地看到某一地区考古发现的多少，但欲进一步了解，仅靠此套书是无法解决的。所以正确的使用方法是：将此书与其他书结合起来阅读。

第二套是《中国考古集成》（中州古籍出版社 2006 ～ 2007 年版），此书实际上就是将散见各处的考古文献汇集一处，这对使用者而言当然是极为便利。不过窃以为如改为《中国稀见考古文献集成》，或许更实用一些。

第三套是《中国考古学》，此为集中全国专家编写了十余年之久的国家项目，专业性较强。计划分为 9 卷，目前“新石器时代卷”“秦汉卷”“两周卷”“三国两晋南北朝卷”“夏商卷”等册已出版。全套书要出齐恐怕尚待时日。《考古》杂志 2011 年第 7 期有相关书评，有兴趣的话可以找来看看。

如果没有时间去浏览这些大套书的话，先看一些概述、综述性质的书是一个不错的选择。这里仅介绍国家文物局主编的《中国考古 60 年（1949 ～ 2009）》（文物出版社 2009 年版）一书。这部书是按省市自治区分开叙述的，囊括了 1949 年后几乎全部重大考古发现，有文有图，执笔者多为各省（自治区、直辖市）的考古专家，文简意赅，缺点是没有给出参考文献，无法以此为线索扩大阅读。当然，依照以往的惯例，可以预料日后会有《中国考古 70 年（1949 ～ 2019）》一类的书出版，希望那时会有所改进。文物出版社 2009 年出版的《中国文物事业 60 年》一书，或可视作《中国考古 60 年（1949 ～ 2009）》一书的姐妹篇，也可参阅。书中除了港澳台以外，各省（自治区、直辖市）均列有专节。另外，国家博物馆编、中华书局 2012 年出版的《文物史前史 · 彩色图文本》等，已出齐 10 册，几可视为中国考古的图片专辑。

陈淳先生的《考古学研究入门》（北京大学出版社2009 年版）、李朝远先生的

《青铜器学步集》（文物出版社2007年版）、刘凤翥先生的《遍访契丹文字话拓碑》（华艺出版社2005年版）等，当为比较专业的“入门”类书。四川文物考古研究院编过一本《少儿考古入门》（文物出版社2013年版），那是明言给中小学生看的。其实，一些大家写的集子，可读性颇强，不妨也当作入门书来读。如严文明先生的《足迹：考古随感录》（文物出版社2011年版）、苏秉琦先生的《中国文明起源新探》（辽宁人民出版社2009年版，三联书店2019年新版）、李零先生的《入门与出塞》（文物出版社2004年版）、赵青芳先生的《赵青芳文集 · 考古日记卷》（文物出版社2011年版）、罗宗真先生的《考古生涯五十年》（凤凰出版集团2007年版）、石兴邦先生的《叩访远古的村庄》（陕西师范大学出版社2013年版）、杨育彬先生的《考古人生——杨育彬回忆续录》（科学出版社2021年版），等等。一些考古工作者亲力亲为的记载，也十分生动有趣。如王吉怀先生的《禹人絮语——考古随笔记》（中国社会科学出版社2017年版）、罗西章先生的《周原寻宝记》（三秦出版社2005年版），等等。事实上，此类书几乎已成为近几年的一个出版热点。如《了不起的文明现场：跟着一线考古队长穿越历史》（三联书店2020年版）、《我在考古现场：丝绸之路考古十讲》（中华书局2021年版）、《考古中国——15位考古学家说上下五千年》（中信出版集团2022年版）等，均很受欢迎。

这里要特别推荐李伯谦先生《感悟考古——写给青年学者的考古学读本》（上海古籍出版社 2015 年版）一书，这是考古大家唯一一本明言写给青年学者的考古学入门读本。另外，李学勤先生的《李学勤讲演录》（长春出版社 2012 年版），也是深入浅出的大家之作。陈洪波先生《中国科学考古学的兴起：1928 ～ 1949 年历史语言研究所考古史》（广西师范大学出版社 2011 年版）、《中国文物研究所七十年（1935 ～ 2005）》（文物出版社 2005 年版）、《记忆：北大考古口述史》（北京大学出版社 2012 年版）、《考古研究所编辑出版书刊目录索引及概要》（四川大学出版社 2001 年版）等是众多考古机构类书籍中最值得推荐的几本。读此会对中国最高考古机构及最早的考古教育院系有一个基本了解。文物出版社 2010 年还出版过一本《春华秋实：国家文物局 60 年纪事》，读一读，对中国大陆最高文物考古行政部门，也会有所了解。学术史、研究史方面的书自也不应忽视。这方面的书籍应提到陈星灿先生的《中国史前考古学史研究：1895 ～ 1949》（三联书店 1997 年版）、《20世纪中国考古学史研究论丛》（文物出版社 2009 年版）、黄继秋先生的《百年中国考古》（江苏人民出版社 2013 年版）、李学勤先生的《20 世纪中国学术大典 · 考古学、博物馆学》（福建教育出版社 2007 年版）等。最新的书籍，当然是王巍先生主编的《中国考古学百年史（1921 ～ 2021 年）》（中国社会科学出版社 2021 年版）共 12 册，据称共有 276 名专家参加了此书的写作。

有几部书较有特色，但很难归类：一是国家文物局第三次全国文物普查办公室编的《三普人手记：第三次全国文物普查征文选集》（文物出版社 2009 年版），可一见奋战在文物普查一线的文保工作者的酸甜苦辣；二是中国文物保护基金会编的《天职——从“文保市长”到“文保书记”》（文物出版社 2009 年版），可了解地方官员的无奈与奋争；三是何驽先生的《怎探古人何所思：精神文化考古理论与实践探索》（科学出版社 2015 年版），不是讲考古的思想史，而是从考古材料出发研究思想史；四是《梁带村里的墓葬：一份公共考古学报告》（北京大学出版社 2012 年版），它是从一个村庄微观角度，讲述考古学。

最后应介绍文献学及工具书方面的书籍。首先应提到张勋燎、白彬先生编著的《中国考古文献学》（科学出版社2019 年版）。至于工具书，有《中国考古学文献目录（1949 ~1966）》（文物出版社1978 年版）、《中国考古学文献目录（1971 ~1982）》（文物出版社1998 年版）、《中国考古学文献目录（1983 ~1990）》（文物出版社2001 年版）等，虽说尚未构成一个完整的考古文献“数据库”，但总算有胜于无。期待着国家文物局相关数据库建设早日完善。还有一些小型的更专业的书目，如叶骁军编的《中国墓葬研究文献目录》（甘肃文化出版社1994 年版），赵朝洪先生的《中国古玉研究文献指南》（科学出版社2004 年版）。这些书目都很不错，但如不及时修订容易过时。史前方面，还有几部研究史和文献目录应该提到：吕遵谔先生的《中国考古学研究的世纪回顾——旧石器时代考古卷》（科学出版社 2004 年版）、严文明先生的《中国考古学研究的世纪回顾——新石器时代考古卷》（科学出版社 2008 年版），是很好的研究史专著。缪雅娟先生的《中国新石器时代考古文献目录（1923 ~ 2006）》（中州古籍出版社 2014 年版），为我们提供了该领域的专业目录。后两书的内容，从时代看有的已进入夏商甚至更晚的时期。

辞典方面，仅介绍三部：一部是上海辞书出版社2014 年出版的《中国考古学大辞典》，由中国社会科学院考古研究所所长王巍先生主编。条目拟定者多为相关领域专家，历时7 年编成。正文收有条目5000 余条，附录中有“中国考古学大事记（1899 ~2012）”等也都很实用。这部辞典，可以看作是考古学领域的“牛津双解辞典”，颇具权威性。另一部是罗西章、罗芳贤父女二人编著的《古文物称谓图典》（百花文艺出版社2013 年版）。李学勤先生在序中称此书“别出心裁，与众不同，是一部新颖又有重要应用价值的著作”。共收录各类文物（图）3553 件（组），下分20 大类，再依时代排列。此书的图片印制等尚有提升空间，期盼第三版时会更臻完善。第三部是文物出版社2012 年出版的《常见文物生僻字小字典》，很实用。

报纸方面，应提到国家文物局主办的《中国文物报》周报。当然，最快捷的还是互联网。较权威的有中国社会科学院考古研究所的中国考古网（http：//kaogu.

cn）、中国考古网微信（zhongguokaogu/中国考古网）、中国考古网新浪微博（http：//e.weiho.com/kaoguwang）。

各地区也有一些不错的考古史及考古丛书等。

如北京市，推荐宋大川先生主编的《北京考古发现与研究（1949～2009）》一书，科学出版社2009年版，上、下两册。如觉此书太厚，可参见同一作者的《北京考古史》（上海古籍出版社2012年版）一书。另外，上海古籍出版社2011年出版的《北京考古工作报告（2000～2009）》，计12册，可视为北京考古事业的一个大型文献数据库。《北京考古集成》（北京出版社2005年版）15卷也已出齐。

河北省，推荐河北省文物研究所编著的《河北考古重要发现1949～2009》（科学出版社2009年版）一书。分旧石器时代、新石器时代、夏商周、秦汉、魏晋北朝、隋唐五代、宋辽金元明，共七个部分进行介绍。另有《河北文物考古文献目录》（河北人民出版社2020年版）。

山西省，山西是文物大省。相关书籍不少。从非专业人员阅读兴趣考虑，首先推荐《发现山西：考古人手记》（山西博物院、山西省考古研究所编，山西人民出版社2007年版）一书。该书16开一册，仅175页厚，插图213幅，记叙了山西省芮城县西侯度、清凉寺，吉县柿子滩、沟堡，绛县横水墓地，曲沃县羊舌墓地，黎城县西周墓地，侯马市西高祭祀遗址，大同市沙岭北魏壁画墓，太原市北齐徐显秀墓的考古发掘始末。读此一书，对山西省比较重要的考古发现，都会有一个初步的印象。《有实有积：纪念山西省考古研究所六十华诞集》（山西人民出版社2012年版）也可参考。

内蒙古，有《辽西区青铜时代考古文献选编：回眸药王庙、夏家店遗址发掘六十周年》（科学出版社2020年版）一书，把相关的考古发掘报告及研究论文集中于一书，使用起来当然很方便，何况收入的考古发掘报告又做了修订。

黑龙江省，可参阅黑龙江省文物考古研究所编《考古·黑龙江》（文物出版社2011年版）。

上海市，张明华先生《考古上海》（上海文化出版社2010年版）、上海博物馆编《上海市民考古手册》（北京大学出版社2014年版）等均可一阅。

浙江省，可参阅浙江省文物局编《发现历史：浙江新世纪考古新成果》（中国摄影出版社2011年版）一书。马黎先生的《考古浙江：历年背后的故事》（浙江古籍出版社2021年版），用浅白有趣的文笔，讲述了近十年来浙江省的考古工作，正好可与上一本书在时间上衔接起来。《浙江考古（1979–2019）》（文物出版社2020年版）汇集了相关最新成果。

安徽省，可参阅《流金岁月——安徽省文物考古研究所50年历程》（安徽省文物考古研究所 2008 年版）。

山东省，山东省文物考古研究所编《山东 20 世纪的考古发现和研究》（科学出版社 2005 年版），可作为了解山东省考古事业的一部入门书，但缺点是缺少近十年来的内容。

河南省，河南省是文物大省。可以推荐的书不少。如文物出版社 2011 年出版的《历程：洛阳市文物工作队三十年》，读来并不枯燥。同类书尚有《岁月如歌——一个甲子的回忆》《岁月记忆：河南省文物考古研究所 60 年历程》，均由大象出版社 2012 年出版。国家图书馆出版社 2009 年出版的《洛阳古墓图说》一书，以图解方式介绍了新石器时代至明代的古墓。《河南文博考古文献叙录（1986 ~ 1995）》（中州古籍出版社 1997 年版）、《河南新石器时代田野考古文献举要（1923 ~ 1996）》（中州古籍出版社 1997 年版），虽稍显过时，但仍不失为两部有价值的文献目录。

北京图书馆出版社 2005 年始陆续出版的《洛阳考古集成》，为 16 开多卷本，已出版“原始社会卷”“夏商周卷”“秦汉魏晋南北朝卷”“隋唐五代卷”及“补编”等，汇集了近五十年来相关考古资料，可视为考古重镇洛阳的一项大型文献基本建设。

湖北省，楚文化研究会早在 20 世纪 80 年代即编有《楚文化考古大事记》，可作为工具书使用。

湖南省，文物出版社 1999 年出版有《湖南省考古五十年》一书，可参阅。

广东省，广东省文物局编《广东文物考古三十年》（暨南大学 2009 年版）一书，附有“广东省文物考古调查发掘简报、报告目录（1978 ~ 2008）”，可以视作广东省考古文献的入门目录之一。文物出版社 1999 年出版的《广东省考古五十年》一书也可参看。

近年来，不少经济大省纷纷推出本省文物、考古的集大成丛书，广东省自然也不例外。科学出版社近年所出《广东文化遗产》，下分“古墓葬卷”“塔幢卷”“石刻卷”“近现代重要史迹卷”“古代祠堂卷”等，广东相关文献，几乎全部囊括在内。

广州市文物考古所有《广州考古六十年》（广东人民出版社 2013 年版）一书，可了解广州市考古工作的情况。

重庆市，文物出版社 1999 年出版的《重庆市考古五十年》一书，可作为入门书来看。此后的考古发现，可参阅《重庆文物考古十年》（重庆出版社 2010 年版）。

四川省，比较值得推荐的有《巴蜀埋珍：四川五十年抢救性考古发掘纪事》（天地出版社 2006 年版），此书为四川省文物考古研究院编著，读者阅后对四川省 1949 ~ 2005 年间重大考古发现会有一个总体的印象。

贵州省，今有贵州民族出版社 1993 年版《贵州田野考古 40 年》一书，可参阅。

西藏自治区，夏格旺堆先生的《西藏考古工作 40 年》（文物出版社 2013 年版），是了解西藏自治区考古工作的一部综述类著述。

陕西省，陕西省是我国文物大省，从出版角度看，2006年成立的陕西省考古研究院在全国各省市自治区中可以说是做得最好、最有规划的。该院已出版的丛书计有：

——“陕西省考古研究院田野考古报告丛书”，已出版五六十部；

——“陕西省考古研究院学术专题研究丛书”；

——“陕西省考古研究院专家学术研究丛书”；

——“陕西省考古研究院文物精品图录丛书”；

——“陕西省考古研究院译著丛书”。

陕西省考古方面的书籍众多，在此仅介绍《三秦60年重大考古亲历记》（三秦出版社2010年版）一书，此书16开，554页厚，收文71篇，图文并茂，还有一些专业名词解释等小贴士，便于初学者阅读。读后对20世纪50年代的半坡遗址，60年代的蓝田猿人、70年代的秦兵马俑坑和周原遗址，80年代的法门寺地宫、汉唐帝陵和陪葬墓，90年代的汉阳陵陪葬坑、周公庙遗址、梁带村芮国墓地等均会有所了解。文章中不乏考古人员的发掘过程、生活细节、真实想法等，读来颇为生动、形象。陕西省文物局、考古研究院编《留住文明：陕西“十一五”期间基本建设考古重要发现（2006～2010）》（三秦出版社2011年版）当然是更专业的综述了。尹申平、焦南峰先生主编的《薪火永传：纪念陕西省考古研究院50周年（1958～2008）》（三秦出版社2008年版），读后对陕西省考古最高学术机构陕西省考古研究院会有一定了解。罗宏才先生的《陕西考古会史》（陕西师范大学出版社2014年版），也可参阅。

工具书方面，《陕西考古文献目录（1900～1979）》仍有一定使用价值。《陕西文物年鉴》（陕西人民出版社）是少数几个出版有文物年鉴的省、市中最为实用的。

甘肃省、青海、宁夏，有李怀顺、黄兆宏著《甘宁青考古八讲》（甘肃人民出版社2008年版），介绍了甘肃、宁夏、青海从旧石器时代到明代的考古情况。另有《青海考古50年》（青海人民出版社1999年版）一书，也可参阅。

新疆维吾尔自治区，2015年由新疆美术摄影出版社、新疆电子音像出版社、美国克鲁格出版社联合出版《西域文物考古全集》一书，共有“研讨与研究卷”“精品文物图鉴卷”“不可移动文物卷”三大卷39分册，是新疆维吾尔自治区文物局完成的对近万处文物资料的整理汇编，是以新疆88个县、市的不可移动文物资料为基础，融汇了多年来新疆文物考古取得的主要成果。按照古遗址、古墓葬、古建筑、石窟寺及石刻、近现代重要史迹及代表性建筑、文物等类别的体例依次汇编。这些细致的工作，不仅为新疆不可移动文物保护规划的制定、进一步的考古发掘提供了科学依据，更为西域古代文化的研究提供了全面和系统的资料。

香港特别行政区，商志（香覃）、吴伟鸿先生的《香港考古学叙研》（文物出版社2010年版）在回顾香港考古发现、考古发掘的过程中，不时加入自己的研究观点，可作为了解香港特别行政区考古事业的首选书。

澳门特别行政区，郑炜明先生的《澳门考古史略》（澳门理工学院2013年版）是了解澳门特别行政区考古事业的一部好书，只是在中国内地不太好找。

台湾省，有陈光祖先生主编、臧振华先生编著的《台湾考古发掘报告精选（2006～2016）》。又有李匡悌先生编著的《岛屿群相：台湾考古》（台湾“中央研究院”历史语言研究所2018年版）一书，分章叙述了台湾的考古学史、史前考古、田野考古、环境考古、科技考古、动物考古、历史考古、水下考古等。

中国考古学会有《中国考古学年鉴》，已如前述。河南等地考古机构也有《考古年报》，一年一册。博物馆方面，有《中国国家博物馆年鉴》《中国博物馆年鉴》。

后记

考古发掘报告，包括前期的勘察报告、调查报告、钻探报告、航拍报告、试掘报告，中期的清理报告、发掘报告，后期的实验报告、整理报告、保护报告等，是我国几代考古工作者辛勤劳动的结晶，是我们认识考古学术成果的唯一文字凭证。考古发掘报告，反映的是祖先留下的珍贵遗产，而考古发掘报告本身，也已成为一座取之不尽、用之不竭的学术宝库。这座宝库，应该说不仅仅属于考古学界，甚至应该说不仅仅属于学术界，而应属于全体国民，属于人类文明。

然而，令人遗憾的是，多年以来，国人对考古发掘报告的了解和利用实在是太有限了。考古学"是20世纪中国学术界成绩最突出，对人类历史贡献最大的学科之一"。（陈星灿著《考古随笔（二）》，文物出版社2010版，第251页），历史学号称与考古学的关系"特别密切和重要"（赵光贤著《中国历史研究法》，中国青年出版社1988年版，第29页），但《中国古代史史料学》（安作璋主编，福建人民出版社1994年版，第91页）一书，对古代陵墓、建筑遗址、遗迹及相关实物等考古材料不还是以一句"因涉及考古学的专门知识，这里不再作介绍"交代了吗？究其原因，主要在于考古发掘报告专业性强，佶屈聱牙。考古学家俞伟超先生甚至说，他当年对斗鸡台的考古报告都"很难看得懂"，直至1954年"在陕西宝鸡发掘时，在当地琢磨才明白的"（曹兵武编著《考古与文化续编》，中华书局2012年版，第330页）。考古名家尚且如此，遑论其他？唯其如此，如果有一部通俗易懂而又信息量大的集中介绍考古发掘报告的工具书，不是多少能解决点问题吗？我个人以为，这一工具书最好是有提要的，仅仅是一部考古发掘报告的书目、篇名目录，对"数据"的"发掘"程度是不够的。人们需要了解：在哪儿、什么时候、发现或发掘出什么、这些遗迹或遗物有何特别之处、有何重要意义等基本信息。只有通过对这些基本信息的揭示，人们才会对考古发掘报告有一个大体了解，才谈得上去进一步利用。但这么多年了，却未见这样的工具书问世。诚如章培恒先生所言："要踏踏实实地、系统地研究某一门学问，非有这方面的较为完整的目录书指示门径不可。倘若没有呢？那就得自己动手去编。”（《日本现藏稀见元明文集考证与提要·序》，岳麓书社 2004 年版）这，也正是我们编纂《中国考古发掘报告提要》这一工具书的初衷和目的。如果说，《四库全书总目》囊括了大部分古典文献；那么，《中国考古发掘报告提要》则涉及主要的考古发现与考古发掘，只有既掌握了古典文献的基本内容，又了解了考古发掘的基本事实，才有可能真正融会贯通，将王国维先生的“二重证据法”落到实处。从这一角度看，将《中国考古发掘报告提要》视为“地下的《四库全书总目》提要”似无不可，尽管二者的作者水平与学术地位不可相提并论。

在工作开始之前，征求了多位不同学科、不同专业的专家、学者们的意见。有意思的是，持反对意见的人主要集中在考古圈内，考古圈外的人却大多表示赞同。反对的意见主要出自三点考虑：

一是“网上都有”。的确，不少刊物现已在网上可查全文。但经过逐刊、逐年、逐期的查寻发现，并非“网上都有”，有的刊物网上查不到，有的刊物缺年少期。更重要的是，仅在网上浏览，是无从享受纸本工具书的解说、集中、分类、检索等功能的。从务实的角度说，上网查询，毕竟是要产生费用的，有时一篇文章反复翻阅，既不方便，也不经济。这时恐怕即使是考古圈内的人，也会想要有一部工具书，有个基本了解后再有目的地上网查找相关文献，线上线下，相辅相成，岂不是事半功倍？

二是“大多知道”。这里所说的“大多知道”，是指某一地区的考古人员，对本地区的考古文献是很熟悉的。比如北京市的考古人员，对北京市这一亩三分地都挖出过什么，可以说是如数家珍。即便如此，仍然会让人产生以下推论：一是就算是对本地区的考古文献烂熟于胸，有一部工具书辅助查寻，又有什么坏处呢？二是谁真能保证当地考古人员人人都能对本地区的考古文献十分熟悉呢？三是考古这门学问和别的学科一样，少不了比较，仅仅是熟悉本地考古文献，是做不了什么大学问的。王巍先生不就讲过：“考古资料如汗牛充栋，不仅业外人士很难了解其全貌，就连从事考古学研究的学者，对自己研究领域之外的考古成果也往往知之不多。”（《中国考古学大辞典·前言》，上海辞书出版社 2014 年版）四是考古圈以外的人，当然不可能做到“大多知道”。

三是“量太大了”。认为考古报告成千上万，编起来不胜其烦。其实不正是因为太多太繁，才有必要编纂相关工具书吗？马云讲未来的资本不是土地，不是金融，而是“大数据”。从做学问的角度讲，只有掌握了某一门学科的“大数据”，才有可能做出大学问。

与考古圈内形成鲜明对比的是，考古圈外的人却大多表示赞同，认为有这么一部工具书，对于查找和理解考古发掘报告是颇有益处的。北京大学李零先生早就谈到：考古圈内人“除了‘报告语言’就不会说话”，而“圈外人看考古报告又如读天书，不知所云，不但不知道怎样找材料，也不知道怎样读材料和用材料”（《说考古“围城”》，载《读书》1996年第12期）。复旦大学葛兆光先生则说：“当外行人读他们的报告时，要么觉得他们的话让人难懂，要么觉得他们是在自言自语。”“考古可以不断地挖出新的遗址，发现新的文物，但是无论如何，这只是学科内的事情。”（《槛外人说槛内事》，载《读书》1996年第12期）其实这些学者，还是很关注考古发掘的。例如文献学家周勋初先生，就说他“喜欢看考古发掘方面的介绍”（《艰辛与欢乐相随——周勋初治学经验谈》，凤凰出版社2016年版，第3页）。但喜欢是一回事，能否真正看懂又是一回事。许宏先生不就讲过：“考古学给人以渐渐与世隔绝的感觉。甚至与这个学科关系最为密切的文献史学家，也常抱怨读不懂考古报告，解读无字天书的人又造出了新的天书。”（王巍主编《追迹：考古学人访谈录II》，上海古籍出版社2015年版，第170页）如果说，《四库全书总目》提要让人们对那些陌生的古代文献有了一个基本了解；那么，《中国考古发掘报告提要》也不过是想让人们对这些号称“天书”的考古发掘报告有个大致印象，仅此而已。

对于编纂《中国考古发掘报告提要》的看法不同，或许也是因为考古圈内、圈外对于考古发掘报告的关注点不一样：

首先，考古圈内更关注的是相关考古报告何时发表，是否规范。如郑嘉励先生指出：“就考古工作者的职业道德而言，积压的考古资料必须适时发表。”（《浙江汉六朝墓报告集·后记》，科学出版社2012年版）张文彬先生也谈到：“在我看来，客观、完整、及时将重要的考古资料公布于世，让学界鉴赏、研究，这是文物、考古工作者的天职，也是文物考古界的职业道德。恪守这个职业道德，对于我国考古学研究水平的提高乃至整个考古事业的发展，都是十分重要的，切不可等闲视之。”（《鹿邑太清宫长子口墓·序》，中州古籍出版社2000年版）而考古圈外更关注的，主要是已出版、发表的考古发掘报告如何利用。

其次，考古圈内更关注史前及夏商周三代考古，现在不少大学还是史前、三代考古各设一个教研室，其后的各朝各代统设一个“汉唐宋元考古教研室”。这是因为中国考古学诞生于20世纪20年代那个落后、屈辱的时代，“中国考古学一开始的主要工作，就是要寻求中国人类繁衍不息，中国文化源远流长，中国文明连接不断的证明”（王煜主编《文物、文献与文化——历史考古青年论集·序言》第一辑，上海古籍出版社2017年版）。以求重建民族自尊心和自信心。加之中国考古学源自欧洲，而欧洲“考古学要解决的主要是人类起源、农业起源、文明起源这三大问题”。（同前引文）不要说中世纪及近现代考古，就是古希腊、古罗马，在很长一段时间都“显然不是欧洲考古学的主要阵地，甚至更多的关注来自艺术史的学者”（同前引文）。这对中国考古学不可能没有影响。所以考古圈内不少人对战国以后的所谓“历史时期考古”兴趣不大。而考古圈外呢，自然更关注与自己搞的那一段所谓“断代史”有关的史料。

这么说，并不是说考古圈内的人都反对这个事，考古圈外的人都赞成这个事——不是这样的。考古圈外有的也颇不以为然，考古圈内的人也有的认为很有必要。如老考古人苏秉琦先生神骥出枥，指出考古学“新趋势的特点是向多学科、大众化发展。考古学的发展需要多学科素养的人来参加，社会上各行各业的人都能从这门学科中找到他们感兴趣的知识或材料，事实上还远远没能做到这一点，这主要是由于我们的工作还有许多薄弱环节”（《苏秉琦文集》（三），文物出版社 2009 年版，第 113 页）。苏秉琦先生这里所说的“我们”，应该是指考古学界。而自说自话、外人难读的考古发掘报告，理应属于“薄弱环节”之一，既然是薄弱环节，当然就有待改进和提高了。否则的话，就如同另一位老考古人张勋燎先生所指出的：“如果搞其他学科史的人感到我们的历史时期考古对解决他们的问题完全没有帮助，那我们就是在玩古董，而不是研究考古了。”（《中国历史考古学论文集》下册，科学出版社 2013 年版，第 261 页）

不过，考古圈内和考古圈外在一个问题上的看法却惊人地一致：那就是都认为考古发掘报告花费了这么多的时间、精力和金钱，不好好利用，实在可惜。李伯谦先生曾讲过：“我深知一部考古报告的诞生十分不易，从田野调查、发掘到室内资料整理、编写报告，一环扣一环，不知有多少人为此付出了辛劳和汗水。”（《大冶五里界 · 序》，科学出版社 2006 年版）。郭德维先生也曾谈到：“凡整理过报告的人都知道，这是一项极其繁杂、十分琐碎的工作，既费神又费力，且短期难以完成，如果不是有很强的事业心，不下狠心用很长时间坚持做，是绝对做不好的。”（《随州擂鼓墩二号墓 · 序》，文物出版社 2008 年版）。宋建忠先生则感叹：“常言道：巧妇难为无米之炊，但考古工作的现状常常是‘好米难遇巧妇’，现在是物欲横流的时代，考古发现层出不穷的时代，人心浮躁不安的时代，现实的情况往往是‘发掘抢着做，报告无人理’。因此，即使是一个重要的考古发现，报告的出版也常常是遥遥无期”。（《汾阳东龙观宋金壁画墓 · 序》，文物出版社 2012 年版）安金槐先生更直言：“考古报告的出版是个大问题”“编一本考古报告是要费大劲的”“所以编考古报告要有点吃亏的精神”（曹兵武编著《考古与文化续编》，中华书局 2012 年版，第 359 ～ 360 页）。考古发掘详报时隔一二十年甚至更长时间才得以出版的例子比比皆是。如张忠培先生在《元君庙仰韶墓地》一书封三上写道：“一九五九年写成初稿，二十四年后才贡献给读者。”（高蒙河《张忠培先生六十年学术论著要目编纂札记》，载《庆祝张忠培先生八十岁论文集》，科学出版社 2004 年版）王益民先生在《丁村旧石器时代遗址群》一书后记中，开篇即说此书费时 20 年。然而，好不容易有人不计名利将报告写了出来，又费尽千辛万苦申请到了经费，总算幸运地得以出版，命运又如何呢？除了图书馆、博物馆采购一些外，大都流往图书大集，成了打折书。北京大学陈平原先生讲："就拿我来说，明明知道正在削价出售的考古报告很有学术价值，可就是没有勇气把它们抱回家，原因是读不懂。"（《文学史家的考古学视野》，载《读书》1996 年第 12 期）季羡林先生也曾讲道："往往有这种情况，中国考古工作者发掘的某个地方，经过艰苦的劳动和细致的探索，写出了发掘报告，把发掘的情况和发掘出来的实物都加以详尽、准确、科学的描述，有极高的水平，但是往往不把这些发掘结果应用到历史研究上来。结果给外国的历史学家提供了素材。他们利用了这些素材，证之以史籍，写出了很高水平的历史专著。"(转引自张保胜《张懋夫妇合葬墓 · 序》，科学出版社 2017 年版）然后国内学界再"出口转内销"。这实在是一件令人深感悲哀的事情。

说完了考古圈内外关于考古发掘报告及《中国考古发掘报告提要》的看法，再来说说考古发掘报告本身。关于这一问题，比较令人感触的有两点：一个是"量"与"质"，一个是"繁"与"简"。

先说"量"与"质"。先说"量"。自 20 世纪 20 年代至今，究竟有多少考古发掘报告，谁也说不清楚。不仅考古圈外的人说不清，考古圈内的人也说不清，王巍先生曾谈到，1949 ~ 2009 年这 60 年，"公开出版的考古发掘报告已达 300 余部"（《新中国考古六十年》，载《考古》2009 年第 9 期）。可也有人说如今"每年出版的考古报告多达百册以上"（《新世纪的学术期刊的繁荣发展——纪念〈考古〉创刊 50 周年笔谈》，载《考古》2005 年第 12 期）。以书的形式出版的考古详报并不算多，都有不同的数字，更不用说以文章形式发表的考古简报了。

《中国考古发掘报告提要》收入的考古发掘报告，从收录标准看是偏宽的，不是仅收狭义的"考古发掘报告"，从篇幅来看，既收动辄几十万字的考古详报，也收几千字上万字的考古简报，还有几百字的所谓"微简报"。之所以连"微简报"也尽量予以收录，有两个原因：一是考古发现（发掘）本身就比较简单：或许只是发现了一件青铜器，或许就是发掘出一处窖藏；二是正是因为考古发掘过程简单，很大可能仅有此一介绍，除此再无音讯。但即使是这种"微简报"，也有可能蕴藏着丰富的信息（如某种文化的"边疆"在哪）。金泥玉屑，不可小视。

《中国考古发掘报告提要》收录了以书的形式出版的考古详报和在核心期刊（以《北大中文核心期刊目录》2011 版考古学科为准，略加调整）发表的考古简报、微简报共计 13000 多种。在非核心期刊和以书代刊的考古文献上发表的考古报告，估计还有四五千种，公正地说，这部分发掘报告的学术价值大多略逊一筹，计划日后以《中国考古发掘报告提要 · 补编》的形式出版。如此，仅是 20 世纪 20 年代末至

2015年，已出版和发表的考古发掘报告，就几近20000种，差不多是《四库全书总目》所收书的一倍了。这个数字看似可观，其实仍只是我们这个五千年文明古国考古成果中的一部分。众所周知，祖先留下的遗迹、遗物，已发现的只是其中的一部分；对这一部分进行了清理、发掘的又只是其中的一部分；已发掘的这一部分中，写有考古发掘报告的又仅是其中的一部分；写有考古发掘报告能正式发表的，又只是其中一部分。不是有学者指出，“十个考古发掘项目中，只有四五个发表了简报或者报告”吗？甚至一些名列“全国十大考古新发现”的考古发掘，也尚未发表考古报告。（张庆捷《考古发掘报告积压的问题》，载2011年9月23日《中国文物报》）所以我们今天能够看到的考古发掘报告，看似珠渊瑶海、宏富之极，其实已是经过层层递减，实在是弥足珍惜。

再看“质”。既然是中国考古发掘报告，自然和别的事情一样，必定会带有中国特色。其表现之一，就是质量参差不齐。不像发达国家，考古报告的整体学术水平相对比较整齐。质量不一的一个重要原因，是时代造成的。张在明先生曾讲过：“我们干考古时间长了，也有一种自豪感，我们是文科里边，理工科因素最多，科学性最强、最严谨的一门学科。比起哲学、文学、历史，还是比较自豪的。”（张在明《科学的态度，历史的真实——在全国文物普查培训班上的发言》，载《文博》2008年第1期）但从事这一“科学性最强”的人又如何呢？不去提中华人民共和国成立初期留用的盗墓人员（参见《长沙砂子塘西汉墓发掘简报》，载《文物》1963年第2期），也不提“大跃进”时由8位刚从中学毕业的姑娘组建的“刘胡兰”考古队（参见《河南南召二郎岗新石器时代遗址》，载《文物》1989年第7期），“文化大革命”后期和改革开放之初的“亦工亦农学员”（参见《河北磁县东魏茹茹公主墓发掘简报》，载《文物》1984年第4期），就是到了20世纪80年代末90年代初文物普查时，张在明先生不还在说，“中国就是这样的现实，大部分普查队员就是这样一个业务水平。当时陕西省上了1000多人，省上真正业务好的，懂考古的，上的人并不多”，甚至出现“照出来的胶卷大部分废了”，因为有时“镜头盖没打开，照完了，回来一冲是空的”，以致陕西省“90%以上文物点都没有照片”（同前引文）。文物大省陕西省尚且如此，别的省区可想而知。近一二十年，考古队伍中的高学历人员多了许多，考古报告的质量有所提升，但仍然存在诸多问题。比如董新林先生谈到的“有意无意加以取舍，不按单位发表资料，使得资料零散”的问题，恐怕就不在少数（“期刊建设与考古学的发展暨纪念《考古》创刊500期学术研讨会”纪要，载《考古》2009年第5期），而“资料完整不完整，是评判考古报告的质量高低的第一标准”（李伯谦《郑州大师姑·序》，科学出版社2004年版）。看来，的确如张忠培先生所言：“中国考古学的成长史，离不开整个社会条件的制约。”（《中国考古学：走近历

史真实之道》，科学出版社 1999 年版，第 43 页）

应该指出，考古发掘报告在近年来有很大的进步，从量来说，取得国家专项资金支持得以出版的考古发掘详报越来越多，当然印量都不高，甚至有的书已出，考古圈内都不太了解（参见《考古》2011 年第 7 期载《中国考古学》一书书评），从质来说，海外学者曾批评："中国大陆在考古研究上不会问问题，即使问，也问得有限。有资料与有问题是两回事，如果只有资料而没有或问不出好的问题，资料也失去意义。"（许倬云《历史分光镜》，上海文艺出版社 1998 年版，第 297 页）而近年来出版的考古发掘报告，应该说已越来越善于问问题了。

再说"繁"与"简"。早在 20 世纪 80 年代，尹达先生就曾提出考古发掘报告"太简化，简化到史学家不能使用的程度"（《尹达同志谈考古学研究》，载《中原文物》1982 年第 2 期）。黄宽重先生则抱怨：考古发掘报告"偏重于墓葬结构、形制、出土陪葬物品的种类式样，如漆器、瓷器、石器等，特别着重于器物、墓室形制的描述，并讨论其意义。报告中虽然也注意到买地券，以及考订墓葬年代等等问题，却多忽略墓志资料"（《宋代的家族与社会》，国家图书馆出版社 2009 年版，第 15 页）。而墓志又恰恰是治史之人最需要的，着实令人恼火。王益人先生也指出已发表的旧石器时代考古发掘详报："可读的信息量实在太少，一个遗址出土几千件标本，读者只能看到十几件甚至一两件石器标本的插图和照片。难道这些标本就能代表这个遗址的所有信息吗？这绝不是我们想要的，也不能再走这样的老路了。"（《丁村旧石器时代遗址群：丁村遗址群 1976 ~ 1980 年发掘报告 · 代后记》，科学出版社 2014 年版）如此看来考古发掘报告似乎是越全、越厚越好。而当下 80、90 后的网友，又大多认为如今的考古发掘报告太过繁琐，不忍卒读。如有一位名叫王悦婧的网友提到初读考古发掘报告的印象："在刚开始阅读时，我深刻体会到了阅读的艰难，很多专业术语一知半解，而且有很多的疑问和不理解。"（王悦婧《阅读考古发掘报告的几点心得体会》，载 http：//www.do-cin.com/D-8333.6897.htm1）似乎考古报告越通俗，越简单为好。

那么，考古发掘报告的量与质的问题、繁与简的矛盾是否能有一个兼顾呢？我个人认为，撰写提要，恰恰就是一个比较好的解决方案。只有通过撰写提要，才能为考古发掘报告算一总账，知道还有哪些重大考古发掘迟迟未出报告，以致国家文物局不得不将其列入"限期整理"名单（参见《长治分水岭东周墓地》文物出版社 2010 年版，第 4 页）；只有通过撰写提要，才能分辨出哪些报告已不堪使用，需要出版修订本、增订本（参见霍东峰、华阳《也谈考古报告的编写》，载《内蒙古文物考古》2007 年第 2 期）；也只有通过撰写提要，才能使"繁"与"简"的矛盾得以平衡，需要更多信息的读者，可以沿着提要的线索去查找更多的资料；需要一般了解的读者，或许阅读几百几千字的提要就得以了解相关信息了。

尽管考古发掘报告尚存在着这样那样的问题，但诚如有学者指出："从某种意义上说，现今研究中国的古代历史和文化，如果离开考古学及其研究成果，是很难进行的。"（张之恒主编《中国考古通论》南京大学出版社 2009 年版，第 38 页）而对考古学成果的利用，抛开考古发掘报告，也是不现实的，同样是很难进行的。《辅轩语》曰："无论何种学问，先须多见多闻，再言心得。"欲了解考古成果、考古材料，一本一本、一篇一篇地去读考古发掘报告，当然是一个办法，但先行阅读考古发掘报告提要，也应不失为一种事半功倍的选择吧？如袁珂先生所言："积累应当说是做学问的基础，没有积累，任何学问也做不起来。"（《袁珂神话论集 · 代序》，四川大学出版社 1996 年版）《中国考古发掘报告提要》，只能说是考古发掘报告"提要学"的最初一点积累吧。也算是为贯彻习近平总书记提出的"建设中国特色、中国风格、中国气派的考古学"的指示，所做出的一点努力吧。

至于编纂此书的难处，先抛开编者的学术水平等主观因素不说，客观上的困难至少有三：

一是几无借鉴。此书的编纂属于首创，考古发掘报告的提要怎么写，谁也不知道；这么多提要依照什么原则进行编排，谁也没干过。只能是摸着石头过河，摸索着干。王杰先生曾指出："万事开头难，前人没有做过，第一次来做此事，自然就难。"（《楚都纪南城复原研究 · 序》，文物出版社 1992 年版）确是深知甘苦之言。而只要是首创之举，恐怕都难称完美。这在目录学史上不乏其例。比如《书目答问》，被称作是首部"面向广大读书人的，把书目与读者的密切关系放在首位"的杰作，但"《答问》体例不一，仓促之迹比比皆是"（《增订书目答问补正 · 前言》，中华书局 2011 年版）。这里要提到张在明先生在谈及考古文物普查图集时曾引用过的一个外国笑话，说是一个火车站火车老晚点，旅客们埋怨说，要列车时刻表有什么用？站长说，没有列车时刻表，你怎么知道列车晚点多少？张先生说："可是我们 50 多年了，连个列车时刻表都没有。文物事业的火车，就是在没有时刻表的情况下，跑了 50 多年。"（同前引文）蠡测其意，张先生意思是说，文物普查图集，也是类似列车时刻表这么一项基本建设。而《中国考古发掘报告提要》，不也应算是一项基本建设吗？何况是出于编者少数人之力，错讹肯定是还要超过文物普查图集，但正如张先生所言，"有了文物图集至少有了靶子，有靶子可打呀，没有文物图集，你连靶子都没有"（同前引文），编者不揣简陋，编纂《中国考古发掘报告提要》，实在是任重才轻，操刀伤锦；也不过是想给学界提供一个"靶子"吧，甚望高明缺者补之，误者正之，日后也有类似《四库全书总目提要补正》《中国丛书综录补正》一类专著问世，使其更趋完善，更便使用。

二是工程浩大。工作量有多大，可有个参照。《〈中原文物〉创刊十五年叙录（1977～1992）》（河南省博物馆1993年6月自印本）一书收录了1500余条25万字，每条都有提要。该书前言称："《中原文物》编辑部的全体同志，在完成自己繁重的本职工作之余，为编写这本书，不辞劳苦，牺牲了业余时间，经过一年的艰苦努力，克服经费上的困难，自筹资金，终于使此书出版发行了。"《中国考古发掘报告提要》所收是《中原文物》提要数倍，且参编人员也均为利用业余时间工作，这么一对比，其工作量之大，即可思过半矣。

原稿堆积如山

三是经费紧张。《中国考古发掘报告提要》是在未及申报任何项目，没有一分钱科研经费的情况下干起来的，经费之紧张自不待言。中国科学院院士叶大年先生常常开导学生们，要记住拿破仑的名言："先投入战斗，然后见分晓。"（日新编著《听大师讲学习方法》，天津社会科学出版社2004年版，第126页）这件事也是"先投入战斗"，困知勉行，干起来再说。

或许正是因为有这些难处，才会留下诸多遗憾：

从"量"来说，未能一步到位，收录的书籍肯定有遗漏，收录的文章更是缺少了非核心期刊和以书代刊这一块。估计还会有几千种。计划仿照《四库全书存目丛书》的先例，以补编形式出版。

从质来说，未能更臻完善。记得曾在《北京晚报》上看到北京大学考古系的同学写的文章，将发掘的先民住宅用今天的"两居室""三居室"来打比方。我们这部提要虽说也尽量往"浅白有趣"努力，但似乎尚无法做到如此直白。另外，不少重要的学术信息，也实在是无暇一一查找对应到位，这都只能是留下遗憾了。

这么一部有着诸多遗憾和不足的资料，为什么仍要野人献曝、布鼓雷门呢？这实在是因为我坚信考古发掘一定会有着学界急需的营养。诚如陈星灿先生所言："考古学是一门让人难堪的学问。它的发展日新月异，足以动摇被世代奉为金科玉律的东西。"（《考古随笔（二）》，文物出版社2010年版，第149页）不要说三星堆、红山、陶寺等足以改写上古史的考古发现，就是中古史，不少考古发现也一样会促使我们重新思考以往的一些“定论”。比如胡宝国先生就注意到：“根据传统史料，到处都是豪族，到处都有豪族的影响，但在造像记中，我们又几乎看不到豪族的踪影。”（胡宝国著《将无同：中古史研究论文集》，中华书局2020年版，第383页）这至少会促使我们重新审读以往的文献记载，以求更加贴近历史真相。

还有几点需要特别说明一下：

一是大的原则是依时间排列。征求了不少人的意见，都愿意从最便利的途径得知某一朝代（如汉代）已发现了多少手工业遗址，已发现了多少皇陵。《中国考古学》系列，倒是依时间排列的，但那是考古学的专业书，圈外人看起来还是费力，何况还未出齐。

二是附录中的“参考文献”，列举的是一些最基本的书刊，注明的也是一些考古界最熟知的事实，算是照顾考古圈外的普通读者吧。

三是总主编刘庆柱先生统筹全局，负责大政方针的把控，已是千钧重负，尽管先生向来虚己以听，闻过则喜，但作为后学，已然蒹葭倚玉，何忍再让先生推功揽过，分损谤议。故而收录之遗漏、分卷之可议、校读之疏忽等种种具体问题，理应由本人引咎自责，抉误补阙。

四是本《提要》总索引，待《补编》《续编》《外编》等出齐后，再统一编一个涵盖整个《提要》系列的总索引。

最后想说的是：编纂过程虽然充满艰辛，但好在有许多前辈、朋友的支持和帮助，大家一起来克服困难。要感谢中国社会科学院考古研究所、北京大学文博学院、北京大学图书馆、首都师范大学图书馆、文物出版社、科学出版社、中国大百科全书出版社、中华书局以及河南、山西、陕西等地考古部门的支持与帮助，要感谢傅璇琮前辈的肯定与提携，要感谢中国文史出版社的各位领导，各位编辑、印制、发行老师和项目负责人窦忠如先生，要感谢关心此书出版的范纬女士、卢仁龙先生，还有许多师友，恕不一一列举大名了。没有大家的支持和鼓励，这件事情是不可能做成的。

丁晓山
2016年8月于首都师范大学
2021年10月改定